# MACHADODEASSIS
## CORRESPONDÊNCIA
### TOMO IV | 1901-1904

# MACHADO DE ASSIS
## CORRESPONDÊNCIA

### TOMO IV | 1901-1904

COORDENAÇÃO E ORIENTAÇÃO DE SERGIO PAULO ROUANET

REUNIDA, ORGANIZADA E COMENTADA POR IRENE MOUTINHO E SÍLVIA ELEUTÉRIO

*Rio de Janeiro/São Paulo 2019*

© Academia Brasileira de Letras, 2019
2ª Edição, Global Editora, São Paulo 2019

Jefferson L. Alves - **diretor editorial**
Gustavo Henrique Tuna - **gerente editorial**
Flávio Samuel - **gerente de produção**
Sandra Brazil - **coordenadora editorial**
Adriana Bairrada - **revisão**
Victor Burton - **capa**

## ACADEMIA BRASILEIRA DE LETRAS

Marco Lucchesi - **presidente**
Merval Pereira - **secretário-geral**
Ana Maria Machado - **primeira-secretária**
Edmar Bacha - **segundo-secretário**
José Murilo de Carvalho - **tesoureiro**

**Diretorias**
Cícero Sandroni - **diretor da *Revista Brasileira***
Alberto Venancio Filho - **diretor das Bibliotecas**
José Murilo de Carvalho - **diretor do Arquivo**
Geraldo Holanda Cavalcanti - **diretor dos Anais da ABL**
Evaldo Cabral de Mello - **diretor da Comissão de Publicações**

**Membros da Comissão de Publicações**
Alfredo Bosi
Antonio Carlos Secchin
Evaldo Cabral de Mello

**Coordenação das Publicações da ABL**
Monique C. F. Mendes

CIP-BRASIL. CATALOGAÇÃO NA PUBLICAÇÃO
SINDICATO NACIONAL DOS EDITORES DE LIVROS, RJ

A866c
2. ed.
v. 4

Assis, Machado de, 1839-1908
  Correspondência de Machado de Assis : tomo IV - 1901-1904 / Machado de Assis ; coordenação e orientação Sergio Paulo Rouanet ; reunida, organizada e comentada por Irene Moutinho, Sílvia Eleutério. – 2. ed. – São Paulo : Global ; Rio de Janeiro : Academia Brasileira de Letras, 2019.
  544 p. ; 21 cm.

  ISBN 978-85-260-2488-5

  1. Cartas brasileiras. I. Rouanet, Sergio Paulo. II. Moutinho, Irene. III. Eleutério, Sílvia. IV. Título.

19-59676
                                            CDD: 869.6
                                            CDU: 82-6(81)

Meri Gleice Rodrigues de Souza – Bibliotecária CRB-7/6439

Direitos Reservados

**global editora e distribuidora ltda.**
Rua Pirapitingui, 111 – Liberdade
CEP 01508-020 – São Paulo – SP
Tel.: (11) 3277-7999
e-mail: global@globaleditora.com.br
www.globaleditora.com.br

Colabore com a produção científica e cultural.
Proibida a reprodução total ou parcial desta obra
sem a autorização do editor.

Nº de Catálogo: **4430**

# Prefácio

## Uma cartografia

Cada um de nós traz uma ideia de Machado. Ideia vaga, talvez, difusa, mas eminentemente sua, apaixonada e intransferível. Como se guardássemos um fino véu a se estender sobre a cidade do Rio de Janeiro. Paisagem pela qual vamos fascinados e diante de cuja natureza suspiramos. Todo um rosário de ruas e de igrejas – Mata-Cavalos, Santa Luzia, Latoeiros e Candelária. Nomes-guias e sonoridades perdidas. Morros derrubados. Praias ausentes. Tudo o que perdemos move-se ainda nas páginas de uma cidade-livro. Cheia de árvores e de contradições, por vezes dolorosas. Chácaras e quintais compridos. Aqueles mesmos quintais que assistiram aos amores de Bentinho e Capitu e dentro de cuja educação sentimental nos formamos.

Machado nos vem desde a escola – com "A Cartomante" ou a "Missa do Galo" – até a revelação inesperada de Brás Cubas; quando já consideramos nossa aquela terra ficcional, totalmente nossa, legado de não poucas gerações. E assim aprendemos a ver as coisas que nos cercam.

Herdamos parte essencial de sua língua. O corte da frase. A espessura do substantivo. A parcimônia de atributos. Mas, acima de tudo, o modo de sondar a extensão de nosso abismo. Sabemos que o Cruzeiro do Sul está muito alto *para não discernir os riscos e as lágrimas dos mortais*. Mas acreditamos que *alguma coisa escapa ao naufrágio das ilusões*. Esse fraseado lapidar salta dos livros e cria instrumentos de sentir. E não são apenas as frases. As personagens também se deslocam do papel e vagam incertas pelas ruas do Rio. Tal como as criaturas de Dostoiévski em São Petersburgo. Sabemos onde moram e para onde vão.

Mas há também seres de carne e osso, contemporâneos de Machado, que lhe habitam as páginas, adquirindo foros de eternidade ficcional, como o *ateniense* Francisco Otaviano. A longa tristeza de Alencar no Passeio Público. As mãos trêmulas de Monte Alverne, apalpando o espaço que não podia ver. As meias de seda preta e os calçados de fivela do porteiro do Senado.

Para Machado de Assis, a História podia ser comparada aos

> [...] fios do tecido que a mão do tecelão vai compondo, para servir aos olhos vindouros; com os seus vários aspectos morais e políticos. Assim como os há sólidos e brilhantes, assim também os há frouxos e desmaiados, não contando a multidão deles que se perde nas cores de que é feito o fundo do quadro.

O centro e o fundo. As cores vivas e desmaiadas. A trama singular. Machado de Assis terá fixado o sentimento exato daqueles dias, que parecem ultrapassar o próprio tempo, como se fossem o patrimônio da memória coletiva e quase atemporal.

A fixação do sentimento daqueles dias adquire novo baricentro, com a edição monumental das cartas de Machado, organizada por Sergio Paulo Rouanet, subsidiado pelas pesquisadoras Irene Moutinho e Sílvia Eleutério. Trata-se de um marco fundamental na bibliografia machadiana, em regiões ainda fragmentadas, com vazios e fraturas quase insuperáveis e que, no entanto, em tanta parte se completam maravilhosamente agora.

O trabalho de exegese mostrou-se exemplar, não apenas na ampla expansão do *corpus*, como também na correção de rumos e lacunas, outrora incertas, as quais adquirem rosto, sobrenome e endereço ao longo destes volumes.

Uma pesquisa de alta qualidade, sob qualquer ângulo, do *close reading* aos mais fecundos panoramas, abrindo de par em par janelas de uma futura biografia de Machado. Nenhum arquivo ficou de fora e, não raro, boa parte corrigido na catalogação. Outros, foram descobertos, nas vísceras e labirintos das bibliotecas, além de novas doações, havidas em sincronicidade junguiana.

Igualmente modelar, a rede finíssima de notas, de ordem histórica e filológica, estética e filosófica, biográfica e poética, incisivas e iluminantes em sua delicada expressão. Poderiam subsistir independentes do rodapé, como um ente separado, tal a oportunidade e a força que cada fragmento oferece para a inteligência do processo textual, como se fossem breves monografias, em ato ou potenciais. Não sei o que mais apreciar, se a abundância das informações, se o refinamento metodológico, se as divagações oportunas de extração filosófica.

A cartografia inacabada do autor de *Dom Casmurro* sofre com esta edição um déficit expressivo. Desenha-se um Machado algo mais nítido, menos descontínuo, com larga diminuição de pontos cegos e temas suspensos. Mais que um ponto de chegada, temos um ponto de partida, desde uma base hermenêutica segura e estruturada.

A edição de Sergio Paulo Rouanet, com sua conhecida erudição e sensibilidade, percepção histórica e filosófica, empresta, devolve ou aprimora contorno e nitidez à vida/obra de Machado de Assis, ao completar 180 anos de nascimento. Com este gesto brilham os "fios do tecido que a mão do tecelão vai compondo, para servir aos olhos vindouros".

Uma estética do olhar, portanto, um convite que demanda a inserção multifocal de um vasto patrimônio da leitura e da memória em língua portuguesa.

MARCO LUCCHESI
Presidente da ABL no biênio 2018-2019
Rio de Janeiro, outubro de 2019

## ~ *Apresentação*

Chegamos, com este volume, à penúltima etapa do nosso percurso: a publicação da correspondência de Machado de Assis, no período que se estende de janeiro de 1901 a dezembro de 1904. São 242 documentos, incluindo cartas, cartões e telegramas. Se computarmos os 13 documentos do caderno suplementar, o tomo IV alcança 255 itens. Destes, 118 correspondem a cartas enviadas por Machado, ou seja, cerca de 46% do total, o que contrasta com o maciço predomínio da correspondência passiva que prevalece em outros volumes. Boa notícia para os leitores que preferem concentrar-se na saborosa prosa epistolar do próprio Machado de Assis.

O principal interlocutor do período continua sendo Magalhães de Azeredo, como no tomo III, mas num ritmo sensivelmente mais moderado. A cascata transformou-se num fio d'água. No tomo III, Azeredo representava 30% do total; agora, são 13%, 33 cartas ao todo, das quais 14 de Machado. Há cartas preciosas, como a de 14 de setembro de 1904, em que ele se refere ao Friburgo de outras épocas, com seu colégio de jesuítas, seus tipos pitorescos, seu hotel Salusse, e sua Fonte do Suspiro. Azeredo se lembra de ter conhecido nessa cidade o infeliz príncipe

Dom Pedro Augusto, que depois mergulhara na mais completa demência [776]. Mas em geral, o tom de Azeredo é lamuriento, sempre indignado com editores que não apreciavam seu gênio, com jornais que publicavam com atraso as matérias que ele enviava, e até com Machado, quando este demorava em responder às cartas do jovem diplomata. Mas Azeredo também prestava serviços a seu "querido Mestre e amigo". Em carta de 10 de fevereiro de 1901, ele anuncia que já tem pronta para publicação uma coletânea de estudos críticos, entre os quais o artigo que escrevera sobre Machado para a *Revista Moderna*, e outro em resposta aos ataques de Sílvio Romero contra Machado, e comunica sua intenção de redigir um ensaio mais longo, a ser publicado à parte, para deixar bem claro que o juízo contemporâneo sobre Machado não coincide de modo algum com a opinião atrabiliária de Romero [581].

Cresce, em compensação, a participação de José Veríssimo, que vem em segundo lugar do ponto de vista quantitativo. São 30 cartas, 15 das quais de Machado. É cada vez mais sensível o tom de informalidade e intimidade entre os dois amigos. Escrevem, por exemplo, sobre Nova Friburgo, onde Veríssimo passa algumas semanas no início de 1901, e onde Machado de Assis e Carolina estiveram duas vezes, em 1878 e 1904. Machado alude à primeira temporada em carta de 1.º de fevereiro de 1901, na qual diz ao amigo que "Nova Friburgo é terra abençoada. Foi aí que, depois de longa moléstia, me refiz das carnes perdidas e do ânimo abatido." [579]. Em janeiro e fevereiro de 1904, o casal subiu a Nova Friburgo, numa tentativa de recuperar a saúde de Carolina. Ela não melhorou, mas Machado adoeceu. Em carta de 31 de janeiro de 1904, ele escreve a Veríssimo: "Veja você o que são as coisas deste mundo. Entrei com saúde em cidade onde outros vêm convalescer de moléstia, e apanhei uma moléstia." [745]. Escrevem também sobre o dia a dia, encontros (e desencontros) na livraria Garnier, sobre as recepções na Academia, e as últimas novidades literárias de Paris, contidas em exemplares de *Le Temps* que Veríssimo emprestava a Machado. Falam até, *mirabile dictu* (ou pelo menos Veríssimo fala, porque Machado em geral se mantém mudo a esse respeito), sobre política brasileira, seus mexericos e seus escândalos, como faz Veríssimo em carta de 12 de fevereiro de 1901, quando alude "as discussões das carnes verdes" [583]. Tratava-se de um escândalo que atingia Rui Barbosa, acusado de fornecer a uma firma de comercialização de carnes um parecer jurídico contra sua concorrente, da qual era advogado e recebera pagamento.

Vem em seguida Joaquim Nabuco. São 20 missivas, das quais 11 de Machado. Em geral, tratam de assuntos ligados à Academia: candidaturas, eleições, posses. Mas há cartas de interesse mais geral.

Uma delas é a de 28 de junho de 1904, em que Machado consola o amigo pelo malogro parcial de sua missão diplomática na questão da Guiana inglesa. Em sentença proferida em 14 de junho de 1904, o árbitro, que era o rei da Itália, exorbitando de suas atribuições, dividira o território entre o Brasil e a Inglaterra, dando ao Brasil uma solução menos vantajosa que a que havia sido proposta pelos próprios britânicos em negociação direta com o Brasil. Nessa carta, escreveu Machado de Assis: "Já, com amigos comuns, lhe mandei os meus cumprimentos; o mesmo com a nossa Academia. Agora pessoalmente vão essas poucas linhas levar-lhe o cordial abraço do amigo, do patrício e do admirador. Aqui esperávamos, desde muito, a solução do árbitro. Conhecíamos a capacidade e a força do nosso advogado, a sua tenacidade e grande cultura, o amor certo e provado a este país. Tudo isso foi agora empregado, e o trabalho que vale por si, como a glória de o haver feito e perfeito, não perdeu nem perde uma linha do que lhe custou e nos enobrecerá a todos. Esta foi a manifestação da imprensa e dos homens, políticos e outros." [765].

Essa carta deve ser lida em conjunção com a [450], de 10 de março de 1899 (tomo III), em que Machado apoia a decisão de Nabuco de aceitar do governo republicano a incumbência de representar o Brasil na questão da Guiana. Nos dois casos, Machado encontrou as palavras que convinham para demonstrar sua solidariedade com o amigo, atormentado, no primeiro caso, pela incompreensão dos seus correligionários monarquistas, e no segundo, pela humilhação sofrida com a sentença injusta do árbitro.

A resposta de Nabuco à afetuosa carta de 28 de junho de 1904 foi dada em 8 de outubro do mesmo ano [784]. É um documento estranhamente ambivalente. Há nela um Nabuco que se sente culpado e um Nabuco que se sente perdoado.

A culpa transparece na enigmática passagem do sonho da Papisa. No sonho, Nabuco se viu no Vaticano, e quando se aproximou do trono estava nele uma mulher com rosto de Madona, cercada de cardeais. Não sabendo o tratamento que devia dar à Papisa, perguntou-lhe como a devia chamar, e ela respondeu: "Chame-me Vossa Dor."

Nada mais arriscado que interpretar um sonho sem que o próprio sonhador forneça o material psíquico necessário para a decifração. Basta lembrar a tentativa não muito bem-sucedida de Freud de analisar uma sequência de sonhos de Descartes. Mas feitas todas as reservas, parece plausível que o sonho de Nabuco esteja relacionado com a situação de ansiedade por ele vivida imediatamente antes ou depois de proferida a sentença arbitral. A Papisa corresponde à imagem convencional da *Mater dolorosa*. Essa Mãe que sofre e quer ser chamada de Vossa Dor é a Pátria. A Mãe-Pátria está triste, porque o filho amado não soube defendê-la convenientemente. É o sonho de uma criança culpada.

Mas na carta de 28 de junho de 1904, Machado viera trazer-lhe o perdão, e é por isso que ela será uma das que mais vezes há de reler, "quando tiver tempo de voltar ao passado e viver a vida das recordações." [784]. Esse Machado que perdoa é na carta de 8 de outubro de uma brandura verdadeiramente paternal: "Que vivacidade, que ligeireza, que doçura, que benevolência a do seu espírito, eu ia dizendo que beatitude!" Ele tem, como a Papisa, atributos pontificais. Afinal ele é o Sumo Pontífice das letras brasileiras. Ele "vive na beatitude, como convém a um Papa, e Papa de uma época de fé, como a que hoje aí se tem na Academia." Entre a Papisa sofredora que acusa e o Papa indulgente que perdoa, Nabuco acaba chegando a uma visão intermédia de si mesmo e do desfecho de sua missão: sua derrota fora meia vitória. "Não estou certo de que não teríamos perdido tudo sem o esforço que fiz para coligir e deduzir a nossa prova, e por isso me vou desvanecendo de ter reivindicado a melhor parte para nós da divisão feita pelo Árbitro. Não foi uma partida vencida, foi uma partida empatada, e isto quando o outro jogador era a Inglaterra, é por certo meia vitória."

Antes de deixar esse tema, gostaria de lembrar que numa entrada do seu diário, datada de 23 de março de 1904 (o mesmo ano em que se dá essa troca de cartas com Machado de Assis, e quatro anos depois da publicação da *Interpretação dos Sonhos*, de Freud), Nabuco narra um dos seus sonhos, e pergunta: "Por que não se estuda bem o sonho? Qual é a ciência dos sonhos?"

Vem em seguida Rodrigo Octavio, Primeiro-Secretário da Academia, desde a fundação. São 20 missivas, obviamente relacionadas com providências necessárias ao funcionamento da vida acadêmica. Quase 27 anos mais jovem que o Presidente, coube-lhe executar as ordens enviadas e oferecer seu escritório de advocacia à rua da Quitanda, 47, para a realização das sessões regulares da Casa, ainda sem sede, de 1901 até meados de 1905. Naquela pequena sala foram eleitos Afonso Arinos, Martins Júnior, Augusto de Lima, Euclides da Cunha e Sousa Bandeira.

Segue-se Salvador de Mendonça, com 13 cartas, das quais 8 de Machado. São cartas trocadas com um companheiro de mocidade e que têm como característica formal serem escritas na segunda pessoa, em contraste com o "Você", usado na correspondência com amigos mais novos, como Veríssimo. Há 12 cartas trocadas com Mário de Alencar, onde já transparecem o tom paternal de um e a deferência filial do outro, que marcariam os próximos quatro anos, e nas quais se fala muito no compromisso do governo de ceder um prédio público à Academia, assunto que estava na competência do Ministério da Justiça e Negócios Interiores, onde Mário era funcionário. Há 7 cartas e telegramas de caráter protocolar trocados com Rio Branco, dos quais 6 são de Machado, que usa com o confrade ilustre um tom formal e respeitoso. Há 11 cartas de e para Euclides da Cunha, praticamente todas sobre a ABL, desde a carta de 21 de junho de 1903 em que ele formaliza sua candidatura, até a carta de 24 de setembro de 1904 em que Machado de Assis comunica que Euclides havia sido eleito [721]. Há 6 cartas trocadas com Lúcio de Mendonça, inclusive uma de 8 de agosto de 1903, bastante instrutiva sobre os hábitos políticos da República Velha, em que Machado recusa o convite para participar de uma Comissão de Notáveis, encarregada de indicar um candidato à Presidência da República [721]. E há 6 cartas trocadas com Oliveira Lima, desde a de 16 de janeiro de 1903, em que Lima pede a permissão da Academia para mencionar num livro sua qualidade de membro, até a de 4 de dezembro de 1904, em que Machado agradece Lima por um artigo elogiando *Esaú e Jacó* [801].

Há uma carta inédita que não foi nem escrita nem recebida por Machado, mas como se trata de um documento raro, uma das poucas missivas conhecidas de Miguel de Novais à sua irmã Carolina, decidimos incluí-la em nosso caderno suplementar [238 A]. De modo geral, entretanto, o objetivo desse caderno continua sendo o de abrigar cartas machadianas que não puderam ser incluídas em volumes anteriores, na ordem cronológica que lhes corresponderia.

É o caso de uma carta de 11 de setembro de 1857, pela qual Machado encaminha à apreciação da censura uma peça cômica de sua autoria, imitada de Offenbach. [00]. É também o caso de uma carta comovente de Luís Guimarães Júnior, escrita em 22 de junho de 1896, dois anos antes de sua morte [358 A]. E é ainda o caso de uma carta inédita de Machado a Alfredo Pujol, de 28 de janeiro de 1886, que comentaremos adiante [249 A].

Mas é o caso, sobretudo, de nove cartas, todas de 1867, que por razões indicadas em nota nos julgamos autorizados a atribuir a Júlio de Castilho, filho de Antônio Feliciano de Castilho. São dirigidas ao redator do *Diário do Rio de Janeiro*, que na época era Machado de Assis. Em abril daquele ano, Machado desligou-se do jornal, mas decidimos publicar mesmo as cartas posteriores a essa data, pois constituem documentos extremamente vivos sobre a atualidade econômica e científica da época, desde a construção do canal de Suez até o uso de novos métodos para a pesca da baleia, e sobre a vida cultural europeia, incluindo a transcrição de poemas inteiros. De especial interesse são as cartas consagradas à Exposição Universal de 1867, em Paris, que devem ser lidas conjuntamente com as do conde de La Hure, no tomo II. O conde descreve em 1866 a contribuição brasileira à Exposição Universal de 1867. Todas essas cartas são expressões vivas da mentalidade da época, numa saborosa mescla de otimismo, confiança no progresso técnico, e crença inabalável na superioridade cultural da Europa e em sua missão civilizadora. Não são exatamente os valores e opiniões de Machado de Assis, mas alguns dos seus personagens futuros, como Quincas Borba e Simão Bacamarte, teriam ficado impressionados com a fé na ciência e no progresso que caracterizavam o jovem português. Acresce que não faltava senso de humor a Júlio de Castilho, e muitas vezes temos a impressão de que ele era capaz de autoironia, qualidade que deve ter agradado Machado de Assis.

Como nos volumes anteriores, a correspondência conserva rastros importantes tanto da vida como da obra de Machado de Assis.

Biograficamente, o acontecimento marcante do período foi a doença e a morte de Carolina, ambas bem documentadas na correspondência.

Há sinais precursores. Em carta a Machado, de 26 de dezembro de 1902, Magalhães Azeredo, que na ocasião se encontrava em Petrópolis, lamenta que o casal Assis não tivesse podido aceitar o convite de encontrar-se com ele e a mulher na cidade serrana. "E o pior", diz ele, "é ter sido por incômodo de sua senhora. Mas afinal creio que a tosse já lhe terá passado, e o ar de Petrópolis não lhe pode ser senão útil." [677]. A partir de 1903 as coisas vão se agravando. Em 20 de outubro desse ano, Machado anuncia a Azeredo, de novo na Europa: "Minha mulher e eu temos andado adoentados, eu menos que ela, ambos, todavia, com a esperança de transpor este momento e repousar, não digo de vez, mas por outro momento, que será breve ou longo, não sei." [725]. No início de 1904, Machado decide passar com Carolina uma temporada em Nova

Friburgo. E explica a Azeredo, em carta de 2 de janeiro: "O motivo principal é a saúde de minha mulher." [733]. Em Friburgo, tem momentos de otimismo, como transparece em carta de 17 de janeiro, a Veríssimo: "Minha mulher vai passando melhor." [741]. E em nova carta, de 11 de fevereiro, ao anunciar a Veríssimo que voltará ao Rio em 25 ou 26 desse mês: "Até lá não terei mais nada e minha mulher estará convalescida." [750]. Já no Rio, Machado escreve ao Visconde de Taíde, em 15 de maio: "Estivemos em Nova Friburgo algumas semanas, mais de um mês, levados pela doença de Carolina, que ali entrou a convalescer..." [762]. Mas em 12 de julho, escreve à "boa Sara", sobrinha de Carolina: "Sua tia não lhe respondeu por haver caído de cama. Levantou-se, mas estando muito fraca, pede-me que lhe escreva por ela. Sabe que ela vinha padecendo desde alguns meses. Na semana atrasada, foi acometida de febre, e o médico descobriu uma inflamação intestinal. Não é o mesmo, é outro médico, o Dr. Gomes Neto. Já lhe disse também que podemos mudar de medicina; ela respondeu que primeiro quer ver esta. Agora tratou-se convenientemente, mas está sujeita a pequena alimentação, ao menos por alguns dias, devendo evitar depois o que for de difícil digestão." [766]. Alívio passageiro. Em 19 de outubro, Carolina sofre uma forte hemorragia, e falece no dia subsequente.

Nas semanas seguintes, multiplicam-se as manifestações de pêsames e os agradecimentos de Machado.

A primeira mensagem preservada data de 24 de outubro, e vem de Jarbas Loreti [786]. Segue-se, no dia 26, carta de Domício da Gama [787]. No dia 28, Machado agradece os pêsames que lhe haviam sido mandados pelo Barão do Rio Branco [788].

Na mesma data, vem do Porto um eco do passado, uma comovida carta de Júlio Moutinho, filho da atriz Ludovina Moutinho, muito admirada por Machado, que lhe dedicou a elegia "Sobre a morte de Ludovina Moutinho". Ludovina era filha de Gabriela da Cunha, que teria sido um dos amores de juventude de Machado, e a Corina dos seus versos [789].

Ainda do dia 28 é uma carta a Salvador de Mendonça, em que Machado agradece de novo as condolências que seu velho amigo de mocidade lhe dera por ocasião da missa de sétimo dia de Carolina, e acrescenta: "Eu, meu querido amigo, estou ainda atordoado pela imensidade do golpe, como pela injustiça que a feriu. Após trinta e cinco anos de casados é um preparo para a morte." [790]. Em 31 de outubro, Ulisses Viana diz que partilha o pesar de Machado, e citando Dante — *"più è tacer che raggionare onesto"* — diz que não tem a pretensão de consolá-lo com palavras vãs [791]. É num cartão de visita tarjado de preto, de outubro, mas sem especificação do dia, que Machado agradece, penhorado, os pêsames de Rodrigo Octavio [792]. Em 6 de novembro, Machado agradece o abraço de condolências do escritor cearense Antonio Sales. Sales tinha imaginado "bem o golpe; não podia ser maior. Não se rompe assim uma existência de trinta e cinco anos sem deixar sangrando a parte que ficou." [793].

Ao saber da morte de Carolina, Nabuco telegrafa seus pêsames para Machado, que responde, num telegrama de 8 de novembro, com uma única palavra: "Obrigado." [794]. Em 17 de novembro, Nabuco reitera suas condolências, agora por carta. Segundo ele, morrer antes do marido tinha sido um ato de misericórdia que a Providência dispensara a Carolina. A viúva sofre sempre mais; Machado ficara com o sofrimento, mas ele saberia compensá-lo pelo trabalho intelectual [795].

Em 18 de novembro, Machado agradece os pêsames enviados por Oliveira Lima e sua mulher. Esta carta é a principal fonte sobre os últimos momentos de Carolina. "A doença era pertinaz", relata Machado, "e o estado de abatimento grande, mas estava longe de supor que, saindo de casa para a Secretaria, viesse achá-la prostrada na cama. Pouco depois do meio-dia, manifestara-se uma forte hemorragia, que lhe fez perder os sentidos. Quando voltou a si, e quiseram mandar-me chamar, tiveram de obedecer à sua vontade contrária, por me não querer assustar, disse ela. Vinte quatro [horas] depois, expirava. Diz-me bem, em termos próprios, o que esta dor foi para mim, e o que vai ser a minha vida, se vida se pode chamar o resto dos meus velhos dias. Sinto-me acabado. Vivemos casados 35 anos, e eu sempre imaginei ir antes dela." [796].

Em 20 de novembro, Machado escreve a Nabuco, exprimindo por carta o que já dissera por telegrama: obrigado. Diante daquela grande desgraça, diz ele, fora-se a melhor parte de sua vida. Ele estava só no mundo, mas a solidão não lhe era enfadonha, porque era ainda um modo de viver com Carolina. Ali se ficava, na mesma casa, no mesmo aposento, com os mesmos adornos da morta. Tudo lhe lembrava a "meiga Carolina". E numa das passagens mais citadas pelos que procuram em Machado algumas fagulhas de fé religiosa: "Como estou à beira do eterno aposento, não gastarei muito tempo em recordá-la. Irei vê-la, ela me esperará." [797].

Em 6 de dezembro, Machado agradece a carta de Nabuco de 17 de novembro, tão cheia de palavras "altas, cabais e verdadeiras", fala ainda do seu "grande golpe", diz-se um "velho homem sem forças, radicalmente enfermo", mas ensaia seus primeiros passos em direção à normalidade, dando notícias sobre as candidaturas à Academia [802]. Em 13 de dezembro, volta a escrever a Nabuco, e após queixar-se da "confusão do seu espírito depois da desgraça que o abateu", dedica o resto da carta a dizer coisas que nada têm de confusas sobre a política da ABL [804]. O trabalho do luto estava fazendo lentamente o seu caminho.

A última carta do ano sobre a morte de Carolina está na missiva de Machado, de 15 de dezembro, para seu amigo de juventude, Ramos Paz: "Obrigado pelas tuas palavras... Ainda que de longe, senti-lhes o afeto antigo, tão necessário nesta minha desgraça. Não sei se resistirei muito. Fomos casados durante 35 anos, uma existência inteira, por isso, se a solidão me abate, não é a solidão em si mesma, é a falta da minha velha e querida mulher." [805].

Busquemos agora os ecos epistolares da obra de Machado. No período em exame, Machado publicou dois livros (*Poesias Completas*, em 1901, e *Esaú e Jacó*, em 1904) e vários artigos, entre os quais um sobre Eduardo Prado, em 1901.

O aparecimento de *Poesias Completas* foi devidamente registrado em carta de Magalhães Azeredo, de 20 de junho de 1901: "Mandei pedir ao Garnier suas *Poesias Completas*. Recebi-as já, e estou a relê-las; algumas, sobretudo do último período, causam-me uma emoção profunda, além do prazer estético que dão todas." [603]. O leitor experiente reconhece na frase uma reclamação indireta e se prepara resignadamente para uma queixa mais explícita. Ela não tarda. Em 12 de julho, Azeredo escreve: "Há algum tempo que apareceram as suas *Poesias Completas*, os jornais já se ocuparam e eu ainda não recebi o exemplar costumado, bem que lho pedisse com antecedência. Li o livro, como em outra carta lhe disse, porque o solicitei logo da casa editora de Paris." [608]. É claro que a queixa era injusta. Machado já havia enviado o livro, como diz em carta de 30 de junho, dando também detalhes interessantes sobre a composição do volume: "Esta carta é quase que exclusivamente destinada a acompanhar o meu livro de versos. Creio que lhe disse mais de uma vez que ia reunir em um só volume os três publicados, coligindo então em uma quarta parte os versos que andavam esparsos... Cortei muita coisa aos dois primeiros, e não sei se ao terceiro também... Há de achar no fim uma longa errata, que não devia existir, se eu pedisse, como fiz aliás com outros livros impressos fora, segundas provas de tudo. O resultado foi aquela lista de erros. Talvez o livro as mereça. Em todo caso, a culpa foi minha." [604]. Nabuco também não deixa passar em branco o aparecimento de *Poesias Completas*. "Estou muito contente," escreve ele em 12 de novembro, "de o ter todo agora em um volume, quero dizer, o poeta. Quanta coisa há, esculpida e cinzelada, nessas páginas, que me recorda as minhas primeiras admirações e entusiasmos por Você! Obrigado pela preciosa oferta. *Ad perpetuitatem*." [623].

O artigo sobre Eduardo Prado, falecido de febre amarela em 1901, foi publicado em 30 de setembro de 1901, no jornal *O Comércio de São Paulo*. Uma carta inédita de Machado de 8 de setembro do mesmo ano esclarece a pré-história desse artigo. Nela, Machado escreve a Couto de Magalhães Sobrinho, redator daquele jornal, que aceitava a incumbência de mandar algumas poucas linhas sobre Prado, lamentando apenas "não podê-las fazer em cópia e valor correspondentes ao grande espírito que o Brasil perdeu", mas uma lembrança bastaria para inscrevê-lo "entre os que o prezaram em vida e se não consolam da [sua] morte." [615]. Outro "grande espírito" apreciou devidamente o artigo. Na mesma carta de 12 de novembro de 1901 em que elogia *Poesias Completas*, Nabuco observa, a propósito do artigo sobre o autor da *Ilusão Americana*: "O que Você escreveu sobre ele é tão justo e tão seu!" [623].

Mas a obra-prima de Machado de Assis no período foi incontestavelmente *Esaú e Jacó*.

A primeira menção ao romance na correspondência ocorreu antes mesmo do lançamento do livro, em 1904. Trata-se de uma carta ao editor Hippolyte Garnier, de 9 de novembro de 1903, quando o livro se chamava ainda *Último* [726]. Na carta, Machado anuncia certas alterações que ele fizera nas provas, modificando o manuscrito que se encontrava em Paris. Entre outras emendas, o livro teria um capítulo a menos, terminando com o capítulo CXXI, em vez de CXXII. Além disso, a epígrafe de Dante – *Dico che quando l'anima mal nata* – não deveria figurar numa página isolada, mas em cima do primeiro capítulo.

Mas o mais importante nesta carta é que ela permite trazer à luz uma curiosa modificação introduzida no texto, entre a data da carta para Garnier, em novembro de 1903, e a data de publicação do romance, em agosto de 1904. Na carta, Machado diz claramente que o capítulo LXXXI continha uma citação de Goethe em tradução portuguesa – *Ai, duas almas no meu seio moram* – e a respectiva versão alemã – *Zwei Seelen, wohnen, ach, in meiner Brust*. Mas na edição de 1904 e em todas as subsequentes só existe a versão em português. Consultei o manuscrito original do romance, arquivado na ABL, e nele estava, com todas as letras, a versão alemã, ao lado da portuguesa, exatamente como está escrito na carta a Garnier. A conclusão é óbvia: antes de publicar seu livro Machado eliminou a citação alemã, ou atendendo a alguma ponderação de Hippolyte Garnier, numa carta que não chegou até nós (sabe-se que como tantos franceses da época, o editor tinha um forte chauvinismo antigermânico) ou porque decidira policiar-se, não cedendo à tentação de ostentar seus conhecimentos de alemão, como fazia às vezes. Seja como for, a carta [726] pode ser vista como uma contribuição à *petite histoire* da relação de Machado com a língua alemã.

A partir de 1904, quando o livro chegou às livrarias brasileiras, as referências proliferam na correspondência. Um dos primeiros a manifestar-se é Magalhães de Azeredo, em carta de 14 de setembro desse ano [776]. Previsivelmente, ele se queixa de só ter sido informado sobre o lançamento do livro por terceiros: "Por uma carta do nosso Graça [Aranha] eu soube da publicação do seu novo livro *Esaú e Jacó*. Ora sempre foi mau em guardar segredo comigo sobre isso! O Graça já o leu, e diz dele grande bem: eu vou escrever para que ele tente obter-me do Garnier um exemplar de contrabando, porque estou desejosíssimo de conhecer o seu novo filho, ou seus novos filhos quero dizer – são dois."

Em 30 de setembro, Veríssimo escreve de Mangaratiba: "Afora a malfeita leitura dos jornais, só *Esaú e Jacó* reconciliaram-me estes dois últimos dias com a vida intelectual. E que convívio delicioso que foi esse. Imagine que tive o meu Machado de Assis aqui ao meu lado, numa longa e sempre interessantíssima palestra de 48 horas. Como tudo no livro, o título é muito bom, ao contrário do que a princípio me parecia. Agradeço-lhe as horas encantadoras que me fez passar." [778].

Em 3 de outubro, Machado agradece Mário de Alencar por sua resenha do livro, publicado no *Jornal do Comércio*: "Ontem li e reli o seu artigo acerca de *Esaú e Jacó*. [...] Vi que penetrou o sentido daquelas páginas, que as leu com amor e simpatia, e desta última parte nasceu dizer tanta coisa bela, mais ainda para quem já vai em pleno inverno." [780].

No mesmo dia, Belmiro Braga refere-se elogiosamente à resenha de Mário de Alencar, e endeusa o objeto da resenha: "Como me enche o coração de alegria vendo que o maior dos brasileiros ao em vez de descansar depois de tantos livros conhecidos, ainda continue a trabalhar para mais longe levar o nome de nossa pátria!..." [781].

Em 4 de outubro, Machado responde à carta de 30 de setembro, de Veríssimo, devolvendo-lhe os cumprimentos: "Estimo que o meu *Esaú e Jacó* lhe tenha produzido o efeito que me diz na carta. Se lhe pareceu que lá me teve a seu lado, em longas e interessantíssimas palestras, é porque estava também comigo, e bastou a suprir a presença do amigo velho. Também eu cá o tive com o seu último volume dos *Estudos de Literatura*." [782].

Em 10 de outubro, Machado agradece as "boas e finas palavras" com que Alcides Maia saudara em artigo em *O País* o aparecimento de *Esaú e Jacó*. "Quando se conclui um trabalho", diz Machado, "dá sempre grande prazer achar quem o entenda e explique com sincera benevolência e aguda penetração." [785].

A morte de Carolina, 10 dias depois, introduz novo e trágico tema na correspondência de Machado de Assis, mas não cessam de todo as referências a *Esaú e Jacó*. Tanto na carta de Machado a Oliveira Lima em 4 de dezembro de 1904 [801], como na resposta deste, de 17 de dezembro [806], os dois temas se entrelaçam. Na primeira, Machado agradece o "gentil artigo" com que o amigo se referira ao romance em artigo na *Gazeta de Notícias*, mas prossegue: "Confesso-lhe que estou ainda sob a ação da minha desventura. Minha mulher, se pudesse ter lido o artigo, sentiria o mesmo que eu; mas nem sequer leu o livro, posto me dissesse o leria segunda vez; apenas leu algum trecho, o que me foi confirmado por uma de suas amigas, a quem ela confessou o estado em que se achava." Do mesmo modo, depois de ter se referido, na segunda carta, à "singularidade" e à "sutileza" de *Esaú e Jacó*, Oliveira Lima recomenda ao amigo o melhor antídoto contra a melancolia, ocupar-se com atividades alheias à sua mágoa. Num exemplo um tanto bizarro da eficácia desse remédio, diz ter conhecido um americano que perdeu toda a sua fortuna e se consolou dedicando-se ao seu *hobby*, o estudo das conchas: curou-se e ficou milionário. Sem isso, teria ficado maluco. Em vez disso, "mergulhou-se nos fósseis e viveu para a vida e para o trabalho." [806]. Lamentamos informar que não encontramos nas dependências da Academia nenhum vestígio de uma coleção de conchas organizada por Machado de Assis.

Como os volumes anteriores, este deve tudo ao trabalho incomparável de Irene Moutinho e Sílvia Eleutério.

Como sempre, Irene revelou-se uma excepcional rastreadora de documentos desconhecidos. Foi ela que descobriu a já mencionada carta de Luís Guimarães Júnior a Machado de Assis, escrita em Lisboa, em 22 de junho de 1896 [358 A].

Ela desentranhou também da coleção da *Revista da Academia Brasileira de Letras* um documento insuspeitado, de 15 de outubro de 1901: uma comunicação da ABL ao Conselho Municipal, com sugestões sobre a ereção de estátuas a escritores. Entre as propostas apresentadas, figura a de que deve mediar um intervalo de pelo menos 15 anos entre a morte do homenageado e a instalação do monumento [617]. Assinam essa carta *sui generis* o Presidente Machado de Assis, o Secretário-Geral Medeiros e Albuquerque, o Primeiro-Secretário Rodrigo Octavio, o Segundo-Secretário Silva Ramos e o Tesoureiro Inglês de Sousa.

Irene fez uma das descobertas mais intrigantes do tomo IV, relativa a um postal de autor até então desconhecido, dirigido a Machado de Assis [706]. Ela chegou à conclusão de que o postal, datado de 21de junho de 1903 e representando o palácio de Schönbrunn, em Viena, era de Graça Aranha, não só pela comparação da letra do remetente com a de documentos assinados por Graça, como porque na carta [703], de 17 de junho 1903, o autor de *Canaã* anunciava sua partida para Viena. Mais fascinante que a identificação da autoria é a interpretação do texto. O postal só tem cinco palavras: *"L'aiglon à l'Aigle"*, o filhote da Águia, ou aguioto, à Águia. *L'aiglon* fora o nome dado por Victor Hugo ao duque de Reichstadt, falecido em Schönbrunn, filho de Napoleão e Maria Luísa. O nome estava na moda, depois da peça de Edmond Rostand (1900), aliás mencionada por Graça na carta [571], tomo III, sobre o mesmo assunto e com o mesmo título. A Águia, no postal, era uma alusão transparente a Machado de Assis, águia da literatura brasileira. Mas se Machado era a Águia, quem era o filhote da Águia? Obviamente, na interpretação de Irene, o próprio Graça Aranha, que se via como filho e sucessor natural de Machado. A identificação quase consanguínea que o jovem Graça estabelecia com o velho Machado se reforça com o fato de que ambos faziam anos no mesmo dia – 21 de junho, data do postal.

Outra contribuição importante de Irene foi sua releitura das cartas trocadas entre Machado de Assis e Joaquim Nabuco, até então conhecidas principalmente pela coletânea de Graça Aranha e pela republicação, na Jackson, da correspondência reunida por Fernando Nery. A cessão pelo funcionário Carlos Ramos de várias cartas copiadas do acervo da Fundação Joaquim Nabuco permitiu a Irene corrigir erros que não tinham sido observados em versões anteriores.

Quanto a Sílvia, ela descobriu três cartas de Machado de Assis que não constavam de nenhum epistolário conhecido e que jaziam esquecidas em revistas antigas e em arquivos. A primeira é a carta [615], de 8 de setembro de 1901, já mencionada, em que Machado responde ao editor de *O Comércio de São Paulo*, jornal pertencente a Eduardo Prado, que aceitava escrever um artigo em honra do morto. O artigo faz parte dos textos críticos mais celebrados de Machado. A segunda é a carta [696], datada por Sílvia como sendo de 6 de abril de 1903, para Mário de Alencar. Esta carta mostra a apreensão de Machado com a falta de notícias a respeito dos progressos na conquista de uma sede própria para a Academia, que Mário tentava obter junto ao ministro J. J. Seabra. A terceira é a carta [249 A] para Alfredo Pujol, futuro ocupante da cadeira 23, e primeiro membro da instituição, ao tomar posse na ABL, a fazer o elogio de Machado, na forma tradicional do elogio acadêmico (Montello, 1986). A data da carta fixa em 1886 o primeiro contato de Machado com seu futuro biógrafo. Nela, Machado confirma sua disposição de colaborar na revista *A Quinzena*, de Vassouras, da qual Pujol era um dos cofundadores. Na época, Raimundo Correia havia sido transferido para Vassouras, e certamente o pronto assentimento de Machado fora devido à intermediação do poeta, para o qual Machado havia prefaciado *As Sinfonias*, em 1883. Para a revista, Machado enviou um soneto então inédito, "Mundo interior", depois publicado em *Poesias Completas* e uma crônica "Um dístico", hoje parte da *Obra Completa* (2008).

Uma das coisas para as quais Sílvia chama a atenção em suas notas é que certas cartas, bilhetes por vezes triviais, cuja importância parecia se esgotar no fato de serem documentos machadianos, revelaram, quando analisadas, questões políticas relevantes. Assim, a carta [609], de 30 de julho de 1901, parecia referir-se apenas à impossibilidade de Machado de comparecer a um evento mundano para o qual fora convidado, e cuja motivação ostensiva seria a comemoração da data nacional suíça. Entretanto, durante as pesquisas Sílvia descobriu que o *Cercle Suisse*, em nome da comunidade suíça no Brasil, enviara carta aos organizadores declinando também do convite, porque julgou haver uma motivação subjacente, muito mais importante: celebrar o êxito brasileiro na Questão do Amapá, cujo árbitro havia sido o Conselho Federal Suíço. Do mesmo modo, a carta [767], para o Ministro plenipotenciário dos Estados Unidos no Brasil, David E. Thompson, trata de assunto literário – uma solicitação para que o presidente da ABL enviasse informações sobre a Academia que pudessem ser incluídas numa publicação da *Carnegie Institution*. A pesquisa conduziu a uma das personalidades mais fascinantes do capitalismo norte-americano do século XIX, Andrew Carnegie, que investiu milhões de dólares em mecenato cultural. A pesquisa mostrou, além disso, que o próprio destinatário da carta de Machado, David E. Thompson, tivera atuação marcante por ocasião da revolta da Armada, durante o governo Floriano.

Agradeço muitíssimo a Ana Maria Machado, atual Presidente da ABL, querida amiga e extraordinária escritora, pelo apoio constante, material e intelectual, que ela nos proporcionou, desde que assumiu a direção da Casa, dando continuidade aos esforços incansáveis de Marcos Vinicios Vilaça e Cícero Sandroni. Agradeço também à Comissão de Publicações, dirigida pelo acadêmico Ivan Junqueira e composta pelos acadêmicos Antonio Carlos Secchin e Alfredo Bosi, autores das belíssimas "orelhas" que valorizaram nosso segundo e terceiro tomo. Nosso muito obrigado, em particular, à responsável pela Produção Editorial, Monique Mendes, que perdeu noites, fins de semana e feriados velando para que nosso livro saísse, sem incidentes de percurso, dentro do prazo previsto. Gratíssimo, de modo muito especial, ao intelectual por excelência, o pensador e ensaísta Eduardo Portella, que enriqueceu a presente edição com palavras admiráveis. E para não parecer ingrato a todas aquelas e aqueles que não posso agradecer individualmente, só me resta imitar aquele correspondente de Machado de Assis que, citando Dante, recordou que em certos momentos *più è il tacer che il ragionare onesto.*

SERGIO PAULO ROUANET
Rio de Janeiro, outubro de 2012.

## Nota Explicativa

As soluções adotadas para o estabelecimento dos textos nortearam-se pela busca da maior fidelidade possível ao documento de base e pelo mínimo de intervenções, considerando ao mesmo tempo o conforto do leitor.

Este volume compõe-se de textos oriundos de manuscritos originais, fac-símiles de manuscritos originais, transcrições de manuscritos originais, de impressos em jornais de época e de impressos em edições *princeps*. Para cada um desses tipos, consideradas as suas especificidades, conferiu-se um tratamento, que em linhas gerais pode ser resumido nos seguintes pontos:

- As abreviaturas foram desenvolvidas segundo os critérios da ecdótica, ou seja, numa palavra abreviada a sua parte estendida figura em itálico: B$^{ão}$ de Inf$^a$ / Bata*lhão* de Infa*ntaria*; V. M.$^{ce}$ / V*ossa* M*er*cê. Só mantiveram-se abreviadas as assinaturas dos missivistas que assim se apresentaram.
- Por não se tratar de uma edição diplomática, optou-se pela atualização ortográfica dos textos: *Chrysalidas* / *Crisálidas*; rythmas / rimas.

∽ A pontuação do original foi respeitada, mesmo que pareça ao olhar contemporâneo um desvio da norma padrão da língua portuguesa escrita no Brasil. Apenas no caso dos impressos, em que os equívocos fossem claramente tipográficos, foram feitas alterações: o Teatro de São; Pedro / O Teatro de São Pedro.

∽ As intervenções realizadas no interior do vocábulo, no plano da frase ou no da pontuação foram sempre assinaladas por colchetes: tenho en[contrado]
notícias tua[s]
Eu conto [com] a sua benevolência
[1887]
Rio de Janeiro [,]
... desenhados com suma perfeição [.] V*ossa* Ex*celência* terá notado que...

∽ As partes ilegíveis e/ou danificadas foram marcadas por pontos entre parênteses:
... *Tempora mutan*(...).
(...) má figura o filho

∽ Nos cabeçalhos, há sempre o registro do início do movimento epistolar:
PARA: cartas escritas por Machado de Assis.
DE: cartas recebidas por Machado de Assis.

∽ Nas notas, os nomes acompanhados de asterisco indicam correspondentes cujos verbetes biográficos se encontram no final dos tomos onde figuram suas cartas ou as de Machado de Assis a eles dirigidas.

∽ A responsabilidade pelas diferentes notas é identificada pelas iniciais do respectivo autor (SPR, IM, SE).

 *Sumário*

## AS CARTAS
## 1901-1904

[572]  De: SALVADOR DE MENDONÇA  3
       *Petrópolis, 9 de janeiro de 1901.*

[573]  De: OLIVEIRA LIMA  5
       *[Londres,] 15 de janeiro de 1901.*

[574]  De: JOSÉ MARIA LEITÃO DA CUNHA FILHO  6
       *Paris, 25 de Janeiro de 1901.*

[575]  Para: SALVADOR DE MENDONÇA  6
       *Rio de Janeiro, 27 de janeiro de 1901.*

[576]  De: JOAQUIM NABUCO  8
       *[Londres,] 28 de janeiro 1901.*

[577]  De: JOSÉ VERÍSSIMO  9
       *Nova Friburgo, 28 de janeiro de 1901.*

[578]  Para: ANTÔNIO SALES  12
       *Rio de Janeiro, 30 de janeiro de 1901.*

[579]  Para: JOSÉ VERÍSSIMO  13
       *Rio [de Janeiro], 1.º de fevereiro de 1901.*

[580]  De: LUÍS B. DOS SANTOS BEZERRA  16
       *Capital Federal, 4 de fevereiro de 1901.*

[581]  De: MAGALHÃES DE AZEREDO  17
       *Roma, 10 de fevereiro de 1901.*

| | | | |
|---|---|---|---|
| [582] | De: | JOSÉ VERÍSSIMO<br>*Friburgo, 12 de fevereiro de 1901.* | 23 |
| [583] | De: | JOSÉ VERÍSSIMO<br>*Friburgo, 12 de fevereiro de 1901.* | 24 |
| [584] | De: | GABRIEL OSÓRIO DE ALMEIDA<br>*Rio de Janeiro, 13 de fevereiro de 1901.* | 26 |
| [585] | Para: | JOSÉ VERÍSSIMO<br>*Rio [de Janeiro], 16 de fevereiro de 1901.* | 27 |
| [586] | Para: | MAGALHÃES DE AZEREDO<br>*Rio [de Janeiro], 21 de fevereiro de 1901.* | 29 |
| [587] | Para: | SALVADOR DE MENDONÇA<br>*Rio [de Janeiro], 14 de março de 1901.* | 32 |
| [588] | De: | LÚCIO DE MENDONÇA<br>*Alto de Teresópolis, 15 março 1901.* | 33 |
| [589] | De: | SALVADOR DE MENDONÇA<br>*Petrópolis, 15 de março de 1901.* | 34 |
| [590] | De: | MAGALHÃES DE AZEREDO<br>*Roma, 20 de março de 1901.* | 38 |
| [591] | De: | FIGUEIREDO PIMENTEL<br>*Niterói, 28 de março de 1901.* | 50 |
| [592] | Para: | FIGUEIREDO PIMENTEL<br>*[Rio de Janeiro,] 31 de março de 1901.* | 51 |
| [593] | Para: | LÚCIO DE MENDONÇA<br>*Rio [de Janeiro], 2 de abril de 1901.* | 52 |
| [594] | De: | JOSÉ VERÍSSIMO<br>*Rio [de Janeiro], 7 de abril de 1901.* | 53 |
| [595] | Para: | JOSÉ VERÍSSIMO<br>*[Rio de Janeiro,] 10 de abril de 1901.* | 53 |
| [596] | De: | MAGALHÃES DE AZEREDO<br>*Roma, 20 de abril 1901.* | 54 |
| [597] | De: | GARCIA REDONDO<br>*São Paulo, 14 de maio de 1901.* | 59 |
| [598] | Para: | JOSÉ VERÍSSIMO<br>*[Rio de Janeiro,] 21 de maio de 1901.* | 60 |
| [599] | Para: | RODRIGO OCTAVIO<br>*[Rio de Janeiro,] 30 de maio de 1901.* | 60 |

| | | | |
|---|---|---|---|
| [600] | De: | EPITÁCIO PESSOA | 61 |
| | | [Rio de Janeiro,] 2 de junho de 1901. | |
| [601] | De: | LUIS ESTEVES | 62 |
| | | Buenos Aires, Junio 3 1901. | |
| [602] | De: | CARLOS AMÉRICO DOS SANTOS | 63 |
| | | Rio de Janeiro, 17 de junho de 1901. | |
| [603] | De: | MAGALHÃES DE AZEREDO | 64 |
| | | Roma, 20 de junho de 1901. | |
| [604] | Para: | MAGALHÃES DE AZEREDO | 67 |
| | | Rio de Janeiro, 30 de junho de 1901. | |
| [605] | Para: | RODRIGO OCTAVIO | 71 |
| | | [Rio de Janeiro,] 2 de julho de 1901. | |
| [606] | De: | ADÈLE TOUSSAINT SAMSON | 72 |
| | | [Paris,] 9 juillet 1901. | |
| [607] | De: | JOSÉ VERÍSSIMO | 74 |
| | | Rio [de Janeiro], 9 de julho de 1901. | |
| [608] | De: | MAGALHÃES DE AZEREDO | 76 |
| | | Villino Chigi Ariccia, 12 de julho 1901. | |
| [609] | Para: | DESTINATÁRIO NÃO CITADO | 79 |
| | | Rio de Janeiro, 30 de julho de 1901. | |
| [610] | Para: | ARMANDO RIBEIRO DE ARAÚJO | 81 |
| | | [Rio de Janeiro,] 4 de agosto de 1901. | |
| [611] | De: | JULIO VICUÑA CIFUENTES | 82 |
| | | Santiago de Chile, 5 de agosto de 1901. | |
| [612] | Para: | MAGALHÃES DE AZEREDO | 83 |
| | | Rio de Janeiro, 15 de agosto de 1901. | |
| [613] | Para: | RODRIGO OCTAVIO | 86 |
| | | [Rio de Janeiro,] 22 de agosto de 1901. | |
| [614] | Para: | RODRIGO OCTAVIO | 87 |
| | | [Rio de Janeiro,] 26 de agosto de 1901. | |
| [615] | Para: | JOSÉ VIEIRA COUTO DE MAGALHÃES SOBRINHO | 87 |
| | | Rio de Janeiro, 8 de setembro de 1901. | |
| [616] | Para: | RODRIGO OCTAVIO | 88 |
| | | [Rio de Janeiro,] 9 de setembro de 1901. | |
| [617] | Para: | O CONSELHO MUNICIPAL | 89 |
| | | Rio de Janeiro, 15 de outubro de 1901. | |

[618]   Para: RODRIGO OCTAVIO                              92
        [Rio de Janeiro,] 21 de outubro de 1901.

[619]   Para: LÚCIO DE MENDONÇA                            92
        Rio [de Janeiro], 22 de outubro de 1901.

[620]   De: AFONSO ARINOS                                  93
        São Paulo, 27 de outubro de 1901.

[621]   De: JOSÉ SIMÃO DA COSTA                            93
        Rio de Janeiro, 30 de outubro de 1901.

[622]   Para: RODRIGO OCTAVIO                              94
        [Rio de Janeiro, sem data.]

[623]   De: JOAQUIM NABUCO                                 95
        Londres, 12 de novembro de 1901.

[624]   Para: MAGALHÃES DE AZEREDO                         97
        Rio de Janeiro, 14 de novembro de 1901.

[625]   De: GRAÇA ARANHA                                   100
        Londres, 14 de novembro de 1901.

[626]   De: JOAQUIM NABUCO                                 100
        Londres, 19 de novembro de 1901.

[627]   De: JOAQUIM NABUCO                                 101
        [Londres,] 6 de dezembro de 1901.

[628]   De: GRAÇA ARANHA                                   102
        [Londres,] 6 de dezembro de 1901.

[629]   De: MAGALHÃES DE AZEREDO                           104
        Roma, 12 de dezembro de 1901.

[630]   De: ALUÍSIO AZEVEDO                                106
        La Plata, 1 de janeiro de 1902.

[631]   Para: LÚCIO DE MENDONÇA                            108
        [Rio de Janeiro,] 2 de janeiro de 1902.

[632]   De: LÚCIO DE MENDONÇA                              109
        Rio [de Janeiro], 3 de janeiro de 1902.

[633]   Para: RODRIGO OCTAVIO                              109
        [Rio de Janeiro,] 4 de janeiro de 1902.

[634]   Para: JOAQUIM NABUCO                               110
        Rio [de Janeiro], 5 de janeiro de 1902.

[635]   Para: MAGALHÃES DE AZEREDO                         112
        Rio [de Janeiro], 6 de janeiro de 1902.

| [636] | De: | MAGALHÃES DE AZEREDO | 115 |
|---|---|---|---|
| | | *Roma, 21 de janeiro de 1902.* | |
| [637] | De: | JOSÉ ISIDORO MARTINS JÚNIOR | 117 |
| | | *[Rio de Janeiro,] 25 de janeiro de 1902.* | |
| [638] | De: | JOAQUIM NABUCO | 118 |
| | | *Londres, 26 de janeiro de 1902.* | |
| [639] | Para: | JOSÉ VERÍSSIMO. | 119 |
| | | *[Rio de Janeiro,] 18 de fevereiro de 1902.* | |
| [640] | Para: | TOBIAS MONTEIRO | 121 |
| | | *Rio de Janeiro, 26 de fevereiro de 1902.* | |
| [641] | Para: | RODRIGO OCTAVIO | 121 |
| | | *[Rio de Janeiro,] fevereiro de 1902.* | |
| [642] | De: | GRAÇA ARANHA | 122 |
| | | *Londres, 14 de março de 1902.* | |
| [643] | Para: | RODRIGO OCTAVIO | 123 |
| | | *[Rio de Janeiro,] 20 de março de 1902.* | |
| [644] | Para: | RODRIGO OCTAVIO | 124 |
| | | *[Rio de Janeiro,] 21 de março de 1902.* | |
| [645] | Para: | JOAQUIM NABUCO | 124 |
| | | *Rio de Janeiro, 24 de março de 1902.* | |
| [646] | Para: | HIPPOLYTE GARNIER | 126 |
| | | *Rio [de] Janeiro, le 30 mars 1902.* | |
| [647] | De: | OLIVEIRA LIMA | 127 |
| | | *Tóquio, 5 de abril de 1902.* | |
| [648] | De: | JOSÉ VERÍSSIMO | 128 |
| | | *[Rio de Janeiro,] 9 de abril de 1902.* | |
| [649] | Para: | JOSÉ VERÍSSIMO | 129 |
| | | *Rio [de Janeiro], 21 de abril de 1902.* | |
| [650] | De: | OLAVO BILAC | 130 |
| | | *[Rio de Janeiro,] 11 de maio de 1902.* | |
| [651] | De: | LUÍS GUIMARÃES FILHO | 131 |
| | | *Montevidéu, 12 de maio de 1902.* | |
| [652] | De: | SALVADOR DE MENDONÇA | 132 |
| | | *Itaboraí, 15 de maio de 1902.* | |
| [653] | De: | JOSÉ ISIDORO MARTINS JÚNIOR | 133 |
| | | *[Petrópolis,] 25 de maio de 1902.* | |

[654]   De: MAGALHÃES DE AZEREDO                              134
        *Roma, 11 de junho de 1902.*

[655]   Para: COMISSÃO DOS FUNERAIS DE AUGUSTO SEVERO  136
        *[Rio de Janeiro,] 17 de junho de 1902.*

[656]   De: AFONSO ARINOS                                      138
        *São Paulo, 23 de junho de 1902.*

[657]   De: AFONSO ARINOS                                      138
        *São Paulo, 23 de junho de 1902.*

[658]   Para: PAULA GUIMARÃES                                  139
        *[Rio de Janeiro,] 4 de julho de 1902.*

[659]   De: RODRIGO OCTAVIO                                    140
        *Berlim, 8 de julho de 1902.*

[660]   Para: LUÍS GUIMARÃES FILHO                             141
        *Rio [de Janeiro], 10 de julho de 1902.*

[661]   De: JOSÉ VERÍSSIMO                                     142
        *Rio [de Janeiro], 16 de julho [de 1902], à noite.*

[662]   Para: JOSÉ VERÍSSIMO                                   143
        *Rio [de Janeiro], 17 de julho de 1902.*

[663]   De: MAGALHÃES DE AZEREDO                              143
        *9 de agosto de 1902.*

[664]   Para: MAGALHÃES DE AZEREDO                            145
        *Rio [de Janeiro], 16 de agosto de 1902.*

[665]   Para: JULIEN LANSAC                                    146
        *Rio [de] Janeiro, le 8 septembre 1902.*

[666]   Para: JOAQUIM NABUCO.                                  148
        *Rio de Janeiro, 5 de outubro de 1902.*

[667]   Para: RODRIGO OCTAVIO                                  148
        *[Rio de Janeiro,] 11 de outubro de 1902.*

[668]   Para: MAGALHÃES DE AZEREDO                            149
        *Rio de Janeiro, 12 de outubro de 1902.*

[669]   De: MAGALHÃES DE AZEREDO                              150
        *Petrópolis, 21 de outubro de 1902.*

[670]   De: MÁRIO DE ALENCAR                                   154
        *Gabinete, em 18 de novembro de 1902.*

[671]   Para: MARIO DE ALENCAR                                 155
        *Rio [de Janeiro], 20 de novembro de 1902.*

| | | | |
|---|---|---|---|
| [672] | Para: | BARÃO DO RIO BRANCO | 156 |
| | | *[Rio de Janeiro, 1.º de dezembro de 1902.]* | |
| [673] | De: | MAGALHÃES DE AZEREDO | 157 |
| | | *Petrópolis, 5 de dezembro 1902.* | |
| [674] | De: | MÁRIO DE ALENCAR | 158 |
| | | *Rio [de Janeiro], 7 de dezembro de 1902.* | |
| [675] | Para: | MAGALHÃES DE AZEREDO | 159 |
| | | *Rio [de Janeiro], 8 de dezembro 1902.* | |
| [676] | Para: | MÁRIO DE ALENCAR | 162 |
| | | *Rio de Janeiro, 11 de dezembro de 1902.* | |
| [677] | De: | MAGALHÃES DE AZEREDO | 163 |
| | | *Petrópolis, 26 de dezembro de 1902.* | |
| [678] | De: | MÁRIO DE ALENCAR | 164 |
| | | *[Capital Federal,] 27 de dezembro de 1902.* | |
| [679] | De: | JOSÉ VERÍSSIMO | 165 |
| | | *[Rio de Janeiro,] 31 de dezembro de 1902.* | |
| [680] | Para: | MÁRIO DE ALENCAR | 165 |
| | | *[Rio de Janeiro,] 3 de janeiro de 1903.* | |
| [681] | De: | MÁRIO DE ALENCAR | 166 |
| | | *Rio [de Janeiro], 5 de janeiro de 1903.* | |
| [682] | Para: | MAGALHÃES DE AZEREDO | 166 |
| | | *Rio [de Janeiro], 8 de janeiro de 1903.* | |
| [683] | De: | OLIVEIRA LIMA | 168 |
| | | *Tóquio, 16 de janeiro de 1903.* | |
| [684] | De: | MAGALHÃES AZEREDO | 169 |
| | | *Petrópolis, 20 de janeiro de 1903.* | |
| [685] | Do: | BARÃO DO RIO BRANCO | 170 |
| | | *Petrópolis, janeiro de 1903.* | |
| [686] | De: | MAGALHÃES AZEREDO | 171 |
| | | *A Bordo do Brésil, 5 de fevereiro de 1903.* | |
| [687] | De: | JOAQUIM NABUCO | 172 |
| | | *Pau, 14 de fevereiro de 1903.* | |
| [688] | De: | JOSÉ VERÍSSIMO | 174 |
| | | *[Rio de Janeiro,] 19 de fevereiro de 1903.* | |
| [689] | De: | MAGALHÃES DE AZEREDO | 175 |
| | | *[Paris, 16 de março, 1903]* | |

| | | |
|---|---|---|
| [690] | Para: BARÃO DO RIO BRANCO | 176 |
| | *Rio [de Janeiro], 17 de março de 1903.* | |
| [691] | Para: JOSÉ VERÍSSIMO | 177 |
| | *Rio [de Janeiro], 17 de março de 1903.* | |
| [692] | De: JOSÉ VERÍSSIMO | 178 |
| | *Rio [de Janeiro], 19 de março, 1903.* | |
| [693] | De: LUÍS GUIMARÃES FILHO | 179 |
| | *Montevidéu, 25 de março de 1903.* | |
| [694] | De: AFONSO ARINOS | 181 |
| | *São Paulo, 30 de março de 1903.* | |
| [695] | Para: BARÃO DO RIO BRANCO | 182 |
| | *Rio de Janeiro, 31 de março de 1903.* | |
| [696] | Para: MÁRIO DE ALENCAR | 183 |
| | *[Rio de Janeiro, 6 de abril de 1903.]* | |
| [697] | De: MÁRIO DE ALENCAR | 184 |
| | *Rio de Janeiro, 6 de abril de 1903.* | |
| [698] | De: MAGALHÃES DE AZEREDO | 184 |
| | *Roma, 16 de abril de 1903.* | |
| [699] | Para: BARÃO DO RIO BRANCO | 188 |
| | *[Rio de Janeiro, 20 de abril de 1903.]* | |
| [700] | Para: JOAQUIM NABUCO | 188 |
| | *Rio de Janeiro, 20 de abril de 1903.* | |
| [701] | Para: RODRIGO OCTAVIO | 190 |
| | *[Rio de Janeiro,] 27 de maio de 1903.* | |
| [702] | Para: DESTINATÁRIO IGNORADO | 190 |
| | *[Rio de Janeiro,] 04 de junho de 1903.* | |
| [703] | De: GRAÇA ARANHA | 191 |
| | *Gênova, 17 de junho de 1903.* | |
| [704] | De: FRANCISCO XAVIER FERREIRA MARQUES | 193 |
| | *Cidade de Salvador, 20 de junho de 1903.* | |
| [705] | De: EUCLIDES DA CUNHA | 195 |
| | *Lorena, 21 de junho de 1903.* | |
| [706] | De: GRAÇA ARANHA | 195 |
| | *Viena, 21 de junho de 1903.* | |
| [707] | Para: RODRIGO OCTAVIO | 196 |
| | *[Rio de Janeiro,] 3 de julho de 1903.* | |

| | | |
|---|---|---|
| [708] | Para: JULIEN LANSAC<br>*Rio de Janeiro, le 10 juillet 1903.* | 197 |
| [709] | De: EUCLIDES DA CUNHA<br>*Lorena, 10 de julho de 1903.* | 198 |
| [710] | De: JOSÉ VASCO RAMALHO ORTIGÃO<br>*[Rio de Janeiro,] 16 de julho de 1903.* | 199 |
| [711] | Para: MAGALHÃES DE AZEREDO<br>*Rio de Janeiro, 17 de julho de 1903.* | 201 |
| [712] | De: JOSÉ JOAQUIM SEABRA<br>*Rio de Janeiro, 17 de julho de 1903.* | 204 |
| [713] | De: SALVADOR DE MENDONÇA<br>*Petrópolis, Hotel Alexandra, 23 de julho de 1903.* | 205 |
| [714] | De: EUCLIDES DA CUNHA<br>*Lorena, 26 de julho de 1903.* | 206 |
| [715] | Para: JULIEN LANSAC<br>*[Rio de Janeiro, sem data.]* | 208 |
| [716] | Para: LÚCIO DE MENDONÇA<br>*Rio de Janeiro, 8 de agosto de 1903.* | 209 |
| [717] | Para: VISCONDESSA DE CAVALCANTI<br>*Rio de Janeiro, 16 de agosto de 1903.* | 210 |
| [718] | De: JOAQUIM NABUCO<br>*Challes, 18 de agosto de 1903.* | 211 |
| [719] | Para: SALVADOR DE MENDONÇA<br>*Rio de Janeiro, 29 de agosto de 1903.* | 214 |
| [720] | De: EUCLIDES DA CUNHA<br>*Lorena, 22 de setembro de 1903.* | 215 |
| [721] | Para: EUCLIDES DA CUNHA<br>*Rio de Janeiro, 24 de setembro de 1903.* | 216 |
| [722] | De: ANTÔNIO GOMES DE AVELAR – CONDE DE AVELAR<br>*Rio de Janeiro, 26 de setembro de 1903.* | 217 |
| [723] | Para: JOAQUIM NABUCO<br>*Rio de Janeiro, 7 de outubro de 1903.* | 218 |
| [724] | Para: RODRIGO OCTAVIO<br>*[Rio de Janeiro,] 8 de outubro de 1903.* | 221 |
| [725] | Para: MAGALHÃES DE AZEREDO<br>*Rio de Janeiro, 20 de outubro de 1903.* | 222 |

| | | |
|---|---|---|
| [726] | Para: HIPPOLYTE GARNIER<br>*Rio de Janeiro, le 9 Novembre 1903.* | 225 |
| [727] | Para: RUI BARBOSA<br>*Rio de Janeiro, 9 de novembro de [1903]* | 227 |
| [728] | Para: BARÃO DO RIO BRANCO<br>*[Rio de Janeiro,] 1.º de dezembro de 1903.* | 228 |
| [729] | De: MAGALHÃES DE AZEREDO<br>*Roma, 16 de dezembro de 1903.* | 228 |
| [730] | De: ARTUR AZEVEDO<br>*São João Del Rei, 22 de dezembro de 1903.* | 229 |
| [731] | De: EUCLIDES DA CUNHA<br>*Lorena, 26 de dezembro de 1903.* | 230 |
| [732] | De: TOMÁS LOPES<br>*[Sem local,] 1.º de janeiro de 1904.* | 230 |
| [733] | Para: MAGALHÃES DE AZEREDO<br>*Rio de Janeiro, 2 de janeiro 1904.* | 231 |
| [734] | Para: GRAÇA ARANHA<br>*[Rio de Janeiro,] 5 de janeiro de 1904.* | 234 |
| [735] | Para: JOAQUIM NABUCO<br>*Rio de Janeiro, [5 de janeiro de] 1904.* | 234 |
| [736] | De: ARLINDO FRAGOSO<br>*Bahia, 9 janeiro de 1904.* | 235 |
| [737] | De: EUCLIDES SANTOS<br>*São Paulo, 12 de janeiro de 1904.* | 235 |
| [738] | De: JOSÉ VERÍSSIMO<br>*Rio [de Janeiro], 12 de janeiro de 1904.* | 236 |
| [739] | Para: JOSÉ VERÍSSIMO<br>*Nova Friburgo, 14 de janeiro de 1904.* | 238 |
| [740] | De: EUCLIDES DA CUNHA<br>*Santos, 16 de janeiro de 1904.* | 240 |
| [741] | Para: JOSÉ VERÍSSIMO<br>*Nova Friburgo, 17 de janeiro de 1904.* | 240 |
| [742] | Para: JOSÉ VERÍSSIMO<br>*Nova Friburgo, 21 de janeiro de 1904.* | 242 |
| [743] | De: JOSÉ VERÍSSIMO<br>*Rio [de Janeiro], 22 de janeiro de 1904.* | 243 |

| | | | |
|---|---|---|---|
| [744] | De: | MANUEL MARIA DE CARVALHO | 244 |
| | | *Rio de Janeiro, 25 de janeiro de 1904.* | |
| [745] | Para: | JOSÉ VERÍSSIMO | 245 |
| | | *Nova Friburgo, 31 de janeiro de 1904.* | |
| [746] | Para: | JOSÉ VERÍSSIMO | 246 |
| | | *Nova Friburgo, 4 de fevereiro 1904.* | |
| [747] | Para: | MAGALHÃES DE AZEREDO | 247 |
| | | *Nova Friburgo, 7 de fevereiro de 1904.* | |
| [748] | De: | JOSÉ VERÍSSIMO | 248 |
| | | *Rio [de Janeiro], 9 de fevereiro de 1904.* | |
| [749] | Para: | MÁRIO DE ALENCAR | 249 |
| | | *Nova Friburgo, 10 de fevereiro de 1904.* | |
| [750] | Para: | JOSÉ VERÍSSIMO | 250 |
| | | *Nova Friburgo, 11 de fevereiro de 1904.* | |
| [751] | De: | JOSÉ VERÍSSIMO | 251 |
| | | *Rio [de Janeiro], 13 de fevereiro de 1904.* | |
| [752] | Para: | MÁRIO DE ALENCAR | 253 |
| | | *Nova Friburgo, 15 de fevereiro de 1904.* | |
| [753] | De: | EUCLIDES DA CUNHA | 254 |
| | | *Santos, 15 de fevereiro de 1904.* | |
| [754] | De: | MARIA CARMEN SANTOS MOREIRA | 256 |
| | | *Nova Friburgo, 3 de março de 1904.* | |
| [755] | De: | EUCLIDES DA CUNHA | 258 |
| | | *Santos, 5 de março de 1904.* | |
| [756] | De: | JOÃO RIBEIRO | 259 |
| | | *[Rio de Janeiro,] 5 de março de 1904.* | |
| [757] | Para: | SALVADOR DE MENDONÇA | 259 |
| | | *Rio de Janeiro, 6 de março 1904.* | |
| [758] | Para: | SALVADOR DE MENDONÇA | 260 |
| | | *Rio de Janeiro, 9 de março de 1904.* | |
| [759] | Para: | SALVADOR DE MENDONÇA | 261 |
| | | *Rio de Janeiro, 30 de março de 1904.* | |
| [760] | De: | ALOÍSIO DE CASTRO | 263 |
| | | *Rio de Janeiro, 9 de maio de 1904.* | |
| [761] | Para: | MAGALHÃES DE AZEREDO | 264 |
| | | *Rio de Janeiro, 13 de maio de 1904.* | |

| | | | |
|---|---|---|---|
| [762] | De: | VISCONDE DE TAÍDE<br>*Rio de Janeiro, 15 de maio de 1904.* | 265 |
| [763] | De: | ALOÍSIO DE CASTRO<br>*[Rio de Janeiro,] 19 de maio de 1904.* | 265 |
| [764] | De: | MAGALHÃES DE AZEREDO<br>*Roma, 5 de junho de 1904.* | 266 |
| [765] | Para: | JOAQUIM NABUCO.<br>*Rio de Janeiro, 28 de junho de 1904.* | 267 |
| [766] | Para: | SARA BRAGA DA COSTA<br>*Rio de Janeiro, 12 de julho de 1904.* | 269 |
| [767] | Para: | DAVID EUGENE THOMPSON<br>*Rio de Janeiro, 21 de julho de 1904.* | 271 |
| [768] | Para: | SALVADOR DE MENDONÇA<br>*Cosme Velho, 21 de julho de 1904.* | 272 |
| [769] | De: | JOSÉ JOAQUIM SEABRA<br>*Rio de Janeiro, 21 de julho de 1904.* | 274 |
| [770] | De: | JAMES CARLETON YOUNG<br>*[Minneapolis] July, 23$^{nd}$ 1904.* | 275 |
| [771] | De: | SALVADOR DE MENDONÇA<br>*[Rio de Janeiro,] 29 de julho, 1904.* | 276 |
| [772] | Para: | JOSÉ JOAQUIM SEABRA<br>*Rio de Janeiro, 2 de agosto de 1904.* | 277 |
| [773] | De: | JOSÉ JOAQUIM SEABRA<br>*Rio de Janeiro, 4 de agosto de 1904.* | 278 |
| [774] | Para: | RODRIGO OCTAVIO<br>*[Rio de Janeiro,] 10 de agosto de 1904.* | 279 |
| [775] | Para: | ADRIANO AUGUSTO DE PINA VIDAL<br>*Rio de Janeiro, 24 de agosto de 1904.* | 280 |
| [776] | De: | MAGALHÃES DE AZEREDO<br>*Rocca di Papa, 14 de setembro de 1904.* | 281 |
| [777] | De: | OSÓRIO DUQUE-ESTRADA<br>*Rio [de Janeiro], 19 de setembro de 1904.* | 290 |
| [778] | De: | JOSÉ VERÍSSIMO<br>*Mangaratiba, 30 de setembro de 1904.* | 291 |
| [779] | De: | OTÍLIO VEIGA<br>*Rio [de Janeiro], setembro de 1904.* | 292 |

| | | | |
|---|---|---|---|
| [780] | Para: | MÁRIO DE ALENCAR | 292 |
| | | *Rio de Janeiro, 3 de outubro de 1904.* | |
| [781] | De: | BELMIRO BRAGA | 293 |
| | | *Juiz de Fora, 3 de outubro de 1904.* | |
| [782] | Para: | JOSÉ VERÍSSIMO | 294 |
| | | *Rio [de Janeiro], 4 de outubro de 1904.* | |
| [783] | Para: | RODRIGO OCTAVIO | 296 |
| | | *[Rio de Janeiro,] 6 outubro de 1904.* | |
| [784] | De: | JOAQUIM NABUCO | 296 |
| | | *Londres, 8 de outubro 1904.* | |
| [785] | Para: | ALCIDES MAIA | 300 |
| | | *[Rio de Janeiro,] 10 de outubro de 1904.* | |
| [786] | De: | JARBAS LORETI | 301 |
| | | *Mariana, 24 de [outubro] de 1904.* | |
| [787] | Para: | DOMÍCIO DA GAMA | 302 |
| | | *Rio de Janeiro, 26 de outubro de 1904.* | |
| [788] | Para: | BARÃO DO RIO BRANCO. | 302 |
| | | *[Rio de Janeiro,] 28 de outubro de 1904.* | |
| [789] | De: | JÚLIO MOUTINHO | 303 |
| | | *Porto, 28 de outubro de 1904.* | |
| [790] | Para: | SALVADOR DE MENDONÇA | 305 |
| | | *Rio de Janeiro, 28 de outubro de 1904.* | |
| [791] | De: | ULISSES VIANA | 306 |
| | | *[Rio de Janeiro,] 31 de outubro de 1904.* | |
| [792] | Para: | RODRIGO OCTAVIO | 306 |
| | | *[Rio de Janeiro, outubro de 1904.]* | |
| [793] | Para: | ANTÔNIO SALES | 307 |
| | | *Rio de Janeiro, 6 de novembro de 1904.* | |
| [794] | Para: | JOAQUIM NABUCO | 307 |
| | | *[Rio de Janeiro, 8 de novembro de 1904.]* | |
| [795] | De: | JOAQUIM NABUCO | 308 |
| | | *Londres, 17 de novembro de 1904.* | |
| [796] | Para: | OLIVEIRA LIMA | 309 |
| | | *Rio de Janeiro, 18 de novembro de 1904.* | |
| [797] | Para: | JOAQUIM NABUCO. | 310 |
| | | *Rio de Janeiro, 20 de novembro de 1904.* | |

| [798] | De: | MIGUEL COUTO | 312 |
|---|---|---|---|
| | | *Rio de Janeiro, 20 de novembro de 1904.* | |
| [799] | Para: | SARA BRAGA DA COSTA | 312 |
| | | *Rio de Janeiro, 26 de novembro de 1904.* | |
| [800] | De: | SOUSA BANDEIRA | 313 |
| | | *Rio de Janeiro, 26 de novembro de 1904.* | |
| [801] | Para: | OLIVEIRA LIMA | 314 |
| | | *Rio de Janeiro, 4 de dezembro de 1904.* | |
| [802] | Para: | JOAQUIM NABUCO | 315 |
| | | *Rio de Janeiro, 6 de dezembro de 1904.* | |
| [803] | De: | ROSA DE NOVAIS | 316 |
| | | *Lumiar, 11 de dezembro de 1904.* | |
| [804] | Para: | JOAQUIM NABUCO | 317 |
| | | *Rio de Janeiro, 13 de dezembro de 1904.* | |
| [805] | Para: | FRANCISCO RAMOS PAZ | 319 |
| | | *Rio de Janeiro, 15 de dezembro de 1904.* | |
| [806] | De: | OLIVEIRA LIMA | 320 |
| | | *Pernambuco, 17 de dezembro de 1904.* | |
| [807] | De: | EUCLIDES DA CUNHA | 322 |
| | | *Recife, 19 de dezembro de 1904.* | |
| [808] | Para: | BONIFÁCIO GOMES DA COSTA | 323 |
| | | *Rio [de Janeiro], 21 de dezembro de 1904.* | |
| [809] | De: | TRISTÃO DE ALENCAR ARARIPE JÚNIOR | 325 |
| | | *[Rio de Janeiro,] 21 de dezembro de 1904.* | |
| [810] | De: | HEMETÉRIO MARTINS | 326 |
| | | *Campos, 25 de dezembro de 1904.* | |
| [811] | De: | ARTUR AZEVEDO | 326 |
| | | *[Rio de Janeiro,] 26 de dezembro de 1904.* | |
| [812] | De: | ARLINDO FRAGOSO | 327 |
| | | *Bahia, 30 dezembro de 1904.* | |
| [813] | De: | EUCLIDES DA CUNHA | 327 |
| | | *Rio [de Janeiro], dezembro de 1904.* | |

## CADERNO SUPLEMENTAR

| | | | |
|---|---|---|---|
| [00] | Para: | DIOGO BIVAR | 331 |
| | | *[Rio de Janeiro,] em 11 de setembro de 1857.* | |
| [64 A] | De: | JÚLIO DE CASTILHO | 332 |
| | | *Lisboa, 7 de janeiro de 1867.* | |
| [64 B] | De: | JÚLIO DE CASTILHO | 341 |
| | | *Rio de Janeiro, 10 de fevereiro de 1867.* | |
| [64 C] | De: | JÚLIO DE CASTILHO | 348 |
| | | *Lisboa, 28 de fevereiro de 1867.* | |
| [64 D] | De: | JÚLIO DE CASTILHO | 363 |
| | | *Lisboa, 28 de fevereiro de 1867.* | |
| [64 E] | De: | JÚLIO DE CASTILHO | 375 |
| | | *Lisboa, 28 de fevereiro de 1867.* | |
| [65 A] | De: | JÚLIO DE CASTILHO | 381 |
| | | *Rio, 31 de março de 1867.* | |
| [65 B] | De: | JÚLIO DE CASTILHO | 390 |
| | | *Lisboa, 13 de março [de 1867].* | |
| [66 A] | De: | JÚLIO DE CASTILHO | 398 |
| | | *Rio, 13 de abril de 1867.* | |
| [68 A] | De: | JÚLIO DE CASTILHO | 406 |
| | | *Rio, 25 de abril de 1867.* | |
| [238 A] | De: | MIGUEL DE NOVAIS A CAROLINA MACHADO DE ASSIS | 416 |
| | | *[Lisboa, 12 de novembro de 1884.]* | |
| [249 A] | Para: | ALFREDO PUJOL | 416 |
| | | *Corte, 28 de janeiro de 1886.* | |
| [358 A] | De: | LUÍS GUIMARÃES JÚNIOR | 418 |
| | | *Lisboa, 22 de junho de [1896].* | |
| | | CORRESPONDENTES NO PERÍODO 1901-1904 | 421 |
| | | POSFÁCIO | 473 |
| | | BIBLIOGRAFIA | 475 |
| | | CADERNO DE IMAGENS | 485 |

## Correspondência de Machado de Assis
## Tomo IV — 1901-1904

## [572]

> De: SALVADOR DE MENDONÇA
> *Fonte:* Manuscrito Original, Arquivo ABL.

Petrópolis, 9 de janeiro de 1901.

Meu querido Machado de Assis,

Minha família[1] e eu recebemos, e retribuímos cordialmente, os cumprimentos de Ano-Bom que tua Ex*celentíssi*ma Senhora e tu nos mandastes, desejando a ambos saúde e felicidade no século novo.

Esta entrada de século tem para mim significação peculiar, pois me veio mostrar coisa rara — uma criatura humana que há 6 dias está vendo o 3.º século. Digo-te o caso: minha velha ama Maria, que quando me amamentou já tinha seus 41 anos de idade, nasceu a 3 de Janeiro de 1800; assim viu o último ano do século 18.º, atravessou todo o 19.º, e está agora vendo o início do 20.º, de que pretende tirar ainda sua naca, como diz, lembrando-se de dois bisavós meus, que moravam em casa dos filhos, e conservam[-se,] o mais novo 96 e o mais idoso 113, amigos desde a infância. Pois minha ama Maria, além de sua boa intenção, está já gozando do raríssimo privilégio de ver três séculos. E está rijazinha, anda com agilidade, tem bom estômago, bom dormir, e o que mais me alegra — goza de suas faculdades mentais. Viu D*om* João VI, para quem fizeram o maior sobrado que ainda hoje está de pé em Itaboraí, não viu Pedro I, que prometeu lá ir e não foi, viu D*om* Pedro II e D*ona* Isabel. Ainda pretendo que veja o Quintino[2], nosso Quintino, que agora aqui[3] já está S*enhor* presidente e que faço votos para que algum dia venha a ser S*enhor* *Presidente*[4].

Naturalmente tens lido os versos — O par de bustos[5]: o Lúcio é bem capaz de dizer que são meus.

Abraça-te

teu de coração

Salvador.

1 ∾ Viúvo de Amélia Clemência Lúcia de Lemos, Salvador de Mendonça estava casado com Mary Redman desde 1876. Do primeiro casamento, teve cinco filhos: Mário (*circa* 1867-1921), Maria Amélia (1868-1893), Amélia Paulina (1869), Amália Helena (1870) e Valentina (1873), crianças carinhosamente adotadas por Mary. Naquele momento, em Petrópolis, viviam com o casal as filhas Amélia Paulina, Amália Helena e Valentina. Sobre o período inicial do segundo casamento, ver cartas [137], [140], [141], [142], [143], tomo II. (SE)

2 ∾ Quintino* renunciara ao mandato de senador (de nove anos), para o qual fora reeleito em 30/12/1899, a fim de assumir a presidência do Rio de Janeiro em 31/12/1900, permanecendo ali por três anos. O estado vivia uma profunda crise de desequilíbrio orçamentário e rapidamente caminhou para o esgotamento financeiro. O governo ficou impedido de honrar até mesmo o funcionamento dos serviços públicos essenciais. Quintino, parece, não quis valer-se das medidas impopulares a ele sugeridas para o soerguimento financeiro do estado – novos impostos, majoração dos existentes, demissão de funcionários, supressão de escolas públicas, paralisação de todas as obras e corte de toda subvenção a asilos e hospitais – medidas posteriormente tomadas por Nilo Peçanha (1867-1924), ao assumir o governo do estado em 1903. (SE)

3 ∾ Entre 1894-1903, Petrópolis tornou-se a capital do estado do Rio de Janeiro em substituição a Niterói, mudança motivada pela Revolta da Armada, que sitiou a capital federal, dificultando a comunicação com a capital do estado. Em 30/01/1894, a assembleia legislativa estadual decretou, e o presidente do estado José Tomás da Porciúncula* sancionou a transferência provisória da capital para Petrópolis. Registre-se que, nesta ocasião, Porciúncula adquiriu o antigo palacete do barão do Rio Negro a fim de torná-lo a sede do governo. (SE)

4 ∾ Neste momento, Quintino vinha sendo cogitado, por setores moderados do Partido Republicano Fluminense, como candidato natural à sucessão de Campos Sales (1898-1902). A sua candidatura acabou lançada em 01/03/1901 dentro do partido, sem, no entanto, ser referendada na convenção nacional de 20/09/1901. O nome escolhido foi o do paulista Francisco de Paula Rodrigues Alves que, na eleição de 1898, desistira de apresentar-se e aceitou concorrer ao governo de São Paulo dois anos depois (1900-1902), para então retornar como nome forte na eleição para presidente da República do quadriênio 1902-1906. (SE)

5 ∾ Possivelmente referência ao poema satírico que produziu quando Dionísio Cerqueira (1847-1910) foi homenageado pelo Gabinete Português de Leitura. Cerqueira foi ministro das Relações Exteriores (1896-1898) no período em que Salvador sofreu seu mais duro revés profissional. Segundo ele, o ministro foi o

responsável pelas manobras que culminaram a sua exoneração da carreira diplomática. Desde que fora exonerado (1898), depois de 24 anos de serviço, aos 57 anos, Salvador dedicou-se à luta por sua reintegração. As cartas deste tomo trazem ecos dessa batalha pessoal, que só se resolverá em 1903. Sobre a exoneração de Salvador, ver nota 2, carta [759]. (SE)

[573]

De: OLIVEIRA LIMA
*Fonte*: Manuscrito Original, Arquivo ABL.

BRAZILIAN LEGATION – LONDON

[Londres,] 15 de janeiro de 1901.

Ex*celentíssi*mo *Senh*or Machado de Assis

Tenho a honra de solicitar, por intermédio de V*ossa Excelênci*a, a aprovação da Academia para poder mencionar a minha qualidade de membro da mesma Academia num volume, agora no prelo, sobre o Reconhecimento do Império[1].

Antecipando meus agradecimentos, subscrevo-me com particular amizade e subida consideração.

De V*ossa Excelênci*a

A*d*m*ira*do*r*, co*l*e*g*a e am*i*go obr*i*ga*d*o

M. de Oliveira Lima

---

1 ∽ *História Diplomática do Brasil: O Reconhecimento do Império*. Paris-Rio de Janeiro: Garnier, 1901. (IM)

[574]

De: JOSÉ MARIA LEITÃO DA
CUNHA FILHO
*Fonte*: Cartão-Postal Original, Arquivo ABL.

Paris, 25 de Janeiro de 1901.[1]

*Avenue* Victor-Hugo 102

Um cumprimento de muita saudade, para que o ilustre se não esqueça de que tem um mau criado no pior dos discípulos,

J. M. T. Leitão da Cunha[2]

*Monsieur Joaquim Maria* Machado de Assis
Rua Cosme Velho 18
Rio de Janeiro
Brésil

---

1 ∾ Postal com uma bela figura feminina assinada pelo artista tcheco Alfons Mucha (1860-1939), expoente do *Art Nouveau*. (IM)

2 ∾ O missivista adotou Tristão da Cunha como nome literário. (IM)

[575]

Para: SALVADOR DE MENDONÇA
*Fonte*: *Catálogo da Exposição Machado de Assis, 1839-1939*. Rio de Janeiro: Ministério da Educação e Saúde, 1939. Fac-símile do manuscrito original.

Rio de Janeiro, 27 de janeiro de 1901.

Meu querido Salvador

A tua carta, em que tão cordialmente me mandas os bons desejos de saúde e felicidade, trouxe-me outra grande alegria, — a notícia da tua ama Maria, que viu três séculos. A razão é que, ao pé de tal criatura, considero-me rapaz, e não é pouca fortuna para quem, considerando-se sozinho, acha-se outra coisa que não digo por ser feia.

Boa notícia também é a dos teus bisavós, com 96 e 113 anos, excelente exemplo para o neto, que não deixará de continuar a carreira; e o Mário[1] que aprenda com o pai a passar a perna ao século. A verdade é que não se chega lá sem muita saúde e robustez, e não admira que a tua velha ama coma e durma bem, tenha juízo direito e memória viva. O visconde de Barbacena[2], que tem os seus 99, não só fala de coisas antigas, mas ainda projeta fazê-las novas. Há dias, conversando sobre explorações no Amazonas e no Pará, disse-me que, em Abril ou Maio, irá a Londres *esquentar aquela gente* para mandar lá uma comissão. A simples ideia de fazer isto mostra que este homem conta ir ao enterro da boa Maria de Itaboraí.

Não tenho estado com o Lúcio, mas agora que sei que o par de bustos é teu, vejo que devia adivinhá-lo no epigrama fino. Há desses tais bustos que merecem galeria.

Adeus, meu querido. Minha mulher e eu recomendamo-nos à tua *Excelentíssi*ma Senhora e família. Eu abraço-te, como dantes, no século passado.

Velho amigo

Machado de Assis.

---

1 ∾ Filho mais velho de Salvador, Mário Drummond Furtado de Mendonça (*circa* 1867-1921). (SE)

2 ∾ Felisberto Caldeira Brant Pontes (1802-1906), segundo visconde de Barbacena, foi presidente da província de Santa Catarina em 1848, quando já corria a fama das lavras de carvão mineral na região. Em 1861, adquiriu terras devolutas em Passa Dois, próximo à nascente do rio Tubarão. Associou-se a investidores ingleses, fundando *The Tubarão Coal Mining Company Limited*. Em 1874, recebeu do governo imperial a concessão para a construção da *Dona Teresa Cristina Railway Company L.ᵈ*, projetada para o transporte do carvão entre a vila de Minas (atual Lauro Müller) e o porto de Imbituba. A construção iniciou-se em 1880 pela empresa *James Perry Company* e foi concluída em

1884. Em 1887, grande parte da malha foi destruída pela enchente do rio Tubarão, paralisando o escoamento do carvão por três meses. Os investidores ingleses se desinteressaram. Em 1902, a ferrovia foi encampada pelo governo republicano; em 1906, a sede foi transferida de Imbituba para Tubarão, onde se mantém até hoje. Mais tarde passou ao patrimônio da Rede Ferroviária Federal até ser privatizada em 1997. (SE)

[576]

De: JOAQUIM NABUCO
*Fonte*: Manuscrito Original, Arquivo ABL.

[Londres,] 28 de janeiro 1901.
52, CORNWALL GARDENS,
QUEEN'S GATE, S.W.

Meu caro Machado.

Muito agradeço sua lembrança de ano-bom e bom século e retribuo suas cordiais felicitações[1]. Deus o conserve longos anos para termos alguém de quem justamente nos desvaneçamos. Sem V*ocê* sentir-se-ia aí por muito tempo nas letras o que os Ingleses sentem hoje sem a figura familiar da Rainha, uma impressão de mau despertar e de mal acordado[2]. Mando-lhe dos jornais ilustrados do dia o que me parece melhor.

Dê-me notícias da nossa Academia. Felicito-o por ter conseguido a casa[3]. V*ocê* lembra-se da minha proposta que as 40 cadeiras tivessem insculpido o nome dos primeiros Acadêmicos, que foram todos póstumos[4]. Os Chins enobrecem os antepassados, nós fizemos mais porque os criamos, ainda que nisto não fôssemos mais longe do que os nossos nobres de ocasião muitas vezes têm ido.

O Lúcio[5] deve estar muito satisfeito com a instalação da sua "Companhia". Dê-lhe muitas lembranças minhas.

Meus respeitos à sua Senhora, também minha Senhora, e creia-me seu muito dedicado, como imemorialmente sou,

Joaquim Nabuco

1 ∾ Missiva ainda não localizada. (IM)

2 ∾ Referência à morte da rainha Vitória, em 23/01/1901. (IM)

3 ∾ A possibilidade de uma instalação para a Academia ainda estava no papel, ou seja, no art. 1.º da Lei Eduardo Ramos, de 08/12/1900. Ela só se efetivou em 1904, com a conquista de um espaço em próprio do governo no cais da Lapa, prédio que seria denominado Silogeu Brasileiro. (IM)

4 ∾ A escolha dos 40 Patronos iniciou-se em 1897. No discurso inaugural, proferido em 20/07/1897, Machado de Assis declara que o "batismo de suas cadeiras com os nomes preclaros e saudosos da ficção, da lírica e da eloquência nacionais é indício de que a tradição é e foi seu primeiro voto." Na mesma solenidade, Joaquim Nabuco afirma: "Não tendo antiguidade, tivemos que imitá-la e escolhemos os nossos antepassados." (IM)

5 ∾ O fundador Lúcio de Mendonça* batalhara muito pela lei em favor da Academia. Ver em [534], tomo III. (IM)

[577]

De: JOSÉ VERÍSSIMO
*Fonte*: Manuscrito Original, Arquivo ABL.

Nova Friburgo, 28 de janeiro de 1901.

Meu caro Machado

Não se passa um dia que me não lembre de você. E quando passeio nas belas alamedas deste formoso parque[1], imagino-o a meu lado, como um Platão, a me dizer das gentes e das coisas.

Você não é um admirador da natureza; o que lhe interessa é a vida humana e o homem, em suas paixões e ideias; mas seria sensível a um dia "glorioso" como este. Cabe-lhe bem esse qualificativo inglês: 14 ou 15° (pela manhã tivemos 12°), límpido, ventoso, um sol esplêndido, um céu do mais belo azul. Está um dia de ócio, de longas conversações sob as árvores, a lembrar as belas coisas da "sacrossanta literatura". Como sinto não tê-lo aqui!

Diga-me de você, amarrado à odiosa burocracia, quando nos braços das Musas devia estar. É verdade que você as concilia como ninguém.

Recebeu o *Herod*?[2] Mandei a meu filho que o deixasse no Garnier com destino a Você. Trabalho aqui o menos que posso, e parece vou lucrando com esse regime. Não pode haver gente mais excelente que os meus hospedeiros[3]. O seu acolhimento é mais que fidalgo, é carinhoso. Não escrevi a *Revista* esta semana[4]. Cada vez me confirmo mais no meu conceito de que é extremamente difícil trabalhar no campo, e fora do nosso meio. Aliás encontrei aqui na biblioteca do Rodolfo todos os elementos e facilidades de trabalho. Ele tem livros que lhe fariam a você, como a mim me fizeram, vir água à boca: uma coleção que me parece completa dos clássicos portugueses nas primitivas edições; a grande coleção dos *Grands écrivains de la France* do Hachette[5], a edição em papel do Japão da edição nacional de Victor Hugo, com ilustrações dos grandes pintores franceses, e outras preciosidades.

Não sei se lhe disse antes de partir que o Oliveira Lima não vem mais ao Rio; vai diretamente para o Japão.

Você não sofreu alguma coisa com o tufão? Lembrei-me aqui que esses seus lados das Laranjeiras são em geral vítimas dessas "cóleras da natureza", segundo a velha e boa figura.

Que me diz *você* do livro do nosso confrade Afonsinho[6], de que ontem no detestável *Sem rumo*, nos falou o nosso outro confrade Duarte?[7] Que futilidade, que mau gosto, digamos, que tolice! E é isto, aqui entre nós, esta nossa pobre literatura – e esse um dos mais afamados dela. Eu não direi do livro, porque nem o meio, nem as minhas boas relações com o amável autor me permitiriam a liberdade de dizer como penso que é um livro besta, "com perdão da palavra", como dizem os matutos. Como a dominante do Valentim[8] é a puerilidade, assim a do Afonso Celso é a futilidade. Eles se valem.

E o Rui[9] e as carnes verdes?[10] Que horror, que miséria! Sinto, sinto deveras, porque, ao cabo, o Rui era uma esperança de todos os espíritos liberais. Para mim é hoje apenas um Patrocínio branco, acaso pior, porque não tem a paixão do outro e não tinha contra si a péssima educação dele. Esqueço que *você* tem que fazer e abuso da sua atenção. Meus respeitosos cumprimentos à sua senhora e um abraço cordial do

Seu

José Veríssimo

---

1 ∾ Obra do arquiteto e paisagista Auguste Glaziou (1833-1906), na propriedade do poderoso barão de Nova Friburgo, conhecida como Chácara do Chalé; esta propriedade foi herdada por seu filho, barão de São Clemente, e até hoje deslumbra os visitantes. Vale recordar que no final de 1897 Veríssimo passara uma temporada em Nova Friburgo, para recuperar a saúde. Ver cartas [408] e [409], tomo III. (IM)

2 ∾ *Herod, a Tragedy* (*Herodes, uma Tragédia*), peça teatral de Stephen Philips comentada em [571], tomo III, por Graça Aranha*, que então anuncia o envio de um exemplar para Veríssimo, com o pedido de entregá-lo a Machado. (IM)

3 ∾ A já referida residência do barão de São Clemente, sogro do conselheiro Rodolfo Epifânio de Souza Dantas (1854-1901), jornalista, advogado, político e um dos fundadores do *Jornal do Brasil*, onde Veríssimo fora crítico literário na década de 1890. (IM)

4 ∾ "Revista Literária", seção semanal de crítica no *Jornal do Comércio*. (IM)

5 ∾ Louis Cristophe François Hachette (1800-1864) adquirira a livraria parisiense Brédif, em 1826, fundando a famosa casa editora que continua trazendo seu nome. Naturalmente, "o" Hachette, subentende a própria editora. (IM)

6 ∾ Referência a *Porque me Ufano do meu País* (1900), de Afonso Celso (1860-1938), fundador da Cadeira 36 da ABL. Na *Revista da Academia Brasileira de Letras*, v. XXXIII (1930) e na *Correspondência de Machado de Assis* (1932; 1937), o organizador Fernando Nery escreveu "nosso confrade F...", também utilizando as maiúsculas "N" e "B" para indicar outros acadêmicos citados por Veríssimo de maneira bastante irreverente. Magalhães Jr. transcreveu o manuscrito original, com os nomes completos, já na primeira edição de sua biografia de Machado de Assis (1981). Supomos que a anterior substituição dos nomes reais por letras se devesse ao fato de Afonso Celso estar vivo quando foram publicadas as primeiras versões da correspondência machadiana. Em 1936, seu livro chegava à 11.ª edição, cujo prefácio, assinado pelo autor, abre-se com a seguinte observação: "As numerosas edições, com muitos milhares de tiragem, que tem merecido este opúsculo provam-lhe a aceitação". Um dos primeiros leitores, Magalhães de Azeredo*, escreverá em 20/04/1901: "é verdadeiramente uma boa obra, uma

obra de virtude e de talento, [...] um livro sensato, lúcido, documentado, que merece o aplauso dos melhores." Ver em [596]. Cabe assinalar que, na sessão acadêmica de 06/09/2012, o conde Afonso Celso foi evocado de maneira muito elogiosa. (IM)

7 ∞ O fundador Urbano Duarte (1855-1902) escrevia o folhetim semanal do *Jornal do Comércio* "Sem Rumo", assinando-se "J. Guerra". (IM)

8 ∞ Valentim Magalhães* (falecido em 1903). (IM)

9 ∞ Rui Barbosa* (falecido em 1923). (IM)

10 ∞ Episódio de repercussão muito negativa. Segundo Gonçalves (2000), "Rui Barbosa fornecera a uma firma de comercialização de carnes um parecer jurídico contra a sua concorrente, da qual era advogado e recebera pagamento." (IM)

[578]

Para: ANTÔNIO SALES
*Fonte:* Manuscrito Original. Arquivo-Museu de Literatura Brasileira, Fundação Casa de Rui Barbosa.

Rio de Janeiro, 30 de janeiro de 1901.

Meu caro *Antônio* Sales

Afinal acabei por onde não queria começar, à vista das razões que lhe dei. A pessoa de quem lhe falei acha-se mui agravada com pedidos de passagem, e foi obrigada a recusar-me a sua intervenção. Pedi então eu mesmo ao Ministro, e aí lhe mando uma carta dele para o Diretor da Central do Brasil. Não se gabe muito; faça-me, sim, o favor de mandar de lá um pouco da saúde que vai buscar; não digo a vida, porque esta creio que já não há tomá-la por doação. Adeus, e um abraço do

Amigo Velho

Machado de Assis.

# [579]

Para: JOSÉ VERÍSSIMO
Fonte: Revista da Academia Brasileira de Letras, XXXIII, n.º 104, ago. 1930.

Rio [de Janeiro], 1.º de fevereiro de 1901.

Meu caro *José* Veríssimo,

    Creio que se lembre de mim lá em cima; também eu me lembro de você cá embaixo, com a diferença que Você tem as alamedas do belo parque[1] para recordar os amigos, e eu tenho as ruas desta cidade. Li com inveja as notícias que me dá daí e dos seus "dias gloriosos". Aqui a temperatura tem estado boa e excelente. Tem havido calor, mas é fruta do tempo. Chegou a haver frio, depois daquele famoso temporal, o maior que tenho visto, porque o de 1864 durou menos e não trouxe o tufão medonho, que me deitou abaixo as duas grandes palmeiras do jardim, arrancou grades, retorceu outras, e não me levou a mim, porque eu já estava em casa, mas levou as telhas e deixou cair a chuva em toda a parte. Começo a crer que vamos ter as tardes antigas de trovoada; tanto melhor, se vierem temperar o calor.

    Pelo que Você me diz na carta, vai passando bem. Nova Friburgo é terra abençoada. Foi aí que, depois de longa moléstia me refiz das carnes perdidas e do ânimo abatido[2]. E note que não tinha casa, nem parque, nem biblioteca de amigo[3], como Você; mas a terra é tão boa que, ainda sem eles, consegui engordar como nunca, antes nem depois.

    Conquanto seja grande prazer lê-lo, não se meta a trabalhar. A falta da sua crônica, — revista, quero dizer — esta última segunda-feira, fez com que alguns dos seus fregueses literários me perguntassem se estava doente. Expliquei-lhes que não, que estava repousando. Apesar de tudo, é possível que, segunda-feira próxima, a revista apareça, e a consequência natural é o conselheiro estimar que o conselho não pegasse.

    Recebi e estou lendo o *Herod*; agradeço-lhe não haver esquecido[4]. Vou escrever ao Graça um dia destes[5]. É verdade que me disse que o Oliveira

Lima não vem cá ao Rio, e portanto não podemos ter a nossa grande sessão[6]. Estou a ver se faremos uma sessão ordinária, para cuidar de dar execução a uma parte da Lei e cuidar de outro expediente[7]. Quanto à casa, parece que está em dúvida a Escola de Belas-Artes, na Glória, e portanto, *la coupole*[8]. Alguns dizem, porém, que o Bernardelli[9] não perdeu as esperanças. Quero ver se lhe falo e ouço os fundamentos destas. Ainda ontem, conversando com o Rodrigo Octavio, reconhecíamos que a casa era difícil, mas acrescentei que não seria impossível, e em todo caso devíamos ter a persuasão de estar fazendo obra que dure, e esperar algum tempo.

Não li o livro do Afonso[10]. O Dr. Heráclito[11], com quem estive ontem, é da sua mesma opinião, e expô-la com igual vigor. Disse-me ele que o Graça voltará da Inglaterra até o fim do ano[12]; sabe alguma coisa?

Falei da sessão ordinária que devemos fazer na Academia. Convém que se sigam outras. O Nabuco, escrevendo-me há tempos, observou que elas darão sinal da nossa vida, e é verdade[13]. Para elas temos a sala da Biblioteca Fluminense[14], ponto central que não obrigará a andar nada; basta ir para casa, parar à porta da Biblioteca, subir, deliberar, sair e tomar o bonde. As distâncias matam-nos. Lembre-se do que lhe contei um dia e se não se lembra, aqui vai. Foi no tempo da Constituinte, que se reunia no palácio de *São Cristóvão*. Uma vez, indo eu para lá, encontrei no bonde um membro daquela assembleia, que me falou queixoso, aborrecido, zangado com a estafa e morto porque acabasse a Constituição e voltassem as câmaras para baixo. Eu refleti comigo que, se para fundar um regime, não havia da parte de alguns paciência bastante, pouca haverá para outras obras menos relevantes. Certo é que a Academia é mais que muitas. Basta advertir que a francesa (*notre soeur aînée*)[15] viu já monarquias de vária casta, legítimas e liberais, e repúblicas, e consulados e impérios, e vai sobrevivendo a todas as instituições.

Eis-me aqui a pregar a um convertido; mas releve-me a candura de falar assim a Você, que repousa *sub tegmine fagi*[16], lembrando-se de que também isto é acadêmico.

Adeus, meu caro amigo; continue a lembrar-se de mim, que eu faço o mesmo. Minha mulher agradece as suas lembranças, e eu assino-me como sempre

O velho am*ig*o admirador

M. de Assis.

Um abraço ao am*ig*o Rodolfo[17].

---

1 ∾ Parque do engenheiro e paisagista francês Auguste Glaziou, na Chácara do Chalé. Ver em [577]. (IM)

2 ∾ Depois de penosa enfermidade, Machado partiu com Carolina* para Nova Friburgo em dezembro de 1878, lá permanecendo por três meses. (IM)

3 ∾ Rodolfo Dantas, ver em [577]. (IM)

4 ∾ Ver em [577]. (IM)

5 ∾ Como já foi assinalado no tomo III, ainda não foram localizadas eventuais cartas de Machado a Graça Aranha*. (IM)

6 ∾ Oliveira Lima* fora nomeado encarregado de negócios no Japão por decreto de 31/12/1900, deixando Londres sem obter permissão para vir ao Brasil antes de assumir a Legação em Tóquio. Sua recepção só ocorrerá em 17/07/1903. Machado, ainda esperançoso na vinda imediata do confrade e amigo, a 14/03/1901 escreve a Salvador de Mendonça* propondo-lhe responder ao discurso de Lima [587]. (IM)

7 ∾ A primeira sessão ordinária de que se tem registro em 1901 realizou-se a 11 de abril e, segundo a ata, não tratou da Lei Eduardo Ramos. (IM)

8 ∾ Alusão ao Instituto de França, em cuja sede, encimada por uma cúpula (*coupole*), se reúnem as cinco Academias que o compõem, inclusive a Academia francesa. (SPR)

9 ∾ Rodolfo Bernardelli*, diretor da Escola de Belas-Artes. (IM)

10 ∾ *Porque me Ufano do meu País*, de Afonso Celso, que Veríssimo* depreciara na carta [577]. (IM)

11 ∾ O futuro acadêmico Heráclito Graça*. Machado, obviamente, não emite comentários. (IM)

12 ∾ Graça Aranha permaneceria ao lado de Joaquim Nabuco* até o final de 1904. (IM)

13 ∾ Ver em [526], tomo III. (IM)

14 ∾ Local onde se reunira anteriormente a Academia. Ver nota 1 em [468], tomo III. (IM)

15 ∾ "Nossa irmã mais velha." (IM)

16 ∾ Do primeiro verso da primeira écloga de Virgílio: "*Tityre, tu patulae recubans sub tegmine fagi*", ou seja, "Tu, Títiro, deitado à sombra de frondosa faia". "*Sub tegmine fagi*" é o título de um poema de Castro Alves. (SPR)

17 ∾ Rodolfo Dantas. (IM)

[580]

De: LUÍS B. DOS SANTOS BEZERRA
*Fonte*: Manuscrito Original, Arquivo ABL.

GABINETE DO DIRETOR DA SECRETARIA DO SENADO FEDERAL

Capital Federal, 4 de fevereiro de 1901.

Ex*celentíssi*mo Se*nho*r Joaquim Maria Machado de Assis.

Respondendo à carta de V*ossa* Excelência[1], cabe-me informar que a proposição da Câmara dos Deputados relativa à Academia Brasileira de Letras entrou em 2.ª discussão com o respectivo parecer, que agora envio, em 28 de novembro do ano próximo passado e foi aprovado. A requerimento do S*enho*r Senador Antônio Azeredo [,] concedeu o Senado dispensa de interstício e no dia seguinte [,] 29, foi ainda sem discussão aprovada e enviada a sanção em 30[2].

É o que posso informar a respeito, mas se de algum outro esclarecimento precisar Vossa Excelência ter-me-á às suas ordens.

Saudações

Luís B. dos Santos Bezerra.

---

1 ∾ Carta não localizada. (IM)

2 ∾ Informações relativas à Lei Eduardo Ramos; ver a tramitação no Senado em [557], [558], [559], [560], [562], [563], [565], [566] e [568], tomo III. (IM)

# [581]

De: MAGALHÃES DE AZEREDO
*Fonte:* Manuscrito Original, Arquivo ABL.

Roma, 10 de fevereiro de 1901.
Palazzo Capranica[1] 114 Via Nazionale.

Meu querido Mestre e Amigo,

Respondo a três cartas suas[2] — não parece milagre? É que na realidade elas se sucederam com brevíssimos intervalos; além de que ultimamente, a dizer a verdade, quase não tenho podido dispor do meu tempo[3]. O trabalho oficial tem sido maior que de costume, e também, com o inverno e o acréscimo de obrigações sociais que ele traz aqui, as visitas a fazer e a receber ocupam grande parte do dia. Já moramos aqui há três anos, as nossas relações são naturalmente numerosas, e a sociedade é aqui tão amável e acolhedora que cumpre corresponder à sua gentileza.

Quanto à saúde também, o inverno não é para mim a estação mais propícia. Já gostei muito dele nos primeiros anos da nossa residência na Europa — por uma curiosidade natural em quem nunca vira neve, pode-se dizer, senão em pintura, nem tivera quase ocasião de ver o termômetro indicando frio abaixo de zero[4]. Agora, porém, a minha natureza de brasileiro, de fluminense, filho de um país todo de sol, de céu azul e verdes montanhas, reivindica os seus direitos, e protesta, quando mais não pode fazer, pela nostalgia, contra estes dias de névoa, de vento e de chuva gélida. É certo que em Roma, geralmente, a temperatura é deliciosa e encantador o firmamento; Paris é outra coisa[5], e Londres ainda mais. A primavera aqui, por exemplo, é de uma beleza, de uma fascinação que arrebata os sentidos e a alma. Mas o inverno afinal é sempre inverno, e o deste ano tem sido rigoroso. Tivemos neve em Roma, o que é raríssimo, enchente do Tibre, inundações em muitos bairros da cidade, e com as chuvas dos últimos dias o rio começava a crescer outra vez. Hoje felizmente o sol voltou, e esperemos que por muito tempo.

Em compensação, graças a Deus, este inverno tem sido muito mais salubre que o anterior. Eu, entretanto, já tive a minha bronquite inevitável, em Dezembro; mas agora, a não ser um pouco de tosse que ainda ficou, estou bom de todo. A Família passa otimamente e isto é o essencial.

Mas o frio — o frio põe-me indolente, covarde para o trabalho! Vem-me um torpor ao corpo, à imaginação, à vontade, e por mais que eu o combata com duchas e ginástica, não valho a metade do que sou na boa estação. De fato, pouco tenho escrito agora; isto é, tenho em preparo um poema bem vasto, o *Poema da Paz*[6], que eu desejava publicar aí no primeiro dia do século, e na verdade o publicaria então, se, de envolto com a bronquite, não me assaltasse uma dessas crises de *aridez espiritual* que os poetas conhecem tanto como os ascetas. E só agora começo a vencê-la, a sentir de novo esse belo entusiasmo, essa doce facilidade do verso e da rima, que tantas delícias dão aos artistas nas horas de composição febril.

Tenho quase impresso um trabalho que o surpreenderá decerto, e que, creio, lhe agradará. Não lhe digo já o que é, para não o privar do gosto de saber e ler ao mesmo tempo. É uma pequena coisa que vale sobretudo como curiosidade bibliográfica, pois creio que entre nós raros opúsculos como esse se terão publicado[7].

Tenho também dois livros prontos para publicar, mas trata-se de encontrar editor; acho que a casa Garnier mos aceitaria, e talvez eu lhe proponha um deles — o de estudos críticos[8]; o outro, porém, que é o meu volume de versos, *Horas Sagradas*, eu quereria fazê-lo imprimir aqui sob minhas vistas, e levar a edição comigo quando fosse ao Brasil, o que será provavelmente, mas não ainda com certeza, este ano[9]. Nessas condições, a casa Garnier que tem oficinas próprias em Paris, não aceitaria, é de crer, o livro; de modo que estou resolvido a recorrer à casa Laemmert, ou, mais particularmente, ao *Senh*or Massow[10], a quem escrevo hoje. Sei que ele resistirá um pouco, por causa das más condições do mercado; mas veja se o decide, se lhe fala em meu favor; certo é que fazendo-se a impressão aqui, sairá muitíssimo mais barata que no Rio, como ele já tem visto.

No volume de estudos críticos incluirei o artigo que escrevi para a *Revista Moderna*[11] a seu respeito, e os que fiz em resposta ao livro do Sílvio Romero. Do *ensaio* mais desenvolvido que planeio sobre a sua obra penso fazer um volume à parte, é um antigo projeto, como sabe. Assim, pelo menos, recapitulando o juízo dos contemporâneos, poder-se-á opor o meu livro ao de Sílvio Romero, que aliás representa apenas uma opinião pessoal, caprichosa, arbitrária, sem nenhum fundamento crítico, apesar de todo o seu luxo de erudição.

Deixe-me agora dar-lhe uma boa notícia, e é que não iremos para a Bolívia. Fazendo-se a minha promoção por antiguidade, seria quase uma ofensa mandarem-me para lá. E tal era a impressão geral entre os colegas, pois na verdade a Bolívia é o pior posto de toda a diplomacia brasileira. Além do mais, pela penosa e longuíssima viagem, pelo inóspito do lugar, pela dificuldade das comunicações com o mundo culto, aquela é residência própria para diplomata solteiro, não para quem tem família. E por isso mesmo os dois últimos secretários para lá nomeados antes de mim foram dispensados de partir para a Bolívia, dando-se-lhes serviço em outro país. O nosso querido Amigo Quintino Bocaiúva[12], que é quem vela aí pela minha carreira diplomática com uma solicitude inexcedível, não podia permitir que se impusesse tal vexame, tanto mais que já antes recusara em meu nome outra promoção em condições semelhantes. Assim, decidiu-se que eu permaneceria em Roma, como 1.º secretário, bem entendido, e, segundo a linguagem oficial, destacado em serviço junto à Santa Sé. O meu sucessor no posto de 2.º secretário aqui, o nosso bom Amigo Domício da Gama, foi mandado para Londres a trabalhar com Joaquim Nabuco. Este escrevia-me há dias que eu realizei "a combinação ideal", subindo de categoria sem sair de Roma. E assim é. Depois do Brasil, a que naturalmente os vínculos do coração me ligam de modo todo especial, não há residência comparável a esta. Nem Berlim, nem Paris, nem São Petersburgo, nem Londres valem para o nosso espírito o que vale Roma, não falando já de Florença, Veneza, Nápoles, e outras capitais da arte, aonde se pode ir dar um passeio de quando em quando. A Itália é [,] no mundo moderno, a terra predestinada e talvez única, onde se pode dar à vida toda a plenitude e toda a intensidade da emoção poética. Da Grécia, antiga rival e mestra, que resta hoje? Pouco mais que a Acrópole mutilada, de onde Renan ergueu ao céu a sua prece de magnífico lirismo. Mas quem poderia viver, como uma espécie de Simeão Estilita[13], sempre isolado sobre um capitel da Acrópole? Hoje, só a Itália... ou então as florestas do Novo Mundo.

Não me posso conformar com a ideia de não conhecer o meu querido Mestre e Amigo esta pátria da Beleza que lhe fascinaria o espírito em impressões indeléveis[14].

Tencionamos, já lho disse, ir este ano ao Brasil. Eu tenho direito a uma licença, e não ma podem recusar. Tudo está em ver se nos convirá ir nesta ocasião, tendo de pagar sempre aqui casa e criados, ou se há possibilidade de ser eu removido daqui em breve para posto na Europa, caso em que seria melhor esperar pela remoção. Não que eu a deseje, ao contrário; o que prefiro é ficar aqui muito tempo; mas, dadas certas condições teria de aceitá-la.

Seguramente, as saudades que temos do Brasil são muitas, e ser-nos--ia agradabilíssimo ir passar uns meses aí entre a Família e os amigos, sob o céu e o sol da pátria que tem o segredo da rejuvenescência.

Se lá formos daqui a pouco, eu aproveitarei a ocasião para tomar posse do meu lugar na Academia[15].

Adeus, meu querido Mestre e Amigo, escreva-me sempre que puder; não lhe peço mais, nem desejaria que fatigasse a vista escrevendo-me à noite, posto que isso lhe é nocivo; mas nos domingos, nos dias feriados, quando não houver papéis urgentes de secretaria, aproveite a tranquilidade frondosa do seu Cosme Velho para conversar comigo.

Estou ansioso pela coleção dos seus versos[16], e rogo-lhe que me mande um dos primeiros exemplares de que puder dispor.

Receba cumprimentos de minha Família para si e sua *Excelentíssima* Esposa, a quem me recomendo respeitosamente.

Abraça-o o seu de coração

Carlos Magalhães de Azeredo

---

1 ◈ O Palazzo Capranica del Grillo é uma construção do século XVII, que pertenceu à família Capranica, ligada à alta hierarquia da Igreja Católica e às artes cênicas. Embora subdividida em diversos ramos, a família manteve durante séculos o palácio como propriedade indivisa. Em 1831, Giuliano Capranica (1824-1892), filho de Bartolomeo Capranica e da princesa Flaminia Odescalchi, herdou o título do pai e recebeu, em testamento cerrado, de sua prima Virginia Capranica, viúva sem descendentes diretos, o patrimônio e o título de seu marido, marquês del Grillo. Em 1848, Giuliano, agora marquês de Capranica del Grillo, casou-se com a atriz trágica, amiga e correspondente de D. Pedro II, Adelaide Ristori (1822-1906), que muitas vezes esteve no Brasil, e sobre quem Machado escreveu uma série de artigos no *Diário do Rio de Janeiro* (1869), por ocasião da sua primeira temporada em terras brasileiras, onde estreou em 28 de junho no Teatro Lírico. Estes artigos foram reunidos e publicados pela Academia Brasileira de Letras (1955). (SE)

2 ◈ Azeredo faz alusão às três últimas cartas, duas pertencentes ao tomo III: 05/11/1900 e 20/12/1900. A terceira – desconhecida até o momento – deve ser de janeiro de 1901. Todas as outras cartas de Machado, anteriores a 05/11/1900, tiveram interlocução. (SE)

3 ◈ No tomo III (1890-1900), o período de efetiva correspondência entre Machado e Azeredo cobre oito anos (1892-1900) e, nele, há 90 cartas. Já nos últimos sete anos da vida de Machado, a comunicação tornou-se mais espaçada. De 1901 a 1908, reuniram-se 55 cartas, sendo 33, de 1901-1904, que correspondem ao presente tomo; e 22, de 1905-1908, que virão no tomo V. (SE)

4 ◈ Na carta [419], de 11/03/1898, tomo III, Azeredo manifesta esse entusiasmo de quem vê a neve pela primeira vez. (SE)

5 ◈ Em 1897, demitido do serviço diplomático, no controvertido episódio Badaró, Azeredo decidiu permanecer na Europa, transferindo-se com a família para a residência europeia do sogro Bernardo Caymari (1838-1907), na avenue des Champs--Elysées, 114. Viveu em Paris quase um ano, travando contato com a elite intelectual do tempo e o *grand monde* internacional. Após ter sido reintegrado à carreira em janeiro de 1898, retornou a Roma em abril. Sobre o episódio Badaró, ver cartas [386] e [415], tomo III. (SE)

6 ◈ *O Poema da Paz*, na aurora do século XX (Laemmert, 1901). Ver nota 1, carta [636], de 20/02/1902. (SE)

7 ∾ É possível que se refira ao artigo sobre Machado, que, aliás, parece, não conseguiu fazer porque este não lhe repassou as informações biográficas. Nas cartas deste tomo, Azeredo diversas vezes insistirá para que Machado lhe envie os apontamentos, sem sucesso. (SE)

8 ∾ Tanto *Homens e Livros* (1902) quanto *Horas Sagradas* (1903) foram publicados pela H. Garnier. Sobre *Homens e Livros*, ver nota 2, carta [482], tomo III. (SE)

9 ∾ Enquanto Machado esteve vivo, Azeredo pensou em vir ao Brasil por quatro vezes, mas só concretizou três: 1896, 1902 e 1907. Em 1896, carta [340], já removido do Uruguai para a Santa Sé e de licença por três meses, planejou longas férias no país; mas em [349], refez os planos, para atender aos apelos da esposa Maria Luísa, que preferia evitar o Rio desde que perdera um familiar de febre amarela. As férias brasileiras se realizaram, mas foram curtas para os padrões do tempo – cerca de três semanas em Petrópolis, à época com fama de ser imune à doença. Em outubro de 1898, de Roma (carta [431]), diz que virá ao Brasil no ano seguinte; mas na primeira carta de 1899, [442], já informado da promoção a 1.º secretário, Azeredo explica que a viagem, em junho ou julho, não se realizará mais por razões financeiras (ver cartas citadas, tomo III). Agora, 1901, ainda incerto quanto à data, planeja nova viagem para o ano seguinte, que acabará acontecendo de agosto-1902 a janeiro-1903, sempre hospedado em Petrópolis. Em 1907, virá pelo falecimento de seu sogro Bernardo Caymari. Ver notas 1 e 2, carta [357], tomo III. (SE)

10 ∾ Após a morte dos fundadores da casa Laemmert, Eduardo (1880) e Henrique (1884), os negócios passaram à sociedade anônima formada por Egon Laemmert, Gustavo Massow (1838-1905) e Artur Sauer, o primeiro filho e os dois últimos genros de Henrique. Em 1891, os sócios formaram a Laemmert & Companhia. Em 1905, Gustavo faleceu, e Egon afastou-se, sendo o primeiro substituído por seu irmão Hilário Massow, e o segundo por seu filho Hugo Laemmert. Após o incêndio de 1909, a editora e a livraria fecharam as portas. A massa falida e os ativos foram comprados pelo livreiro português Francisco Alves (1848-1917) e seu sócio Manuel Pacheco Leão. Em 1917, com a morte de Francisco Alves, quase todos os bens – a firma e os imóveis – foram herdados pela Academia Brasileira de Letras. (SE)

11 ∾ Quando viveu em Paris, entre 1897-1898, Azeredo conheceu, por intermédio de Domício da Gama*, o restrito círculo de amigos do escritor Eça de Queirós*. Rapidamente foi convidado a tornar-se colaborador assíduo da *Revista Moderna*, periódico dirigido por Martinho Botelho (1867-1916). A partir daí, a revista passou a ser assunto frequente entre os missivistas. Machado recebia regularmente todos os números, inclusive aquele de 05/11/1897, em que foi homenageado num longo artigo escrito por Azeredo e antecedido de uma foto de página inteira. Sobre a *Revista Moderna*, ver nota 1, carta [406], tomo III. (SE)

12 ∽ Em 1897, no episódio que culminou na sua exoneração do serviço diplomático, Azeredo contou com o auxílio efetivo de Quintino Bocaiúva*, conforme declara em suas *Memórias* (2003). Agora, depois de passar a primeiro-secretário em 31/12/1900 e ser removido para a Bolívia, valeu-se outra vez dele que, parece, intercedeu a seu favor. Por meio de uma resolução normativa de 11/01/1901, Azeredo foi mantido até segunda ordem no posto na Santa Sé. Em 07/01/1902, é designado a servir em Paris, entrando de licença a partir de 10/05/1902 até 28/01/1903. Ver também carta [386], tomo III. (SE)

13 ∽ Há dois Simeão Estilita, o velho e o moço, ambos ascetas. (SE)

14 ∽ Reiteradas vezes dois dos correspondentes mais assíduos de Machado – Magalhães de Azeredo e Miguel de Novais* – insistiram que o escritor viajasse à Europa. Com Azeredo, o tema é recorrente. O próprio Machado não se furta a tratar o assunto em muitas cartas, quase sempre num tom vagamente melancólico. (SE)

15 ∽ Sobre a planejada posse na Academia Brasileira de Letras, ver carta [431], tomo III. (SE)

16 ∽ *Poesias Completas*, H. Garnier, 1901. (SPR)

[582]

De: JOSÉ VERÍSSIMO
*Fonte:* Manuscrito Original, Arquivo ABL.

Friburgo, 12 de fevereiro de 1901.

Meu caro Machado

Esta é só para importuná-lo. Peço-lhe leia a carta junta e faça-a chegar ao seu destino com uma recomendação sua, ou sem ela, como entender[1]. Você por ela verá se tenho ou não razão de escrevê-la. Imagine que daqui para o Rio e do Rio para cá em cerca de quatro semanas, conto uma meia dúzia de cartas extraviadas e outras tantas chegadas com demora inexplicável.

Como entre nós há um vilão espírito que para que um funcionário nos atenda é preciso que ele saiba que o reclamante não é um desamparado, peço o seu amparo.

Amanhã lhe escreverei sobre coisas menos aborrecidas

Todo seu

José Veríssimo

---

1 ∾ A carta era endereçada ao diretor dos Correios, repartição subordinada ao Ministério da Indústria, Viação e Obras Públicas onde servia Machado de Assis. (IM)

[583]

De: JOSÉ VERÍSSIMO
*Fonte:* Manuscrito Original, Arquivo ABL.

Friburgo, 12 de fevereiro de 1901.

Meu caro Machado.

Quase ponho aqui: meu caro Mérimée, pois fecho o delicioso livro deste *Lettres à M. Panizzi*[1], que sem dúvida *você* conhece e que eu jamais lera, para escrever-lhe. E não haveria erro extraordinário no endereço... Já hoje lhe escrevi para importuná-lo[2]; tinha, porém, de escrever-lhe para lhe agradecer a sua boa resposta e para comunicar-lhe que o Oliveira Lima, mudando de resolução, virá ao Rio, segundo me anuncia a sua carta de 17 de janeiro, já aqui recebida, e traz pronto o elogio de Varnhagen. Nessa carta diz: "No Rio desejo ser recebido na Academia para o que levo pronto o meu elogio de Varnhagen." Diz mais que escolheu para responder-lhe o Salvador[3], a quem escreveu a respeito. Volta o Lima a tratar do caso do John Fiske[4], que lhe escreveu muito satisfeito de ter sido eleito membro da Academia e ao mesmo tempo muito queixoso de não haver recebido a respectiva comunicação. Chegando aí, o que será no dia 20 deste, conversaremos no meio de sanar este inconveniente. Recebi uma longa carta do Aranha[5], contando-me coisas interessantes, que lhe direi de viva voz.

Creia que tenho muitas saudades suas e que o recordo a cada instante. Há aqui uma senhora que está lendo um livro de contos seu – *Histórias sem Data*. A cada passo o encontro sobre uma mesa ou outra. Aliás eu não precisava disso para lembrar-me do autor.

Que há de novo por aí? O que vem nos jornais é pouco interessante, a não ser, como sintomas, as discussões das carnes verdes[6], os intragáveis artigos do Fausto[7], e a *chantage* do fenomenal F(...)[8]. Mas falemos baixo, que esse homem ainda há de ser ministro. Estimei que o Heráclito[9], cujo juízo acato, pense como eu do inefável livro do Afonso Celso. Quando aí chegar, lhe darei um (tenho dois) para ler. Assombroso de bobice!

E os seus versos, os teremos breve?

Isto aqui é um sedativo excelente para descansar o espírito, e não obstante não poder dar-me o repouso completo de que carecia, pelas preocupações da família e da minha tarefa jornalística, parece que estou muito melhor. A *você* lhe conviria muito passar aqui um ou dois meses; mas *você* é o carioca por excelência a quem o ar, a rua, tudo do Rio de Janeiro é absolutamente indispensável.

Acabo esta a 13, com um magnífico dia de sol e frio (12°), depois de um passeio de quase uma légua a pé. O Rodolfo[10] retribui-lhe afetuosamente o seu abraço.

Respeitos à *Senh*ora e um abraço cordial do

Seu

José Veríssimo

---

1 ∾ *Cartas ao Senhor Panizzi* (1850-1870), obra do escritor e historiador francês Prosper de Mérimée (1803-1870), cujos "ceticismo e finura" Veríssimo (2003) destaca no ensaio "A Electra Espanhola". Os dois volumes de cartas ao italiano Antonio Panizzi (1797-1879), proscrito de Napoleão III e radicado na Inglaterra, são um testemunho da vida intelectual e política daquele período, confiado ao bibliógrafo que, do outro lado da Mancha, organizou a biblioteca do British Museum e deste tornou-se respeitado diretor. (IM)

2 ∾ Ver em [582]. (IM)

3 ∾ Salvador de Mendonça* de fato recebeu Oliveira Lima* na ABL, mas a posse só veio a ocorrer em 17/07/1903. (IM)

4 ∾ O filósofo e historiador norte-americano John Fiske, cujo verdadeiro nome era Edmund Fisk Green (1842-1901), fora eleito para a Cadeira 8 do quadro de sócios correspondentes da ABL. (IM)

5 ∾ Graça Aranha*. (IM)

6 ∾ Ver em [577]. (IM)

7 ∾ Fausto Cardoso (1864-1906), discípulo de Tobias Barreto, foi poeta, advogado e deputado federal por Sergipe. Teve vasta atuação política e morreu assassinado em Aracaju. (IM)

8 ∾ Parcialmente ilegível no original muito deteriorado. Tudo aponta para o mesmo Fausto Cardoso, colaborador independente de *A Imprensa* de 06/02 a 03/03/1901. Este afirmara que Rui Barbosa*, redator-chefe do periódico, "se ressente e recolhe quando lhe não dão a tempo e a hora os ordenados". O jornal reagiu e, mais ainda, o próprio Rui, já afastado de *A Imprensa* (Barbosa, 1954). (IM)

9 ∾ Heráclito de Alencastro Pereira Graça*, eminente filólogo que ocuparia a Cadeira 30 (1906), era tio de Graça Aranha*. (SPR)

10 ∾ Rodolfo Dantas. (IM)

[584]

De: GABRIEL OSÓRIO DE ALMEIDA
*Fonte*: Manuscrito Original, Arquivo ABL.

CLUB DE ENGENHARIA
Rua Nova do Ouvidor, 22

Rio de Janeiro, 13 de fevereiro de 1901.[1]

I*lustríssi*mo E*xcelentíssi*mo S*enho*r Presidente da Academia Brasileira de Letras.

Temos a honra de comunicar-vos que a Diretoria deste Clube, eleita pela Assembleia Geral de 7 do corrente ano, ficou assim constituída:

Presidente – D*outo*r Gabriel Osório de Almeida.

1.º Vice-presidente – Doutor João Chrockatt de Sá Pereira de Castro.
2.º Vice-presidente – Doutor Joaquim *Silvério* de Castro Barbosa.
1.º Secretário – Doutor Horácio Antunes.
2.º Secretário – Doutor Miguel Galvão.
Tesoureiro – Conrado *Jacob* de Niemeyer.

Saúde e Fraternidade
Osório de Almeida
Presidente


Miguel de Galvão
2.º Secretário

---

1 ⚬ No papel timbrado, está impresso "18..." com retificação sobreposta para "1901". A grafia desses algarismos não corresponde à do documento, escrito por calígrafo. Pesquisado o histórico institucional do Clube de Engenharia, verificou-se que a diretoria comunicada foi eleita em **1900**. (IM)

## [585]

Para: JOSÉ VERÍSSIMO
*Fonte: Revista da Academia Brasileira de Letras*, XXXIII, n.º 104, ago. 1930.

Rio [de Janeiro], 16 de fevereiro de 1901.

Meu caro *José* Veríssimo,

Esta carta é apertada para caber, não no papel, mas no tempo de que posso dispor. E desde já lhe digo que cumpri as suas ordens, mandando a carta ao Diretor dos Correios[1]. Este respondeu-me logo, e infelizmente não tenho aqui a carta para lhe remeter com esta; mas como ele me disse que lhe escreveu diretamente, é natural que saiba já das explicações e das providências.

Pela outra sua vi que está passando bem, tão bem que até me quisera lá. Eu não menos quisera subir, apesar de carioca *enragé*[2]; ao Sancho Pimentel[3], que há dias me convidava a acompanhá-lo, respondi com a verdade, isto é, que não posso deixar o meu posto. O céu, reconhecendo esta situação, mandou-me um verão, e particularmente um fevereiro, que nunca jamais aqui houve. Já tivemos frio! Verdade é que ter frio não é ter Nova Friburgo. A prova do benefício que lhe faz esse clima delicioso, com a vida que lhe corresponde, cá temos tido nas suas *Revistas Literárias*, que são para gulosos. Vejo que não aceitou o meu conselho e, como eu ganhei com isso, fez muito bem, e melhor fará continuando.

Li o que me diz do Oliveira Lima, e tanto melhor se vamos ter a nossa sessão solene[4]. Há cerca de duas semanas recebi carta dele pedindo autorização da Academia para pôr em um livro a designação de membro dela[5]. Já lá foi. Antes da grande sessão precisamos de uma, pelo menos, para assentar sobre vários pontos. Vou cuidar da comunicação ao John Fiske[6]. Convém acudir a quem nos quer bem.

Aguardo as coisas que lhe escreveu o Aranha. Eu devo a este amigo uma carta, que já devia estar a caminho[7]. O Magalhães de Azeredo, que me não escreve há tempo, queixou-se de mim na última carta[8]. Eu quisera poder escrever todas a todos, não para ouvir de Você epítetos que não mereço, como esse de Mérimée[9], mas para, ao menos, agradecer às leitoras dos meus livros, como a das *Histórias sem Data*. Adeus. Um grande abraço que responda à distância e alcance o Rodolfo[10]. Adeus.

M. de Assis.

---

1 ∾ Ver em [583]. (IM)

2 ∾ Excessivo, fanático. (IM)

3 ∾ Sancho de Barros Pimentel (1849-1924), amigo de Joaquim Nabuco\* e de Rodolfo Dantas, ex-chefe de redação do *Jornal do Brasil*, fundado por Dantas, em cuja casa Veríssimo estava hospedado. (IM)

4 ∾ A recepção de Oliveira Lima\* que, da Europa seguira diretamente para assumir a missão diplomática no Japão, só ocorreria em 1903. (IM)

5 ~ Ver em [573]. Não se localizou a resposta de Machado de Assis. (IM)

6 ~ Ver em [583]. (IM)

7 ~ Ignora-se o paradeiro de cartas de Machado a Graça Aranha*. (IM)

8 ~ Ver em [553], tomo III. (IM)

9 ~ Ver referência a Prosper de Mérimée em [583]. (IM)

10 ~ Rodolfo Dantas. (IM)

[586]

Para: MAGALHÃES DE AZEREDO
*Fonte*: Manuscrito Original, Arquivo ABL.

Rio [de Janeiro], 21 de fevereiro de 1901.

Meu querido amigo,

Agora creio que está deveras zangado comigo, apesar de todas as explicações que lhe dei do meu silêncio, e afirmação relativa a uma das cartas a que dei resposta oportuna. Também pode suceder que se esteja preparando para a mudança de legação. Qualquer que seja a causa do seu silêncio agora, espero vê-la escrita por sua letra, ainda que em duas linhas. E que se não demore, para me não fazer crer que a sua afeição, tão constante e profunda, com pouco se desfez[1]. De resto, é justo que, estando fora da pátria e quase que da língua, os ausentes queiram e devam ler as palavras amigas dos que cá ficaram e se achem ligados por laços do espírito e do coração.

Esta carta não é longa. Escrevo-a com um acesso intermitente de nevralgia, talvez agravado pelo trabalho do gabinete, que é grande e longo. Já lhe disse esta última parte mais de uma vez. Não estranhe a repetição; é próprio da idade.

Como vamos de trabalhos? Que nos trará de Roma, além das saudades, que serão grandes no homem, no poeta, no estudioso e no cristão?[2] Aqui achará, se cá pousar um instante, a mesma cidade nossa. Tivemos há dias o nosso carnaval; não é o de Roma, nem o de Veneza, segundo a tradição os dá, que eu nunca os vi; quando muito, ouvi o segundo nos violinos dos artistas que aqui vinham outrora. Era o trecho final dos concertos, aquele que o povo aplaudia com delírio. Coisas passadas. Quanto ao nosso Carnaval[3], não sei senão o que li, e foi que um grande tumulto fez abrir vários inquéritos, e já se apontam como autores dele alguns rapazes da marinha, também dizem que do exército. Mas tudo passa, como os violinos de outro tempo, e muito mais depressa, não obstante haver uma das sociedades carnavalescas convocado uma assembleia geral, que se declarou em sessão permanente. Não se assuste com a palavra; a sessão levantou-se às cinco horas da tarde. Creio que o mundo continuará a velha marcha.

Já há de saber (e eu mesmo penso haver-lho dito) que a lei que deu à Academia alguns favores vai ter execução. A casa é que não está ainda escolhida, e não é fácil, mas lá iremos. Vamos ter uma sessão solene, a entrada, digo mal, o elogio do Varnhagen pelo Oliveira Lima, que ocupa a cadeira daquele patrono. Responderá provavelmente o Salvador de Mendonça, com quem se não falou ainda. O Oliveira Lima virá aqui, antes de ir ao Japão. Esperamos que seja uma sessão magnífica[4]. Antes dela podíamos ter outra, a entrada do Francisco de Castro[5], a cujo discurso responderia o Rui Barbosa mas já lhe contei que o novo eleito não deu por pronto o discurso, por mais que eu lho pedisse e desejasse. Sou amigo dele, e creio que daria brilho à festa, não contando o que lhe trouxesse o Rui. Virtualmente ficamos com trinta e nove membros, desde que o Castro não tomou posse da cadeira.

De letras eis o mais que há por aqui: Bilac continua as suas belas crônicas na *Gazeta de Notícias*[6]. Anuncia-se um romance de Coelho Neto[7]. O Veríssimo prossegue no *Jornal do Comércio* a obra literária que tomou aos ombros e que o coloca na primeira fileira dos críticos, como análise, cultura, linguagem, estilo. A *Mãe Tapuia* do Medeiros e Albuquerque é já do ano passado[8]. O Garnier inaugurou há pouco a bela casa da rua do Ouvidor, com uma festa[9]. O Laemmert também possui um lindo edifício.

E agora voltemos aos seus trabalhos. Espero que o seu silêncio não se estenda às musas da prosa e da poesia. Roma dará vida a ambas. No meu tempo de rapaz, a Itália era sonho comum, por causa de Byron, Musset e Álvares de Azevedo. Ainda agora dou comigo a repetir os versos de Musset ao "irmão que voltava da Itália", onde há, entre tantas estrofes deliciosas, aquela que alude a Stendhal[10]. Adeus, meu querido amigo, responda-me pelo primeiro correio, e receba para si e sua *Excelentíssi*ma Família os cumprimentos de minha mulher e do velho amigo do coração

Machado de Assis

---

1 ∞ Azeredo, exigente em seus afetos, queixou-se diversas vezes de abandono epistolar. Desta vez, no entanto, é Machado quem expressa descontentamento, aliás, de modo bem eloquente. Registre-se que na carta [585], para José Veríssimo*, Machado também se refere à ausência de cartas de Magalhães de Azeredo. Ver também cartas [604], nota 2; [608], nota 2; [612], nota 10 e [624], nota 2. (SE)

2 ∞ Na carta [581], Azeredo anunciara a intenção de vir ao Brasil. Ver nota 9, naquela carta. (SE)

3 ∞ O carnaval começou em 16, sábado, e terminou em 19 de fevereiro, terça, dois dias antes da data da presente carta. (SE)

4 ∞ Sobre a posse de Oliveira Lima, ver nota 3, carta [589], de 15/03/1901. (SE)

5 ∞ Sobre Francisco de Castro*, ver carta [476], tomo III. (SE)

6 ∞ Em 1897, Machado despediu-se de *A Semana*, crônicas de domingo publicadas por quase cinco anos, na *Gazeta de Notícias*. Olavo Bilac, que há tempos (desde 1884), era colaborador da folha, o substituiu, assinando uma crônica na parte interna do jornal e não nas primeiras colunas da página principal. Ao que parece, Machado acompanhava o desempenho do poeta à frente da sua antiga e estimada "gazeta da *Gazeta*", como a ela se referiu algumas vezes, que, aliás, foi a seção que manteve por mais tempo na imprensa, de 24 de abril de 1892 a 28 de fevereiro de 1897. (SE)

7 ∞ O livro recém-lançado por Coelho Neto* chamava-se *Tormenta* (Laemmert, 1901). (SE)

8 ∞ Medeiros e Albuquerque havia lançado *Mãe Tapuia*, um livro de contos (H. Garnier, 1900). (SE)

9 ◈ Baptiste-Louis Garnier* manteve a sociedade com os irmãos Auguste e Hippolyte* até 1852, quando passou a atuar independentemente no mercado brasileiro, embora comercializando títulos da Garnier Frères. Neste período a loja teve diversos endereços em prédios alugados. Em 1869, quando o n.º 69 da rua do Ouvidor foi comprado para ser a redação do jornal *O Cruzeiro*, a livraria mudou-se para outro, agora próprio, na mesma rua n.º 71. Em 1893, quando Hippolyte assumiu os negócios do irmão recém-falecido, a livraria voltou a ser filial da Garnier Fréres, Paris, com o nome de H. Garnier, livreiro e editor. Em 1898, Hippolyte enviou Julien Lansac* para gerenciá-la e com a incumbência de reformar as antigas instalações. Para realizar o projeto arquitetônico, contratou um escritório francês. O moderno edifício foi inaugurado com uma grande festa cerca de um mês antes da data desta carta, em 19 de janeiro. De 1897 até 1916, a Ouvidor chamou-se Moreira César, em homenagem ao controvertido coronel que comandou a malograda expedição legalista contra Canudos. Registre-se, por fim, que o nome jamais pegou. Sobre a festa de 19 de janeiro, ver também Ubiratan Machado (2008). (SE)

10 ◈ Machado já se referiu a estes versos em outra carta a Azeredo. Ver nota 2, carta [410], tomo III. (SE)

# [587]

Para: SALVADOR DE MENDONÇA
*Fonte*: Manuscrito Original. Arquivo – Museu de Literatura Brasileira, Fundação Casa de Rui Barbosa. Coleção Machado de Assis.

Rio [de Janeiro], 14 de março de 1901.

Meu querido Salvador de Mendonça.

    Esta carta já devia ter subido a Petrópolis; ainda assim não vai tarde demais. Trata-se de pouco, e, ao que me parece, negócio sabido. O nosso colega da Academia, Oliveira Lima, antes de ir para o Japão tomar conta do lugar, tenciona vir aqui tomar conta da cadeira[1], cujo patrono é o Varnhagen[2]. Segundo me escreveu de Londres, ele quisera que Você lhe respondesse, e para nós todos a festa seria maior. Podemos ficar certos disto? A designação oficial pode ser feita e publicada oportunamente? Eis a resposta que Você me mandará logo que entenda, a fim de que tudo se prepare para a recepção.

A saúde como vai? Eu, na semana passada, estive 2 dias de molho, mas aqui me acho outra vez no gabinete. Não vejo há muito o Lúcio; mandei-lhe ontem um cartão de cumprimentos ao Procurador-Geral da República³, com direção a Teresópolis, onde penso que continua. Minha mulher e eu recomendamo-nos à tua Ex*celentíssi*ma Consorte, e eu mando aqui dentro um abraço particular do

Velho amigo

Machado de Assis

---

1 ∞ Sobre a posse de Oliveira Lima\*, ver notas 2 e 3, carta [589], de 15/03/1901. (SE)

2 ∞ O elogio a Francisco Adolfo Varnhagen (1816-1878) foi proferido na sessão solene extraordinária de 17/07/1903 e publicado nos *Discursos Acadêmicos* (ABL, 1897-1919). (SE)

3 ∞ Lúcio de Mendonça\* fora nomeado procurador-geral da República, pelo governo Campos Sales, em substituição ao ministro Antônio Augusto Ribeiro de Almeida, que havia pedido exoneração. (SE)

## [588]

De: LÚCIO DE MENDONÇA
*Fonte:* Manuscrito Original, Arquivo ABL.

Alto de Teresópolis, 15 março 1901.

Querido Mestre,

Desde muitos dias, há um volume das *Horas do Bom Tempo* à sua espera na livraria Laemmert, e em grande tristeza, por não ser procurado¹.

Peço-lhe que chame as vistas do seu ministro para a triste mala de Teresópolis, que está mesmo reclamando um bom foguete ao diretor--geral dos Correios: é um perder de cartas que já passa dos limites dos desaforos toleráveis².

Até abril: lá recomeçaremos os almoços da "Panelinha", não?[3]

Abraça-o o seu amigo velho, admirador e obr*igadíssi*mo

Lúcio de Mendonça.

Post Scriptum. — Muitas graças pelos parabéns e pela juventude do epíteto[4].

---

1 ∾ *Horas do Bom Tempo: Memórias e Fantasias* foi publicado em 1901; em 2003, a Academia Brasileira de Letras reuniu este livro a *Esboços e Perfis* (1889) em nova edição de um só volume. (IM)

2 ∾ O péssimo serviço dos Correios já fora objeto de protesto de José Veríssimo*. Ver em [582]. (IM)

3 ∾ O grupo literário e gastronômico a "Panelinha" quase sucumbira no final de 1900, como se verifica em [562] e [563], tomo III. Entretanto reagiria, voltando a se reunir. (IM)

4 ∾ Cartão, ainda não localizado, cumprimentando Lúcio pela nomeação para o cargo de procurador-geral da República. Ver em [587]. (IM)

## [589]

De: SALVADOR DE MENDONÇA
*Fonte:* Manuscrito Original, Arquivo ABL.

Petrópolis, 15 de março de 1901.

Meu querido Machado de Assis,

Chegou-me esta manhã tua carta com as duas perguntas, a que respondo, e com notícias tuas, que agradeço.

Escreveu-me o Oliveira Lima, de Londres, no mesmo sentido em que o fazes, e já lhe respondi a 9 deste mês que com prazer aceitava a incumbência, caso ele viesse e tivesse de ser recebido formalmente. Vês, pois, que respondo agora afirmativamente às tuas perguntas: responderei ao discurso do Lima e oportunamente podes publicar como iremos na festa.

Disse-me alguém, não me lembra quem, que os 40 instituidores, não só os presentes à primeira reunião, como os eleitos nela, entravam sem formalidade, tanto assim que eu assim entrei na sessão em que foi recebido o João Ribeiro. Vejo, porém, que o mesmo João Ribeiro e depois o Domício da Gama constituem precedentes em sentido contrário[1].

Aconselhei o Lima, a quem muito quero, a ir primeiro tomar conta do posto, pois não estou muito certo de que tenhamos diante de nós tempos tranquilos[2], propícios aos trabalhos acadêmicos[3]. Sei que ele pediu uma licença, pretende sair de Londres no fim deste mês e demorar-se em Paris para assistir ao nascimento da sua história do reconhecimento do Império, agora nos prelos da Casa Garnier[4]; passar em Madri alguns dias com a irmã, senhora do Ministro Beltrão[5]; demorar-se algumas semanas em Lisboa junto da boa velhinha sua mãe[6], e embarcar para aqui lá para 20 de Maio.

Recomendei-lhe que inquirisse cuidadosamente da saúde del rei Café, que já tendo matado no Brasil a monarquia, quando lhe tiraram os escravos, ficando-lhe os cafezais, as terras e os bons preços, é muito capaz de matar a república, quando os cafezais e as terras forem sepultados nas carteiras apodrecidas dos bancos, e o melhor dos preços ficar nas carteiras recheadas dos compradores americanos e europeus. Disse-lhe que se soubesse que o café chegava a 6$000, tomasse o rumo do Oriente, e deixasse, não em paz, mas entregue a seus destinos, o Poente. E em verdade te digo, e falo como vítima de muitas cartas do interior, eu não me arreceio da hidra das praias (já sabemos que não passa do vulgar jacaré dos brejos de Macacu ou Iguá, laçado no Arsenal da Marinha), o que temo, e muito seriamente, é que, como no vaticínio de Macbeth, as árvores se ponham a caminho[7]. Como trabalhas na Agricultura deves saber disto melhor do que eu. Para mim tenho que uma redução de dez milhões de esterlinos no valor total de nossa exportação da futura colheita de café, com a consequente redução de renda das alfândegas, e, no meio da quebradeira geral, a diminuição dos próprios impostos de consumo, fazendo-nos voltar ao regime do pé no chão e à mandioca, ao milho, à galinha e ao porquinho do sítio, trarão a queda de quanto está de pé, embora depois se tenha de pôr de pé coisa muito pior.

Estimei saber que já estavas bom do incômodo que te reteve em casa dois dias. Outro tanto não te posso dizer. Por dormir umas noites em casa do Lúcio, tive umas sezões, que apesar de combatidas, deixaram-me como se fosse eu o vencido: debilitado e com fígado de ganso cevado.

Minha mulher e filhas comigo se recomendam à tua Excelentíssima Senhora e a ti.

Abraça-te o

Amigo velho, afetuoso e admirador

Salvador de Mendonça

Post Scriptum
Lúcio está ainda em Teresópolis, onde permanecerá até o fim da I.ª semana de Abril.

---

1 ∞ Domício da Gama\* e Salvador de Mendonça, embora fundadores, não constavam da lista inicial de trinta sócios da Academia Brasileira de Letras, aludida na ata da sessão de 28/01/1897, em que Olavo Bilac\* propôs serem aclamados sócios os trinta nomes desta lista inicial, acrescida de mais dez a ser eleitos naquele dia, ocasião em que os nomes de Domício da Gama e Salvador de Mendonça foram consagrados. O que despertou a estranheza de Salvador é que Domício foi recepcionado fazendo o elogio de seu patrono e ele, Salvador, não. Na ata de 23/06/1900, José Veríssimo\* havia proposto à Academia que esta aproveitasse a presença de Domício, recém-chegado da Europa, e realizasse uma sessão pública a fim de o acadêmico celebrar o seu patrono, Raul Pompeia. A proposta foi aprovada, sendo designado Lúcio de Mendonça\* para lhe responder em 1.º de julho. No que diz respeito a João Ribeiro\*, ele não é fundador, mas segundo ocupante na vaga deixada por Guimarães Júnior\*, este sim fundador da Cadeira 31, falecido em 20/05/1898. Não se conhece a resposta de Machado a Salvador sobre este tópico. Sobre a posse de João Ribeiro, ver carta [432] e a introdução ao tomo III. (SE)

2 ∞ Em 02/01/1895, na nova condição de 1.º secretário, Oliveira Lima\* foi removido de Berlim para Washington, onde esteve subordinado a Salvador de Mendonça, que ali estava no posto de enviado extraordinário e ministro plenipotenciário. Lima permaneceu a seu lado até fins de 1897, quando Salvador foi substituído por Francisco

Joaquim de Assis Brasil (1857-1938) e removido para Portugal. Certamente, nos dois anos de convivência diária, a amizade de ambos se solidificou, o que, aliás, é atestado nas cartas trocados entre eles. Salvador, diplomata experiente, homem que auxiliou fortemente a construção da República, conhecia a dureza do jogo político daquele momento, ao qual faz alusão. Registre-se, por fim, que foi em 1898, na ida para Portugal como enviado extraordinário e ministro plenipotenciário, que Salvador sofreu duro golpe na carreira. Removido sem consulta alguma, aceitou a remoção transferindo-se a Lisboa, no entanto, meses depois, a remoção foi rejeitada pelo Senado brasileiro, e Salvador foi exonerado. Segundo seus biógrafos (Mendonça, 1960; Azevedo, 1971), a exoneração em 15/09/1898 se deu por razões escusas. Salvador foi reintegrado ao corpo diplomático em 1903, mas não retornou ao serviço ativo. Sobre a reação de Salvador de Mendonça, ver carta nota 2, [759], de 30/03/1904. (SE)

3 ∾ A vinda de Oliveira Lima foi objeto de muita conversa epistolar. Nas cartas [577], [579], [583], [585] e [586], há seguidas confirmações e desmentidos quanto à sua presença no Rio de Janeiro. O diplomata estava deixando Londres a caminho de ser o encarregado de negócios no Japão e pretendia, valendo-se da licença, vir ao Brasil a fim de ser solenemente recebido na Academia Brasileira de Letras por Salvador de Mendonça, que a esta altura estava cumprindo uma "aposentadoria" forçada. Lima decidiu-se pela orientação de Salvador, pois assumiu o consulado japonês sem passar pelo Brasil. A sua recepção deu-se somente na sessão solene extraordinária de 17/07/1903. (SE)

4 ∾ *História Diplomática do Brasil: o reconhecimento do império* (H. Garnier, 1901). (SE)

5 ∾ Pedro de Araújo Beltrão, enviado extraordinário e ministro plenipotenciário brasileiro junto ao governo espanhol, estava na missão em Madri desde novembro de 1898; era casado com Maria, conhecida como Sinhá, irmã muito querida de Oliveira Lima, a quem este dedicou *O Movimento da Independência, 1821-1822*. (SE)

6 ∾ A mãe do diplomata chamava-se D. Maria Benedita de Oliveira Lima. (SE)

7 ∾ Referência à cena I, do IV ato da tragédia de Shakespeare. Atormentado, após ter mandado matar Banquo, a quem temia por vaticínio anterior que lhe usurpasse o poder, Macbeth procura as três feiticeiras para novos vaticínios. Elas invocam os espíritos. O primeiro manda ter cuidado com Macduff e Fife. O segundo diz para que seja sanguinário e resoluto, pois ninguém nascido de mulher pode fazer-lhe mal. O terceiro diz-lhe que só será vencido, quando a floresta de Birnam marchar contra o castelo de Dunsinane. Macbeth entende que isso jamais acontecerá, pois árvores não se desprendem do solo para marchar. O vaticínio ganha voz, na cena V do V ato, na fala da sentinela que relata ao rei que durante a sua vigília, ao olhar para os lados de Birnam, viu a floresta em movimento. Macbeth transtornado pela sucessão dos eventos não compreende a materialização do vaticínio. As árvores pondo-se em movimento

correspondem à estratégia de Malcolm, elaborada na cena IV do V ato, de conduzir os seus exércitos acantonados na floresta de Birnam em direção ao castelo de Macbeth a fim de tomá-lo de assalto, com os soldados levando ramos de árvores à frente do corpo, para se disfarçar e confundir as sentinelas. Macbeth foi alertado e não percebeu. Cumpriu-se o vaticínio. (SE)

## [590]

De: MAGALHÃES DE AZEREDO
*Fonte*: Manuscrito Original, Arquivo ABL.

Roma, 20 de março de 1901.
Palazzo Capranica. Via Nazionale
Meu querido Mestre e Amigo,

Já agora deve estar livre da inquietação que me revelava na sua última carta, que acabo de receber. Cruzou-se com ela uma que lhe escrevi, longa e circunstanciada; por esta terá visto os motivos do meu silêncio, mais dilatado que de costume; e quanto à minha afeição, aquelas páginas lhas haverão mostrado forte e viva como sempre, apesar do tempo e da distância, pois aí lhe comunicava eu, entre outros projetos literários, o de escrever, logo que puder, um livro a seu respeito.

(Esta pena está péssima; vou trocá-la.) Creio que entre os meus trabalhos de ocasião, lhe citava o que mais me ocupou nestes últimos meses: o *Poema da Paz*[1]. Concluí-o enfim, conto mandá-lo pelo primeiro correio, e espero que o poderá ler breve no *Jornal do Comércio*. Diga-me a sua opinião sobre essa obra, na qual fundo grandes esperanças literárias, por ser a mais vasta das que até agora tenho escrito em verso, e porque desejo partir dela para outros poemas ainda mais largos, de sentido filosófico, religioso ou social.

Com o propósito de terminá-la, deixei de parte quaisquer outros trabalhos, e só agora posso voltar a eles. Já lhe disse também que o inverno me impôs as suas obrigações sociais, às quais tive de sacrificar horas grandes e até quase dias inteiros. Afianço-lhe que só a minha habitual força de vontade me ajudou e tornou possível levar a bom termo um poema uno pelo conceito como esse, através das maiores distrações e interrupções, e em poucos meses. Mas afinal aí está ele, terminado hoje, copiado e pronto para partir.

Na minha carta anterior, eu lhe pedia muito para apoiar junto ao Massow uma proposta minha sobre o meu novo livro de versos[2]. Espero que as negociações tenham surtido bom resultado; isso é para mim de grande importância, porque desejo que o volume se imprima aqui sob minhas vistas, o que de resto será, pecuniariamente, mais vantajoso para a casa Laemmert[3].

Tenho mais dois livros, um pronto, outro quase pronto. O primeiro é o de estudos críticos; o segundo consta das novelas anunciadas com o título de *Melancolias*. Esses dois[4] vou propô-los à casa Garnier, porque não me importa que a impressão se faça em Paris e que eles apareçam mais cedo ou mais tarde. Para isso vou escrever hoje mesmo, e como sei que tem grande prestígio e decidida influência na casa Garnier, também lhos recomendo para que no momento oportuno diga uma boa palavra a meu favor.

Na verdade eu estou continuamente recorrendo à sua bondade, pedindo-lhe ora isto, ora aquilo; mas não lhe posso dar maior prova da minha confiança e do meu afeto do que dizer-lhe que o faço sem vergonha nenhuma; pois tal ideia tenho da sua amizade, que sei e reconheço que, longe de se aborrecer com isso, ainda *me será grato* pelos obséquios que eu lhe peço. Veja que mais é impossível dizer de um coração amigo.

Já lhe escrevi que não iremos ao Brasil este ano, como esperávamos e desejávamos; a minha promoção para a Bolívia foi decidida com o propósito de permanecer eu aqui em serviço; de modo que a viagem para La Paz já não se realizará[5]. Mesmo assim, gostaríamos muito de ir ao Brasil ver a Família e os amigos, e saciar as saudades que já são tantas. Mas veja o que sucede: não mudando eu de lugar apesar da promoção, não me abonou o Governo o subsídio de instalação; só o terei quando daqui me mandarem para outra Legação qualquer. A licença não é admitida entre os casos contemplados pela cláusula diplomática nos contratos de aluguel de casa; de modo que indo ao Brasil, teríamos de conservar e pagar o nosso domicílio aqui, e criados também para o guardar. A despesa seria enorme, não tendo eu recebido auxílio algum do Governo pela promoção, e podendo dar-se a circunstância de ser removido logo depois da licença, o que nos obrigaria a voltar aqui e daqui partir para novo posto. Sendo bem possível que no fim do ano me destinem para outra Legação, é melhor esperar um pouco mais, e depois da remoção, sem tomar nova casa, pedir a licença. Seja como for, se Deus quiser, para o ano iremos ao Brasil[6].

Compreende bem que sair de Roma nos custará sempre muito, porque o nosso espírito tem aqui uma segunda pátria ideal. Imagine o que seria se tivéssemos de trocá-la por La Paz! *Estar em Roma* é por si só uma delícia superior que apenas se pode sentir em todo o seu encanto vindo cá, morando cá, tendo a impressão direta e diuturna das coisas; as leituras, as reproduções gráficas e plásticas nunca a transmitirão completa; a própria imaginação exaltada por elas não poderá senti-la, porque Roma é um dos poucos lugares na terra superiores a toda a imaginação.

Deve estar bem contente pelo reconhecimento oficial e pelas vantagens práticas que a Academia obteve enfim do Congresso. Se ela tivesse sido organizada desde o princípio sob os auspícios dos poderes públicos, certamente não valeria nada, e se tornaria com o tempo instrumento mais ou menos forçado de manobras políticas. Tiveram, porém, os fundadores o bom senso de institui-la fora de toda a influência do Governo, afirmando assim desde logo a plena independência e a pura intelectualidade da companhia. Agora, tendo ela já alguns anos de existência, o ato do Congresso é uma homenagem; uma prova de respeito dos legisladores a uma sociedade espontaneamente formada por simples escritores, alheios a preocupações de partido[7].

Uma vez que estão asseguradas as vantagens materiais de que ela precisa para tranquilidade da sua existência, poder-se-ão ativar desassombradamente os trabalhos coletivos. Porque não basta naturalmente que muitos dos escritores que a compõem publiquem obras de mérito; cumpre que a própria sociedade como tal encete alguma obra vasta e de grande utilidade para a língua, para a literatura. Acho que a mais oportuna e urgente seria a reforma da ortografia, pondo-se a nossa Academia de acordo com a Academia Real das Ciências de Lisboa[8]. Outra, para a começarmos nós, bem entendido, deixando a futuras gerações o cuidado de prossegui-la, seria a formação de um dicionário definitivo da nossa língua, que contivesse bem explicados e analisados, os brasileirismos a que o uso e a conveniência deem foros de cidade. Essas duas são tarefas que iniciadas tomarão largos anos, a segunda sobretudo; mas há outra coisa em que se devia pensar desde já, imposta como é pelos estatutos: o elogio histórico que devem fazer dos seus respectivos patronos, não só os acadêmicos eleitos depois de formada a corporação; mas também os próprios sócios fundadores; alguns destes morreram sem cumprir a disposição regulamentar.

O Oliveira Lima já deve ter partido de Londres; não sei afinal se ele passará pelo Brasil antes de tomar posse da sua legação em Tóquio; até a última carta que me escreveu parecia firme nesse propósito, mas o nosso amigo Domício, escrevendo-me há dias, dizia-me que ele ia para o Japão, via Paris – Madri – Lisboa – Gênova; de modo que suspeito haver renunciado à licença provavelmente por insinuação do Governo, que desejará ter sem demora o seu representante no Japão[9]. Não será impossível que ele venha a Roma, desde que passa por Gênova; eu gostaria bem de conhecê-lo pessoalmente, não só porque lhe aprecio os méritos notáveis, mas porque há muito estou em correspondência afetuosa com ele.

Fala-me do Carnaval daí, e diz-me que veria com prazer o de Roma e o de Veneza; estes, não existem mais, a dizer a verdade. Aqui, este ano, nos dias do Carnaval a neve caía copiosamente; na rua só se viam pobres mascarados sem espírito, sem alegria, sem jeito, malvestidos, lúgubres, que pareciam pagos para se aborrecer mortalmente, para congelar o próprio riso sem timbre e talvez as próprias lágrimas ocultas ao sopro do norte rígido. Toda a animação e toda graça refugiaram-se nos *Veglioni*, nos cortejos e bailes noturnos que ainda oferecem nos seus salões certas sociedades, em especial a do Círculo Artístico. Em Veneza também o Carnaval se extinguiu, aquele Carnaval que tornaram célebre tantas narrações, tantas pinturas, e ainda a música que recorda como impressão de mocidade, e eu recordo como impressão de infância. Em Paris, mesmo, onde ainda se celebra o Carnaval nas ruas, a decadência é visível; o préstito do *Boi Gordo*, que presenciei há dois anos, não se podia comparar nem de longe, em riqueza, em variedade de cenas e de tipos aos nossos préstitos do Rio. Aí também o Carnaval, embora arraigado nos hábitos do povo, acabará cedo ou tarde, como acabou o entrudo, porque a tendência do nosso tempo é proscrever cada vez mais as orgias públicas de toda a espécie. Talvez lhe sobreviverá uma festa como as batalhas de flores que são notáveis em Nizza[10] e que já entre nós se têm ensaiado mais de uma vez.

O Governo afinal viu-se obrigado a ordenar a prisão do almirante Custódio de Melo[11]; e acho que andou acertadamente nesse ato de energia. Parece incrível que o almirante não compreenda que a sua vida pública está definitivamente concluída depois do formidável desastre da revolta de 6 de Setembro[12] que ele com tanta inépcia capitaneou, e queira ainda perturbar a tranquilidade do país por diletantismo de insubordinação ou por veleidades de um poder[13] que ele se deveria bem julgar incapaz de exercer. Os telegramas publicados pelos jornais italianos falavam de conspiração monárquica, de graves maquinações, de um projeto de assassínio contra o Presidente e os ministros; mas um telegrama expedido pelo próprio Campos Sales[14] à legação em Paris, e por esta às outras legações, dissipa todos esses fantasmas, assegurando tratar-se de uma simples medida disciplinar contra o almirante que tentava, sem resultado, sublevar a marinha.

Essa notícia me deu viva satisfação, pois todos quantos amamos o Brasil devemos desejar que o princípio da autoridade se consolide cada vez mais entre nós, e que se tornem impossíveis para sempre esses loucos *pronunciamentos* por terra ou por mar, essas insurreições de oficiais ambiciosos que ousam sem razão, sem outro motivo que a própria vaidade, atentar contra a ordem constitucional do Estado.

O atento estudo dos acontecimentos do Brasil que tanto me interessam, longe de me inclinar ao pessimismo, inclina-me pelo contrário à esperança; porque, embora eu reconheça as graves dificuldades atuais e futuras do país, vejo que há boa vontade de as superar com honra, e não só boa vontade, mas elementos ótimos para isso. E vejo também os imensos progressos administrativos e políticos que ultimamente tem feito a jovem República. É certo que as condições financeiras são ainda penosas, mas é certo também que a crise tende a solver-se favoravelmente, que o Governo tem cumprido à risca os seus compromissos, que o crédito se levanta e o câmbio melhora, e que enfim todos começam a convencer-se de que a provação é coisa indubitavelmente passageira.

Por outro lado, politicamente, veja como a unidade do país se tem mantido, (através das perturbações dos primeiros anos do novo regímen, e apesar da configuração geográfica que lhe é pouco propícia) e promete consolidar-se cada vez mais, com a persuasão que se tornará unânime, e que o é quase já, de que o Brasil só pode ser grande e forte, conservar a sua posição, aumentar a sua influência na América e no mundo, mantendo-se compacto como tem vivido até agora.

A não ser na parte financeira, onde a improvisação delirante[15] tão maus resultados produziu, é certo que as audazes reformas política e sociais, decretadas com dois traços de pena em poucos dias, quando em outros países exigem séculos, entraram depois normalmente nas ideias e nos costumes da nação. Observe por exemplo a grave e transcendente questão das relações entre a Igreja e o Estado como foi resolvida do modo mais simples e breve; caso talvez único nesse sentido o do nosso país, pois nem na França nem na Espanha nem em Portugal, em nenhum país da Europa nem da América (excetuando os Estados Unidos por motivos especiais e orgânicos) a situação recíproca das duas potências morais oferece tais garantias de tranquilidade e cordialidade; já não falo da Itália, onde o dissídio entre a Santa Sé e o governo do Rei tem caráter crônico e é o maior mal de que sofre a nação. Veja o que se está passando agora na Espanha, em Portugal, na França, em relação às congregações monásticas; que profunda discórdia social, que ameaças de futuros conflitos! Entre nós, casos semelhantes creio que são impossíveis; uma vez que não há mais Padroado, nem Concordatas, nem leis de mão-morta, e os bens dos conventos, por uma disposição sinceramente liberal, entraram como quaisquer outras propriedades no regímen do direito comum, e os bispos e padres, como quaisquer outros cidadãos, podem manifestar livremente as suas opiniões, contanto que respeitem as leis vigentes, e a palavra do Pontífice pode divulgar-se diretamente entre os católicos, como a palavra de qualquer outro escritor, sem necessidade do régio beneplácito. Outro ponto importante é a preponderância decisiva da autoridade civil sobre o elemento militar; aí o progresso realizado é extraordinário, é assombroso, para quem considera a parte proeminente do exército e da marinha na fundação da República, e a influência quase incontrastável de ambos nos primeiros anos dela.

O militarismo com todos os seus perigos era o fantasma que aterrava o espírito dos patriotas verdadeiros: esse fantasma dissipou-se. Ninguém receia mais ver o caudilhismo triunfante reduzindo o Brasil à instabilidade e à atonia cívica em que têm caído certas repúblicas hispano-americanas.

O marechal Floriano, que teria sido um grande estadista se tivesse mais cultura e mais lucidez de critério, um grande serviço prestou decerto à pátria: defendeu vitoriosamente a autoridade legítima, senão por amor desinteressado, ao menos por ser ela naquele momento a *sua* autoridade, e nivelou nas classes armadas as cabeças de papoulas[16] que se erguiam com demasiada arrogância e demasiada ambição acima das outras. A famosa reforma dos Treze Generais[17] foi um ato de vasto alcance, que mereceu ao marechal a admiração da Europa quase inteira. Depois, é verdade que os oficiaizinhos, os cadetezinhos, os alunos da escola militar se encheram de presunção à sombra dele, mas isso pouco valia desde que, para reinar só, ele se desembaraçara dos caudilhos possíveis, realizando um benefício cuja duração ele mesmo não previa. Só por esse benefício, muita coisa se lhe deve perdoar, e eu que nunca tive simpatias por ele, e até o combati quanto as minhas forças consentiam, reconheço-lhe aí um grande mérito — voluntário ou não, consciente ou não, pouco importa.

Mas além disso eu acho que a boa inteligência atual entre o Governo e as classes armadas se deve atribuir ao bom-senso dos próprios militares superiores, que educados desde rapazes numa escola de disciplina, não se podem acostumar à insubordinação e à rebeldia. Essa escola de disciplina, todo o Brasil a teve, cumpre reconhecê-lo. Meio século de paz, de ordem constitucional, de moralidade administrativa, sob a austera direção de um homem de bem, de um grande Cidadão, educam definitivamente um Povo. A anarquia não é planta que crie raízes no Brasil. A facilidade com que o Governo pôde prender um almirante como Custódio de Melo porque se insubordinou, sem o mínimo protesto dos seus companheiros, é prova disso. E a ausência absoluta de candidaturas militares à presidência da República demonstra que a predominância do poder civil está reconhecida pela opinião como elemento necessário da prosperidade pública.

Compare-se tal situação com a da França, onde o exército se tornou uma ameaça permanente, e onde desde 1870 só um Presidente, Grévy[18], conseguiu concluir no poder o seu período presidencial, isso mesmo para ser obrigado a demitir-se no segundo setênio.

Enfim, parece-me que devemos ter fé no futuro. O livro simpático e excelente que Afonso Celso acaba de publicar, *Porque me ufano do meu país*[19], é verdadeiramente uma boa obra, uma obra de virtude e de talento. Não se trata de uma declamação retórica, inspirada por um patriotismo de pacotilha; é um livro sensato, lúcido, documentado, que merece o aplauso dos melhores.

Adeus; é preciso terminar. O desejo de conversar e o interesse dos assuntos fizeram-me esquecer o número das páginas e das folhas que já são muitas. Escreva-me; é o pedido de sempre.

Aceite cumprimentos afetuosos de minha Família, que muito o preza, e transmita-os com os meus à sua *Excelentíssi*ma Senhora.

E receba para si um abraço cordialíssimo do seu

Azeredo

---

1 ∽ Sobre o *Poema da Paz*, ver nota 1, carta [636] de 21/01/1902. (SE)

2 ∽ *Horas Sagradas* (1903), livro organizado em quatro seções temáticas: *Rosal de Amor, Bronzes Florentinos, Odes Cívicas* e *Alma Errante*. Registre-se que nas *Odes Cívicas*, Azeredo publicou o "Carme Secular", "A Carlos Gomes", "A Portugal, no centenário das Índias", textos fartamente comentados em suas cartas do período anterior. Ver comentários no tomo III. (SE)

3 ∽ *Horas Sagradas* não foi publicado pela casa Laemmert, mas pela H. Garnier. (SE)

4 ∽ O livro de estudos críticos é *Homens e Livros*, publicado pela H. Garnier, em 1902; quanto a *Melancolias*, desde 1895, Azeredo vinha falando desse título. Sobre o assunto, ver nota 3, carta [330], e nota 3, carta [482], ambas no tomo III. (SE)

5 ∽ "*A promoção para a Bolívia foi decidida com o propósito de eu permanecer aqui em serviço.*" A respeito da remoção para a Bolívia, ver nota 4, [442], tomo III. (SE)

6 ∽ Sobre a viagem ao Brasil, ver nota 9, carta [581], no presente tomo. (SE)

7 ∽ Depois de longa batalha, a lei n.º 726, de 08/12/1900, havia sido aprovada. Ela autorizava ao governo federal oferecer instalação permanente em prédio público à Academia; autorizava à Imprensa Nacional a edição das obras de escritores falecidos e concedia também franquia postal à instituição. A partir da aprovação da lei, Machado iniciou nova luta: encontrar um próprio nacional que servisse aos interesses da Academia, e que encontrado o prédio o governo pudesse cedê-lo. (SE)

8 ∽ No diálogo entre os dois, esta é a primeira referência à questão da reforma ortográfica, que muito vai ocupar os acadêmicos nos anos subsequentes. (SE)

9 ∽ Sobre o assunto, ver notas 2 e 3, carta [589]. (SE)

10 ∽ Nizza nome italiano para a cidade francesa de Nice. (SE)

11 ∽ Em 24/03/1901, os jornais cariocas noticiaram as medidas do governo federal para debelar uma possível conspiração, cujo objetivo seria a tomada do poder. A ação eclodiria com greves na Central do Brasil, na Companhia de Gás e na de Limpeza Pública, depois dos assassinatos do presidente Campos Sales, do ministro da Justiça e Negócios Interiores Epitácio Pessoa* e do chefe de polícia do distrito federal, Enéas

Galvão*. Os revoltosos formariam um *triunviratum*, que consultaria a nação num plebiscito acerca do regime de governo, se República ou Monarquia. Os boatos de conspiração corriam a cidade havia dias. Numa investigação altamente sigilosa, o governo reconheceu indícios de uma ação coordenada depois que, na quinta-21, o barão de Burgal, Alfredo Montanha Martins de Pinho, irmão do falecido conde do Alto Mearim, conduzido à polícia, revelou detalhes do plano, segundo ele, marcado para o dia seguinte. Em 22, foram detidos militares e civis, para interrogatório ou prisão. Foram presos o comerciante português Antônio da Costa Borlido (dias depois sumariamente expulso do país); o médico Meneses Dória; o engenheiro Gustavo da Silveira (diretor da Central do Brasil); o conselheiro Lourenço Albuquerque (ex-ministro da Agricultura na Monarquia); e o contra-almirante Custódio de Melo, recolhido ao Estado Maior do Corpo da Infantaria da Marinha, na ilha das Cobras. Rui Barbosa* entrou com um *habeas-corpus* no Supremo Tribunal Federal, mas o instrumento foi desqualificado pelos ministros, já que a prisão foi oficialmente tratada como indisciplina. O almirante permaneceu preso até 18 de abril, depois de ser impronunciado pelo conselho de investigação militar. Enquanto isso, todos os militares envolvidos foram removidos para pontos remotos do país. Houve grande repercussão internacional, como se pode inclusive depreender dos comentários de Azeredo. (SE)

12 ∾ Consultar a avaliação de Azeredo sobre a Revolta da Armada na carta [326], tomo III. (SE)

13 ∾ À medida que duras providências iam sendo tomadas no sentido de desarticular o possível plano conspiratório, o episódio começou a ser tratado por parte da imprensa ora como mero boato, ora como bravata de meia-dúzia de lunáticos saudosos, mas sempre de forma jocosa e risível. (SE)

14 ∾ O presidente Campos Sales (1898-1902) não contava com a simpatia nem de monarquistas nem de antiflorianistas de um modo geral, pois em 1891-1892, no Senado Federal, foi o autor da mensagem que instou Floriano Peixoto a tornar-se o *Consolidador da República* por "todos os meios" a seu alcance. (SE)

15 ∾ Referência aos anos da política econômica do *encilhamento*, elaborada pelo então ministro da Fazenda Rui Barbosa, no governo provisório. O nome foi derivado do turfe, que, ao lado do remo, era o grande esporte da época. No Jockey ou no Derby Clube, "encilhamento" era o local cheio de barracas onde se amontoavam – ao redor dos jóqueis que encilhavam os cavalos – apostadores, aficionados e curiosos. Ali, na beira da raia, um pouco antes do início dos páreos, essas pessoas apareciam para jogar, dar palpites sobre as corridas, discutir a qualidade dos animais e outros temas ligados ao turfe. O clima reinante era de grande desordem e febril jogatina. Este último aspecto do encilhamento à beira da raia – grande desordem e febril jogatina – foi tomado por similitude para descrever o clima de instabilidade provocado pela política econômica

da República no governo de Deodoro da Fonseca (1827-1892). (SE)

16 ∾ Alusão ao último rei de Roma – Tarquínio o Soberbo – que decapitou diante de um visitante as papoulas mais altas do seu jardim, com isso simbolizando a sua política de reprimir a ambição dos que quisessem opor-se a seu poder. (SPR)

17 ∾ No dia 06/04/1892, os principais jornais da capital federal publicaram um manifesto subscrito por treze oficiais de alta patente, com um apelo a Floriano Peixoto no sentido de rever a política adotada nos estados, e solicitando que convocasse nova eleição para presidente. Eis o manifesto:

"Exm. Sr. marechal vice-presidente da República. / Os abaixo-assinados, oficiais generais do exército e da armada, não querendo, pelo silêncio, comparticipar da responsabilidade moral da atual desorganização em que se acham os Estados, devido à indébita intervenção da força armada nas deposições dos respectivos governadores [os que apoiaram Deodoro no golpe de estado de 3 de novembro de 1891], dando em resultado a morte de inúmeros cidadãos, implantando o terror, a dúvida, o luto no seio das famílias, apelam para vós, marechal, para que façais cessar tão lamentável situação. / A continuar por mais tempo semelhante estado de desorganização geral do país, será convertida a obra de 15 de novembro de 1889 na mais completa anarquia. / E os abaixo-assinados, crentes, como estão que só com a eleição do presidente da República, feita quanto antes como determina a constituição federal e a lei eleitoral, feita, porém, livremente sem a pressão da força armada, se poderá restabelecer prontamente a confiança, o sossego e a tranquilidade na família brasileira, e bem assim o conceito da República no exterior, hoje tão abalados, esperam e contam que neste sentido dareis as vossas acertadas ordens, e que não vacilareis em reunir este importante serviço cívico aos muitos que nos campos de batalha já prestastes a esta Pátria. / Capital Federal, 31 de março de 1892. / Marechal José de Almeida Barreto – Vice-almirante Eduardo Wandenkolk – General de divisão José Clarindo de Queirós – General de divisão Cândido José da Costa – General de divisão Antônio Maria Coelho – Contra-almirante José Marques Guimarães – General de brigada João Nepomuceno de Medeiros Mallet – Contra-almirante Dionísio Manhães Barreto – Dr. João Severiano da Fonseca, general de Brigada, inspetor do serviço sanitário do exército – Contra-almirante Manuel Ricardo da Cunha Couto – General de brigada José Cerqueira de Aguiar Lima – General de brigada João José de Bruce – General de brigada graduado João Luís de Andrade Vasconcelos."

No mesmo dia, apoiado pelo Senado Federal, Floriano reuniu-se com o ministério no Palácio Itamaraty para deliberar medidas contra os treze generais. O chefe de polícia da capital, Agostinho Vidal, determinou aos subdelegados que, na semana santa que se aproximava, exercessem cerrada vigilância contra a perturbação da ordem. No dia seguinte, o senador Saldanha Marinho publicou carta aberta de apoio aos treze generais e desceu de Nova Friburgo. O Clube Militar anunciou reunião às 19h. O deputado à assembleia constituinte fluminense Alcebíades Peçanha apresentou na Câmara projeto de mudança provisória da capital do estado. No dia 8, Floriano Peixoto dirige-se à nação pelo *Diário Oficial*, num manifesto reproduzido nos principais jornais, no qual entre outras providências anuncia a reforma dos signatários do chamado Manifesto dos Treze Generais. (SE)

18 ∾ Jules Grévy (1807-1891) foi um republicano moderado, que combateu o regime imperial instalado na França pelo golpe de estado de 02/12/1851. Depois da derrota de 1870 e da queda do Império, exerceu um papel importante na consolidação da Terceira República. Sucedeu a Patrice de Mac-Mahon como presidente da República, em 1879. No exercício do seu segundo mandato, foi atingido por um escândalo político e teve que se demitir em 1887. (SPR)

19 ∾ O livro do monarquista Afonso Celso (1900), dedicado aos três filhos – Carlos Celso, Afonso Celso e João Paulo de Ouro Preto (*in memoriam*), foi escrito para celebrar o quarto centenário do Brasil. Tornou-se *best-seller*, traduzido em doze línguas, com várias tiragens e edições. Embora não seja um livro de ficção, segue *lato sensu* a vertente edificante iniciada no século XVIII, cujo caráter pedagógico e moralizador rendeu muitos frutos: *Robinson Crusoé* (1719), *As Loucas Aventuras do Barão Münchhausen* (1785), *Cuore* (1886) e *Poliana* (1913). O livro abre com reflexões que o autor dirige aos filhos no sentido de lhes dar diversas razões para amar o Brasil, ao qual se deve votar um amor alto, firme e desinteressado, mas não irrefletido e cego. Segundo Celso, o amor à pátria deve ser esclarecido pela reflexão, pelo estudo e pela observação. Nesse período, estava na ordem do dia a questão da educação dos jovens. Vários autores se dedicaram ao tema, cujo corolário era que a educação deveria cuidar da formação moral dos educandos. Essa pedagogia da boa educação e da formação moral tinha entre os seus atributos o sentimento cívico. O republicano Veríssimo*, por exemplo, em *Educação Nacional* (1890), afirma que a quase ausência de sentimento nacional entre os jovens de seu tempo se devia a não haver uma educação neste sentido, e sugeria a educação cívica em todas as etapas da instrução escolar como fundamento da formação cultural e intelectual. (SE)

[591]

De: FIGUEIREDO PIMENTEL
*Fonte*: Manuscrito Original, Arquivo ABL.

Niterói, 28 de março de 1901.
110, Princesa

Ex*celentíssi*mo *senho*r Machado de Assis,

Ilustre Mestre: Philéas Lebesgue, escritor francês com quem há muito entretenho correspondência, pretende traduzir algumas obras de vossa excelência, pois conhece bem o português[1].

Já lhe enviei o "Brás Cubas", mas não quero, não posso me desaforar das obras de vossa excelência, que honram a minha livraria. Por isso peço a vossa excelência que se digne de ordenar aos seus editores que enviem ao aludido escritor os livros de vossa excelência.

Assim que receber, mandarei a vossa excelência a "Revue Franco Italienne", número de março, que publicou uns artigos do mesmo escritor sobre vossa excelência[2].

Saudando vossa excelência com todo o respeito e consideração, assino-me

discípulo e admirador

de vossa excelência

Figueiredo Pimentel

---

1 ∾ O missivista assumira, em novembro de 1900, a seção *"Lettres brésiliennes"* no *Mercure de France*, firmando-se como operoso divulgador da literatura brasileira na França. (IM)

2 ∾ Machado conservou o exemplar da revista. Na seção "Petite Galerie Latine", Philéas Lebesgue (1869-1958), estudioso da literatura luso-brasileira, analisa e elogia a obra do nosso escritor. Tal artigo foi reproduzido na revista *A Nova Cruz* (São Paulo, 1905). (IM)

# [592]

Para: FIGUEIREDO PIMENTEL
*Fonte:* Manuscrito Original, Arquivo ABL.

[Rio de Janeiro,] 31 de março de 1901.

Excelentíssimo Senhor Figueiredo Pimentel[1],

Respondo à sua carta, agradecendo as notícias que me dá relativamente a Philéas Lebesgue, e à solicitude de Vossa Excelência em fazer com que ele traduza os meus livros. Entretanto não posso ordenar que o editor lhos envie, como Vossa Excelência me pede, nem sequer autorizar a tradução, porquanto a propriedade das minhas obras está transferida ao Senhor Garnier, de Paris, com todos os respectivos direitos. Só ele poderá resolver sobre esse ponto[2].

Sou, com apreço e consideração,

De Vossa Excelência

Atento Venerador e obrigado

M. de A.

---

1 ∞ O documento original é um rascunho, com várias emendas que revelam o cuidado de Machado de Assis ao transmitir uma resposta negativa. Acha-se junto cópia manuscrita por terceiros, com pequeno equívoco, e idêntica à mesma carta publicada na *Obra Completa* (2008). (IM)

2 ∞ Sobre o assunto, ver cartas [463] e [472] e respectivas notas no tomo III. (IM)

# [593]

Para: LÚCIO DE MENDONÇA
*Fonte:* Transcrições, Arquivo ABL.

Rio [de Janeiro], 2 de abril de 1901.

Meu querido Lúcio,

 Logo que recebi a sua carta, fui-me ao Laemmert, onde achei à minha espera o exemplar das "Horas do Bom Tempo"[1]. Já o título trazia a frescura necessária aos meus invernos. Devem ter sido bem bons tempos esses, que você acordou em páginas lépidas, com vida e vontade. É doce achar na conta da vida passada algumas horas tais que não esquecem, que revivem, e fazem reviver aos outros. Não há senão um relógio para elas, mas é preciso ser bom relojoeiro para saber dar corda e fazê-las bater de novo como você fez.

 Ao pé delas, vi os contos, reli muitos, e agradeço as sensações de vária espécie que me deixaram, ou alegres ou melancólicas, ou dramáticas. Uma destas, a do "Hóspede", é das mais vivas. E das melancólicas não sei se alguma valerá mais que aquela "À Sombra do Rochedo", que é um livro em cinco páginas; a comparação da manhã e da tarde é deliciosa, e a que forma e dá o título é das mais verdadeiras. E as "Mãos"? e a "Lágrima Perdida"? e o resto? Eis aí boa prosa com emoção e sinceridade.

 A Academia agradece o novo livro ao seu fundador e cá o espera para fazermos algumas sessões necessárias. Até breve, até o primeiro almoço da "Panelinha".

 Releve esta letra; nunca foi bonita: a idade a está fazendo execrável. Só o coração se conserva.

Amigo velho e admirador

Machado de Assis[2]

---

1   Ver em [588]. (IM)

2   Nesta transcrição, manuscrita, está anotado: "Autógrafo de Alberto de Oliveira". E certamente foi o grande parnasiano que escreveu, acima do cabeçalho, "Cópia". (IM)

[594]

De: JOSÉ VERÍSSIMO
*Fonte:* Manuscrito Original, Arquivo ABL.

Rio [de Janeiro], 7 de abril de 1901.[1]

Saudade grande. Amanhã entre 4 e 4 ½ *chez* Garnier[2].

*Yours trully* (sic)

J. V.

---

1 ∾ Bilhete-postal, com carimbo de 08/04/1901 endereçado para 18, Cosme Velho. (IM)

2 ∾ Veríssimo completaria 44 anos em 09/04/1901. (IM)


[595]

Para: JOSÉ VERÍSSIMO
*Fonte:* Revista da Academia Brasileira de Letras, XXXIII, n.º 104, ago. 1930.

[Rio de Janeiro,] 10 de abril de 1901.

Meu caro José Veríssimo,

Ontem, quando o Ministro saiu, corri ao Garnier, mas era tarde; faltavam dez minutos para as cinco. Hoje não sei ainda se poderei ir a tempo; mas farei tudo para lá estar às quatro e meia. Como pode suceder que não saia mais cedo que ontem, quero desde já apertar-lhe a mão pelo estudo sobre a *Prosopopeia*[1], cuja segunda parte li há pouco. É dos melhores que tem dado a sua *Revista Literária*, e tem já um dos primeiros lugares no próximo livro. Homem e obra estão completos; vou reler ambas as partes. Até logo, e (para tudo prevenir) se não puder ser logo, até amanhã. Em conversa, o resto. E por fim um abraço de amizade e admiração do

> Velho
>
> M. de Assis.

---

1 ∽ A *Prosopopeia* (1601), poema de Bento Teixeira (1565 - ?), português radicado no Brasil; obra considerada por Bosi (1979) como "um primeiro e canhestro exemplo do *maneirismo* nas letras da colônia." (IM)

[596]

De: MAGALHÃES DE AZEREDO
*Fonte:* Manuscrito Original, Arquivo ABL.

Roma, 20 de abril 1901.
Palazzo Capranica Via Nazionale

Meu querido Mestre e Amigo,

Por vários dias, ultimamente, muito e muito falei a seu respeito em Roma, associando-lhe o nome às belezas e grandezas da Urbe, enquanto as ia mostrando a um amigo digno de compreendê-las. O nosso Graça Aranha aqui esteve, e logo nos unimos espiritualmente pela harmonia das predileções estéticas, e ainda mais pelo influxo das afeições comuns, pois, tendo ambos os mesmos amigos íntimos, era natural que amigos íntimos nos tornássemos.

Fiquei encantado com ele — é um moço de rara distinção intelectual e de elevada cultura, extremamente simpático, também, pelos seus nobres sentimentos; e penso que ele, por seu lado, partiu contente comigo. Em verdade, a demora do Graça Aranha foi curta — não chegou a uma semana — e o tempo não lhe bastou para aprofundar as impressões romanas. Mas creio que o ajudei a ter em todo caso uma ideia do caráter essencial da Cidade, uma visão geral, mais nítida, da paisagem e do ambiente. Isso seria impossível para um excursionista vulgar; mas o nosso companheiro, pelo seu gosto inato, pelo seu preparo anterior e pela faculdade de rápida adaptação que o distingue, soube discernir a nota predominante de cada coisa, e com o conjunto das suas observações ter uma ideia exata de Roma. Além disso, prometeu-me ele voltar no outono, com mais tempo diante de si; e então poderá completar a sua iniciação romana[1].

Pode imaginar, conhecendo-nos a ambos, conhecendo o afeto que lhe temos, quantas vezes o seu nome aparecia em nossas longas e expansivas conversas, através de sítios tão caros ao nosso espírito, tão sugestivos por si mesmos e pelas recordações que inspiram! Em lugares tão diversos como o Coliseu enorme e o pequeno claustro de Santo Onofre onde Tasso morreu[2], como a colina do Capitólio diante da estátua de Marco Aurélio e a galeria Borghese[3] diante da estátua de Paulina Bonaparte esculpida pelo adorável Canova[4], como a basílica máxima de São Pedro fulgurante de mármores, de bronzes, de frescos, de mosaicos, e a linda, humilde igreja antiga de Santa Maria in Cosmedin[5] toda recolhida na pureza das suas linhas primitivas e na penumbra quase crepuscular das suas naves, lembrávamos continuamente o Amigo distante a propósito de um aspecto artístico ou de uma reminiscência histórica que mais nos impressionavam; e a mesma reflexão nos acudia: Que pena não ver ele estas coisas que tão plenamente o encantariam!

O Graça Aranha quer-lhe deveras muito[6]. É grande a sua influência sobre o espírito dele. Eu gostaria que essa influência fosse empregada, não agora que ele está fora do Brasil, e de longe essas persuasões são impossíveis, mas quando ele para aí voltasse, em dar-lhe o gosto e quase a necessidade do trabalho escrito. É lastimável que com a finura natural dos seus instintos, a originalidade e a força das suas ideias, e o seu poder verbal que me parece considerável, ele ainda nos não haja dado um livro, nem o prometa para tão cedo. Eu insistia muito com ele nesse sentido; mas a resistência do hábito é naturalmente tenaz.

Outro amigo de quem muito falamos é o nosso José Veríssimo, que bem o podia auxiliar neste empenho[7], com a autoridade de que o reveste a sua profissão de crítico digno de o ser como poucos entre nós.

O Graça Aranha deve agora estar próximo ao termo da viagem, e entrar por estes dias em Londres. Ainda que um pouco preguiçoso na correspondência, suponho que lhe escreverá logo que haja desfeito as malas[8]. A mim disse-me que me escreveria em breve; vamos a ver se o faz. Eu, agora que o inverno terminou, mais livre de obrigações sociais que tanto tempo desperdiçam, pretendo reorganizar a minha vida de trabalho, e escrever várias coisas que muito pensadas e repensadas entre um baile e um concerto, uma visita e um *five o'clock*, apenas esperam a pena e umas horas tranquilas para fixar-se naturalmente sobre o papel. Tenho preparados muitos estudos críticos para o *Jornal*, algumas novelas para o meu livro *Melancolias*[9], uns versos que me faltam para as *Horas Sagradas*[10], e um romance que eu a princípio tencionava condensar em um conto, mas que o Graça Aranha, a quem narrei o assunto, me persuadiu com razão a desenvolver como verdadeiro romance; ainda não é *O Santo*, — *hélas!* porque para esse me falta o estudo da primeira parte que se deve passar no interior do Brasil, e só tenho o conhecimento perfeito da segunda que tem Roma como ambiente; ora eu não sou capaz de substituir a um fundo real de quadro outro de fantasia, nem de começar um romance pelo meio; de modo que *O Santo* fica em projeto até que eu me sinta habilitado a escrevê-lo, o que exigirá uma viagem ao Brasil.

Não é que eu queira dedicar-me nesse livro ao que se chama estudo de costumes, tarefa que não me atrai; mas, ainda quando o objeto da atenção do escritor é especialmente a alma humana, cumpre que ele conheça bem o sítio em que ela se move, as influências exteriores que a cercam e atuam sobre as suas ideias e inclinações, enfim toda aquela parte do mundo com que ela se acha em contato mais assíduo.

Bem vê que trabalho tenho de sobra; a primavera, o verão, o outono, se Deus quiser, serão bem aproveitados.

Espero que já terá aparecido aí o *Poema da Paz*[11]. Aguardo por estes dias carta sua relativa à proposta que fiz ao Massow; sei que este dificilmente e tardiamente escreverá, mas ter-lhe-á dito alguma coisa. Ao Garnier também propus uns livros, como lhe comuniquei na minha carta anterior.

Adeus, querido Mestre e Amigo, dê-me notícias suas. Aceite cumprimentos nossos para si e sua Excelentíssima Senhora. Abraça-o o seu deveras

Azeredo

---

1 ∞ Joaquim Nabuco* apressou-se em escrever a Magalhães de Azeredo recomendando especialmente Graça Aranha*. Cruzando o que diz Nabuco com os comentários da presente carta, percebe-se que Azeredo cumpriu muito bem a recomendação. Eis a carta:

"Londres, 1.º de abril de 1901. / Meu caro amigo, / O Graça Aranha resolveu dar um pulo até Roma, mas realmente um pulo. Conta estar aí na quinta-feira. Não preciso recomendá-lo; recomendar-lhe-ei, porém, que não o prenda. Ele o procurará logo. Não é lisonja nem amizade, é simples verdade: ele é uma das mais brilhantes inteligências do nosso tempo; para o Veríssimo, para o Machado, e se ouso acrescentar para mim, um dos que poderão com o tempo disputar a primazia, e assim são muitos os pontos de contato e afinidades com ele e ainda que de passagem os sentirá distintamente. O que lhe peço é que lhe arranje um programa para ele em poucos dias ter a maior impressão possível de Roma e das vizinhanças. / Seu muito afeiçoado amigo e colega / Joaquim Nabuco."

Nabuco diz que a viagem de Graça Aranha a Roma começou na quinta-feira, 4 de abril, onde permaneceu até por volta do dia 10, pois Azeredo assinala que a estada não chegou a uma semana. A viagem continuou, no entanto, por outras cidades. Em outra carta a Azeredo, de 26/04/1901, entre muitos assuntos, Nabuco lhe diz a respeito da viagem do seu secretário a Roma:

"O Graça veio encantado de todos, acabrunhado, exausto de impressões. Estimo muito que o Costa o tenha fascinado, literalmente. Do Régis, das Senhoras, de todos, sem falar do poeta cicerone, ele veio transportado." (SE)

2 ∞ Referência ao convento e à igreja conventual de Santo Onofre, situados na colina Janículo em Roma. Torquato Tasso (1544-1595), poeta renascentista, conhecido pelo poema *Jerusalém Libertada* (1580), viveu inicialmente uma grande crise existencial, que depois de agravada transformou-se em desequilíbrio psíquico. Sempre temeroso quanto à qualidade de sua obra, adiou diversas vezes a publicação. Em 1576, as crises de descontrole mental foram se tornado cada vez mais graves, sofrendo de delírio persecutório e de alto grau de agressividade. Recolheu-se a conventos e manicômios e, numa dessas internações, roubaram-lhe o manuscrito e o publicaram. O poema suscitou forte controvérsia, o que mais lhe agravou a doença. Em 1594,

por volta dos 50 anos, recebeu por intermédio do cardeal Pietro Aldobrandini uma pensão papal. (SE)

3 ᘛ Museu instalado no palácio romano Villa Borghese Pinciana, cujo núcleo principal foi construído entre 1613-1616 pelo arquiteto Flamínio Ponzio, para acomodar a coleção de arte do cardeal Scipione Borghese, embora a propriedade já pertencesse à família desde 1580. No século XIX, Villa Borghese Pinciana foi modernizada por Camilo Borghese, com aquisição de novos terrenos e a intervenção do arquiteto Luigi Canina. Em 1901, o complexo – Os Jardins e a Villa Borghese Pinciana – foram comprados pelo governo italiano, que desmembrou da propriedade os jardins, transformando-os em 1903, em parque público de Roma. (SE)

4 ᘛ A estátua de Antônio Canova (1857-1822), a que se refere Azeredo, causava furor aos frequentadores da Galeria Borghese. Retratada seminua, como Vênus Vitoriosa, apenas com um leve panejamento separando-a da imaginação dos espectadores, a escultura de Paulina Bonaparte (1780-1825) é um contraste entre a serenidade clássica e o apelo erótico de suas curvas femininas. Irmã predileta de Napoleão e mulher de rara beleza, Paulina teve vida sentimental atribulada; os seus muitos casos e escândalos foram famosos. Ela morreu em Roma, já reconciliada com seu segundo marido, Camilo Borghese (1775-1832), 6.º príncipe de Sulmona, depois de ele ter sido relutantemente convencido pelo papa Leão XII (1823-1829), três meses antes da morte dela. (SE)

5 ᘛ A basílica de Santa Maria *in Cosmedin* foi construída no século VIII, durante o papado bizantino, sobre os restos do *Herculis Templum Pompaiani*, no *Boarium Forum*, um dos mercados de distribuição de alimentos da Roma antiga. Passou por sucessivas alterações e reformas ao longo dos séculos. A igreja guarda a famosa escultura *Bocca della Verità*, cuja lenda diz que se um mentiroso colocar o dedo ali será imediatamente mordido. (SE)

6 ᘛ Consultando a coleção de cartas da *Correspondência de Machado de Assis*, verificou-se que o relacionamento epistolar entre Graça* e Machado deve ter começado na segunda metade da década de 1890. Na primeira carta, de 22/01/1896, Machado desmarca um jantar entre eles; em seguida, no mesmo período, há somente cinco cartas de Aranha. Parece que a proximidade entre os dois decorreu, em parte, da grande admiração que Joaquim Nabuco* lhe votava e que incansavelmente comunicou a Machado de Assis. Basta ler as suas cartas a Machado. Graça Aranha era um homem de grande charme e carisma pessoais, senso de humor e, sobretudo, notável conhecimento de direito internacional, com o qual soube secundar Nabuco, nas suas atividades de embaixador. É bom lembrar que foi com ele que Aluísio Azevedo* estudou direito internacional a fim de se candidatar à carreira, alcançando excelente colocação, fato que lhe abriu as portas do Cais da Glória. (SE)

7 ◦◦ Não será preciso o empenho de Veríssimo*, pois em 1902, virá à luz *Canaã*, o primeiro romance de Graça Aranha. Registre-se que o crítico paraense será um dos grandes entusiastas do livro. Em sua apreciação, afirmará que é inovador, intenso e com foros de literatura superior. (SE)

8 ◦◦ Graça Aranha escreverá a Machado em 14/11/901, carta [625]. (SE)

9 ◦◦ Sobre o livro *Melancolias*, ver nota 3, da carta [482], tomo III. (SE)

10 ◦◦ Sobre *Horas Sagradas*, ver nota 2, carta [590], neste tomo. (SE)

11 ◦◦ Sobre o *Poema da Paz*, ver nota 1, carta [636], de 21/01/1902. (SE)


[597]

De: GARCIA REDONDO
*Fonte*: Manuscrito Original, Arquivo ABL.

São Paulo, 14 de maio de 1901.

Excelentíssimo Senhor Machado de Assis

Digníssimo Presidente da Academia Brasileira de Letras

Tendo de publicar a 2.ª edição do meu livro *Carícias* venho, de acordo com o estipulado no Artigo 6.º dos Estatutos da Academia, pedir vênia a Vossa Excelência para declarar no livro a minha qualidade de membro da Academia.

Aguardando a resposta de Vossa Excelência[1], sou com a mais subida consideração e estima, de Vossa Excelência

Amigo e confrade admirador

Garcia Redondo

Rua Ipiranga, 57
São Paulo

---

1 ◦◦ Na página 1 do manuscrito está anotado: "Respondido 16-5-1901". Resposta ainda não localizada. (IM)

## [598]

Para: JOSÉ VERÍSSIMO
*Fonte: Revista da Academia Brasileira de Letras*, XXXIII, n.º 104, ago. 1930.

[Rio de Janeiro,] 21 de maio de 1901.

Meu caro *José* Veríssimo,

Não sabendo se sairei cedo, quero que esta carta vá desde já agradecer-lhe a longa e afetuosa crítica que fez hoje do meu livro de versos, e naturalmente do autor[1]. Já estou acostumado aos seus dizeres de amigo, que anima o velho escritor; mas não há costume que tire às belas palavras a novidade que elas trazem sempre do coração e do cérebro de um crítico eminente. Até logo ou até amanhã, se eu sair tarde; mas oxalá seja logo.

Velho amigo e confrade

M. de Assis.

---

1 ∾ Veríssimo publicara "O Sr. Machado de Assis, poeta", na sua "Revista Literária" do *Jornal do Comércio*. Esta extensa apreciação de *Poesias Completas* (1901) foi transcrita integralmente em *Estudos da Literatura Brasileira* (1976). (IM)

## [599]

Para: RODRIGO OCTAVIO
*Fonte*: Manuscrito Original, Arquivo Particular.

[Rio de Janeiro,] 30 de maio de 1901.

Caro amigo e colega,

Vou hoje ao Presidente[1], e na volta passarei pela rua da Quitanda, a tempo de estar no meu posto[2]. Dado que não o possa fazer, considere-me como tendo votado o que se deliberar[3]. Peço-lhe que diga isto mesmo ao Bilac, de quem recebi aqui uma carta a que esta responde[4].

Ontem, encontrando-me com o Epitácio Pessoa, anunciei-lhe a sua visita e convite; ele o esperará. Até logo. Se não puder ir lá, estarei no Garnier, à espera.

Am*ig*o e ad*mirad*or

Machado de Assis

---

1 ∞ O Presidente Campos Sales, convidado para a sessão solene de 02/06/1901. (IM)

2 ∞ Escritório de advocacia de Rodrigo Octavio, à rua da Quitanda 47. Ali a Academia realizou suas sessões ordinárias, de 11/04/1901 até 27/05/1905. (IM)

3 ∞ Não se localizou a ata dessa sessão. (IM)

4 ∞ Carta ainda não localizada. (IM)

[600]

De: EPITÁCIO PESSOA
*Fonte:* Cartão de Visita Original, Arquivo ABL.

[Rio de Janeiro,] 2 de junho de 1901.

Ao E*xcelentíssi*mo S*enho*r D*outo*r Machado de Assis, cumprimenta

EPITÁCIO PESSOA

que comunica não poder comparecer à sessão da Academia[1], por lhe ter sobrevindo impedimento justo. Pede desculpas.

---

1 ∞ Sessão solene no Gabinete Português de Leitura, em que se iniciaram os trabalhos do ano acadêmico. Olavo Bilac* leu o elogio de Gonçalves Dias, patrono de sua Cadeira. Estiveram presentes o presidente da República Campos Sales e seu secretário, Tomás Cochrane*. No mesmo dia, fora inaugurado o busto de Gonçalves Dias no Passeio Público, ocasião em que Machado de Assis proferiu um discurso em homenagem ao poeta maranhense. Ver em [604], de 30/06/1901, os comentários de Machado a Magalhães de Azeredo*, bem como [617], de 15/10/1901. (IM)

# [601]

De: LUIS ESTEVES
*Fonte*: Manuscrito Original, Arquivo ABL.

Buenos Aires, Junio 3 1901
Salguero 1715 entre Paraguay y Mansanilla
República Argentina

Señor: Machado de Assis —

El telégrafo nos hace saber que, cumpliéndo con una deuda de gratitud y de admiración, la República de Brasil ha erigido estátua en Rio de Janeiro al insigne vate Americano Gonçalves Dias.

El que subscribe ciudadano Argentino, sin tener el honor de conocer al Señor Presidente de la "Academia Brasileña de Letras", se dirige solicitando le sea concedido un ejemplar de la medalla que, presumo, ha sido repartida en conmemoración de aquel acto. Al mismo tiempo me es muy grato felicitar al Señor Machado de Assis, por su conceptuoso y elocuente discurso pronunciado en la ceremonia de entrega del Monumento de Gonçalves Dias, a la población de Rio de Janeiro.

Suplico al Señor Presidente que, si el enviarme una de las medallas pedidas, es posible, lo haga sin ocuparse del franqueo, pués él será satisfecho por mi al recibirla.

Con sentimientos cordiales, me es grato presentar al Señor Machado de Assis, el testimonio de mi consideración mas distinguida.

Luis Esteves[1]

---

1 ∽ Assinatura a ser verificada. Ver a suposição do sobrenome "Esteves" em [602], de 07/06/1901. O manuscrito leva a suspeitar do sobrenome "Estivell". Ignora-se resposta de Machado.

TRADUÇÃO DA MISSIVA:

Buenos Aires, 3 de junho de 1901. / Senhor Machado de Assis. / O telégrafo nos informa que, honrando uma dívida de gratidão e de admiração, a República do Brasil erigiu uma estátua no Rio de Janeiro ao insigne vate americano Gonçalves

Dias. / Quem se subscreve, cidadão argentino, sem ter a honra de conhecer o Senhor Presidente da "Academia Brasileira de Letras", dirige-se solicitando que lhe seja concedido um exemplar da medalha que, suponho, tenha sido distribuída em comemoração daquele ato. Ao mesmo tempo me é muito grato felicitar ao Senhor Machado de Assis por seu profundo e eloquente discurso pronunciado na cerimônia de entrega do Monumento de Gonçalves Dias à população do Rio de Janeiro. / Rogo ao Senhor Presidente que, se o envio de uma das medalhas pedidas for possível, faça-o sem se preocupar com as despesas postais, pois estas serão pagas por mim no recebimento. / Com sentimentos cordiais, é-me grato apresentar ao Senhor Machado de Assis o testemunho da minha mais distinta consideração. / Luís Esteves. (IM)

[602]

De: CARLOS AMÉRICO DOS SANTOS
*Fonte*: Cartão de Visita Original, Arquivo ABL.

Rio de Janeiro, 17 de junho de 1901.

Ex*celentíssi*mo Amigo D*ou*to*r* Machado de Assis.

Junto remeto-lhe a carta que recebeu da República Argentina. O Francisco Guimarães[1] também não pôde decifrar a assinatura, mas pensa que é Luís Esteves[2]. Sinto não ter podido ser-lhe útil nesta questão. Mande sempre no seu grato e dedicado criado e amigo

Carlos Santos

Carlos Américo dos Santos
REPRESENTANTE DE:
The Conde d'Eu[3] Railway Company L.ᵈ
The Dona Teresa Cristina[4] Railway Company L.ᵈ
The Great Western of Brazil[5] Railway Company L.ᵈ

193, Rua São Clemente

---

1 ∽ Como Carlos Américo dos Santos escrevia regularmente no *Jornal do Comércio*, pode ser que Francisco Guimarães seja Francisco Guimarães Júnior, também colaborador do jornal. (SE).

2 ∽ Machado havia recebido uma carta, de Buenos Aires, de 03/06/1901, [601], cuja assinatura não decifrara. Como o assunto da carta — a herma a Gonçalves Dias,

inaugurada na véspera no Passeio Público – era de seu interesse imediato, insistiu em saber quem assinava, enviando-a ao missivista. Havia por essa época no Rio de Janeiro, um jornalista de renome – Carlos Américo dos Santos, que era um homem de refinada cultura, ligado sobretudo às artes plásticas, assunto sobre o qual mantinha uma seção no *Jornal do Comércio*. Carlos Américo participou de importantes comissões avaliativas na Escola de Belas-Artes. Em sendo a mesma pessoa e não um homônimo, pode ser que tenha sido consultado, por ser bom decifrador de assinaturas. Sobre a solenidade de inauguração do monumento, ver carta [601]. (SE)

3 ∞ A *Conde d'Eu Railway Limited* foi organizada na Inglaterra em 1875, com a finalidade de implantar o sistema ferroviário da província da Paraíba. (SE)

4 ∞ Sobre a *Dona Teresa Cristina Railway Company Limited* ver nota 3, carta [575]. (SE)

5 ∞ Em 1872, capitalistas ingleses criaram uma companhia para construir ferrovias no Brasil: *The Great Western of Brazil Railway Company Limited*. Como a similar inglesa, *The Great Western Railway Company* (1835), que ligava Londres ao oeste da Inglaterra (Liverpool, Bristol), a nova empresa abriria ferrovias em direção ao oeste, numa marcha para o agreste nordestino. Em 1873, foi autorizada a funcionar e, em 1875, obteve do barão da Soledade a transferência da concessão para construir em Pernambuco uma ferrovia que, passando por Caxangá, São Lourenço da Mata, Pau d'Alho e Tracunhaém (com ramais para Nazaré da Mata e Vitória de Santo Antão), ligaria o Recife a Limoeiro. O primeiro trecho Recife-Pau d'Alho ficou pronto em 1881 e, em 1882, foi aberto ao tráfego a linha Pau d'Alho-Limoeiro, assim como o ramal para Nazaré da Mata. Além do transporte de passageiros, a *Great Western* escoava os principais produtos da região, como açúcar, álcool, madeira, algodão, feijão. (SE)

# [603]

De: MAGALHÃES DE AZEREDO
*Fonte*: Manuscrito Original, Arquivo ABL.

Palazzo Capranica Del Grillo
Via Nazionale.

Roma, 20 *de* junho *de* 1901.

Meu querido Mestre e Amigo,

Eis uma carta que acabo de encontrar no *mare magnum*[1] dos meus papéis, onde caíra. Pensei que ela já estivesse em suas mãos. Ai! parte com dois meses de atraso. Não será entretanto por não a haver recebido que não me escreve há não sei quanto tempo. Já me devia resposta a outra anterior. Mas as suas são cada vez mais raras; e não admira; de todos os meus amigos daí tenho as mesmas queixas... Ao menos, para justificá-lo, há o excesso de trabalho, a pouca saúde; mas outros, fortes e desocupados, ou pelo menos pouco atarefados!

Enfim — paciência, paciência. Não quero lamentar-me; seria amargo, seria talvez injusto, porque me sinto de uma tristeza enorme[2], obscura; se me perguntasse a causa, não lha saberia dizer ao certo. Eu a atribuo ao cansaço do organismo, à debilidade irritadiça dos nervos, que assim andam, mais ou menos, desde a influenza que tive no ano passado; tudo isso produz uma exacerbação da minha sensibilidade já naturalmente tão grande, tão caprichosa, tão estranha, e daí essa melancolia de que tenho quase remorso, e que procuro esconder aos meus, tão caros e tão bons para mim; mas nem sempre o consigo, porque sou fraco e inábil na dissimulação. E eis aí como pessoas felizes estragam a própria vida! mas não é culpa minha, é culpa da natureza que assim me fez. De algum modo se há de pagar o tributo indispensável à miséria humana.

O Tobias Monteiro[3] escreveu-me sobre o *Poema da Paz*[4], que foi impossível publicar no *Jornal*, por motivos cuja plausibilidade compreendo, pois que o *Jornal* mais que qualquer outra folha daí se rege por tradições. O que me contrariou foi que ele não o tivesse feito imprimir em folheto, como poderia, nas próprias oficinas do *Jornal*. Isso me fez perder imenso tempo. Mandei logo imprimir aqui esse escrito; está, pode-se dizer, pronto. Breve aí o terão.

Antes, porém, receberá outro livrinho que já vai em viagem. Diga-me a sua opinião sobre ele; eu quero publicar todo um volume no mesmo gênero, isto é, com a mesma classe de metrificação, e sem rima, intitulando-o *Odes e Elegias*[5]. Já tenho algumas escritas.

Mandei pedir ao Garnier em Paris as suas *Poesias Completas*[6]. Recebi-as já, e estou a relê-las; algumas, sobretudo do último período, causam-me uma emoção profunda, além do prazer estético que dão todas.

Não se esqueça, rogo-lhe, de falar ao Lansac[7], aí, para que a casa me faça a edição de *Homens e Livros*, e de *Melancolias*, que ofereci ao Garnier. Escrevo ao Lansac por este correio.

Aceite cumprimentos nossos para si e sua Ex*celentíssi*ma Esposa.

Abraça-o afetuosamente o seu

Azeredo

---

1 ⚜ Trata-se de expressão com vários significados extensivos: pode aludir simplesmente à vastidão do mar (Ênio, *Alexandre*); pode designar o mar Mediterrâneo (Plínio, *Naturalis Historia*) ou equivaler ao oceano Atlântico (Cícero, *República*). Também é usada, ao lado da italianização *mare magno*, para indicar o acúmulo caótico de material, difícil de organizar, que, aliás, é o significado conferido por Azeredo. (SE)

2 ⚜ Por diversas vezes, Azeredo externou o estado de espírito depressivo que o acometia. Em alguns momentos, como o que lhe sucedeu no Uruguai e depois em Paris, as crises foram muito graves, chegando mesmo a adoecer fisicamente. No próximo tomo, há uma carta de Machado a Mário de Alencar*, que estava vivendo um momento crítico, recomendando-lhe o tratamento a que se submetera Azeredo e que havia lhe restaurado a disposição. Registre-se também que Azeredo frequentemente entrava em crise de ansiedade ao lançar um trabalho literário de maior vulto, na expectativa da repercussão. Ver cartas [326], [330], [361], tomo III. (SE)

3 ⚜ Tobias Monteiro*, redator-chefe do *Jornal do Comércio*. (SE)

4 ⚜ Sobre o *Poema da Paz*, ver nota 1, carta [636], de 21/01/1902. (SE)

5 ⚜ Provavelmente trata-se de uma primeira prova de *Odes e Elegias*, que sairá somente em 1904. (SE)

6 ⚜ *Poesias Completas* (H. Garnier, 1901). Ver também nota 3, carta [474], tomo III. (SE)

7 ⚜ Julien Lansac*, o gerente-geral da H. Garnier, nome da filial brasileira, depois que Hippolyte Garnier assumiu os negócios. Aliás, diga-se que *Homens e Livros* foi publicado por ela. Sobre *Melancolias*, ver nota 3, carta [482], tomo III. (SE)

# [604]

> Para: MAGALHÃES DE AZEREDO
> *Fonte:* Manuscrito Original, Arquivo ABL.

Rio de Janeiro, 30 de junho de 1901.

Meu querido amigo,

Esta carta é quase que exclusivamente destinada a acompanhar o meu livro de versos[1]. Creio que lhe disse mais de uma vez que ia reunir em um só volume os três publicados, coligindo então em uma quarta parte os versos que andavam esparsos. Tal é o livro, a que acompanha um retrato para satisfazer o editor e mostrar como estou velho. Cortei muita coisa aos dois primeiros, e não sei se ao terceiro também. Algumas páginas, segundo me disseram amigos, podiam ser conservadas. Veremos mais tarde. Há de achar no fim uma longa errata, que não devia existir, se eu pedisse, como fiz aliás com outros livros impressos fora, segundas provas de tudo; mas limitei-me a dizer que podia lê-las, se quisessem; e o resultado foi aquela lista de erros. Talvez o livro os mereça. Em todo caso, a culpa foi minha.

As nossas duas cartas últimas cruzaram-se, como sabe[2]. Tanto melhor, porque ambos recebemos notícias, e eu saí da incerteza em que estava; mas deixe-me dizer que prefiro o método anterior e comum. A gente escreve e espera, e a conversação faz-se como em uma sala. Não obstante, oxalá que esta se cruze com outra; antes assim que nada.

Não o felicitei ainda por não vir a La Paz[3], este ano, e por conseguinte ao nosso Rio de Janeiro[4]. Perco eu, e perdem os seus amigos; mas ganha o seu espírito ficando em Roma. Imagino a diferença. Se houver de ir para outra capital no fim do ano, esperemos que o salto não seja tamanho. E que a mudança se faça por modo que não estranhe o meio e continue os seus trabalhos. Segundo me escreveu, falei já à casa Garnier e à casa Laemmert[5]. Ultimamente, não temos visto no *Jornal do Comércio* as páginas que nos dava, de quando em quando; sei que ali o apreciam devidamente, começando pelo Tobias Monteiro, com quem falo frequentemente a seu respeito[6].

Tudo o que disse sobre a Academia é bem pensado, e parte está em execução[7]. Nomeamos uma comissão para formular um plano de reforma ortográfica[8]. Cuidamos agora do Boletim, que estava atrasado, e passa a ser impresso na Imprensa Nacional, por determinação da lei[9]. Quanto à casa, há ideia mui particular de a obter no novo edifício da Escola das Belas-Artes[10]. A lei que se estava votando na Câmara dos Deputados mandava construí-lo na Glória, mas começa a vingar a ideia de não pôr ali nada, antes arrasar somente o edifício do Mercado[11], que está em ruínas e fazer uma grande praça, indo a Escola para a rua do Catete esquina da rua Silveira Martins; outros dizem que para o palácio Isabel[12]. Por ora nada há proposto na câmara, nem publicado nas gazetas, mas creio que qualquer das duas hipóteses é aceita. A Academia dependerá do que a tal respeito se resolver.

Não sei se leu a notícia da inauguração do busto de Gonçalves Dias no Passeio Público[13] e da sessão solene que celebramos à noite na Academia para que os trabalhos do ano fossem começados. Olavo Bilac leu então o elogio do poeta, que é o patrono da sua cadeira[14], Medeiros e Albuquerque fez o discurso regimental e Rodrigo Octavio leu o relatório. Foi uma sessão mui brilhante, a que compareceu muita gente, contando senhoras, e que a imprensa noticiou com aplausos. O busto do Passeio foi entregue por mim ao Prefeito com a alocação (*sic*) que saiu impressa nos jornais. O texto do *Jornal do Comércio* tem dois ou três erros; o da *Gazeta* está correto. Há ideia de colocar naquele jardim outros bustos de escritores, não de vez nem já, mas devagar, com escolha, e só vinte anos depois de mortos, a fim de que não pareça que trabalhamos pelos amigos.

Quisera dizer mais coisas, mas temo perder o paquete. Creio que a sua saúde é boa, e a da sua família também, e peço-lhe que apresente a esta os meus cumprimentos respeitosos. Minha mulher manda-lhe os seus. De mim receba o abraço do costume, tanto mais apertado quanto mais longo é o tempo da ausência. Escreva-me, ainda que as nossas cartas se cruzem. Mostre que não esquece o

Velho am*ig*o

Machado de Assis.

---

1 ⁕ O livro *Poesias Completas* (H. Garnier, 1901) reuniu os trabalhos anteriores *Crisálidas* (1864), *Falenas* (1870), *Americanas* (1875), acrescido das *Ocidentais*, das quais na *Advertência ao Leitor*, de 22/07/1900, Machado diz:

"Podia dizer, sem mentir, que me pediram a reunião de versos que andavam esparsos; mas a verdade anterior é que era minha intenção dá-los um dia. Ao cuidar disto agora achei que seria melhor ligar o novo livro aos três publicados *Crisálidas*, *Falenas* e *Americanas*. Chamo ao último *Ocidentais*." (SE)

2 ⁕ Na carta [603], de 20 de junho, Azeredo havia discretamente lembrado que para ler as *Poesias Completas* mandou vir um exemplar de Paris. Dez dias depois Machado lhe enviou o livro. Passados doze dias, em 12 de julho, sem tempo talvez de a remessa ter chegado, Azeredo impaciente escreve de novo, queixoso de não ter recebido o volume autografado. A carta de Machado demorou muito a chegar. Registre-se que desde o tomo III, a correspondência entre eles sofria hiatos de toda sorte: excesso de trabalho, crises pessoais, doenças em família, extravio das cartas ou demora na entrega. No presente tomo, verificou-se que isso se acentua. (SE)

3 ⁕ Na carta [590], Azeredo comunica que não vai ser removido para Bolívia. Ver também nota 4, carta [442], tomo III. (SE)

4 ⁕ Sobre a vinda de Azeredo ao Brasil, ver nota 9, carta [581]. (SE)

5 ⁕ Machado zelava com grande diligência pelos interesses literários de Azeredo, sempre atendendo aos seus pedidos de intermediação junto aos editores brasileiros. Desta vez não foi diferente. (SE)

6 ⁕ Na carta [603], Azeredo se queixara muito do redator-chefe Tobias Monteiro, que não abrira espaço no *Jornal do Comércio* para a publicação do *Poema da Paz*. Magalhães Júnior (2008) diz com propriedade que Machado muitas vezes cumpria a função de algodão entre cristais. (SE)

7 ⁕ Na carta [590], de março de 1901, Azeredo celebra a aprovação da lei 726, de 08/12/01900, que trouxera benefícios à Academia, mas insistia na manutenção do caráter independente aos poderes públicos, fora da zona de influência dos governos. A garantia material à sua existência deveria, sobretudo, ter a finalidade de fazê-la

trabalhar em prol da coletividade brasileira. Considera que a Academia não pode ser apenas o espaço que reúne as mais validas inteligências, ou apenas uma agremiação de escritores que publicam livros de grande mérito, deveria ser também uma instituição de homens que prestassem altos serviços à cultura. Julga, por exemplo, urgente uma reforma ortográfica, em acordo com a Academia das Ciências de Lisboa, a fim de estabelecer um processo de continuado aprimoramento que alcançasse as gerações vindouras. Além disso, propõe o que chama "um dicionário definitivo de nossa língua", em que se inserissem os brasileirismos cujo uso já fosse dado como tradicional. Por fim, propõe também que os estatutos incluíssem a obrigatoriedade do elogio histórico dos patronos, obrigatoriedade não só para os acadêmicos eleitos depois da instalação da Academia, mas também estendida aos fundadores, o que, aliás, já vinha acontecendo, diga-se por sugestão de Veríssimo*. (SE)

8 ∾ Em sessão ordinária de 13/06/1901, foi nomeada a comissão composta pelos acadêmicos Medeiros e Albuquerque, Silva Ramos* e José Veríssimo*, para analisar o tema da reforma ortográfica. (SE)

9 ∾ Em sessão ordinária de 25/04/1901, o 1.º secretário Rodrigo Octavio* comunicou ter requerido ao Ministério da Fazenda o cumprimento do artigo 2.º da lei 726 que regulava a impressão dos boletins, bem como ter expedido ofício à Tipografia Nacional neste sentido. (SE)

10 ∾ Começava a circular a ideia de desativar o antigo prédio, deslocando a Escola de Belas-Artes para outro lugar, que como se pode observar pelos comentários de Machado, teve várias possibilidades de pouso até ser decidida a construção de um novo prédio na avenida Central, atual Rio Branco. O projeto era inspirado no Louvre e foi concebido pelo arquiteto Adolfo Morales de los Rios (1858-1928). A construção fez parte do conjunto de melhoramentos por que passaria a cidade depois de 1902, com a entrada do prefeito Pereira Passos (1836-1913). Hoje o prédio abriga o Museu de Belas-Artes. A escola, já então incorporada à Universidade Federal do Rio de Janeiro, transferiu-se à ilha do Fundão. Sobre o antigo prédio, desativado na reforma Pereira Passos, ver nota 6, carta [635], de 06/01/1902. (SE)

11 ∾ Na coleção de cartões-postais da machadiana da Academia Brasileira de Letras, há pelo menos dois que mostram o Mercado Municipal da Glória. Sobre o mercado, ver nota 9, carta [612], de 15/08/1901, no presente tomo. (SE)

12 ∾ Antiga residência da princesa herdeira do trono brasileiro, o palácio Isabel, hoje Guanabara, tornou-se a sede do governo do estado do Rio de Janeiro. (SE)

13 ∾ Bilac* era um profundo conhecedor da poesia de Gonçalves Dias (1823--1864). Em 1900, desejoso de homenagear o poeta da sua predileção, tomou para

si a tarefa de passar uma subscrição, inicialmente entre as damas da sociedade carioca, com a finalidade de celebrar o cinquentenário da publicação dos *Últimos Cantos*, solicitando ao diretor da Escola de Belas-Artes Rodolfo Bernadelli (1852-1931) a execução do busto do poeta. Houve certo atraso, e a obra só pôde ser entregue à cidade em 1901, na reinauguração do Passeio Público, pelo prefeito João Felipe Pereira. Na ocasião festiva, com a presença de autoridades, Machado discursou em nome da Academia. Considerado um texto de apurada apreciação estética, o discurso à época foi reproduzido pelos jornais e hoje faz parte da obra de crítica literária do escritor. (SE)

14 ∾ Olavo Bilac, entre fevereiro e abril de 1901, esteve ora em Caxambu ora em Poços de Caldas, experimentando as delícias das estâncias hidrominerais mineiras. De lá, mandava as crônicas à *Gazeta de Notícias* e de lá trouxe alinhavada a conferência sobre Gonçalves Dias, pronunciada na sessão solene de 02/06/1901, no salão nobre do Gabinete Português de Leitura, em presença de uma plateia atenta, repleta de acadêmicos e autoridades, entre os quais o presidente Campos Sales e seu secretário Tomás Cochrane*, este antigo colega de Machado na secretaria. (SE)

# [605]

Para: RODRIGO OCTAVIO
*Fonte:* Cartão de Visita Original, Arquivo Particular.

[Rio de Janeiro,] 2 de julho de 1901.

Ao amigo e confrade Doutor Rodrigo Octavio envia

MACHADO DE ASSIS

as provas do discurso

18, Cosme Velho

# [606]

De: ADÈLE TOUSSAINT SAMSON
*Fonte:* Manuscrito Original, Arquivo ABL.

[Paris,] 9 juillet 1901.

Monsieur,

Ayant gardé de votre beau pays d'éternelles *Saudades*, et m'intéressant vivement au mouvement littéraire qui s'y produit, je désirais connaître un des ouvrages du Président de l'Accadémie (*sic*) des lettres dont le nom avait traversé les mers; mais ce livre en vain que je fouillai toutes les librairies de Paris.

Le Portugais étant si peu connu encore en France qu'on ne peut se procurer aucun ouvrage moderne dans cette langue. Je trouve donc bien plus court de m'adresser à l'auteur lui-même et de lui demander s'il veut bien m'envoyer celui de ses livres qu'il regarde comme ayant eu le plus de succès et s'il lui plaît d'y joindre l'autorisation de le traduire en Français, je lui en serais très reconaissante, désirant être une des premières à faire connaître à mes compatriotes les plus célèbres auteurs du Brésil. J'ai passé un examen de portugais à Rio de Janeiro et j'en ai le diplôme ce qui peut justifier ma demande et vous être une garantie pour me confier la traduction de votre livre, tâche toujours si difficile et si délicate. L'Italien dit: *traduttore, traditore*. J'espère, Monsieur, ne pas mériter que vous m'appliquiez ce mot.

Maintenant, Monsieur, je me permets de vous adresser, en échange de l'envoi que j'espère de vous, un volume de Poésies publié à mon retour en France et que Victor Hugo a honoré d'une charmante lettre de félicitation, vous y verrez quel souvenir j'ai gardé de l'Amérique du Sud. Quant à ses habitants, je leur conserve une sympathie profonde dont je veux qu'ils soient bien assurés car il pouvait que quelques passages de mon livre: *une Parisienne au Brésil* les avaient indisposés contre moi[1]. J'ai écrit ce livre avec la plus grande impartialité ne disant que ce que j'ai vu [.] J'ai jugé un peuple neuf qui avait encore des esclaves et comme je disais la verité aux Brésiliens, je la disais aussi à mes compatriotes. L'Empereur Dom Pedro en avoir eu connaissance il a dit: les Etrangers nous jugent mieux que nous mêmes et je ne vois dans ce livre rien d'hostile au Brésil, au contraire.

Soyez donc persuadé Monsieur que ce sera à une personne amie que vous confierez la traduction de votre livre et qu'elle s'efforcera d'en garder la saveur étrangère et l'esprit primordial.

Veuillez agréer je vous prie, l'expression de ma profonde considération

Adèle Toussaint Samson[2]

---

1 ◦ Filha de artistas da *Comédie-Française*, Adèle Toussaint Samson (1826-1910) esteve com seu marido no Rio de Janeiro durante vários anos. Voltando à França, escreveu um livro intitulado *Une Parisienne au Brésil*. Foi muito atacada pelos nacionalistas, por seus comentários críticos sobre a escravidão e a pobreza da vida cultural no país, mas foi defendida pelo próprio imperador D. Pedro II. Hoje as suas observações sobre a condição subordinada da mulher no Brasil estão sendo muito valorizadas pelos movimentos feministas. A editora Capivara publicou em 2003 uma edição em português do seu livro. A carta a Machado de Assis é um precioso testemunho da ligação afetiva que Adèle continuou tendo com o Brasil, apesar de todos os mal-entendidos: ela procurara ser imparcial, escreve ela, e dedicava ao nosso povo uma "simpatia profunda". (SPR)

2 ◦ O francês de Mme. Toussaint Samson é um tanto livre, quase indisciplinado; contudo procurou-se guardar o máximo de fidelidade ao original.

TRADUÇÃO DA CARTA:

Senhor, / Tendo guardado de seu belo país eternas Saudades e me interessando vivamente pelo movimento literário que aí se produz, eu desejaria conhecer uma das obras do Presidente da Academia de letras cujo nome cruzou os mares; mas este livro em vão que eu busquei em todas as livrarias de Paris.

Sendo o Português tão pouco conhecido na França, ainda não se pode encontrar nenhuma obra moderna nesta língua. Eu acho, portanto, mais rápido me dirigir ao próprio autor e lhe perguntar se gostaria de me enviar aquele de seus livros que considera como tendo tido mais sucesso e se lhe agradaria de a ele anexar a autorização para traduzi-lo em francês, eu lhe seria muito reconhecida, por desejar ser uma das primeiras a divulgar entre meus compatriotas os mais célebres autores do Brasil. Passei num exame de português no Rio de Janeiro e tenho o diploma que pode justificar o meu pedido e lhe ser uma garantia para me confiar a tradução de seu livro, tarefa tão difícil e tão delicada. O italiano diz: *traduttore, traditore*. Eu espero, Senhor, não merecer que me aplique essa expressão.

Agora, Senhor, me permita enviar-lhe, em troca da remessa que espero do Senhor, um volume de *Poesias* publicado no meu retorno à França e que Victor Hugo honrou com encantadora carta de felicitação, na qual verá que lembrança guardei da América do Sul. Quanto a seus habitantes, conservo uma simpatia profunda da qual quero que estejam bem seguros, pois pode ser que algumas passagens de meu livro *Uma Parisiense no Brasil* os tivessem indisposto contra mim. Escrevi este livro com a maior imparcialidade, dizendo apenas o que vi. Julguei um povo jovem que ainda tinha escravos e, tal como eu disse a verdade aos Brasileiros, disse-a também a meus compatriotas.

O Imperador Dom Pedro ao ter conhecimento disse: Os estrangeiros nos julgam melhor que nós mesmos e não vejo neste livro nada de hostil ao Brasil, muito ao contrário.

Esteja, portanto, persuadido, Senhor, que será a uma pessoa amiga que confiará a tradução de seu livro e que ela se esforçará de lhe guardar o sabor estrangeiro e o espírito primordial.

Queira aceitar, por favor, eu lhe peço, a expressão de minha profunda consideração // Adèle Toussaint Samson. (SE)

## [607]

De: JOSÉ VERÍSSIMO
*Fonte*: Manuscrito Original, Arquivo ABL.

Rio [de Janeiro], 9 de julho de 1901.

Meu caro Machado.

Saudades suas são mato, como dizem expressivamente os nossos matutos. Mas tenho andado adoentado com uma bronquite e fugindo ao resfriar das tardes. Além disso com um pouco de *spleen*, o que faz de mim mais detestável companheiro do que naturalmente sou. Por isso, e porque não me achava muito "em fundos", não fui ao almoço, ao qual aliás só iria pelo gosto de encontrar-me com você[1].

Há dias estou para escrever-lhe, mas a minha preguiça epistolar, que é grande, aumentou com essa indisposição física e moral.

O que tenho ultimamente escrito, apesar de comprido, ou talvez por isso mesmo, é feito com tal má vontade que eu mesmo admiro não saia ainda pior, se é possível. O que vale é que chegados a certo ponto já fazemos essas coisas de alguma sorte mecanicamente. Mas receio muito que se conheça a mecânica. Mas que fazer? Pão para a boca, como dizia o Vieira².

E você que faz? Ofícios, pareceres e outras coisas igualmente infames e inúteis. Porque eu não hei de ser ao menos uma hora ditador! Você era logo aposentado com vencimentos por inteiro, uma pensão no valor do dobro, e a recomendação de nos dar um livro por ano, as suas memórias, contos, romances, versos e se pudesse ser a tradução completa do Dante.

Mas enfim é preciso viver o tal "pão para a boca" e *você* não tem remédio senão fazer aquelas coisas repugnantes e mesquinhas. Decididamente se este mundo é feito por uma inteligência pro e previdente é muito malfeito. Deus pode limpar as mãos à parede.

Eu pelo menos não sinto pela sua obra a mínima admiração; e só lha perdoo em consideração ao tempo em que dizem que a fez. Estava tudo tão atrasado!

Dentro você encontrará um pedido, por cuja satisfação realmente me interesso³. O meu protegido, que faço seu, é digno do favor, como *você* pode informar-se.

Não vá Brás Cubas pensar que só por esse motivo lhe escrevo: erraria redondamente, o que seria uma vergonha para sujeito tão perspicaz.

Adeus, um abraço saudoso do

Seu

José Veríssimo

---

1 ∾ No domingo 07/07/1901 realizara-se mais um almoço da "Panelinha", convocado por Valentim Magalhães*. Sobre o grupo, ver em [588]. (IM)

2 ∾ "O maior pensar da criatura humana é comer; desde que o homem nasce até que morre anda a procurar o pão para a boca." Padre Antônio Vieira (1608-1697). (IM)

3 ∾ Poderia ser o cartão de visita sem data que assim se inicia: "Saúdo cordialmente o mestre..." e se encontrará no final da *Correspondência*. (IM)

# [608]

De: MAGALHÃES DE AZEREDO
Fonte: Manuscrito Original, ABL.

Villino Chigi Ariccia[1], 12 de julho 1901.

Meu querido Mestre e Amigo,

Por que me tem abandonado assim? Estou bem triste pelo seu silêncio, de quantos meses já não sei, já lhes perdi a conta. Conheço as razões que alegará; dir-lhe-ei que são justas até certo ponto, mas que, embora o tempo seja pouco e o trabalho muito, não se deve descurar completamente um coração amigo deveras, afetuoso, dedicado, e, bem o sabe, sensibilíssimo. Sempre uma hora, uns poucos minutos se arranjam para escrever uma dúzia de linhas — não são precisas mais para provar a fidelidade da memória. Por minha parte, tenho-lhe mandado notícias minhas quando me tem sido possível; os meus afazeres não são escassos também, nem os dias me bastam de ordinário para cumprir todas as minhas obrigações; mas é certo, apesar disso, que quando pego da pena para escrever-lhe, não tenho pressa de a depor, e as cartas que lhe envio são geralmente longas[2].

Desde que parti do Brasil, tem publicado vários livros, e sempre se apressava em mandar-mos. Desta vez, não é assim. Há algum tempo que apareceram as suas *Poesias Completas*, os jornais já se ocuparam delas, e eu ainda não recebi o exemplar costumado, bem que lho pedisse com antecedência. Li o livro, como em outra carta lhe disse, porque o solicitei logo da casa editora de Paris.

Não creia por estas pequenas queixas que estou zangado; somente as exprimo porque a nossa amizade se fundou sempre numa plena confiança de parte a parte, e eu não acharia bem ocultar-lhe agora uma impressão tão natural e justa como esta que me causa o seu silêncio. Sei bem que não pode ter havido mudança nos seus sentimentos para comigo, que sempre conheci tão sólidos. Quando nos meus [,] tempo, distância, variedade de ambientes e espetáculo nada puderam, não é de supor que os seus se entibiassem sem razão, numa idade em que as modificações de espírito são ainda mais difíceis.

Não sei se lhe haverá chegado às mãos o seu exemplar das *Elegias a Leão XIII*[3]. Foi dirigido à casa Laemmert com a edição inteira, e naturalmente se apressarão a dar-lho logo que o caixote aí se ache. Estou desejoso de saber que impressão aí terá feito o meu livrinho. A novidade da metrificação provavelmente atordoará um pouco os leitores a princípio, mas é questão de habituar o ouvido. Eu estou resolvido a esforçar-me por fazer aceitar e usar esses versos na nossa língua, à qual se adaptam perfeitamente. Estou compondo todo um volume de poesias do mesmo gênero, com o título de *Odes e Elegias*; sinto-me agora senhor dessa forma de metro, e vaso nela naturalmente, sem esforço, as minhas ideias. Bem tratados, tais versos têm uma grande nobreza, e uma extraordinária variedade de efeitos harmônicos. A falta de rima não importa nada. Há tempos li num jornal uma carta em que Luís Murat[4] dizia que os versos sem rima são contrários às normas da arte moderna. Que tolice! e a quantos disparates nos leva a falta de cultura literária, ou a cultura exclusivamente limitada às produções de uma língua, entre as neolatinas a menos próxima da nossa, como é a francesa! Em espanhol, em italiano, em inglês, em alemão, os versos sem rima sempre se usaram, e se usam. Em francês não se fazem, não porque os julguem destituídos de beleza, mas porque nesse idioma, com a imensa preponderância das palavras agudas, seriam impossíveis; e já Voltaire de tal deficiência se queixava a Maffei, o autor da *Mérope* italiana[5]. Os versos gregos e latinos não são esplendidamente harmoniosos, conquanto sem rima? A rima em certos metros modernos é necessária, em outros facultativa, em outros inteiramente dispensável e inútil. A rima não impede certos versos de serem pura prosa medida, como a ausência de rima não impede a outros o seu caráter altamente poético. Tudo é a maneira de sentir e escrever.

No seu livro há quantidade de versos sem rima, e eu sou da mesma opinião de José Veríssimo[6] sobre a sua arte admirável em compô-los.

Propus dois livros ao Garnier, responderam-me de Paris que consultariam o gerente do Rio, e eu estou à espera da resposta[7]. Já lhe pedi para intervir aí a fim de que o negócio se conclua. Tenho vontade de oferecer um terceiro livro, que é de poesias, e que, já pronto, bem se poderia começar a imprimir.

O *Poema da Paz*[8] já está impresso, e partirá para o Rio por estes dias. A edição ficou muito linda, em formato pequeno, com tipo elzevir. Verá.

Adeus, querido Mestre e Amigo; espero que me dará breve notícias suas, e que de ora em diante será menos avaro de suas cartas. Escrevo-lhe já do campo, mas o meu endereço é sempre o mesmo, em Roma, aonde aliás vou com frequência.

Aceite cumprimentos nossos para si e sua *Excelentíssi*ma Senhora.

Creia-me deveras seu

Azeredo

---

1 ∞ Ariccia, situada nos montes Albanos, província de Roma, é uma das cidades mais antigas do Lácio, delimitada por Castel Gandolfo, Albano Laziale, Genazo Roma e Marino Laziale Ariccia. Em 1661 passou ao domínio dos Chigi, do qual resultou o nome Chigi Ariccia. A poderosa família Chigi reconstruiu o palácio Chigi Savelli e estimulou a arte na cidade atraindo para lá grandes artistas, como, por exemplo, Bernini. (SE)

2 ∞ Ao longo da relação epistolar, vez por outra Azeredo queixa-se de abandono. Algumas vezes coincide com uma crise pessoal, ou profissional ou de saúde. Outras, com o lançamento de algum livro que enviou a Machado e este demorou a manifestar-se. Azeredo queixa-se também caso se sinta negligenciado em atenção, como, por exemplo, quando Machado não lhe remete rapidamente um livro seu recém-lançado, com o respectivo autógrafo. Por outro lado, Machado também se queixa de abandono epistolar; é certo que de modo menos frequente e mais comedidamente. Desta vez, Azeredo lamenta-se por dois motivos: a repercussão às *Elegias a Leão XIII* está demorando, e o não recebimento do exemplar autografado das *Poesias Completas*. Ver também notas 1 e 2, carta [604]. (SE)

3 ∞ As *Elegias a Leão XIII* que então enviou a Machado era um pequeno opúsculo. Elas depois foram inseridas no volume *Odes e Elegias* (Roma: Irmãos Centenari, 1904). (SE)

4 ◦ O acadêmico Luís Murat (1861-1929) escreveu em diversos jornais cariocas. Em 1893, por ocasião da Revolta da Armada, era deputado e envolveu-se fortemente no conflito, pois foi no *Cidade do Rio*, naquele momento sob a sua responsabilidade, que saiu o Manifesto de Custódio de Melo e que provocou a dura reação do governo federal. Floriano Peixoto, apoiado pelo Senado Federal, suspendeu as garantias constitucionais prendendo envolvidos e simpatizantes. (SE)

5 ◦ Voltaire (1694-1778) e o poeta italiano Scipione Maffei (1675-1755) escreveram ambos tragédias inspiradas na personagem mitológica de Mérope, símbolo do amor materno. A *Mérope* de Maffei é de 1713, e a de Voltaire é de 1743. Do ponto de vista da forma, a principal diferença entre as duas peças – é a isto que Azeredo alude – é que a tragédia de Maffei foi escrita em versos endecassílabos não rimados, enquanto a de Voltaire foi composta em alexandrinos rimados, segundo a convenção do teatro clássico francês. (SPR)

6 ◦ Trata-se do artigo *Uma Inovação da Métrica Portuguesa*, publicado no *Correio da Manhã*. Assinale-se que a questão da versificação estava na ordem do dia entre os poetas, sobretudo entre os parnasianos. (SE)

7 ◦ *Homens e Livros* (1902) e *Horas Sagradas* (1903), que certamente o gerente da filial do Rio de Janeiro Julien Lansac* avalizou, pois ambos foram publicados pela H. Garnier. (SE)

8 ◦ Sobre o *Poema da Paz*, ver nota 1, carta [636], de 21/01/1902. (SE)

## [609]

Para: DESTINATÁRIO NÃO CITADO
*Fonte*: Manuscrito Original, Fundação Biblioteca Nacional. Coleção Ernesto de Sena.

Rio de Janeiro, 30 de julho de 1901.

Il*ustríssi*mo Senhor[1]

Não podendo, por obrigações do meu cargo, comparecer à festa que a imprensa Fluminense[2] vai celebrar no dia 1.º de Agosto próximo, para comemorar o aniversário da promulgação da Constituição da Confederação Helvética[3], dou-me pressa em comunicá-lo à V*ossa Senhoria*, agradecendo o convite que tive a honra de receber.

Sou com estima e consideração

De vossa Senhoria

A*tento* ad*mirado*r e ob*rigado*

Machado de Assis

---

1 ∾ É possível que esta carta seja dirigida ao presidente ou ao secretário da Comissão da Imprensa Fluminense, conforme os esclarecimentos da nota 2. No Arquivo da ABL, a cópia da carta está etiquetada como sendo destinada ao *Jornal do Comércio*. Observe-se, por fim, que o manuscrito original da Biblioteca Nacional pertenceu a Ernesto de Sena, redator daquele periódico. (SE)

2 ∾ A Comissão da Imprensa Fluminense era composta àquela altura por Manuel Veloso Paranhos Pederneiras (presidente), Ernesto de Sena (secretário), Alcindo Guanabara, José do Patrocínio, Félix Pacheco, Henrique Chaves*, Dunshee de Abranches, entre outros. Foi aos dois primeiros que o cônsul-geral da Suíça, Eugène Emille Raffard, se dirigiu em francês para declinar do convite por razões de saúde, oferecendo, no entanto, um representante oficial, o Sr. Henri Raffard. As homenagens – feitas em nome do povo brasileiro – se estenderam por toda a tarde do dia 1.º de agosto. Começando com desfile grandioso pelas ruas do centro do Rio, indo da Praça Quinze até o Teatro São Pedro, onde se realizou a sessão solene na presença do presidente da República, ministros, representantes do Congresso Nacional, membros da alta magistratura, corpo diplomático, militares, demais autoridades e representantes da sociedade civil. Discursaram José do Patrocínio, Serzedelo Correia e o deputado Nilo Peçanha. Depois, à noite, seguiram-se as récitas: concerto e poesia. No Teatro Lucinda, na rua Luís Gama 24, representou-se a peça *O Sub-Prefeito*. Em todas as repartições públicas houve dispensa do ponto. A nota dissonante foi dada pelo *Cercle Suisse*, que representava a colônia no Brasil. O *Cercle* escreveu ao presidente da Comissão da Imprensa Fluminense, dando a entender que o motivo da homenagem, no dia do pacto fundamental da Confederação Helvética, não era exatamente celebrar a data em si, mas comemorar o laudo favorável ao Brasil, dado pelo Conselho Federal Suíço em 1.º de dezembro de 1900 na Questão do Amapá. Eis o texto:

"Sr. Presidente. / Os abaixo-assinados, membros da colônia suíça no Rio de Janeiro, tendo conhecimento pelas notícias da imprensa e pelos convites ontem dirigidos aos presidentes da Sociedade Filantrópica Suíça e do *Cercle Suisse*, de que se está preparando uma grande manifestação no governo de sua pátria para o que tem sido pedido o concurso das principais coletividades políticas e sociais, vem trazer à presença de V. S. e dos dignos companheiros algumas ponderações para as quais pede benévola atenção. / O motivo patente desta manifestação é o laudo favorável ao Brasil, dado pelo Conselho Federal Suíço. / Ora, os suíços todos, pela confiança que depositam no governo do seu país, sabem que, se esse laudo foi dado, é porque a justiça estava do lado do Brasil. / Portanto entendemos que tanto menos justa essa manifestação, quanto a decisão arbitral foi extreme de outros motivos além da pura e indefectível justiça. / O espírito dos suíços se melindra com esta manifestação. E, se fosse lícito rogar aos hospitaleiros brasileiros que a não fizessem, os abaixo--assinados, representando a colônia suíça o faziam gratos todavia à elevada intenção que inspirou a iniciativa da imprensa. / Queira aceitar, Sr. Presidente, o protesto de alta consideração e elevada estima dos abaixo-assinados. / Rio de Janeiro, 26 de julho de 1901. / Augusto Wegelin + 50 assinaturas." (SE)

3 ∾ A Carta Federal de agosto de 1291, embrião do estado suíço contemporâneo, foi estabelecida entre os cantões de Uri, Schwyz e Unterwalden, e é considerada o documento fundador da Confederação Helvética, em que pequenos estados independentes reuniram-se com a finalidade de fortalecer-se comercialmente. (SE)

# [610]

Para: ARMANDO RIBEIRO DE ARAÚJO
*Fonte: Revista da Sociedade dos Amigos de Machado de Assis.*
Rio de Janeiro: 1959, n.º 2. Fac-símile do cartão de visita original.

[Rio de Janeiro,] 4 de agosto de 1901.

Cumprimentos do velho amigo

      Machado de Assis[1]

18, Cosme Velho

---

1 ∾ Na mesma página da *Revista*, figuram dois outros cartões de Machado de Assis dirigidos à amiga Fanny de Araújo*, ambos com felicitações e datados de 7 de julho (1906 e 1907), parecendo referentes ao seu aniversário de casamento. O texto de José Noronha Santos, que apresenta esses autógrafos, não permite identificar o destinatário das felicitações de 4 de agosto, mas pode-se crer que seja este o marido de D. Fanny, Armando de Araújo. Foi ele quem tomou as providências para o enterro de Carolina* (1904) e também foi um dos amigos que carregou o ataúde de Machado. (IM)

## [611]

De: JULIO VICUÑA CIFUENTES
Fonte: Manuscrito Original, Arquivo ABL.

Santiago de Chile, 5 de agosto de 1901.
Casilla postal No. 51

JULIO VICUÑA CIFUENTES[1] saluda muy atentamente al Senõr Machado de Assis, y solicita de él un ejemplar de sus obras poéticas y literarias, a fin de seleccionar las que deba traducir para la *"Antología Brasileña"* que tiene em preparación[2]. Solicita también datos biográficos y el retrato más moderno del autor.

Pide al mismo tiempo disculpas al Senõr Machado de Assis por la libertad de que hace uso; la cual solo tiene justificación en la imposibilidad de adquirir por otros medios las obras de los autores brasileños, a causa de no existir agencias-corresponsales ni haber modo de establecerlas. En la confianza de que será honrado con una contestación, se subscribe su

    A. y R. S.[3]

---

1   Cartão com o nome impresso na parte superior esquerda. (IM)

2   Obra não localizada na produção bibliográfica do autor. (IM)

3   Possivelmente "Atento y Respectuoso Servidor". (IM)

TRADUÇÃO DA MISSIVA:

Júlio Vicuña Cifuentes saúda muito atenciosamente o Sr. Machado de Assis, e lhe solicita um exemplar de suas obras poéticas e literárias, a fim de selecionar as que deva traduzir para a *Antologia Brasileira* que tem em preparo. Solicita também dados biográficos e o retrato mais recente do autor. / Ao mesmo tempo pede desculpas ao Sr. Machado de Assis pela liberdade tomada; a qual somente tem justificativa na impossibilidade de adquirir por outros meios os autores brasileiros, por não existirem agências correspondentes nem haver maneira de estabelecê-las. Na confiança de que será honrado com uma resposta, subscreve-se seu [Atento e Respeitoso Servidor]. (IM)

# [612]

Para: MAGALHÃES DE AZEREDO
*Fonte*: Manuscrito Original, Arquivo ABL.

Rio de Janeiro, 15 de agosto de 1901.

Meu querido amigo,

Recebi a 13 deste mês, anteontem, a carta de 12 de Julho, isto é, levou um mês e um dia para chegar às minhas mãos. Não admira que a última que lhe escrevi não estivesse ainda em Roma; há de estar dentro de poucos dias. Mas antes dessa tinha-lhe escrito outra que já lá devia estar naquela data. Não me lembra se registrei essa; a última foi registrada. As suas queixas seriam totalmente justas, se não tivesse a meu favor este crédito. Antes, não; antes andei um pouco remisso, e sabe já as razões. Em todo caso, estimo que lhe doa o meu silêncio para que sinta como me dói o seu, e para concluir daqui que é doce ter um amigo remoto e certo.

Com a última carta mandei-lhe um exemplar das minhas *Poesias Completas*; não houve pois esquecimento, mas simples demora, determinada por circunstâncias da livraria. Já o há de ter; foi também registrado[1]. Não sei se lhe disse que cortei muita coisa dos primeiros livros; arrependi-me de alguns cortes, como a *Menina e Moça*, por exemplo. Essa página foi suprimida por algumas alusões do tempo, como este verso:

Tem respeito à Geslin, mas adora a Dazon[2], que ninguém sabe que alude à professora e à modista[3], mas bastava cortá-lo. Enfim, não valeria a pena incluí-la.

Na mesma carta última contei tudo o que havia acerca da casa Garnier e da casa Laemmert. Já lá saberá o que é. Não recebi o exemplar das *Elegias a Leão XIII*; espero que venha e mais os outros trabalhos que me promete.

Vá desculpando a letra; escrevo-lhe às pressas para não deixar a última carta sem resposta, ainda que seja curta. Antes curta que nada. Não tenho tempo para lhe dizer tudo o que penso dos versos sem rima, mas pelo emprego que fiz desta forma há de compreender o amor que lhe tenho e a opinião de que é prestadia em nossa língua para toda a espécie de sentimentos, graves ou ternos. Ultimamente parece desdenhada[4], assim foi noutras quadras; a escola de Camões quase a não trabalhou. Não importa; de quando em quando, é bom que varie o vestido do pensamento poético e se restaurem as formas desusadas.

Não tenho novidades que lhe dar daqui. O Guimarães Passos e o Emílio de Meneses coligiram os seus versos e publicaram cada um o seu volume[5], em que há trabalho de forma e de pensamento. Creio que há outros livros em trabalho; pelo menos, já ouvi falar de uma coleção de versos do Olavo Bilac[6]. A Academia não tem tido sessão depois da de Gonçalves Dias; esperamos o Francisco de Castro, que parece disposto a estudar de vez o Taunay, mas por ora não se pode saber quando será a recepção[7]. Há de notar que uma grande parte dos nossos acadêmicos está fora da cidade e do país. Só na Itália temos 1, em Londres 3, na Alemanha 1, no Japão 1, e pode ser que haja mais[8].

A questão da casa está e não está resolvida. Temos lei, resta a escolha, mas era ideia nossa acomodar-nos com a Escola de Belas-Artes, que tinha de fazer um edifício no largo da Glória, derribando o velho Mercado[9] sem uso que lá está. Ultimamente falou-se em que era melhor outro ponto, no Catete, esquina da rua Silveira Martins, e, como nada se decidiu por ora por parte da Escola, ficamos dependentes do lugar que for escolhido.

Vá desculpando, repito, a detestável letra. A comum não é bonita, mas esta creio que é pior. Se há alguma tremura, bem pode ser da idade. Quero que esta carta siga depressa, a ver se lá chega, antes mesmo de outra queixa[10], aliás legítima, dado que me houvesse esquecido dos bons amigos remotos. Vê que não. Receba um abraço do coração, e apresente à *Excelentíssi*ma Família os meus respeitos e de minha mulher, que também se lhe recomenda. Creia-me sempre e agora, como sempre,

Velho amigo e ad*mira*dor

Machado de Assis

---

1 ∾ Sobre *Poesias Completas*, ver nota 1, carta [604]. (SE)

2 ∾ A citação do verso está no original em redondo e sem aspas. (SE)

3 ∾ A baronesa de Geslin foi uma educadora de renome na corte do Império, com seu colégio para meninas inicialmente instalado no largo dos Leões e depois transferido para a rua Bela da Princesa, atual Silveira Martins. Os dois famosos leões que ornamentavam os portões do colégio adornam hoje a entrada do Hotel Novo Mundo, na esquina com a Praia do Flamengo. No século XIX, muitas damas de origem abastada, em situação financeira precária, mantiveram colégios prestigiosos. Em busca de uma saída, essas mulheres em geral bem educadas e cultas, na sua maioria europeias, se dedicaram ao ensino privado de moças das famílias ricas do Império. A baronesa era irmã de Eleonor Leuzinger, portanto cunhada do importante fotógrafo Georges Leuzinger (1813-1892), proprietário da Casa Leuzinger, que a partir de 1865, instalou também ali um ateliê fotográfico, para o qual realizou fotos da cidade do Rio, de seus arredores e da região serrana, tornando-se grande divulgador de fotos brasileiras e, hoje, uma referência no repertório fotográfico do século XIX. Já a modista e costureira, Madame Catherine Dazon, estabeleceu-se em 1849 na rua da Quitanda 70, constituindo a partir de 1854, a firma Catarina Dazon e Filho. Em 1858, a casa passou a contar com uma *maison* em Paris, na rue d'Enghien 46, e mais duas filiais: Londres e Lyon. Em 1862, o filho, Louis Dazon, assumiu sozinho os negócios do Rio de Janeiro, mas em 1870 encerrou as atividades. (SE)

4 ∾ Há por trás disso toda uma discussão sobre as técnicas de versificação, sobretudo entre os poetas parnasianos, questão, aliás, também debatida por críticos e articulistas. Muito se escreveu sobre o assunto nos primeiros anos do século XX: Olavo Bilac* e o *Tratado de Versificação*; Guimarães Passos e Olavo Bilac, um *Dicionário de Rimas* (1905); Mário de Alencar* e o seu *Dicionário de Rimas* (1906). Aliás, registre-se que, em 13 de novembro, Veríssimo publicará no *Correio da Manhã* um artigo sobre a métrica nas *Elegias a Leão XIII*. (SE)

5 ∾ O acadêmico Guimarães Passos publicou *Horas Mortas* e o depois acadêmico (1914), Emílio de Meneses, por sua vez, publicou *Poemas da Morte* pela casa Laemmert. (SE)

6 ∾ Olavo Bilac* vai publicar *Poesias: edição definitiva*, em 1902, pela casa H. Garnier. (SE)

7 ∾ Francisco de Castro* não tomará posse, pois faleceu daí a menos de dois meses, em 11/10/1902. (SE)

8 ∾ Na Itália, Magalhães de Azeredo. Na Grã-Bretanha, Joaquim Nabuco* e Graça Aranha*; o terceiro não se pôde ainda apurar. Não era Domício da Gama*, que fora transferido a Bruxelas e já estava lá. Na Alemanha, o barão do Rio Branco*. No Japão, Oliveira Lima*. Tal como diz Machado – *pode ser que haja mais* – havia, sim: Aluísio Azevedo*, em La Plata, na Argentina. (SE)

9 ∾ A Câmara Municipal (1855) aprovou o projeto de um novo mercado no largo da Glória, a fim de atender à população das adjacências. Embora deferido, não havia dinheiro para tocar a obra. Inácio José de Barros Vieira Cajueiro, em troca de vantagens, propôs

levantar o capital. O arquiteto Bethencourt da Silva* concebeu o prédio em forma quadrangular, com um largo portão em cada face e doze grandes janelas no andar superior. O empreiteiro, no entanto, não seguiu as orientações, diminuindo o pé-direito e retirando os elementos decorativos, o que lhe deu uma aparência desgraciosa. No pátio central, em lugar do chafariz previsto no projeto, foi colocado um poste. Ainda assim, em 1858, o mercado estava pronto. A aparência disforme e o desinteresse do poder público em estimular os comerciantes a ocupar o prédio impediram a sua boa destinação. Estabeleceu-se então um baixo comércio que, aos poucos desapareceu, e o lugar transformou-se num cortiço. A vizinhança incomodada pressionava no sentido de uma solução. Em 1893, a cabeça de porco foi desalojada, e instalou-se um grupamento militar, que permaneceu até 1895, quando o prédio foi lacrado. Em 1904, o prefeito Pereira Passos determinou a demolição, incorporando terreno ao jardim da Glória, que resistiu até a década de 1970, quando desapareceu em razão das obras do metrô. (SE)

10 ∾ Esta carta começa e termina com justificativas de Machado sobre a demora em responder. Parece haver certa dificuldade em manter a regularidade na remessa das cartas. Sobre o descompasso na comunicação entre os dois e as queixas de abandono epistolar, ver nota 2, [608], carta a que Machado faz referência. (SE)

## [613]

Para: RODRIGO OCTAVIO
*Fonte*: Manuscrito Original, Arquivo Particular.

[Rio de Janeiro,] 22 de agosto de 1901.

Caro am*i*go e confrade,

Poderemos celebrar uma sessão nesta semana, ou no princípio da outra? Nesta só sábado, pois que já amanhã é sexta-feira[1]. Diga-me o que lhe convier, e disponha do

Velho am*i*go e colega

Machado de Assis

---

1 ∾ Houve sessão em 29/08/1901, sem ata dos trabalhos; tem-se apenas a relação dos presentes: Machado de Assis, Silva Ramos*, Olavo Bilac*, Artur Azevedo*, Guimarães Passos e Rodrigo Octavio. (IM)

## [614]

Para: RODRIGO OCTAVIO
Fonte: Cartão de Visita Original, Arquivo Particular.

[Rio de Janeiro,] 26 de agosto de 1901.

Caro amigo, fico ciente e até lá, se não for antes[1].

MACHADO DE ASSIS
18, Cosme Velho

---

1 ∽ Possível referência à sessão de 29/08/1901. (IM)


## [615]

Para: JOSÉ VIEIRA COUTO DE MAGALHÃES SOBRINHO
Fonte: *Álbum Imperial*, n. 11, 1906. Fac-símile do manuscrito original.

Rio de Janeiro, 8 de setembro de 1901[1].

Ex*celentíssi*mo Se*nho*r Do*uto*r Couto de Magalhães,

Não tenho a menor dúvida em escrever algumas linhas para o número especial que o *Comércio de São Paulo*[2] dará no 29 do corrente consagrado à memória do D*outo*r Eduardo Prado. Sentirei somente não podê-las fazer em cópia e valor correspondentes ao grande espírito que o Brasil perdeu, mas uma lembrança bastará para inscrever-me entre os que o prezaram em vida e se não consolam da morte.

Com toda a consideração
De V*oss*a Exc*elência*
am*i*go ad*mi*rador e ob*ri*ga*d*o

Machado de Assis

1 ∾ Carta inédita. Trata-se de um documento muito significativo porque explicita a motivação do artigo em que Machado de Assis celebrou Eduardo Prado, recentemente falecido. A carta foi publicada em fac-símile no *Álbum Imperial* em 1906. Depois disso, restou ignorada e não consta de nenhum epistolário do escritor. (SE)

2 ∾ O artigo que vai ser produzido por Machado para *O Comércio de São Paulo* faz parte de *Relíquias de Casa Velha* (1906), volume de textos esparsos, de gênero variado, em que figuram contos, peças de teatro, crítica literária e o soneto a Carolina*. (SE)

## [616]

Para: RODRIGO OCTAVIO
*Fonte*: Manuscrito Original, Arquivo Particular.

[Rio de Janeiro,] 9 de setembro de 1901.

Caro amigo e colega,

Veja se podemos fazer uma sessão quarta ou quinta-feira, ou qualquer outro dia que lhe seja conveniente, para cuidarmos de declarar aberta a vaga do Eduardo Prado[1].

Creia no

Velho amigo e colega

Machado de Assis

---

1 ∾ Sessão realizada na quinta-feira, 12/09/1901. O jornalista, historiador, ensaísta e bibliófilo Eduardo Prado, fundador da Cadeira 40, contraíra a febre amarela quando veio ao Rio de Janeiro para tomar posse no Instituto Histórico e Geográfico Brasileiro (09/08/1901) e faleceu em São Paulo em 30/08/1901. (IM)

# [617]

> Para: O CONSELHO MUNICIPAL
> Fonte: *Revista da Academia Brasileira de Letras*, XXXII, n.° 99, mar. 1930.

Rio de Janeiro, 15 de outubro de 1901.

Excelentíssimos Senhores Presidente e mais Membros do Conselho Municipal[1].

A Academia Brasileira tem a intenção de promover o levantamento nesta Capital de um certo número de monumentos aos grandes escritores de nossa pátria.

Vem por isso pedir ao Conselho Municipal duas medidas: uma de ordem geral, regulando a ereção de estátuas e monumentos; outra afetando especialmente o Passeio Público, aos artistas e escritores.

A lei orgânica da Municipalidade diz apenas que ela não autorizará "à custa dos seus cofres" o levantamento de estátuas e monumentos comemorativos. Como, porém, a ela incumbe todo o serviço de viação, conservação de ruas, praças e passeios, sendo que estes últimos são de sua propriedade, parece claro que lhe deve caber o regular este assunto, tanto mais quanto do Congresso só devem depender medidas de ordem geral.

Nestes termos, julga a Academia que o Conselho agiria sabiamente decretando uma regra sobre tal assunto e, se toma a liberdade de propor a [que] esta representação sugere, é exatamente porque os poderes municipais já adotaram neste sentido critério análogo determinando que a nenhuma rua fosse dado nome de pessoa viva.

Os monumentos são manifestações ainda mais solenes e compreende-se que não devam ser prodigalizados na Capital da Nação.

Por isso, a Academia pensa que só devam ser decretados quinze anos depois da morte daqueles, em honra dos quais tiveram de ser erigidos.

O prazo nada tem de excessivo. Ele deixa à geração que estava na juventude, por ocasião da morte do homem, julgado digno de tão alto preito, o tempo de chegar à maturidade, acalmados, portanto, arrebatamentos que podem ser passageiros. Há, é verdade, casos em que os serviços à pátria são tão grandes que, de antemão, se pode assegurar que o nome dos que os prestaram não desaparecerá e a gratidão nacional quer desde logo se manifestar. Mas exatamente esses casos, pela sua excepcionalidade, são daqueles que interessam toda a nação e, portanto, a iniciativa de tais monumentos deve caber, e tem até hoje cabido, ao Congresso Nacional, que em nada fica obrigado pela lei municipal.

Tudo isto faz crer à Academia que a representação, que ora tem a honra de vos endereçar, é digna de vossa consideração.

(aa).

Machado de Assis, Presidente<br>
Medeiros e Albuquerque, Secretário-Geral<br>
Rodrigo Octavio, 1.º Secretário<br>
Silva Ramos, 2.º Secretário<br>
Herculano M. Inglês de Sousa [tesoureiro].[2]

---

1 ⁌ Este documento se encontra num capítulo, não assinado, da série "História da Academia Brasileira de Letras" que a *Revista* divulgou. O número em questão se refere aos trabalhos acadêmicos compendiados nos arts. 23 e 24 do primeiro Regimento Interno, aprovado em sessão de 18/01/1897. Fernão Neves (pseudônimo de Fernando Nery) volta ao tema no capítulo III de *Academia Brasileira de Letras: notas e documentos para a sua história (1896-1940)*, publicado em 1940 e com edição fac-similar em 2008, cabendo observar que esse valioso livro nos permitiu retificar alguns equívocos da versão de 1930. Neves (Nery), talvez autor do texto da *Revista*, faz considerações muito interessantes sobre iniciativas nem sempre bem-sucedidas naqueles primeiros tempos da vida acadêmica – porém em parte concretizadas depois –, tais como: o "Dicionário Bibliográfico", "Brasileirismos", "Brazil (com z)" e, *last but not least*, a "Reforma Ortográfica" originalmente proposta em 1901. Entra então o subtítulo "Estátuas e Monumentos", onde a missiva acima é assim apresentada:

> "Mas, não só de letras se ocupava a Academia. Alargando o âmbito de suas cogitações, intentou provocar algumas leis moralizadoras do ilogismo indígena, relativamente à ereção de monumentos e homenagens a vultos, para cuja definitiva consagração ainda o Tempo ainda não se pronunciou. / Assim foi que se interessou a Academia junto ao Conselho Municipal para que se regulasse a matéria. A 15 de outubro de 1901 dirigia o seguinte ofício, redigido por Medeiros e Albuquerque e assinado pela Diretoria." (IM)

2 ∾ Depois de transcrever o ofício, o comentarista, que fora capaz de almejar "leis moralizadores do ilogismo indígena", finaliza sumariamente:

"Já no dia 2 de junho desse ano de 1901, no Passeio Público, ao Prefeito do Distrito Federal fizera Machado de Assis, em nome da Academia, entrega do busto de Gonçalves Dias, pronunciando algumas palavras."

Ora, as tais "palavras" constituem o magnífico discurso de Machado, por ele próprio incluído em *Relíquias da Casa Velha* (1906). Era o então prefeito do distrito federal, João Filipe Pereira, quem recebia o busto de Gonçalves Dias, esculpido por Rodolfo Bernardelli* (ver nota 2 na carta [604]). Do discurso, ou melhor, "encargo honroso, mas particularmente agradável à Academia e a mim", registrem-se estas considerações de tintas muito políticas por parte daquele que, depois do fogoso jornalismo dos anos 1860, fez questão de calar sobre vida política nacional, ou municipal, como se verá no discurso de 02/06/1901:

"Dizem que os cariocas somos pouco dados aos jardins públicos. Talvez este busto emende o costume; mas, supondo que não, nem por isso perderão os que só vierem contemplar aquela fronte que meditou páginas tão magníficas. [...] Nem V. Ex$^a$, nem vossos sucessores consentirão que se destrua este abrigo de folhas verdes, ou se arranque daqui este monumento de arte. Se alguém propuser arrasar um e mudar outro, para trazer utilidade ao terreno, por meio de uma avenida ou coisa equivalente, o Prefeito recusará a concessão, dizendo que este jardim, conservado por diversos regimes, está agora consagrado pela poesia, que é um regime só, universal, comum e perpétuo. Também pode declarar que a veneração dos seus grandes homens é uma virtude das cidades. E isto farão os Prefeitos de todos os partidos, sem agravo do seu próprio, porque o poeta que ora celebramos, fiel à vocação, não teve outro partido que o de cantar maravilhosamente. / Demais, se o caso for de utilidade, V. Ex$^a$ e os seus sucessores acharão aqui o mais útil remédio às agruras administrativas. Este busto consolará do trabalho acerbo e ingrato; ele dirá que há também uma prefeitura do espírito, cujo exercício não pede mais que o mudo bronze e a capacidade de ser ouvido no seu eterno silêncio. E repetirá a todos o nome de V. Ex$^a$, que o recebeu, e dos outros que porventura vierem a contemplá-lo."

Esse discurso teve ampla repercussão e inclusive na Argentina, como atesta a carta [601]. O Passeio Público não ganhou novos bustos de escritores durante a vida de Machado de Assis, mas não faltam bronzes de tal natureza no Petit Trianon... Acrescentamos que ainda não foi possível apurar o envio e o recebimento do ofício dirigido ao Conselho Municipal. Aliás, o presidente signatário pedirá seis dias depois "demora na remessa" a Rodrigo Octavio*, [618]. Certo é que em 11/10/1901, Joaquim Xavier da Silveira Júnior*, velho amigo de Machado, assumirá a Prefeitura do Distrito Federal, podendo amparar com simpatia a pretensão. Entretanto, é preciso frisar que ata alguma das sessões acadêmicas posteriores faz menção à ambiciosa proposta redigida por Medeiros e Albuquerque*. (IM)

## [618]

Para: RODRIGO OCTAVIO
*Fonte:* Cartão de Visita Original, Arquivo Particular.

[Rio de Janeiro,] 21 de outubro de 1901.

Secretário amigo, peço-lhe que demore a remessa da representação ao Conselho Municipal até que eu lhe fale[1].

MACHADO DE ASSIS

18, Cosme Velho

---

1 ∾ Possivelmente a questão dos bustos de escritores em jardins públicos, referida no discurso de inauguração da herma de Gonçalves Dias. Ver em [617]. (IM)

## [619]

Para: LÚCIO DE MENDONÇA
*Fonte: Revista da Academia Brasileira de Letras*, XXXI, n.º 94, set. 1929.

Rio [de Janeiro], 22 de outubro de 1901.

Meu caro Lúcio.

Quinta-feira teremos sessão da Academia, no escritório do Rodrigo Octavio. Há de ser anunciada nas folhas da tarde de amanhã e nas da manhã do dia. Trata-se das vagas e da eleição, isto é, do prazo em que esta se fará. Precisamos comparecer[1]. Até lá, e saudades.

Do velho amigo

M. de Assis.

---

1 ∾ Sessão, sem ata, em 24/10/1901. Lúcio foi um dos oito acadêmicos presentes. As vagas abertas eram de Eduardo Prado e Francisco de Castro*. Afonso Arinos*, na sucessão de Prado, foi eleito na sessão seguinte, realizada em 31/12/1901. (IM)

# [620]

De: AFONSO ARINOS
*Fonte*: Manuscrito Original, Arquivo ABL.

São Paulo, 27 de outubro de 1901.

Chácara Antônio Prado[1]

Meu caro Doutor Machado de Assis

Tive a honra de remeter-lhe a carta oficial[2] da apresentação de minha candidatura à vaga do Eduardo Prado na Academia Brasileira de Letras.

Animado por alguns amigos, que já me tinham convidado para apresentar-me candidato à cadeira do Taunay[3], tomei aquela resolução.

Não ouso pedir o seu voto, porque merecê-lo será para mim como ganhar uma coroa nos jogos olímpicos.

Do amigo e grande admirador

Afonso Arinos

---

1 ∾ Afonso Arinos era casado com Antonieta Prado, sobrinha de Eduardo e filha do conselheiro Antonio Prado. (IM)

2 ∾ Carta ainda não localizada. (IM)

3 ∾ Ver carta [477], tomo III, de Joaquim Nabuco*. (IM)

# [621]

De: JOSÉ SIMÃO DA COSTA
*Fonte*: Manuscrito Original, Arquivo ABL.

Rio de Janeiro, 30 de outubro de 1901.

Rua da Alfândega 6

Ilustríssimo Excelentíssimo Senhor Doutor Machado de Assis

Presente

Ilustre Mestre

Motivos que devem ser do vosso conhecimento tornam oportuna a tradução imediata para a língua inglesa[1], a fim de tornar conhecida, pelo menos de nossos irmãos da América do Norte, uma obra de literatura nacional característica de nosso gênio inventivo para o romance, na atualidade.

A vossa festejada obra *Dom Casmurro*[2], mais do que nenhuma outra do meu conhecimento, reúne todas as sutilezas de estilo e enredo, e se me permitirdes empreenderei a tarefa de traduzi-la, conquanto cônscio de que em língua alguma será possível retratar-vos fielmente tal é a profunda magia com que sabeis envolver os mais escabrosos tópicos. Enfim, vou cumprir esse dever se a isso me autorizardes até que outro mais habilitado em futuras edições vos interprete melhor perante os *Yankees*.

Antecipando agradecimentos pelo favor solicitado subscreve-se com particular estima e apreço

*Vosso Amigo e Criado admirador*

J. Simão da Costa[3]

---

1 ◦ O primeiro romance de Machado de Assis a ser traduzido em língua inglesa foi *Memórias Póstumas de Brás Cubas*, por William Grossman (São Paulo, 1951) – *The Posthumous Memoirs of Bras Cubas*. (SE)

2 ◦ A primeira edição em inglês de *Dom Casmurro* foi feita por Helen Caldwell em 1953. (SE)

3 ◦ Poucas informações se obtiveram deste correspondente, apenas que era acionista e principal diretor da Companhia Lloyd Americano. (SE)

## [622]

Para: RODRIGO OCTAVIO
*Fonte:* Manuscrito Original, Arquivo Particular.

[Rio de Janeiro, sem data.][1]

Colega e amigo Doutor Rodrigo Octavio

Escrevi-lhe há dias uma carta, mas não sei se a recebeu[2]. Trata-se da conveniência de fazermos uma sessão da Academia, a fim de combinarmos em pedir ao Conselho Municipal uma lei que marque prazo para estátuas e bustos³. O Olavo Bilac já falou ao presidente do Conselho, e a lei passará com facilidade. Podemos fazer uma sessão um dia destes? A casa é sua, marque o dia, e creia no

amigo e colega

Machado de Assis

---

1 ∾ Carta escrita a lápis, possivelmente entre a inauguração do busto de Gonçalves Dias, em 02/06/1901, e a carta [618]. (IM)

2 ∾ Documento ainda não localizado. (IM)

3 ∾ O assunto não consta das atas do período. (IM)

## [623]

De: JOAQUIM NABUCO
*Fonte:* Manuscrito Original, Arquivo ABL.

Londres, 12 de novembro de 1901.

Meu caro Machado,

Uma palavra somente para não me deixar esquecer. Você não precisa dessas precauções. Estou muito contente de o ter agora todo em um volume, quero dizer, o poeta¹.

Quanta coisa há, esculpida e cinzelada, nessas páginas, que me recorda as minhas primeiras admirações e entusiasmos por Você! Obrigado pela preciosa oferta. *Ad perpetuitatem.*

Como vai a nossa Academia? Eu realmente penso que aos ausentes devia ser dado o direito de voto. Era mais honroso para os eleitos reunir o maior número possível de votos. Vocês estatuiriam o modo de enviarmos a nossa chapa, ou de poder alguém da Academia votar pelos ausentes. Não haveria perigo de ata falsa nem de *fósforos*². O procurador ao votar, por exemplo, por mim declararia que eu lhe escrevera (mostrando o documento) para votar por mim nessa eleição no candidato *Fulano*. Talvez o voto dos ausentes devesse ser aberto e declarado. Quem são os candidatos às duas cadeiras?[3]

*Você* pode avaliar o meu sentimento pela morte de Rodolfo[4] e do Eduardo[5]. O que *Você* escreveu sobre este foi tão justo e tão seu![6] Ainda não lhe agradeci sua referência a mim por ocasião da cerimônia em memória de Gonçalves Dias[7]. Que bela festa! Adeus meu caro Machado. Já me está custando estar tão longe.

Seu sempre

Joaquim Nabuco

---

1 ∞ Referência a *Poesias Completas* (1901). (IM)

2 ∞ "Fósforo", no caso, designa o eleitor que vota com título falso. (IM)

3 ∞ À vaga de Eduardo Prado, Cadeira 40, concorreram Afonso Arinos*, Martins Júnior*, Guimarães Filho* e Assis Brasil. Este teve sua candidatura retirada por Lúcio de Mendonça* no momento da eleição vencida por Arinos em 31/12/1901. Para a vaga de Francisco de Castro*, Cadeira 13, foi eleito Martins Júnior, já em 1902, sendo o outro concorrente Augusto de Lima*. (IM)

4 ∞ O fundador do *Jornal do Brasil*, Rodolfo Dantas, velho amigo e companheiro de Nabuco, falecera em Paris a 12/09/1901. (IM)

5 ∞ O brilhante fundador da Cadeira 40, Eduardo Prado, outro grande amigo de Nabuco. (IM)

6 ∞ "Juízo Crítico", incluído por Machado em *Relíquias da Casa Velha* (1906). (IM)

7 ∞ Referência à sessão solene em que Olavo Bilac* homenageou o Gonçalves Dias, seu patrono, evento realizado em 02/06/1901, com grande repercussão. Nabuco foi citado e elogiado por seu substituto interino no cargo de secretário-geral, Medeiros e Albuquerque (Aranha, 1923). Sobre a legitimação da tradição acadêmica, ver em [576]. (IM)

# [624]

Para: MAGALHÃES DE AZEREDO
*Fonte:* Manuscrito Original, Arquivo ABL.

Rio de Janeiro, 14 de novembro de 1901.

Meu querido amigo,

Tenho ante mim três lembranças suas[1], todas com a velha nota amiga, e não lhe mandei ainda as duas linhas que lá deviam estar. Não importa, meu querido; eu sei que me desculpa as faltas, e espero só que me não puna com silêncios grandes.

O último retrato que aqui tenho, datado de agosto, dá-me a sua figura em plena mocidade. Dos meus amigos é aquele de quem possuo mais retratos, que me mostram assim uma história da pessoa, desde os primeiros anos até estes a que a barba inteira e a atitude dão um ar tão varonil. Cá fica na coleção dos outros.

Vimos aqui o seu ensaio métrico das elegias a Leão III (*sic*), e as razões dele na *Mensagem* que as acompanha. Por estranho ou novo que seja, é um esforço literário digno de apreço, ainda que dele não resulte uma via nova à poesia. Onde há ideias e língua com que as expressar, fica alguma coisa que os letrados, pelo menos, apreciarão devidamente. O trabalho é de espírito culto, de inspiração juvenil e grave a tempo, e através da versão italiana e latina dá à poesia brasileira um eco e uma representação nessa Roma tão cara ao seu espírito e ao seu coração[2]. A figura do papa está tratada com sincero carinho, já como tal, já como homem:

Poeta, eu trago apenas meus carmes ao poeta.

Muito obrigado por este volume; mande-me assim outros, flores da mocidade e do engenho, anunciados na última carta que me escreveu. Essa carta é a terceira lembrança a que me refiro no princípio desta. Cruzou-se com outra minha, naturalmente, e não mais recebi letras novas. Nela queixa-se de abandono, e apenas com razão aparente; nunca da minha parte verá coisa parecida com abandono[3]. Não me dê lugar a queixa igual. Logo que receba esta, pegue na pena e escreva duas linhas, — duas bastam dizendo que a recebeu, e ama ainda o velho amigo.

Li que não recebera o meu livro de versos[4]; creio que o terá recebido mais tarde, pois foi dos primeiros que saíram daqui, e registrado. Diga-me isso também para emendar a mão ao correio, se acaso o livro não chegou.

E mande os seus novos livros, à medida que os for concluindo. Tenho visto nascer muito escritor durante a minha vida; não imagina o prazer que dão aqueles que pagam à farta as esperanças primeiras, e fazem carreira como a sua. É preciso ter cursado os anos, já longos, para conhecer a sensação particular que dão os moços amigos.

Cá vamos na nossa literatura e na nossa terra. A Academia está com duas vagas[5], como sabe, e vai proceder à eleição de um membro na vaga do Eduardo Prado. Há quatro candidatos[6] para ela, — o Luís Guimarães Filho, o Martins Júnior, o Afonso Arinos e o Assis Brasil. Resolvemos que os membros ausentes votem[7], e sobre isto já o Rodrigo Octavio escreveu oficialmente, há dias. A vaga do Francisco de Castro será preenchida no ano que vem[8]. Ainda não temos casa; houve um princípio de acordo para uma assaz própria e bem colocada, mas creio que não irá ao fim; nesse caso, cuidaremos de outra.

Talvez se faça aqui uma festa pelo centenário de *Victor* Hugo. A ideia é do *José* Veríssimo, que apenas por alto me falou e ainda não expôs o plano; creio que vai fazê-lo no *Correio da Manhã*[9], onde agora tem as suas e nossas segundas-feiras. Espero que abranja o maior número de representantes do pensamento brasileiro. *Ce siècle avait deux ans*...[10] Será verdadeiramente secular, se todos compreenderem a significação do grande homem relativamente ao espírito moderno. Cá terá a sua parte, como herdeiro daquela geração.

Adeus, meu querido amigo, não me esqueça, e escreva-me. Minha mulher recomenda-se-lhe, como eu, a si e a sua família. Receba com esta carta mais um apertado abraço do

Velho amigo e confrade

Machado de Assis.

1 ◐ Além das fotos, Magalhães de Azeredo gostava de oferecer pequenas relíquias eivadas de significação emocional, quase sempre relacionadas às predileções literárias de Machado, como, por exemplo, o ramo do túmulo de Musset e o busto de Dante Alighieri, este último trazido da Itália nas suas férias brasileiras de 1902. Sobre Musset ver cartas [400] e [404], tomo III. Sobre o busto do poeta italiano, ver carta [668], de 12/10/1902, no presente tomo. (SE)

2 ◐ Apesar de muito assoberbado de trabalhos e funções, finalmente Machado conseguiu atender ao diplomata. Azeredo insistia em saber da repercussão de seus textos o mais rápido possível, aliás, não só com Machado, mas também com aqueles que faziam a crítica literária atuante no jornalismo de então. Frequentemente protestava pela demora da manifestação, ou pela brevidade ou superficialidade dos comentários, com que eventualmente os seus textos eram tratados na imprensa brasileira. (SE)

3 ◐ Machado parece não se aborrecer com os insistentes queixumes. Nas vezes em que Azeredo manifestou sentimento de abandono, invariavelmente lhe respondeu reafirmando a sua estima e desculpando-se pela demora. Ver nota anterior. (SE)

4 ◐ Sobre *Poesias Completas*, ver o comentário de Machado na carta [421], tomo III. Ver também nota 1, carta [604]. (SE)

5 ◐ As Cadeiras vagas são a 13 e a 40. A primeira por falecimento de Francisco de Castro* a 11/10/1901; a segunda por falecimento de Eduardo Prado, em 30/08/1901. (SE)

6 ◐ Afonso Arinos* foi o escolhido para a Cadeira 40, em 31/12/1901. Luís Guimarães Filho* só foi eleito em 1917, na sucessão de Garcia Redondo*, Cadeira 24. Martins Júnior* perderá esta eleição anunciada por Machado, mas será eleito no ano seguinte. Joaquim Assis Brasil (1857-1938) acabou retirando a sua candidatura. (SE)

7 ◐ José Veríssimo* propôs, em sessão de 12/09/1901, alteração no Regimento Interno, no que dizia respeito à eleição de membros da Academia, a fim de que os acadêmicos ausentes pudessem manifestar o voto, por meio de cédula fechada. (SE)

8 ◐ Em sessão de 15/05/1902, a vaga de Francisco de Castro foi preenchida por Martins Júnior. (SE)

9 ◐ O *Correio da Manhã*, fundado pelos irmãos Paulo e Edmundo Bittencourt, começou a circular naquele ano de 1901. Registre-se que no dia 26 de fevereiro de 1902, quase todos os jornais do Rio de Janeiro deram a primeira página à celebração do Centenário de Victor Hugo. (SE)

10 ◐ "Este século tinha dois anos." – primeiro verso de um poema de Hugo em *Les Feuilles d'Automne*, no qual o poeta alude a seu ano de nascimento, ocorrido em 1802. (SPR)

## [625]

> De: GRAÇA ARANHA
> *Fonte:* Manuscrito Original, Arquivo ABL.

Londres, 14 de novembro de 1901.[1]

[Meu][2] querido Machado de Assis,

    Agora desafogado de mil trabalhos e viagens vou escrever-lhe com descanso. E enquanto Você espera carta minha (pelo próximo correio)[3] vá se entretendo com o *Living London*, que lhe mando hoje, e onde Você se deliciará em achar majestuosos (*sic*) quadros da grande cidade.

Seu do coração

G. Aranha

*Via Lisbon*
Ex*celentíssi*mo *Senhor* J*oaquim* M*aria* Machado de Assis
18, rua do Cosme Velho
Laranjeiras
Rio de Janeiro

---

1 ∾ Bilhete-postal, cujo selo foi retirado. (IM)

2 ∾ No verso, por causa do selo recortado, falta a palavra que deve ser "Meu". (IM)

3 ∾ Ver em [628], de 06/12/1901. (IM)

## [626]

> De: JOAQUIM NABUCO
> *Fonte:* Manuscrito Original, Arquivo ABL.

Londres, 19 de novembro de 1901.

Meu caro Machado,

    Agora mesmo dizia eu: "Feliz o homem que pode escrever aos seus amigos uma carta por estação." A da primavera Você já teve e a do verão, agora vão numa a do outono e a do inverno.

Há dias lembrei-me muito, com que saudade! dos jantares da *Revista*. Pobre Taunay! Foi no banquete do Lord Mayor, ao qual assistem 900 talheres. Naquela multidão desconhecida, asfixiante, em que me sentia perdido, o que não teria eu dado para trocar tudo aquilo, Guildhall, Lord Salisbury, *loving cup, loyal toasts*, pelas nossas festas do Hotel dos Estrangeiros!

Não me creia alegre pelo estilo desta carta. Pelo contrário, meu caro Amigo, Você que conhece o pessimista sem levantar-lhe a máscara, terá reconhecido a saudade nostálgica, o "mal" do Brasil.

Como vai a nossa Academia? O Arinos escreve-me que é candidato e que os ausentes votam. Desde quando? Como? Quem são os *seus* candidatos?[1]

Muitas lembranças a todos que em nossas letras se acolhem ao seu lado e professam o lema: *"Um só rebanho, um só pastor".*

Do seu muito dedicado

Joaquim Nabuco

Vai esta com outra que eu lhe escrevera há dias, mas que supunha extraviada e a que achei depois desta escrita. É um Ante-PostScripto (*sic*). Espécie rara, raríssima.

---

1 ∾ Ver em [623]. (IM)

## [627]

De: JOAQUIM NABUCO
*Fonte*: Manuscrito Original, Arquivo ABL.

BRAZILIAN LEGATION – LONDON

[Londres,] 6 de dezembro de 1901.

Meu caro Machado,

Aí vai o meu voto. Dou-o ao Afonso Arinos por diversos motivos, sendo um deles ser a vaga de Eduardo Prado. Para a cadeira do Francisco de Castro eu votaria com prazer no Assis Brasil. Porque (*sic*) não reuniram as eleições num só dia?¹ V*ocê* sabe que eu penso dever a Academia ter uma esfera mais lata do que a literatura exclusivamente literária para ter maior influência. Nós precisamos de um certo número de *Grands Seigneurs* de todos os partidos. Não devem ser muitos, mas alguns devemos ter, mesmo porque isso populariza as letras².

V*ocê* agora está meu devedor de muitas cartas. Eu lhe perdoo, porém, a dívida. Escreva-me por todos os motivos, sabe o prazer que me dá sua letra, mas não só para responder. A resposta em cartas com diferença de meses é absurda. As cartas não devem viver tanto tempo assim.

Saudades a todos e creia-me sempre

Seu Velho amigo e Velhíssimo admirador,

Joaquim Nabuco

---

1 ∾ A eleição para a vaga de Eduardo Prado fora marcada para 31/12/1901. A substituição de Francisco de Castro* só ocorreria em 1902. (IM)

2 ∾ Esta é a permanente reivindicação de Nabuco, que acabará dominando numerosas escolhas acadêmicas ao longo da história da instituição. (IM)

## [628]

De: GRAÇA ARANHA
*Fonte*: Manuscrito Original, Arquivo ABL.

BRAZILIAN LEGATION – LONDON

[Londres,] 6 de dezembro de 1901.

Meu querido Machado,

Não tome esta ainda como "a minha carta". É um simples bilhete para lhe enviar o meu voto de acadêmico na eleição para a substituição do Eduardo Prado. Voto no Arinos, cuja candidatura levantei em 1899 com o João Ribeiro. Creio que a luta vai ser forte, e já estou daqui a saborear a mestria com que V*ocê* dirigirá a eleição. Não lhe pergunto em quem V*ocê* vota, o seu bom gosto fala muito alto. Mande-me dizer qual é o *nosso* candidato para a vaga do Francisco de Castro. Não sei se chegará a tempo o voto do nosso Azeredo. Roma é tão longe[1]! Domício deve mandar-lhe hoje de Bruxelas o dele, e com certeza é mais um pelo Arinos. Poderá V*ocê* forçando os seus hábitos de reserva, contar-me os pormenores desta campanha? Quem sustenta ou patroniza o Assis Brasil[2]? Quem o Martins Júnior? Lembre-se que estou sempre aí, que e não há um minuto, meu querido Machado, em que o esqueça.

Pensava mandar-lhe agora como presente de festas o meu romance. Presente triste, talvez; mas que quer se ele é minha alma e meu sangue?

O Garnier ainda tão cedo não me dará o exemplar pronto[3]. Aqui muito em particular: mandarei a V*ocê* e ao Veríssimo as provas definitivas, um exemplar do *bon à tirer*[4]. A Vocês dois, somente. Olhe que lhe ia escrevendo uma carta...

Muitas recomendações à sua mulher, Minha Senhora.

Seu do coração

Graça Aranha.

---

1 ∾ Não tão longe assim. O voto de Magalhães de Azeredo* chegou a tempo, constando na ata da sessão de 31/12/1901. (IM)

2 ∾ Joaquim Assis Brasil (1857-1938), republicano convicto, fora nomeado ministro plenipotenciário em Lisboa, onde se casara com Lídia, neta de Joana de Novais*, esposa de Miguel*, irmão de Carolina*. Assis Brasil teve sua candidatura prudentemente contestada por Nabuco, na sucessão de Taunay*, ver em [446], tomo III, e retirada por Lúcio de Mendonça* e Valentim Magalhães*, que o apoiavam, conforme registro na ata de 31/12/1901. (IM)

3 ∾ *Canaã* seria enviado através da carta [642] de 14/03/1902. (IM)

4 ∾ Última prova gráfica para impressão definitiva. (IM)

# [629]

De: MAGALHÃES DE AZEREDO
*Fonte:* Manuscrito Original, Arquivo ABL.

Palazzo del Grillo.
Via Nazionale.

Roma, 12 de dezembro de 1901.

Meu querido Mestre e Amigo,

Não lhe escreverei só três linhas, como diz que lhe bastaria, mas por hoje não posso escrever-lhe longamente. Creia que há muito desejo dar-lhe notícias minhas, e já pensava nisso antes de receber a sua última carta. Queria agradecer-lhe o seu livro de *Poesias* que de fato veio, mas não a tempo de impedir a ida da minha queixa; sempre é tempo, entretanto, de desdizê-la, e pedir-lhe que me perdoe essa e outras semelhantes, pois que não nascem de ser eu *homo modicae fidei*[1] em relação ao seu afeto, mas só da minha extrema sensibilidade.

Realmente a minha vida tem sido de excessivo trabalho nos últimos tempos; isso torna mais escassa naturalmente a minha correspondência. Estou metido até os olhos num rio de papéis, não ouso dizer, num oceano. Preparo certos livros, corrijo as provas de outro que já se está imprimindo em Paris, recopio páginas de mais um — o de poesias — cujo manuscrito vou mandar para o Rio, segundo combinação feita com o Garnier; isso além de artigos, estudos artísticos, históricos e até filosóficos e jurídicos, pois entre outras coisas estou escrevendo um largo trabalho sobre as sentenças do presidente Magnaud[2]! Veja se os dias me não parecerão curtos, sobretudo agora, que a luz desaparece tão cedo! Às 6 horas já é noite...

Antes de mais nada, falemos do meu livro de versos, *Horas Sagradas*, pois necessito aqui da sua intervenção junto à casa Garnier daí. Eis o caso, que é simples. Há meses tratei com a casa de Paris a edição de três volumes, sendo um deles esse. Ultimamente, tendo eu escrito uma carta em que aludia aos três volumes, o Garnier de lá, que é um mercante cheio de sutilezas, respondeu-me, com grande surpresa minha, que na verdade as nossas negociações só compreendiam dois livros, um de estudos críticos e outro de novelas, sobre os quais o Lansac se pronunciara anteriormente de modo favorável. Eu, sustentando embora haver aí um equívoco, pois de fato eu propusera o livro de poesias para ser publicado antes do de novelas, e ele o aceitara em princípio, propus, para não perder tempo e ter logo uma solução que não pode ser senão favorável, o alvitre de remeter eu para o Rio o manuscrito das *Horas Sagradas* a fim de que o gerente, Lansac, diga se a edição convém ou não à casa³. O Garnier aceitou a minha proposta, e eu espero mandar o manuscrito pelo próximo correio. Tenho prazer nisso porque assim proporcionarei a alguns pouquíssimos amigos, entre os quais, *ça va sans dire*⁴, está incluído, ocasião de conhecer o livro antes de impresso. Ora, eu creio não ser imodesto pensando sinceramente que esse livro deve sem dúvida ser publicado; penso também que o juízo dos amigos a quem o farei ler será certamente favorável à impressão. O que lhe peço, portanto, é que, lido o manuscrito, exponha a sua opinião nesse sentido ao Lansac, que é enfim um honesto industrial e há de naturalmente guiar-se nisso pelo parecer dos competentes; e assim o manuscrito voltará breve acompanhado do *placet* para se começar logo a impressão, pela qual estou ansioso. O mesmo escrevo ao nosso amigo José Veríssimo.

Não tenho tempo aqui de falar-lhe sobre as *Elegias a Leão XIII*; fica para outra vez. Dir-lhe-ei somente que o acolhimento foi qual eu desejava, por parte da crítica⁵. Ainda não sentem a harmonia desses versos, *por falta de hábito*; senti-la-ão com o tempo. Já recebeu o *Poema da Paz*? Gostou dele?⁶ Agora um pedido ainda: diz que eu sou o amigo de quem mais retratos possui; pois bem, eu desejo muito ter em fotografia o retrato seu que vem no livro das *Poesias*. Mande-mo quanto antes, sim? E afinal a carta não saiu tão curta como eu supunha. É uma folha só, mas como está cheia, com a minha letra mais miúda!

Aceite afetuosos cumprimentos nossos para si e sua *Excelentíssi*ma Senhora.

Abraça-o de coração o seu

Azeredo

1 ∾ *Homo modicae fidei quare dubitasti?* Homem de pouca fé, por que duvidaste? – Mateus, 14, 31. (SPR)

2 ∾ Paul Magnaud (1848-1926) era juiz-presidente do tribunal civil de Château--Thierry, no departamento de Aisne, Picardie, onde exerceu o cargo de 1889 a 1904. Conhecido como *le bon juge Magnaud*, por causa da fundamentação de suas sentenças, a sua fama acabou ultrapassando as fronteiras da França. Teve admiradores e adversários. Os primeiros sublinhavam a honradez, a vocação e a equidade no julgamento. Os segundos afirmavam que era populista, que se punha acima da lei e que excedia os limites da função. Nas suas sentenças no pequeno tribunal de Château-Thierry, lavrou sentenças em que tratou do direito à vida, do direito das mulheres, das crianças, dos trabalhadores, do público contra as grandes companhias, em defesa da sociedade laica, dos cidadãos e da igualdade entre todos. Magnaud é considerado um homem à frente do seu tempo, e suas sentenças continuam a suscitar interesse até hoje. (SE)

3 ∾ *Horas Sagradas* foi publicado pela H. Garnier em 1903. (SE)

4 ∾ Não é preciso dizer. (SE)

5 ∾ José Veríssimo*, por exemplo, havia feito uma boa apreciação do opúsculo. (SE)

6 ∾ Ver nota 1, carta [636], de 21/01/1902. (SE)

[630]

De: ALUÍSIO AZEVEDO
*Fonte:* Manuscrito Original, Arquivo ABL.

La Plata, 1 de janeiro de 1902.[1]

ALUÍSIO DE AZEVEDO
CONSUL DU BRÉSIL

Querido mestre e ilustre Amigo Se*nho*r Machado de Assis

Boas-entradas de Ano.

Rogo-lhe a fineza de, por ocasião da eleição do novo membro da Academia de Letras, que preencherá a vaga deixada pela morte do nosso saudoso confrade Eduardo Prado[2], apresentar em meu nome o nome ilustre de Martins Júnior[3], cujo mérito literário, cujo belo talento e cujas brilhantes qualidades morais, são por tal modo bem (...)[4] e estimadas pelo público (...) (...) se torna lembrá-las aqui (...) (...) nesta carta.

Certo de que o querido mestre não se furtará ao obséquio que lhe peço, desde já lhe beijo as mãos.

Do velho admirador e amigo

Aluísio Azevedo

---

1 ∞ Aluísio fora removido do posto de vice-cônsul em Yokahoma, no Japão (1897-1899), assumindo então o de cônsul honorário (sem vencimentos fixos) em La Plata, em fevereiro de 1900, porto que junto com o de Buenos Aires era o principal centro de comércio entre o Brasil e a Argentina. Ali permaneceu até março de 1903, quando foi removido para Salto Oriental (1903-1904), cidade uruguaia na fronteira com a Argentina e próxima ao sudoeste do Rio Grande do Sul, região abalada por constante violência e conflitos de terras. Assinala-se que o diplomata, apesar de ter sido aprovado em 1895 em excelente colocação no concurso para *cônsul de carreira*, só teve a sua efetivação garantida em 1903, na remoção para Salto, por interferência direta do barão do Rio Branco*, então ministro das Relações Exteriores. Em La Plata, estava especialmente insatisfeito com a sua condição, à que chamou vitória de Pirro. De lá, em 03/12/1900, escreve a Lúcio de Mendonça* (Azevedo, 1944):

"O nosso amigo Ciro de Azevedo, impressionado com a minha posição aqui, deseja há muito tempo melhorá-la, e agora sabendo ele que vão vagar infalivelmente dois consulados simples, mas **efetivos** [grifos nossos] e de vencimentos fixos um no Porto e outro em Salto, escreveu logo ao meu ministro Dr. Olinto de Magalhães, pedindo-lhe que me nomeasse para uma dessas duas vagas, dando preferência ao Porto, porque isso, segundo a otimista opinião do solicitador, traria a vantagem de poder eu imprimir lá o meu livro, já pronto sobre o Japão. Ora, o Olinto é bom rapaz e já tem declarado a várias pessoas ter a melhor vontade a meu respeito, mas, como ministro, não gosta de arriscar o menor passo, sem previamente saber por onde é do gosto do Presidente que ele ponha o pé, e, se eu não tiver aí um amigo capaz de estabelecer a indispensável corrente de simpatia entre aquelas duas vontades, o pedido do Ciro cairá no arquivo das boas intenções de que não está calçado o paraíso. / Pois bem, o que eu desejo merecer da tua ativa e fecunda amizade e da tua bondade, é que, ou seja diretamente, ou seja por intermédio de algum dos nossos validos amigos, o Quintino, por exemplo, me arranjes propício campo para o pedido do Ciro, e consigas tirar-me desta argentina cruz, onde estou crucificado à minha própria custa, pois o Governo nada me deu para a viagem, nem o pseudoconsulado me dá para viver." (SE)

2 ∞ Eduardo Prado, fundador da Cadeira 40, faleceu em 30/08/1901. É interessante observar que a sessão em que se deu a eleição do novo acadêmico realizou-se em 31/12/1901, um dia antes da data desta carta e, portanto, o voto de Aluísio não pôde

ser computado. Registre-se que a eleição foi concorrida, tendo alguns nomes de peso: Afonso Arinos* (21 votos), Martins Júnior* (7), Luís Guimarães Filho* (0) e Assis Brasil, que retirou a candidatura um pouco antes. (SE)

3 ∾ José Isidoro Martins Júnior* foi eleito para a Cadeira 13 em 15/05/1902, na vaga de Francisco de Castro*, e tomou posse por carta. (SE)

4 ∾ Tinta apagada por agente químico, impedindo a leitura. (SE)

[631]

> Para: LÚCIO DE MENDONÇA
> Fonte: *Revista da Academia Brasileira de Letras*, XXXI, n.º 94, out. 1929.

[Rio de Janeiro,] 2 de janeiro de 1902.

18, Cosme Velho

Meu caro Lúcio,

De acordo com o que Você me mandou lembrar, vamos recomeçar o almoço da Panelinha[1], domingo, 5, no Globo. Já falei a alguns amigos. O Valentim[2] estava ontem incomodado, não sei se irá; e o Filinto de Almeida disse-me que tem o dia destinado a outra coisa. É bom lembrar aos amigos que encontrar.

Até lá.

Todo seu

Machado de Assis

---

1 ∾ Os almoços da "Panelinha", iniciados em julho de 1900, quase sucumbiram à perda da pequena caçarola mascote pelo comissário da vez, o almirante Jaceguai*, quatro meses depois. Foram, porém, retomados em 1901. Ver cartas [588] e [607], e respectivas notas. (IM)

2 ∾ Valentim Magalhães*, o incentivador dos encontros que sucederam aos do *Club Rabelais* (1892-1893) e aos jantares da *Revista Brasileira*, capitaneados por José Veríssimo* (1896). (IM)

[632]

De: LÚCIO DE MENDONÇA
*Fonte*: Manuscrito Original, Arquivo ABL.

Rio [de Janeiro], 3 de janeiro de 1902.

Meu caro Mestre,

Ia hoje procurá-lo, mas aproveito o seu portador para a má notícia de que ficamos sem instalação para a Academia no edifício novo das Belas--Artes, cujo plano foi aprovado apesar disso; de viva voz, lhe comunicarei as explicações, que ontem me deu o ministro.

Promete agora dar-nos instalações na casa que a Escola de Belas-Artes vai deixar[1]. Uhn!...

Domingo lá estarei, na Panelinha.

Sempre seu,

Lúcio de Mendonça

---

1 ∞ O edifício neoclássico delineado pelo arquiteto francês Grandjean de Montigny (1776-1850), na travessa das Belas-Artes, foi sede da Imperial Academia de Belas-Artes. Com a República, receberia ampliação para abrigar o Ministério da Fazenda. Acabou lamentavelmente demolido, sendo salvo seu belíssimo pórtico, que foi transferido para o Jardim Botânico. A antiga Academia transformou-se em Escola de Belas-Artes e obteve prédio próprio (hoje Museu Nacional de Belas-Artes), concluído em 1908 na recém-inaugurada Avenida Central, depois avenida Rio Branco. (IM)

[633]

Para: RODRIGO OCTAVIO
*Fonte*: Manuscrito Original, Arquivo Particular.

[Rio de Janeiro,] 4 de janeiro de 1902.

Meu caro Secretário,

Amanhã, domingo, às 11 horas da manhã, é o almoço da Panelinha, no Hotel do Globo. Esperamos que não falte. Escrevo-lhe para avisá-lo somente; se pudesse falar-lhe, conversaríamos da Academia, mas fá-lo-emos amanhã.

Até lá.

Amigo admirador e colega

Machado de Assis

## [634]

Para: JOAQUIM NABUCO
*Fonte*: Fundação Joaquim Nabuco. Fac-símile do manuscrito original.

Rio [de Janeiro], 5 de janeiro de 1902.

Meu querido Nabuco,

Vá esta, antes que V*ocê* deixe Londres, e primeiro que tudo deixe-me felicitá-lo por mais esta prova de confiança que recebe, assim do governo como do Brasil[1]. A confiança explica-se pela necessidade de vencer; a espada devia ir a quem já mostrou saber brandi-la, e ainda uma vez o nome brasileiro repercutirá no exterior com honra.

Agora a felicitação pelo o ano de 1902, que oxalá lhe seja feliz e próspero, como a todos os seus.

E por último felicitações pela vitória do Afonso Arinos. Recebi o seu voto na véspera da eleição, como o do Graça, e ambos figuram na maioria dos 21 com que o candidato venceu[2]. O Assis Brasil também era candidato, mas na hora da eleição o Lúcio de Mendonça retirou a candidatura, em nome dele, e daí algum debate de que resultou ficar assentado por lei regimental que as candidaturas só possam ser retiradas por carta do autor até certo prazo antes da eleição. Note que todos ficamos com pesar da retirada. Como V*ocê* lembra era melhor que as duas eleições se fizessem no mesmo dia[3]. Creio que assim a eleição de Assis Brasil seria certa. O Martins Júnior teve 2 votos, e parece que se apresenta outra vez[4]. Também ouvi anteontem ao Valentim Magalhães que o Assis Brasil pode ser que se apresente de novo.

Agora mesmo estive relendo o seu discurso de entrada no Instituto[5], como tenho relido o mais do volume dos *Escritos e Discursos Literários* que Você me enviou, e naturalmente saboreando as suas belas páginas, ideias e estilo, e recordando os assuntos que passaram pela nossa vida ou pelo nosso tempo. Então vi que Você bem poderia responder ao Arinos, que entrou para a Academia como homem de letras; ambos diriam do Eduardo Prado o que ele foi, com a elevação precisa e o conhecimento exato da pessoa[6].

Adeus, meu caro Nabuco. A missão nova a que Você vai não lhe dará mais tempo do que ora tem para escrever aos amigos, mas Você sabe que um bilhete, duas linhas bastam para lembrar que tal coração guarda a memória de quem ficou longe, e faz bater ao compasso da afeição antiga e dos dias passados. O passado (se o não li algures, faça de conta que a minha experiência o diz agora), o passado é ainda a melhor parte do presente, – na minha idade, entenda-se. Eu ainda guardo da sua primeira viagem a Roma algumas relíquias que Você me deu aqui; – um pedaço dos muros primitivos da cidade, outro dos Rostros[7], outro das Termas de Caracala. Agora basta que eu ouça cá de longe o eco das suas vitórias diplomáticas, e Você o dos nossos aplausos e saudações. Adeus, meu caro Nabuco. Apesar da diferença da idade, nós somos de um tempo em que trocávamos as nossas impressões literárias e políticas, admirei seu pai, e fui íntimo do nosso Sizenando, a quem Você acaba de oferecer tão piedosamente o seu livro[8]. Abrace de longe o

admirador e amigo

Machado de Assis

---

1 ∾ Graça Aranha* (1923) compôs a seguinte nota: "Nabuco foi nomeado enviado extraordinário e ministro plenipotenciário em Missão Especial junto ao rei da Itália, escolhido como árbitro para a questão de limites entre o Brasil e a Guiana Inglesa,

em 30 de janeiro de 1902". Este é um dos principais assuntos comentados na correspondência 1901-1904. (IM)

2 ✢ Ver em [627]. (IM)

3 ✢ Ver em [623]. (IM)

4 ✢ Ver em [637] de 25/01/1902. (IM)

5 ✢ Carolina Nabuco (1928) informa que o pai tomou assento no Instituto Histórico e Geográfico Brasileiro em 25/10/1896 e em dezembro de 1898 fez o elogio dos sócios falecidos. José Veríssimo* comentaria no *Jornal do Comércio* (09/01/1899): "Não sei se o Instituto jamais ouviu uma tão bela e espirituosa oração". (IM)

6 ✢ Ver a resposta de Nabuco ao convite, em [638], de 26/01/1902. (IM)

7 ✢ Em latim, *rostra*, plural do neutro *rostrum* e termo com entrada autônoma no Dicionário Latino-Português – o clássico trabalho de F. R. Saraiva (s/d). Define-se como tribuna (um extenso palanque projetado à frente do Fórum ou de edifícios de grande envergadura), de onde magistrados e oradores romanos se dirigiam ao povo. A designação original vem dos ornamentos que ostentava nas colunas frontais, com figuras de proa de navios aprisionados (*rostrum, rostra*). (IM)

8 ✢ Sizenando Nabuco*, irmão mais velho de Joaquim, falecido em 1892, fora amigo fraterno de Machado (ver sua correspondência no tomo I); o livro a ele dedicado, *Escritos e Discursos Literários* (1901), merece um belo comentário nesta carta. (IM)

[635]

Para: MAGALHÃES DE AZEREDO
*Fonte*: Manuscrito Original, Arquivo ABL.

Rio [de Janeiro], 6 de janeiro de 1902.

Meu querido Magalhães de Azeredo,

Às pressas, antes que esta o não ache a caminho de Paris[1]. Assim escrevi também ao Nabuco, que vai para Roma em missão especial junto ao rei[2], como sabe. Não sei se a remoção para Paris lhe paga o gosto particular que tinha em Roma; em todo o caso, está ei-lo (*sic*) salvo da Bolívia.

A outra carta que lhe mandei não teve ainda resposta. Nela lhe falava dos seus escritos, particularmente do metro das *Elegias a Leão XIII*, e, quanto ao meu livro das *Poesias Completas*, que me dizia não haver recebido, já lá deve estar há muito³. Vejo com prazer e com pesar que vai achando as minhas cartas menos frequentes, — com prazer, porque a sua afeição não diminui, e com pesar porque era meu gosto não interromper esta ocupação de corresponder com os amigos que o mundo e o tempo separaram de mim.

Já não dou desculpas, para não o enfadar com repetições, mas imagine que o que lhe tenho dito mais de uma vez, naturalmente se agrava com os dias. Quero dizer que as ocupações estranhas, obrigadas e diuturnas se tornam mais penosas e crescidas à medida do tempo. É só isto, meu querido amigo; não há aqui enfraquecimento de amizade, mas de resistência. Por isso não exijo cartas grandes, conquanto as suas sejam das que a gente não quisera que acabassem mais; quando não puder escrevê-las longas, por falta de tempo ou vagar, faça-as breves, e, se vir que só pode mandar um bilhete, venha o bilhete. É mais que nada.

Cá tivemos uma eleição da Academia para preenchimento da vaga do Eduardo Prado⁴. Foi eleito o Afonso Arinos, tendo sido retirada a candidatura do Assis Brasil na ocasião do voto, por declaração do Lúcio e do Valentim. O Arinos teve 21 votos, maioria absoluta dos membros da Academia; o Martins Júnior, também candidato, obteve 7, o Assis Brasil 1, voto do exterior, que apenas se mencionou, visto a retirada à última hora. Vamos agora à eleição para a vaga do Francisco de Castro, que não chegou a ser recebido, mas deixou o discurso feito, segundo me disse pessoa da família, e a ele próprio ouvi, dias antes de adoecer e morrer. Íamos ter uma bela sessão; estava por dias, e o Rui faria rapidamente a resposta.

Estamos ainda sem casa. Tínhamos ajustado por certa forma que a Academia receberia agasalho no novo edifício da Escolha (*sic*) de Belas-Artes, mas a planta da Escola acaba de ser aprovada e não há lá lugar para nós⁵. Viveremos por enquanto do obséquio que nos faz, para as sessões solenes, o Gabinete Português de Leitura. As ordinárias são no escritório do secretário, Rodrigo Octavio. O Ministro do Interior, que aprovou a planta da Escola, disse ao Lúcio que procurará alojar-nos no edifício donde a Escola vai sair[6], mas sendo certo que o Ministério da Fazenda o quer para si, como acréscimo do seu, onde está apertado (sabe que estão no mesmo corpo), continuaremos cá fora. Sempre há de haver algum buraco, ainda sem arquitetura em que nos metamos. Se a Academia viver, como espero, a outra geração alcançará por si o que esta não puder. Na outra geração compreendem-se os seus novos também. Até lá aplicaremos os nossos esforços, e eu particularmente os que me não falharem[7].

Paro aqui, pedindo-lhe uma carta em resposta; desculpe o descosido desta e a má letra em que é escrita, pior que a de costume. Fale-me dos seus trabalhos; não me creia esquecido dos seus bons sentimentos de amigo. Apresente os meus respeitos a suas Excelentíssimas Mãe e Esposa, e não deslembre o velho amigo e confrade

Machado de Assis.

---

1 ∞ Em 31/02/1900, ao ser promovido a 1.º secretário, Azeredo foi removido para a Bolívia, mas por uma ordem interna de 11/01/1901, manteve-se na Santa Sé. Em 07/01/1902, foi mandado servir na França, a fim de ocupar provisoriamente a vaga do 1.º secretário Alfredo de Morais Gomes Ferreira que se encontrava doente, mas por efeito suspensivo da medida, permaneceu na Santa Sé, como relata na carta [654] de 11/06/1902. Em 10/05/1902, Azeredo entra de licença, quando aproveitará para vir ao Brasil. (SE)

2 ∞ Sobre a nomeação de Nabuco como ministro plenipotenciário na missão especial junto ao governo italiano, ver carta [634]. (SE)

3 ∞ Sobre *Poesias Completas*, ver nota 1, carta [604]. (SE)

4 ∞ Eduardo Prado faleceu aos 41 anos em São Paulo, de febre amarela. (SE)

5 ∞ Sobre o novo prédio da Escola de Belas-Artes, ver nota 10, carta [604]. (SE)

6 ∞ O antigo prédio da Escola de Belas-Artes foi um projeto do arquiteto Grandjean de Montigny (1776-1850), vindo ao Rio na Missão Artística Francesa, a convite de D. João VI. A instituição foi inaugurada em 1826, na atual travessa das Belas-Artes, com o nome de Imperial Academia de Belas-Artes, já sob D. Pedro I. No terreno ao lado do da escola, situava-se desde 1813 o antigo Tesouro Régio, implantado na antiga Casa dos Pássaros, construção inacabada do tempo do vice-rei Luís de Vasconcelos

(1742-1809). Ao longo dos anos, o prédio do Tesouro sofreu alterações, tornando-se um imenso complexo administrativo. Na década de 1910, após a desativação da Escola de Belas-Artes, o edifício foi passado ao Tesouro. Com a construção do novo Ministério da Fazenda na Esplanada do Castelo, o complexo da rua do Sacramento (compreendido entre a travessa das Belas-Artes, o beco do Tesouro e a rua Gonçalves Ledo) perdeu a utilidade, permanecendo subutilizado até ser demolido em 1938 no governo Getúlio Vargas, sem nenhum motivo justificável, transformando-se anos mais tarde num enorme estacionamento, que aliás existe até o presente momento. O belo pórtico neoclássico da escola foi transferido ao Jardim Botânico. A Escola de Belas-Artes foi transferida para o novo prédio, construído na então avenida Central, atual Rio Branco. Hoje abriga o Museu Nacional de Belas-Artes. (SE)

7 ∾ Todo esse parágrafo em que escreve a Azeredo apressada e resumidamente, Machado o faz com grande franqueza e se constitui num testemunho muito significativo da sua tenacidade e determinação na condução dos assuntos relativos à Academia Brasileira de Letras. (SE)

[636]

De: MAGALHÃES DE AZEREDO
Fonte: Manuscrito Original, Arquivo ABL.

Roma, 21 de janeiro de 1902.
Palazzo del Grillo, Via Nazionale.

Meu querido Mestre e Amigo,

Há muito que desejo escrever-lhe uma longa carta; ainda não será hoje. Esta é breve, e só para recomendar-lhe o meu *Poema da Paz*, que certamente já recebeu. Com espanto e tristeza, vejo que os jornais daí não se ocupam dele[1.]

Ora, deixando de parte falsas modéstias (eu procuro ser imparcial para comigo, como para com os outros), parece-me que se há obra que a todos os respeitos mereça o interesse público, é sem dúvida essa; não somente sob o aspecto literário (sei com que inspiração e escrúpulo artístico a escrevi, e posso estimar-lhe o justo valor), mas especialmente sob o aspecto filosófico e moral, ela aspira e com direito a uma ampla divulgação. Eu quero que o *Poema da Paz* seja lido no Brasil e na América Latina; as ideias que ele exprime e a causa que ele defende o tornam digno disso. Infelizmente, não foi possível publicá-lo no *Jornal*, como eu queria a princípio, porque ali não ousaram romper com as tradições da folha, mais que qualquer outra respeitadora das suas tradições. E essa simples circunstância fez um mal incalculável ao meu trabalho; se o *Jornal* o tivesse publicado, a repercussão em toda a América seria imensa. Agora, se a inércia habitual da nossa imprensa e mais ainda a inveja, o mesquinho ciúme que dominam em quase todos os nossos círculos literários acabam de matar-mo, ficará inutilizada a minha tarefa perseverante de muitos meses, ficará desmentida a justa esperança que eu punha nesse que é o meu mais alto esforço intelectual até hoje, ficará sem eco esse grito de humanidade sincera que *deve ser ouvido* por muita gente de boa vontade. Recorro, pois, ao seu afeto para que, pela parte que lhe cabe, impeça tal desastre. Entristeceu-me crer que a *Gazeta*, que apesar de ser um dos nossos primeiros jornais, trata de tanta coisa medíocre e insignificante, nem uma frase consagrou a esse *Poema da Paz* que devia interessá-la ao menos pela sua inspiração humanitária. Aqui abstraio completamente do meu nome e de qualquer amor próprio de autor. Preocupa-me unicamente o direito que tenho, como escritor reconhecido, de ser ouvido quando falo de coisas a que nenhum homem culto do nosso tempo pode ser indiferente.

O que lhe rogo é que para a *Gazeta*, mande uma pequena *notícia bibliográfica* chamando apenas a atenção do público para o livro, e se for possível resumindo rapidamente a série de ideias que ele expõe.

Adeus, querido Mestre e Amigo, desde já lhe agradeço mais este favor, depois de tantos e tantos outros. Aceite nossos cumprimentos para si e sua *Excelentíssima* Senhora; e com a promessa de uma longa carta para breve, um abraço afetuoso do seu

Azeredo

---

I ∾ Esta carta é um longo desabafo que reflete o desencanto de Azeredo com a recepção ao *Poema da Paz*, em relação ao qual tinha muitas esperanças. Na carta [581], anunciou que se dedicava ao projeto de celebrar o novo século no primeiro dia do ano; mas que dificuldades o impediram de concluí-lo a tempo. Em [590], diz que terminou o poema naquele dia e que pretende enviá-lo ao *Jornal do Comércio*. Em [596], alude outra vez ao texto, sondando sobre a recepção no meio literário. Em [603], informa que Tobias Monteiro*, principal redator e lugar-tenente de José Carlos Rodrigues*, escreveu-lhe a respeito da impossibilidade de publicar o poema. Azeredo confessa-se decepcionado pelo fato de o jornal não lhe ter proposto, em contrapartida, a publicação em folheto na sua tipografia. Informa também que, diante disso, mandou imprimi-lo na Europa e que breve estará pronto, seguindo para ser distribuído aos amigos no Rio. Em [629], interroga se Machado já o recebeu. Assinale-se, por fim, que *o Poema da Paz* ou *Carme Secular* foi depois inserido no volume das *Horas Sagradas* (H. Garnier, 1903). (SE)

[637]

De: JOSÉ ISIDORO MARTINS JÚNIOR
*Fonte*: Manuscrito Original, Arquivo ABL.

[Rio de Janeiro,] 25 de janeiro de 1902.

Eminente confrade e excelentíssimo amigo Senhor Machado de Assis

Continuando a aspirar à honra de fazer parte da brilhante e douta corporação que muito dignamente presidis, comunico-vos, para os devidos efeitos, que renovo a apresentação de minha candidatura[1], agora para a cadeira vaga na Academia pelo falecimento do notável e saudoso Doutor Francisco de Castro.

Aproveito a oportunidade para apresentar-vos meus sinceros protestos de profunda e alta consideração.

De Vossa Excelência atento amigo admirador

J. Is. Martins Júnior

---

1 ∾ Martins Júnior já se apresentara à vaga de Eduardo Prado, para a qual foi eleito Afonso Arinos*. (IM)

# [638]

> De: JOAQUIM NABUCO
> *Fonte*: Manuscrito Original, Arquivo ABL.

Londres, 26 de janeiro de 1902.

Meu caro Machado,

Acabo de receber sua dulcíssima carta[1] e como tenho agora *muito que fazer*, não posso adiar a resposta nem correr o risco de demorá-la. Assim vamos ao ponto:

Estou às suas ordens para escrever a resposta ao discurso do Arinos com algumas condições, porém. A primeira é que V*ocê* me dará tempo. A segunda que o Arinos me mandará o que o Eduardo escreveu; tenho tudo isso nos meus papéis e caixões, mas fora de mão. Não preciso a coleção do *Comércio de S. Paulo*, mas os *Fastos*[2], a *Ilusão*[3], *Anchieta*[4], as *Viagens*[5] (mesmo a título de empréstimo), e o que mais notável tenham publicado os jornais dele, o artigo sobre o Eça, por exemplo, conviria mandarem-me daí[6].

A terceira é que o discurso de Arinos me seja remetido, isso é óbvio, mas que depois dele corra o meu prazo pelo menos de *três meses*. Aceitando V*ocê* e ele tudo isso, está tomado o compromisso. Para mim trabalhos desses são uma distração necessária dos meus estudos da questão[7].

No caso de ser o Assis Brasil candidato agora na vaga do Francisco de Castro, vote por mim nele. Esta é a minha cédula. Se for preciso, corte o nome acima que vai por minha mão e meta o retalho no envelope[8].

Quanta saudade me faz tudo isso! Não tenho outro desejo senão acabar o mais cedo possível a minha tarefa e recolher-me à Academia. Será o meu Pritaneu.

Saudades a todos, especialmente ao grande Crítico[9], e creia-me sempre meu caro Machado

Seu devotíssimo

Joaquim Nabuco

1 ⚭ Ver carta [634]. (IM)

2 ⚭ Sob o pseudônimo de "Frederico S.", o monarquista convicto e primoroso escritor Eduardo Prado publicara, em Paris (1890), *Fastos da Ditadura Militar no Brasil*, reunindo em volume artigos antes divulgados na *Revista de Portugal*. (IM)

3 ⚭ *A Ilusão Americana* (Paris, 1895), com o subtítulo "2.ª edição / A I.ª foi suprimida e confiscada por ordem do governo brasileiro". (IM)

4 ⚭ Estudo incluído em *III Centenário do Venerável José de Anchieta* (1900), coletânea bastante comentada na nota 4 da carta [362], tomo III. (IM)

5 ⚭ *Viagens* (1886-1902): volume I – a Sicília, Malta e Egito; volume II – América, Oceania e Ásia. (IM)

6 ⚭ Registre-se que Eduardo Prado, amicíssimo de Eça de Queirós*, publicara "Eça de Queirós – o passado e o presente" na *Revista Moderna* (n.º 10, 20/11/1897) e consideraria a morte do escritor português como "uma amputação sem anestésico" (Matos, 1993). (IM)

7 ⚭ Encerrada a questão de limites da Guiana inglesa (1903), Nabuco permaneceria em Londres como chefe da legação brasileira. Em maio de 1905, elevado ao posto de embaixador do Brasil em Washington, partiu diretamente da Inglaterra para os Estados Unidos. Afonso Arinos* foi recebido por Olavo Bilac*, em 18/09/1903. (IM)

8 ⚭ Assis Brasil não voltou a se candidatar à ABL. (IM)

9 ⚭ José Veríssimo*. (IM)

## [639]

Para: JOSÉ VERÍSSIMO.
Fonte: *Revista da Academia Brasileira de Letras*, XXXIII, n.º 104, ago. 1930.

[Rio de Janeiro,] 18 de fevereiro de 1902.

Meu caro José Veríssimo,

Não sabendo se o encontrarei no Garnier, apesar de pretender e poder sair mais cedo daqui, escrevo o que lhe diria de viva voz, a respeito do seu artigo de hoje. Toda aquela questão da literatura do Norte está tratada com mão de mestre. Tocou-me o assunto ainda mais, porque eu, que também admirava os dotes do nosso Franklin Távora, tive com ele discussões a tal respeito, frequentes e calorosas, sem chegarmos jamais a um acordo[1]. A razão que me levava não era somente a convicção de ser errado o conceito do nosso finado amigo, mas também o amor de uma pátria intelectual una, que me parecia diminuir com as literaturas regionais. Você sabe se eu temo ou não a desarticulação deste organismo; sabe também que, em meu conceito, o nosso mal vem do tamanho, justamente o contrário do que parece a tantos outros espíritos. Mas, em suma, fiquemos na literatura do Norte, e no seu artigo. Consinta-me chamar-lhe suculento, lógico, verdadeiro, claramente exposto e concluído; e deixe-me finalmente compartilhar um pouco das saudades de brasileiro e romântico, *comme une vieille ganache*[2], diria o nosso Flaubert[3]. Até logo ou depois.

Velho amigo

Machado de Assis

---

1 ~ Franklin Távora (1842-1888), escritor cearense de grande mérito, foi patrono da Cadeira 7 da ABL. Veríssimo (1916) analisa longamente a sua obra, mas sublinha que ele manteve uma visão preconceituosa da "repartição da literatura brasileira em 'literatura do Norte' e 'literatura do Sul', conforme a região brasileira que lhe fornecia a inspiração e o tema". (IM)

2 ~ *Ganache* é uma expressão francesa usada para caracterizar pessoas crédulas e imbecis, ou atores de teatro que representam esse papel. (SPR)

3 ~ Em carta a George Sand, pseudônimo de Aurore Lucile Dupin, baronesa de Dudevant (1804-1873), Gustave Flaubert (1930) se despede: "*Votre vieille ganache romantique et libérale vous embrasse tendrement.*" ("Seu velho tolo romântico e liberal beija-a carinhosamente"). (IM)

# [640]

Para: TOBIAS MONTEIRO
*Fonte:* Manuscrito Original. Seção de Manuscritos, Fundação Biblioteca Nacional.

GABINETE DO MINISTRO DA INDÚSTRIA

Rio de Janeiro, 26 de fevereiro de 1902.

Am*ig*o D*ou*t*o*r Tobias Monteiro [,]

O S*en*h*o*r Ministro manda entregar-lhe a notícia inclusa, para dar no *Jornal do Comércio* [.]

Ad*mi*rador e am*ig*o

Machado de Assis[1]

---

1 ~ Carta inédita. (IM)

# [641]

Para: RODRIGO OCTAVIO
*Fonte:* MAGALHÃES JR., Raimundo. *Vida e Obra de Machado de Assis*. Rio de Janeiro: Record, 2008.

[Rio de Janeiro,] fevereiro de 1902.[1]

Meu caro Rodrigo Octavio,

Vim buscar o telegrama que ficou aprovado na última sessão[2] para expedi-lo à comissão Victor Hugo[3]. Não me demoro mais porque não posso. Se não puder mandar lá à Secretaria, mandarei portador.

Seu do coração

Machado de Assis

Passar o telegrama a 25 de fevereiro.

---

1 ~ Magalhães Jr. afirma que este bilhete estaria no Arquivo da ABL, onde ainda não foi localizado. (IM)

2 ∾ Não se localizou ata da sessão. (IM)

3 ∾ A 26/02/1902, transcorreria o centenário de nascimento de Victor Hugo, e a Academia deliberou pela adesão às comemorações programadas na França. Magalhães Jr. também afirma que o telegrama foi absolutamente chocho: "*L'Académie s'associe commémoration grand poète. / [Machado de Assis] Président*". ("A Academia se associa comemoração grande poeta."). Obviamente o biógrafo reproduz um rascunho, e resta saber se Machado concordou com a chochice. (IM)


# [642]

De: GRAÇA ARANHA
*Fonte*: Manuscrito Original, Arquivo ABL.

Londres, 14 de março de 1902.

Meu querido Machado de Assis,

Por este correio *Você* receberá um exemplar especial de *Canaã*. É com muita afeição, com muito amor que lhe mando o meu primeiro livro. Entrego-o ao seu gênio, ao seu coração[1].

Esta remessa prévia é reservada. O Garnier pediu-me não divulgar o livro antes de chegarem ao Rio os exemplares da livraria. Prometi, e por isso *só* a Você e ao nosso Veríssimo mando hoje exemplares. Conheço a discrição e amizade dos dois para ter a segurança de que não traí a palavra que dei ao editor[2]. Nós somos aquela misteriosa e indissolúvel trindade...

Com um grande e comovido abraço do

seu do coração

Graça Aranha

---

1 ∾ Graça Aranha enviara as provas de *Canaã* no final de 1901, [628]. Machado transmitiria a Veríssimo* em [649], de 21/04/1902, as suas impressões de leitura, mas não publicou comentários sobre a primeira obra do jovem acadêmico. (IM)

2 ∾ Evidenciam-se as precauções do editor parisiense Hippolyte Garnier*, que franqueara as provas de *Dom Casmurro* a Graça e a Nabuco* em 1899, antes do lançamento do romance no Brasil, contrariando a proverbial discrição machadiana. Ver em [490] e [526], tomo III. (IM)

[643]

Para: RODRIGO OCTAVIO
*Fonte*: Manuscrito Original, Arquivo Particular.

[Rio de Janeiro,] 20 de março de 1902.

Meu caro Rodrigo Octavio,

Não sei se poderei comparecer hoje à sessão da Academia[1]. Digo isto pela acumulação de serviço em dia de audiência pública. Nesse caso, basta-me saber o que se passar. Não vi na *Ordem do dia* a declaração da vaga do Urbano Duarte; convém fazê-la[2]. Antes do seu embarque é bom que tenhamos uma pequena conferência[3]; onde e quando? Escreva.

Velho am*i*go e ad*mira*dor

Machado de Assis

---

1 ∾ Não existe ata dessa sessão. (IM)

2 ∾ Urbano Duarte, fundador da Cadeira 12, faleceu a 10/02/1902. (IM)

3 ∾ Rodrigo Octavio, após intensos anos de trabalhos na esfera jurídica pública, bem como no âmbito político-administravo (secretário do presidente Prudente de Morais) e na própria atividade advocatícia, aos 35 anos decidira tomar fôlego e conhecer a Europa, onde permaneceu por longa temporada em companhia da esposa e dos filhos. Sem dúvida, também pesaram na decisão, como se depreende das suas "Notas Particulares" inéditas, os encargos de primeiro-secretário da Academia. Fora ele – e o continuaria sendo – o factótum, incumbindo-se do expediente, auxiliando Machado em suas gestões e também cedendo seu escritório, à rua da Quitanda 47, para sediar a Casa ainda sem pouso. Destaca-se, na viagem de 1902, a ida a Berlim, inteiramente dedicada ao contato com o Barão do Rio Branco*, muito detalhada em *Minhas Memórias*

*dos Outros* (1935). É válido suspeitar que essa visita foi proposta por Machado, tendo como intuito colher – tardiamente – a necessária manifestação formal da aceitação da Cadeira 34, para a qual Rio Branco fora eleito em 1898, na sucessão de Pereira da Silva. Ver nota em [659], de 08/07/1902. (IM)

## [644]

| Para: RODRIGO OCTAVIO
*Fonte*: Cartão de Visita Original, Arquivo Particular.

[Rio de Janeiro,] 21 de março de 1902.

Não espero por ter muita pressa. Vim completar a carta de ontem. Qual é a minha quota do telegrama?[1] Mande-me dizer à Secretaria. Se puder e sair cedo, cá virei para falarmos da Academia, e da sessão de ontem, se a houve. Se sim, os jornais da tarde e outros darão notícia.

MACHADO DE ASSIS[2]

18, Cosme Velho

---

1 ∞ Possivelmente o telegrama referente ao centenário de Victor Hugo; ver em [641]. (IM)

2 ∞ Nome impresso no cartão, escrito frente e verso. (IM)

## [645]

| Para: JOAQUIM NABUCO
*Fonte*: Fundação Joaquim Nabuco. Fac-símile do manuscrito original.

Rio de Janeiro, 24 de março de 1902.

Meu caro Nabuco,

A sua carta de 26 de janeiro, aqui chegada há poucos dias, é a que se podia esperar de tão fino espírito. Entretanto, parece que o plano não será adotado. Achei amigo que, além de o não adotar, pensa[1] que encontrarei objeção da parte dos outros, por sair das praxes acadêmicas[2]. Em tal caso, meu caro Nabuco, resolvi não dar andamento à ideia, e dispor-me a ir a Atenas sem ouvir Platão. Mas irei sequer a Atenas? A eleição do Arinos, que a desejava e pediu, foi brilhante, embora o Assis Brasil tivesse o apoio do Lúcio de Mendonça. Logo que a eleição se fez, escrevi um bilhete particular de felicitação ao Arinos, e o Rodrigo Octavio fez a comunicação oficial. Não recebi resposta nem o Rodrigo, e como o Arinos tinha ido às águas, podia ser desencontro. Disse ao Rodrigo que mandasse segunda via do ofício, agora que ele estava de volta a *São Paulo*, mas ainda não veio resposta, e já há tempo de sobra. Não compreendo. Vou ver se o Garcia Redondo, que é da Academia, ou alguém que lá esteja próximo, me descobre a razão deste silêncio.

O Assis Brasil esteve aqui de passagem, por dois ou três dias, mas não lhe pude falar. Hei de procurar o Lúcio e o Valentim[3], para saber se ele quer ser candidato. Cá fica o seu voto.

Adeus, meu caro Nabuco. Vá desculpando esta letra de velho, não tão velho que não possa ainda aplaudir os seus bons e grandes serviços à Arte e ao País. Muitas coisas ao Graça Aranha.

Machado de Assis.

---

1 ∾ "Pensa", no manuscrito. Graça Aranha* (1923) respeita a grafia. (IM)

2 ∾ Ver em [638] as exigências de Nabuco para receber Afonso Arinos*. (IM)

3 ∾ Valentim Magalhães* que, com Lúcio de Mendonça*, retirara a candidatura de Assis Brasil na sessão de 31/12/1901, dedicada à eleição do sucessor de Eduardo Prado. (IM)

# [646]

> Para: HIPPOLYTE GARNIER
> *Fonte*: Manuscrito Original, Arquivo ABL.

Rio [de] Janeiro, le 30 mars 1902.

Monsieur H*ippolyte* Garnier

J'ai un volume de nouvelles, «Várias Histórias» [,] dont l'éditeur est la maison Laemmert. Celle-ci vient de me proposer une seconde édition, aux termes de la clause 5.ᵉ de notre contrat, c'est-à-dire qu'elle aura la préférence, au cas de conditions égales[1]. Puisque votre maison est la propriétaire de mes autres livres, je veux qu'elle le soit également de celui-ci. Donc, je vous propose les conditions d'habitude et le prix d'un conto et deux cents mille réis (1:200$000)[2]. Je prie Monsieur Lansac de vous envoyer un exemplaire de l'ouvrage.[3]

Agréez, et [...]

M. de A.[4]

---

1 ∾ O *Catálogo da Exposição do Centenário de Machado de Assis* (1939) cita, na página 203:

"Carta de Laemmert & Cia. editores, em papel com timbre da companhia, datada do Rio de Janeiro, 21 de março de 1902, propondo tratar de uma nova edição do livro "Várias Histórias". Fl. simples, escrita em meia pr. 0,272 x 0,212. P. à Snra. General Leitão de Carvalho."

O contrato se encontra no Arquivo ABL, mas tal carta ainda não foi localizada. (IM)

2 ∾ O contrato com Garnier foi assinado em 27/05/1902, e a cessão de direitos pela segunda edição rendeu a autor 1.000$000 (Ubiratan Machado, 2008). (IM)

3 ∾ Neste rascunho, com emendas e palavras riscadas, foi mantida a grafia original. Registre-se um trecho suprimido por Machado:

"Monsieur Lansac vient de me dire que vous avez le projet de publier em langue espagnole quelques uns de mes romans. Si vous trouvez bon de m'envoyer un éxemplaire de chaque traduction, je vous remercierai bien." ("O senhor Lansac acaba de me comunicar que o senhor tem o projeto de publicar em língua espanhola alguns dos meus romances. Se achar conveniente me enviar um exemplar de cada tradução, eu lhe ficarei muito grato.")

Fora do âmbito da Garnier, a primeira tradução de *Brás Cubas* para o espanhol foi feita em Montevidéu, primeiro em folhetim de *La Razón* (iniciando-se a publicação em janeiro de 1902) e logo em volume. Ver em [651], de 12/5/1902. (IM)

4 ∾ TRADUÇÃO DA CARTA:

> Rio de Janeiro, 30 de março de 1902. / Senhor H. Garnier, / Tenho um volume de novelas, "Várias histórias", cuja editora é a Casa Laemmert. Esta acaba de me propor uma segunda edição, nos termos da cláusula 5 de nosso contrato, isto é, ela teria a preferência, em igualdade de condições. Como sua Casa é proprietária dos meus outros livros, desejo que ela o seja também deste. Proponho-lhe pois as condições habituais e o preço de um conto e duzentos mil réis. Peço ao Sr. Lansac enviar-lhe um exemplar da obra. / Receba, e [...] / M. de A. (SPR)

[647]

De: OLIVEIRA LIMA
*Fonte:* Manuscrito Original, Arquivo ABL.

LEGAÇÃO DO BRASIL

Tóquio, 5 de abril de 1902.

Excelentíssimo Senhor Presidente da Academia Brasileira de Letras

Peço [à] Vossa Excelência o subido favor de lançar o meu voto para a cadeira vaga pelo falecimento do Senhor Doutor Francisco de Castro, no Senhor Doutor José Isidoro Martins Júnior.

Agradecendo a Vossa Excelência o seu obséquio, subscrevo-me com a maior consideração e amizade

De Vossa Excelência

Admirador, confrade e amigo muito obrigado

Manuel de Oliveira Lima

# [648]

> De: JOSÉ VERÍSSIMO
> *Fonte:* Manuscrito Original, Arquivo ABL.

[Rio de Janeiro,] 9 de abril de 1902.

Meu caro Machado

Estou meio zangado com V*ocê*: fiz ontem anos, os ominosos 45 anos, e V*ocê* não me felicitou. Escrevi-lhe um dia destes[1], pedindo-lhe uns números do Temps[2] que me faltaram. Não me são mais precisos, pois os recebi depois.

Você deve ter recebido hoje o *Canaã*, em edição especial, do nosso querido Aranha[3]. Ele mo anunciou em carta na qual me diz que dessa edição só mandou para cá 2 exemplares. Pede-me também que não divulguemos o livro antes dele ser aqui posto à venda, segundo pediu-lhe o editor. Diz-me que só comunique as minhas impressões a v*ocê* – o que eu aliás já tinha feito.

V*ocê* verá que o livro é soberbo, e vingativo dos que, como nós, não podíamos aturar os "novos" não por serem "novos" mas por não terem talento. Estou certo que a sua glória assentada sorrirá benévola a este sucesso que lhe chega – o único digno do glorioso avô das nossas letras contemporâneas. Espero que lhe não faltará a sua bênção alentadora, inestimável prêmio deste primeiro e já vitorioso feito do nosso cavaleiro. Quem o armaria com mais competência?[4]

Seu de todo o coração

José Veríssimo

---

1 ∾ Missiva ainda não localizada. (IM)

2 ∾ *Le Temps*, um dos mais importantes jornais franceses, publicado em Paris, circulou de 1861 até 1942, quando foi extinto sob a acusação de colaboracionismo com os nazistas. O empréstimo do periódico, entre Machado e Veríssimo, figura inúmeras vezes na sua correspondência. (IM)

3 ∾ Ver carta [642] de Graça Aranha*. (IM)

4 ∾ Ver comentário machadiano em [649], de 21/04/1902. (IM)

# [649]

Para: JOSÉ VERÍSSIMO
*Fonte: Revista da Academia Brasileira de Letras*, XXXIII, n.º 104, ago. 1930.

Rio [de Janeiro], 21 de abril de 1902.

Meu caro *José* Veríssimo,

Recebi sábado o seu recado, e respondo que sim, que estou zangado com Você, como Você esteve comigo. A sua zanga veio de o não haver felicitado pelos 45 anos, a minha vem de os ter feito sem me propor antes uma troca. Eu a aceitaria de muito boa vontade[1].

Já recebi e já li *Canaã*; é realmente um livro soberbo e uma estreia de mestre. Tem ideias, verdade e poesia; paira alto. Os caracteres são originais e firmes, as descrições admiráveis. Em particular, — de viva voz, quero dizer, — falaremos longamente[2]. Vou escrever ao nosso querido Aranha. Na carta em que ele me anunciou o livro, lembra-me aquela "nossa trindade indissolúvel..." O vento dispersou-nos[3].

Esta semana, no primeiro dia de despacho, sairei mais cedo e irei buscá-lo ao Garnier. Espero ler a sua análise de *Canaã*. A propósito, quem será o autor do artigo que saiu hoje no *Jornal do Comércio*?[4]

Adeus, até amanhã ou depois. Já nos vemos poucas vezes. Adeus daquele que já fez 45 anos (bela idade!).

Machado de Assis

*Post Scriptum*
Abro a carta, hoje 22, para lhe apertar a mão pelo artigo — apoteose de Vitor Hugo[5].

M. de A.

---

1 ∾ Ver em [648]. (IM).

2 ∾ Graça Aranha* enviou o livro em 14 de março [642]. Em [648], Veríssimo comenta *Canaã* com grande entusiasmo. (IM)

3 ∾ Ao escrever sobre a "misterosa trindade indissolúvel", Graça talvez reavivasse na memória a sua empolgada visita a Coppet; ver em [490], tomo III. (IM)

4 ∾ Autoria de Felix Pacheco. Machado não publicou análise da obra. (IM)

5 ∾ O artigo "Victor Hugo" acha-se reproduzido no livro *Homens e Coisas Estrangeiras* (2003). (IM)

[650]

De: OLAVO BILAC
*Fonte*: Cartão de Visita Original, Arquivo ABL.

OLAVO BILAC
INSPETOR ESCOLAR DO 4.º DISTRITO[1]

[Rio de Janeiro,] 11 de maio de 1902.

Meu caro Mestre.

Peço-lhe que escreva neste cartão-postal[2] dois ou três versos, ou duas linhas de prosa, com a sua assinatura. Tenha depois a bondade de mo devolver pelo correio com o endereço *Olavo Bilac*, Rua Dois de Dezembro, 6, Catete. Trata-se de satisfazer o capricho de uma linda criança (de 18 anos...) que deseja ter toda a Academia em cartões-postais.

Todo seu

---

1 ∾ Em 1898, o presidente Campos Sales (1898-1902) nomeou Cesário Alvim o novo prefeito do distrito federal. Bilac sempre teve excelentes relações com o ex--ministro do Interior do governo provisório e ex-presidente de Minas, que remontavam ao período em que se refugiou em Ouro Preto, e Cesário Alvim era o diretor do *Opinião Mineira*. Bilac exilou-se ali a fim de se resguardar da reação do governo Floriano, pois o jornal *Cidade do Rio*, do qual era o secretário de redação, e Luís Murat o diretor-substituto, publicara o Manifesto de Custódio de Melo, o líder da Revolta da Armada. Com a publicação, Floriano desencadeou uma dura repressão no distrito federal e Niterói. Cinco anos depois do episódio, o novo prefeito convidou o então

diretor do *Pedagogium* Manuel Bonfim, amigo dileto de Bilac, para ser o diretor da Instrução Pública do Distrito Federal, responsável pelas inspetorias de ensino. Além das já existentes, Bonfim criou mais duas, sendo Bilac nomeado para umas delas, por ato de Cesário Alvim. (SE)

2 ∾ Colecionar autógrafos de celebridades foi um modismo muito em voga no século XIX. Organizavam-se álbuns nos quais escritores, compositores, atores, cantores e poetas autografavam e, às vezes, celebravam o dono ou dona do álbum. A *Correspondência de Machado de Assis* registra algumas ocorrências desse tipo. No tomo III, por exemplo, há o pedido da Viscondessa de Cavalcanti* para que Machado iniciasse a série literária dos autógrafos que estava recolhendo para um álbum, carta [483]. Há o pedido de Azeredo para que Machado cedesse o autógrafo de Almeida Garret à sua coleção particular, carta [349]. No presente volume (1901-1904), a moda dos autógrafos persiste, só que agora em álbuns de cartofilia. Ao longo do volume há alguns exemplos disso. (SE)

[651]

De: LUÍS GUIMARÃES FILHO
*Fonte*: Manuscrito Original, Arquivo ABL.

Montevidéu, 12 de maio de 1902.[1]

Meu ilustre Amigo

As "Memórias póstumas de Brás Cubas" estão publicadas em volume aqui em Montevidéu.

Depois de saírem em folhetim no jornal "La Razón", o tradutor resolveu dá-las à publicidade naquela forma, para satisfazer o interesse despertado nos numerosos leitores do referido jornal.

Envio-lhe por este correio um exemplar que Julio Piquet[2] me ofereceu, e pergunto-lhe se deseja mais alguma coisa deste seu muito amigo e sincero

admirador,

Luís Guimarães

1 ∾ Luís Guimarães Filho conseguira ingressar na carreira diplomática após o fracasso de sua primeira tentativa, apoiada por Machado de Assis em 1899. Ver [492], tomo III. (IM)

2 ∾ O escritor uruguaio Julio Piquet García (1861-1944), ao traduzir a obra machadiana para *La Razón*, escreveu a seguinte apresentação:

> "Si esta traducción llegara a adolecer de más defectos que los tolerables, seria injusto atribuirlo a incuria, pues la acomete con el mayor deseo de que corresponda a la belleza original, no solamente por lo mucho que este vale, sino porque el propósito que principalmente tengo al emprender este modesto trabajo es expresar mi gratitud por las muchas atenciones que debo a mis colegas y amigos del Brasil. J. P." ("Se esta tradução sofresse de mais defeitos do que os toleráveis, seria injusto atribuí-lo à incúria, pois é meu maior desejo que corresponda à beleza original, não só pelo muito que vale, mas porque meu principal desejo ao empreender este modesto trabalho é expressar minha gratidão pelas múltiplas atenções que devo a colegas e amigos do Brasil. J. P.")

Caía, assim, a barreira erguida pelo editor francês Hippolyte Garnier*, no tocante à tradução da obra de Machado para outros idiomas. Ver em [462] e [463], tomo III, bem como a carta [646] no presente volume. (IM)

# [652]

De: SALVADOR DE MENDONÇA
*Fonte:* Telegrama Original, Arquivo ABL.

TELEGRAMA 4750[1]
Machado de Assis
Presidente da Academia Brasileira de Letras
Gabinete do Ministro da Indústria[2]
Rio

Itaboraí, 15 de maio de 1902.

Peço o favor mandar apurar o voto que dou a Augusto de Lima para a cadeira de Francisco de Castro[3].

Salvador de Mendonça

1 ~ Correspondência inédita. (SE)

2 ~ No final do governo Prudente de Morais (1894-1898), Machado foi afastado da diretoria-geral de Viação e considerado adido. No governo Campos Sales (1898--1902), o ministro Severino Vieira (1849-1917) nomeou-o oficial de gabinete. Machado continuou na função até o governo seguinte – Rodrigues Alves (1902-1906), quando o novo ministro Lauro Müller* reconduziu-o a uma das diretorias-gerais recém-criadas no ministério. (SE)

3 ~ Francisco de Castro* falecera aos 44 anos em 11/10/1901. A Cadeira 13 foi ocupada por Martins Júnior*, eleito em 15/05/1902, com quinze votos. Nesta eleição houve dois votos para Augusto de Lima*, um dos quais, como se pode concluir por este telegrama, de Salvador de Mendonça. Entretanto, somente em 05/02/1903, Augusto foi eleito na vaga de Urbano Duarte, falecido em 05/02/1902. (SE)

## [653]

De: JOSÉ ISIDORO MARTINS JÚNIOR
*Fonte*: Cartão de Visita Original, Arquivo ABL.

[Petrópolis,] 25 de maio de 1902.

Ao eminente confrade e adm*irado* Machado de Assis penhorado agradece as felicitações[1].

[Dr.] J. Isidoro Martins júnior

[SECRETÁRIO DE ESTADO][2]

Estado do Rio
Petrópolis

---

1 ~ As felicitações se referem à eleição para a Cadeira 13, em 15/05/1902. (IM)

2 ~ Nome impresso no cartão. O autor riscou as informações ora entre colchetes. (IM)

## [654]

> De: MAGALHÃES DE AZEREDO
> *Fonte:* Manuscrito Original, Arquivo ABL.

Palazzo del Grillo
Via Nazionale
Roma, 11 de junho de 1902.

Meu querido Mestre e Amigo,

Há muitos meses que não tenho notícias suas; creio que em todo este meio ano só recebi uma carta[1]. Reteve-o talvez de escrever mais o não souber se eu já me achasse em Paris, ou ainda aqui, ou em caminho para o Rio, depois de se me ter concedido a licença que eu pedira[2]?

Também lhe não tenho escrito muito, mas com tantas tarefas diversas o fato é explicável; além de que tenho-me ocupado a bem dizer, de cinco livros, três dos quais estão prontos[3] e vão sair um depois do outro com intervalos curtíssimos.

Não sei se o *Jornal* publicou já o meu estudo sobre *Canaã*, do nosso Graça Aranha; livro verdadeiramente admirável, livro superior que bastaria para consagrar a reputação de um homem. Não recebo o *Jornal* e não há em Roma quem o receba.

Afinal não fui para Paris, e a minha nomeação para lá ficou suspensa, visto que o antigo titular do posto, Gomes Ferreira, voltou a ocupá-lo, já restabelecido da doença que dali o afastara[4]. Na sua última carta dizia duvidar que Paris me consolasse da perda de Roma. Dizia bem; só há uma Roma no mundo, e quando se revelou um acordo moral tão profundo entre ela e uma alma de artista, toda outra terra que não seja a pátria, é um exílio... Mas há um provérbio que diz: Todos os caminhos levam a Roma. Quem sabe se diplomaticamente eu e os meus, que tanto como eu amam esta Cidade, não faremos uma simples viagem circular, para tornar ao ponto de partida? Deus o queira! eu manifesto-lhe esta esperança, mas peço-lhe que não fale disso *a ninguém*. *Le secret est l'âme des affaires*[5]. Um dos meus novos livros, *Odes e Elegias*, é dedicado a Roma. Vê-lo-á em breve.

Nós contávamos partir de Gênova neste mês pelo *Venezuela*, e até já havíamos tomado os bilhetes de passagem. Mas fomos obrigados a adiar a viagem, porque minha boa Sogra caiu gravemente enferma, com uma pneumonia, que nos tem assustado muito, especialmente porque complicada com outros males, uma afecção cardíaca sobretudo, e uma extrema fraqueza, no seu organismo já muito gasto por antigos padecimentos. Não sei se lhe escrevi que em Novembro ela sofreu uma terrível operação, que durou duas horas ou mais sem cloroformização! Passamos bem angustiados estes últimos dias; felizmente Madame Caymari vai um pouco melhor, e renasce a esperança. Mas está claro que não a podemos deixar antes de se adiantar um pouco a convalescença, e cobrar ela forças para suportar a emoção da nossa partida, pois neste momento qualquer abalo poderia causar-lhe grande dano.

Assim esperamos partir nos primeiros dias de Julho, a bordo do *Washington*. Esta é a última carta que lhe mando antes da viagem. Aí teremos tempo para reatar as nossas caras e longas conversações de há sete anos. Como o tempo passa!

Pedirei aí ao Presidente da Academia a honra de ser recebido na ilustre companhia, cinco anos depois da minha eleição[6].

Adeus, meu querido Mestre e Amigo, aceite para si e para sua *Excelentíssima* Senhora cumprimentos de minha Família e meus.

Manda-lhe um abraço afetuoso o seu deveras

Azeredo

---

1 ✿ No primeiro semestre de 1902, Machado escrevera em 6 de janeiro [635]; depois, em 16 de agosto [664]. (SE)

2 ✿ A licença de Azeredo do serviço diplomático foi concedida de 10/05/1902 a 28/01/1903. (SE)

3 ✿ *Homens e Livros* (1902), *Horas Sagradas* (1903) e *Odes e Elegias* (1904). (SE)

4 ✿ Sobre esse assunto, ver nota 1, carta [635]. (SE)

5 ✿ Literalmente, seria "o segredo é a alma dos negócios"; entretanto em português é mais usual "o segredo é a alma do negócio". (SE)

6 ∞ A questão da recepção solene de Azeredo será tratada entre os dois missivistas nas seguintes cartas: [663], [669], [673], [675] e [677]. Azeredo, entretanto, não será recebido. (SE)

## [655]

Para: COMISSÃO DOS FUNERAIS DE AUGUSTO SEVERO
*Fonte:* Manuscrito Original, Fundação Biblioteca Nacional.

[Rio de Janeiro,] 17 de junho de 1902[1].

À distinta Comissão[2] dos funerais de *Augusto* Severo tem a honra de cumprimentar o abaixo-assinado e comunicar que a Academia Brasileira de Letras se fará representar nas exéquias[3], amanhã, 18, por uma comissão composta dos acadêmicos D*outo*r Valentim Magalhães, Olavo Bilac e João Ribeiro[4].

Machado de Assis

Preside*nte* da Academia

---

1 ∞ No dia 12/05/1902, em Paris, depois de levantar voo do parque aerostático de Vaugirard, hoje place Georges Bressens, Augusto Severo e Georges Sachet (1864) morreram na queda do *Pax*. A intenção, comentada por Severo dias antes numa entrevista a jornalistas franceses, era rodear a cidade de Paris acompanhando a antiga linha de fortificações. Antes de cair, o dirigível deu uma grande volta no ar para delírio da numerosa assistência e, de repente, a 400m de altura, começou a pegar fogo, despencando na avenue du Maine no cruzamento da rue Vauve com a rue Daguerre. O desastre provocou comoção internacional, pois as experiências aeronáuticas (começadas em fins do século XVIII) estavam na ordem do dia, mobilizando cada vez mais o imaginário social, exatamente por ser uma época de mudança de paradigma tecnológico. A notícia chegou ao Rio de Janeiro no mesmo dia, por telegrama. A Câmara dos Deputados ferveu, a repercussão nas ruas foi enorme. O traslado para o Brasil demorou, pois em Paris também houve grandes homenagens; enfim o corpo chegou em 15 de junho. As exéquias organizadas na capital federal foram monumentais, consoante o tratamento de herói nacional, conferido tanto pela imprensa quanto pelo povo nas ruas. Houve de tudo: pronunciamentos, comissões, telegramas, monções, manifestos, missas, desfiles, artigos em jornais e subscrições à família do morto. (SE)

2 ∾ Duas comissões oficiais estiveram à frente das exéquias de Severo, uma organizacional e outra executiva, tendo a primeira alguns membros da segunda. A comissão organizacional era formada pelo almirante Eduardo Wandenkolk, que faleceu e foi substituído pelo almirante Justino de Proença; senador Joaquim Ferreira Chaves; deputado Oscar Godoy; coronéis Francisco Fonseca e Silva e Carlos Leite Ribeiro; Francisco de Barros; José Vilas Boas e Francisco Marques da Silva. Machado de Assis possivelmente está respondendo a um documento de texto único, enviado pela comissão executiva aos membros do governo, ao corpo diplomático e consular, à imprensa, às corporações civis e militares, às faculdades e escolas superiores e às associações civis, cujo teor é o seguinte:

> "As comissões reunidas da construção do aerostato Santa Cruz do Centro Rio Grandense do Norte, e da ereção de um monumento em memória do malogrado brasileiro Augusto Severo, têm a subida honra de convidar a V. Ex. para assistir às exéquias que, por alma do inditoso mártir da ciência, serão celebradas na igreja da Candelária, em dia e hora que oportunamente a imprensa noticiará e a transladação do cadáver para o cemitério de S. João Batista. A Comissão Executiva: Coronéis Leite Ribeiro – Fonseca e Silva – Ernesto de Sena – Ildefonso de Azevedo – Capitão-tenente Jovino Aires – Major Leitão de Almeida – Francisco Marques da Silva – Francisco de Barros – José Vilas Boas" (SE)

3 ∾ As exéquias duraram três dias. No domingo, 15 de junho, o vapor *Le Brésil* (10h e 12m) entrou na barra, sendo imediatamente escoltado por 20 lanchas. Na baía da Guanabara, o ataúde foi colocado num galeão da marinha brasileira que, atrelado ao rebocador *Norte América*, privativo da presidência da República, foi conduzido até o cais do arsenal de guerra (atual Museu Histórico Nacional), ladeado pela flotilha. Ali, foi recebido pela guarda de honra, autoridades e operários do arsenal. Na capela, depois aberta à visitação, o ataúde foi paramentado e exposto até o dia seguinte (16). Nesse dia, depois da missa, o corpo foi transladado para a câmara ardente montada na sala de visitas da Câmara dos Deputados, imediatamente aberta à visitação. No dia 18, às 9h, o préstito saiu a pé em direção à igreja da Candelária, para missa solene rezada pelo pároco, padre Guizan, e assistida pelo coral Saint Saëns e uma orquestra com 40 músicos. As repartições públicas do distrito federal tiveram dispensa de ponto, para que os funcionários pudessem se manifestar. Após a missa, ainda a pé, o cortejo saiu pelas ruas do centro em direção ao largo da Lapa, passando pelas ruas da Candelária, Hospício (B. Aires), Primeiro de Março, Ouvidor, Uruguaiana, largo da Carioca, Treze de Maio, Chile e Passeio. No largo da Lapa, o ataúde seguiu numa carreta, puxada por operários dos arsenais de marinha e guerra, sendo coberto com a bandeira brasileira em forma de pálio, cujas varas foram seguras por autoridades, entre as quais o presidente Campos Sales, o prefeito Xavier da Silveira Jr.*, ministros, representantes da Câmara dos Deputados e do Senado, membros da legação francesa e a família Severo. O cortejo seguiu a pé até o cemitério de

São João Batista, passando pelas ruas da Lapa, Catete, Marquês de Abrantes, praia de Botafogo, Voluntários da Pátria e rua São João Batista. (SE)

4 ⚭ Todos os três estiveram presentes à missa solene de corpo presente na igreja da Candelária, que foi um evento restrito apenas às autoridades, à família e aos convidados previamente identificados, razão principal da resposta de Machado. (SE)

## [656]

De: AFONSO ARINOS
*Fonte:* Manuscrito Original, Arquivo ABL.

São Paulo, 23 de junho de 1902.

Prezado amigo Senhor Machado de Assis,

Incluo um ofício comunicando-lhe, no caráter de presidente da Academia de Letras, ter eu aceito a honra do cargo, para o qual fui eleito. Peço-lhe perdão de não ter cumprido em tempo esse dever. Julguei, porém, que tendo apresentado a minha candidatura e solicitado votos, estava implicitamente compreendido que aceitaria o lugar[1]. Com a maior estima, subscrevo-me seu muito amigo e admirador

Afonso Arinos

---

1 ⚭ Machado comunicou a Joaquim Nabuco* sua estranheza por não ter Afonso Arinos se manifestado quanto à própria eleição. Ver em [645]. (IM)

## [657]

De: AFONSO ARINOS
*Fonte:* Manuscrito Original, Arquivo ABL.

São Paulo, 23 de junho de 1902.

Ilustríssimo e Excelentíssimo Senhor.

Tenho a honra de levar ao conhecimento de Vossa Excelência, para que se digne transmiti-lo à Academia Brasileira de Letras, ter aceito com desvanecimento o lugar de membro para aquela ilustre corporação, para o qual fui eleito. Pronto me acho a fazer quanto em mim couber por não desmerecer a insigne honra e a cumprir todas as obrigações dos estatutos. Em tempo oportuno, apresentarei pessoalmente à Academia os protestos de minha gratidão. Aproveitando, porém o ensejo, rogo a Vossa Excelência aceitar pessoalmente e em nome da Academia Brasileira de Letras, as seguranças de minha mais alta consideração.

Deus Guarde Vossa Excelência

Afonso Arinos

Ilustríssimo e Excelentíssimo Senhor Machado de Assis,
Mui Digno Presidente da Academia Brasileira de Letras.

[658]

Para: PAULA GUIMARÃES
*Fonte*: Fundação Biblioteca Nacional. Fac-símile do manuscrito original.

GABINETE DO MINISTRO
DA
INDÚSTRIA

[Rio de Janeiro,] 4 *de* julho *de* 1902.

Excelentíssimo amigo Doutor Paula Guimarães

Mandei ver nas seções daqui, onde poderia ser encontrado o livro cuja nota me deixou, e em nenhuma delas existe[1]. Veja se me manda outra coisa do seu serviço, com a (...)[2]

admirador e amigo velho

Machado de Assis

1 ∾ Como presidente da Câmara dos Deputados, em 1900, Francisco de Paula Guimarães deu um apoio decisivo à luta pela aprovação da Lei Eduardo Ramos, em favor da Academia (ver a Apresentação de Sergio Paulo Rouanet do tomo III). Naturalmente, Machado de Assis procurava atendê-lo nas consultas administrativas. Desconhece-se a solicitação que deu origem a esta resposta. (IM)

2 ∾ A frase não tem fecho. (IM)

## [659]

De: RODRIGO OCTAVIO
*Fonte:* Cartão-Postal Original, Arquivo ABL.

Berlim, 8 de julho de 1902.[1]

Saudades afetuosas do

        Rodrigo Octavio

*Monsieur* Machado de Assis
Rua do Cosme Velho 18
Rio de Janeiro
Brasil

1 ∾ Postal com reprodução colorida do monumento a Fredrico Guilherme IV. Rodrigo Octavio, finalmente na Europa, visitaria o barão do Rio Branco* em Berlim. Rememorando o encontro, relata que, após amável acolhida, o ilustre diplomata "referiu-se à falta em que estava para com a Academia Brasileira, que o chamara para seu grêmio em 1898". E prossegue:

"Justamente eu, como secretário, então, da Academia, havia feito a comunicação com as indicações regulamentares a respeito, e o novo acadêmico não havia dado resposta a esta carta, já velha de 4 anos... Levantou-se, abriu as gavetas e trouxe uma pasta, onde, dentre outros papéis, se achava a minha carta e a minuta da resposta que desde logo fizera, mas cuja cópia e remessa, por uma coisa ou outra, foi adiando de modo incompreensível, até ser assim pessoalmente apanhado na flagrância de sua falta. Penitenciou-se formalmente e afirmou a satisfação com que recebera a investidura acadêmica, declarando que eu não deixaria Berlim sem levar comigo sua resposta à Academia. / Assim não foi, entretanto. Deixei Berlim sem a resposta de Rio Branco; em Paris, porém, com data de 28 de outubro de 1902, dele recebi uma carta acompanhando o seu ofício à Academia, datado de 1898 [...]." (Octavio, 1935).

Segue-se a carta, na qual Rio Branco revela: "Faz pena ver a desordem em que tenho agora a sala de trabalho [...]." Mandaria ele encaixotar e recolher seus livros, pois pretendia chegar ao Rio no dia 1.º de dezembro. Retorno triunfal, saudado por Machado de Assis no telegrama [672], de 01/12/1902. (IM)

[660]

Para: LUÍS GUIMARÃES FILHO
Fonte: Revista da Academia Brasileira de Letras, XXXI, n.º 93, set. 1929.

Rio [de Janeiro], 10 de julho de 1902.

Meu querido Luís Guimarães,

Recebi a sua cartinha com as notícias que me dá, e o exemplar das *Memórias Póstumas de Brás Cubas*[1]. Agradeço-lhe muito e muito a diligência, e a lembrança em que me teve ainda de longe. Quando aqui falamos da publicação em Montevidéu, já aqui tinha o número de 21 de janeiro (ambas as edições), trazendo a da manhã, além do meu retrato, um artigo do Artur Barreiros[2], encabeçado por algumas palavras honrosas da redação, e seguido de notas biográficas. A tradução só agora a pude ler completamente, e diga-lhe que a achei tão fiel como elegante, merecendo Julio Piquet ainda mais os meus agradecimentos.

A você renovo os meus, e peço que disponha também do velho amigo e admirador do filho, como do pai[3],

Machado de Assis.

---

1 ⁕ *Memórias Póstumas de Blas Cubas*, versão espanhola de Julio Piquet. Ver em [651]. (IM)

2 ⁕ Publicado no *Álbum*, de Artur Azevedo\*, em janeiro de 1893. (IM)

3 ⁕ O já falecido Luís Guimarães Júnior\*, cuja primeira carta a Machado fora enviada 40 anos antes, em 30/05/1862. Ver carta [5], tomo I. (IM)

[661]

De: JOSÉ VERÍSSIMO
*Fonte:* Manuscrito Original, Arquivo ABL.

Rio [de Janeiro], 16 de julho [de 1902], à noite.

Meu caro Machado

Dizer-lhe que o não esqueço, que tenho saudades da sua deliciosa palestra e que aborreço tudo o que me priva de vê-lo com a frequência desejada seria talvez um lugar-comum, mas, tenha o fino e original artista paciência, como todos os lugares-comuns, verdadeiro.

Ando, porém, por muitos motivos arredio da rua do Ouvidor[1] e, por outros, fujo de ir vê-lo à Secretaria, lugar inadequado às nossas conversas, geralmente estranhas ao fomento da viação e comércio e indústria da nossa pátria.

Nem por isso deixo, entretanto, de o incomodar, e desta vez com um empenho tamanho que, salvo absoluta impossibilidade, espero ser servido, comprometendo-me a não o maçar mais... durante o atual governo.

Eis o que é: que *você* me obtenha uma passagem de 1.ª classe daqui para Manaus no vapor do Loyd que sai a 24 do corrente, para o meu jovem e muito estimado amigo, o engenheiro Luís Rodolfo Cavalcanti de Albuquerque Filho. Imagine que é uma mulher bonita que lhe pede, o que será o maior esforço jamais feito pela sua imaginação.

E até um dia destes. Seu de espírito e coração

José Veríssimo

---

1 ∾ Livraria Garnier, ponto de encontro habitual. (IM)

## [662]

> Para: JOSÉ VERÍSSIMO
> Fonte: *Revista da Academia Brasileira de Letras*, XXXIII, n.º 104, ago. 1930.

Rio [de Janeiro], 17 de julho de 1902.

Meu caro Veríssimo,

Aí vai cumprida a sua ordem, expressa na carta de ontem. A carta veio em boa hora, por me dar certeza de que ainda vive o caro Veríssimo, apesar de o ler nos *Prosadores* desta semana e nos artigos de outras. O destino nos separa por algum tempo, até que o faça de todo, se é certa a ideia em que ando de que outra Manaus, mais remota que a nossa, me espera em breve.

Que o mesmo destino nos faça encontradiços algumas vezes para trocarmos ideias, é o que desejo.

Adeus, releve a escassez do bilhete, e lembre-se sempre do

Velho amigo e admirador

Machado de Assis.

## [663]

> De: MAGALHÃES DE AZEREDO
> Fonte: Manuscrito Original, Arquivo ABL.

Largo da Liberdade, Petrópolis
Sexta-feira

9 de agosto de 1902.[1]

Meu querido Mestre e Amigo,

Tive hoje o gosto de receber o seu afetuoso bilhete[2]. Ontem estive no Rio e levava firme tenção de ir dar-lhe um abraço. Mas infelizmente o dia foi tão atarefado, entre ir ao Ministério[3] e retirar da Alfândega as minhas bagagens, que quando me vi livre já pouco faltava para a saída da barca.

Segunda-feira próxima voltarei ao Rio[4], e especialmente para o ver. As saudades são muitas, e grande o desejo de dizer-lhe tantas, tantas coisas! O pior é que com o seu excessivo trabalho na Secretaria não sei a que horas poderá conversar comigo longamente. A barca parte tão cedo para cá! Mas olhe; se puder estar às 9 ½ na Prainha, proponho-lhe que almocemos juntos; se de todo não puder encontrar-se lá comigo, eu então o irei procurar na Secretaria, e ali combinaremos outro dia para estarmos juntos.

O meu novo livro acaba de chegar; nele verá um estudo meu a seu respeito[5], que já conhece, e em nota a promessa de outro mais desenvolvido que será por si só um livro. Mas muito falaremos dos meus trabalhos começados e concluídos.

Até breve; afetuosos cumprimentos nossos, e um abraço do muito seu

Azeredo

---

1 ∾ A data foi inserida a lápis. (SE)

2 ∾ O bilhete não foi ainda localizado. (SE)

3 ∾ O Ministério das Relações Exteriores, desde os tempos do Império, tinha a sua sede no palácio do Cais da Glória. Na República foi transferido para o palácio Itamaraty, antiga sede do governo federal, depois que este transferiu-se ao palácio das Águias, agora com o nome de palácio do Catete. A nova sede do poder executivo foi inaugurada durante a presidência interina de Manuel Vitorino, em 1897. Machado registrou as suas impressões da grande festa de inauguração na crônica de 28/02/1897, que, aliás, foi a última que escreveu em *A Semana*:

> "É certo que a festa suntuosa de quarta-feira afrouxou em parte a sensação exposta naquelas palavras. A recepção do Palácio do Governo respondeu ao que se esperava do ato, e deixou impressão forte e profunda. Aquele edifício que eu vi, há trinta anos, logo depois de acabado, passou por várias mãos, viveu na obscuridade e na hipoteca, passou finalmente ao poder do governo, e o ilustre sr. vice-presidente da República acaba de inaugurá-lo com raro esplendor. Foi o sucesso principal da semana; mas a semana já não é minha, como ides ver."

A partir deste gancho — *mas a semana já não é minha* — dirige-se ao leitor de modo bem-humorado para anunciar o encerramento da sua colaboração semanal na *Gazeta de Notícias*, depois de quase cinco anos. (SE)

4 ◌ Magalhães de Azeredo instalou-se com a família em Petrópolis, por temer a febre amarela, que nesta época grassava no Rio de Janeiro. Tendo feito muitas vítimas, acabou dando ensejo a uma nova fase na cidade, já que o saneamento, a higiene e a limpeza urbana entraram na ordem do dia. Registre-se também que dois anos depois, em 10/11/1904, estourou a Revolta da Vacina, cujos conflitos de rua puseram a cidade novamente em estado de sítio. Osvaldo Cruz, o diretor da Saúde Pública do Distrito Federal, implantou um plano de vacinação obrigatória que criou grandes desconfianças e levou os adversários do governo Rodrigues Alves a agir. Sobre a Revolta da Vacina, consultar José Murilo de Carvalho (1987). (SE)

5 ◌ *Homens e Livros*. (SE)

## [664]

Para: MAGALHÃES DE AZEREDO
*Fonte:* Manuscrito Original, Arquivo ABL.

Rio [de Janeiro], 16 de agosto de 1902.

Meu querido poeta e amigo,

Quando recebi a sua carta, e a proposta de ajuste para o nosso encontro, não pude ir à Prainha[1], porque tinha o espírito em condições tais que me não permitiam uma boa palestra. Agora posso dizer-lhe que estou mais sossegado, e quero finalmente vê-lo e falar-lhe. Para isso é preciso que me diga em que dia posso ir esperá-lo, onde e a hora. Irei à Prainha, segundo a proposta da sua carta. Em todo caso, preciso que a resposta me venha a tempo, sim? Adeus, até breve. O resto de boca.

Velho amigo admirador e grato

Machado de Assis.

1 ⁕ O largo da Prainha era o ponto de partida da viagem a Petrópolis. Ali, no trapiche Mauá, tomava-se a barca da Companhia de Navegação a Vapor e Estrada de Ferro de Petrópolis, para fazer a travessia de pouco mais de uma hora da baía da Guanabara em direção ao seu interior, até o porto de Mauá, na cidade Magé, de onde os passageiros se transferiam para o trem. O largo da Prainha desapareceu na remodelação que abriu a avenida Central, surgindo a praça Mauá. (SE)

## [665]

Para: JULIEN LANSAC
*Fonte*: Manuscrito Original, Arquivo ABL.

Rio [de] Janeiro, le 8 septembre 1902.

Mon cher monsieur Lansac,

En vous faisant remettre les premières feuilles d'impréssion de mon livre «Várias Histórias»[1], je dois vous avouer que la composition ne me semble pas convenable. L'édition Laemmert est de trois cents dix pages (310). Votre édition ne comptera plus de deux cents trente (230), c'est-à-dire que l'ouvrage aura l'aspect et la valeur d'un petit livre, ce qui fera du mal à la vente. Comparez une page de la première avec une autre de la vôtre: la ligne de celle-ci est plus longue, et chaque page compte 38 lignes; les pages de celle-là sont formées avec 34 lignes, et vous pourrez voir la différence de longueur. Outre cela, voyez la première page de chaque nouvelle; dans l'édition Laemmert, elle ne compte que 13 lignes, au lieu que dans l'édition Garnier elle va jusqu'à 20. Voyez déjà les six premières feuilles d'épreuves; la matière de 108 pages que je vous envoie occupe dans l'édition Laemmert 132 pages. Pour la vérification et la comparaison, vous trouverez ci-joints les deux premières pages de l'édition Laemmert.

Je vous prie, Monsieur Lansac, de transmettre ces considérations à Monsieur Garnier, qui en reconnaîtra la justesse, et comprendra la convenance d'ordonner quelque chose pour éviter à temps ce que je crois préjudiciable à notre affaire.

Dans trois ou quatre jours, je vous enverrai les autres feuilles d'impression.

Agréez mes sentiments d'estime et considération²

Machado de Assis³

---

1 ∾ Sobre a segunda edição de *Várias Histórias*, ver carta [646] a Hippolyte Garnier*. (IM)

2 ∾ Rascunho, com emendas e palavras riscadas. Foi mantida a grafia original; a carta definitiva, ainda não localizada, certamente teve as correções necessárias. Nesta, ficam mais que evidentes as exigências do autor quanto ao tratamento gráfico de sua obra, e mesmo um certo mau humor que jamais se revela na vasta correspondência. (IM)

3 ∾ TRADUÇÃO DA CARTA:

Rio de Janeiro, 8 de setembro de 1902. / Prezado Senhor Lansac. / Passando-lhe às mãos as primeiras provas tipográficas do meu livro "Várias histórias", devo confessar-lhe que sua composição não me parece conveniente. A edição Laemmert é de 310 páginas. A edição de V.S. não contará mais de 230, ou seja, a obra terá o aspecto e o valor de um pequeno livro, o que prejudicará a venda. Compare uma página da primeira com outra da segunda. A linha desta é mais longa, e cada página contém 38 linhas; as páginas daquela são formadas com 34 linhas, e V. S. poderá verificar a diferença de tamanho. Além disso, veja a primeira página de cada conto; na edição Laemmert, ela contém apenas 13 linhas, ao passo que na edição Garnier vai até 20. Veja as seis primeiras folhas de provas; as 108 páginas que lhe envio ocupam 132 na edição Laemmert. Para fins de comparação, anexo as duas primeiras páginas da edição Laemmert. / Peço-lhe, Senhor Lansac, que transmita essas considerações ao Senhor Garnier, que lhes reconhecerá a justiça, e compreenderá a conveniência de ordenar algo que evite a tempo o que julgo prejudicial a nossa transação. / Em três ou quatro dias, enviar-lhe-ei as outras folhas de provas. / Receba meus sentimentos de estima e consideração. / Machado de Assis. (SPR)

## [666]

| Para: JOAQUIM NABUCO.
| *Fonte*: Fundação Joaquim Nabuco. Fac-símile do manuscrito original.

Rio de Janeiro, 5 de outubro de 1902.

Meu caro Nabuco,

 Receba os meus pêsames pela perda de sua querida e veneranda mãe[1]. A filosofia acha razões de conformidade para estes lances da vida, mas a natureza há de sempre protestar contra a dura necessidade de perder tão caros entes. Felizmente, a digna finada viveu o tempo preciso para ver a glória do filho, depois da glória do esposo. Retirou-se deste mundo farta de dias e de consolações.

 Minha mulher reúne os seus aos meus pêsames.

O velho amigo<br>Machado de Assis

---

1 ∾ D. Ana Benigna de Sá Barreto Nabuco de Araújo. Nabuco (2006) deixa um lacônico registro no seu diário: "28 de setembro. Londres. Evelina dá-me a notícia da morte de minha Mãe." Mas, em 23/11/1902, consigna uma carta a Mme. Vidal: "Em todo tempo, a perda da mãe é um dos maiores pesares da vida; com a idade dela, porém, portanto na minha, o filho pode avaliar melhor toda a extensão da sua perda, o que era esse amor." Anos depois, ele escreve uma extensa nota sobre D. Ana Benigna e a inclui no diário. (IM)

## [667]

| Para: RODRIGO OCTAVIO
| *Fonte*: Cartão de Visita Original, Arquivo Particular.

[Rio de Janeiro,] 11 de outubro de 1902.[1]

Um abraço de boas-vindas<br>do<br>MACHADO DE ASSIS

18, Cosme Velho

---

1 ∾ Cumprimentos pelos 36 anos de Rodrigo Octavio, que voltara de uma temporada na Europa. (IM)

# [668]

Para: MAGALHÃES DE AZEREDO
*Fonte:* Manuscrito Original, Arquivo ABL.

Rio de Janeiro, 12 de outubro de 1902.

Meu caro poeta,

Agradeço-lhe o belo busto de Dante que me entregaram ontem no Garnier. Cá está na nossa salinha, não por enfeite, mas como um deus que é. Ao lado está aquela página que me mandou de Paris, folhas ou flores de cinco túmulos célebres do Père-Lachaise[1]. Mais longe um dos seus retratos pende da parede. De maneira que não entro aqui sem que os seus mimos me tragam a sua pessoa à memória.

Entre coisas que invejo neste mundo, figura o espírito que, ainda moço, pôde já tocar em mais de um ponto, lendo o passado onde ele ficou escrito, evocando o que foi, de mistura com o que é, costumes e paisagens, paços velhos e novos, aldeias e jardins, além das sepulturas de poetas, com a sua vegetação pia, que parece dizer os versos de cada morto. Tal é o seu caso, meu jovem amigo.

Agora que repousa, trabalha. O estudo que fez do Weingärtner e saiu no *Jornal do Comércio* dá uma ideia que suponho completa do pintor[2]. A parte da Itália pode ser lida sem os painéis. A destes está feita de modo que a descrição dá ideia clara do assunto, e isto basta para conhecer a originalidade do pintor. De tudo decorre um sentimento delicioso de arte para os que o trazem também. Vivi muitos anos vendo louvar muitas coisas, mas só entendendo algumas, naturalmente por faltar a vista íntima do resto. Seja como for, acho no seu estudo um guia certo e afetuoso, sem contar o estilo, que responde ao do artista.

O *Ave, Imperator!*[3] que é outra tentativa para variar a nossa métrica, tem movimento e cor, ainda que a forma se afaste do uso. A estrofe é talvez curta para os três metros que a compõem, mas depois das primeiras afeiçoa-se ao ouvido, e segue corrente como se a praticássemos desde muito.

Adeus, meu caro amigo; m*inh*a mulher recomenda-se-lhe, e nós ambos a toda a família.

Am*ig*o velho

Machado de Assis.

---

1 ✆ Há na correspondência do tomo III, o registro de ao menos duas dessas relíquias: Filinto Elísio e Alfred de Musset. Ver cartas [400] e [404]. (SE)

2 ✆ Sobre Weingärtner, ver nota 3, carta [407], tomo III. (SE)

3 ✆ *Ave, imperator, morituri te salutant!* – "Ave, imperador, os que vão morrer te saúdam!". A expressão apresenta uma variante: *Ave, Caesar, morituri te salutant!* – a mais citada pelos autores. Essa saudação era a forma como os gladiadores se dirigiam ao imperador Cláudio, por ocasião da batalha no lago de Fucino, em episódio narrado por Suetônio (*A vida de Cláudio*, 21), como também por Díon Cássio (60, 33, 4). No caso de Machado, ela foi historicamente descontextualizada, para ser aplicada em seu valor de alta saudação pelo mérito da luta, no caso a versificação, questão teórica que vinha mobilizando escritores e críticos. (SE)

## [669]

De: MAGALHÃES DE AZEREDO
*Fonte*: Manuscrito Original, Arquivo ABL.

Petrópolis, 21 de outubro de 1902.

Praça da Liberdade

Querido Mestre e Amigo,

Estimei lhe fosse grata a imagem de Dante, que lhe trouxe por saber *il lungo studio e il grande amore*[1], com que tem prezado
  *la bella scuola*
  *Di quel signor dell'altissimo canto,*
  *Che sovra gli altri, com'aquila, vola*[2], conforme ele diz de Virgílio, e nós podemos dizer dele.

Eu queria levar-lhe o pequeno busto à Secretaria, mas, como sempre me sucede no Rio, o tempo me correu tão rápido que à hora da barca apenas pude, às pressas, chegar até ao Garnier[3] para deixá-lo. Dias depois também contava ir vê-lo e já me dirigia para o largo do Paço[4], quando começou uma chuva tão violenta e desesperada, que, levando eu bengala e não havendo por ali um tílburi[5] a mão, tive de asilar-me no escritório de um amigo, na rua da Quitanda.

Descerei se Deus quiser, quinta-feira, e espero me será possível ir ao seu Ministério abraçá-lo.

Diz com razão que o meu repouso é trabalho; já não sei quase descansar de outro modo. É um bem ou um mal? Às vezes invejo os que sabem gozar largos ócios em uma inércia absoluta do pensamento. Não serão mais verdadeiramente filósofos que eu? Mas enfim a justificação decisiva do meu trabalho não é a sua utilidade, contestável acaso, mas o ser-me muito deleitoso: porque não me hei de entregar ao que mais me atrai e encanta?

Depois do meu ensaio sobre o Weingärtner[6] escrevi outro sobre o Bernardelli escultor[7]; já o tenho pronto há muitos dias, mas ainda o não dei ao *Jornal* porque preciso de verificar exatamente certos pormenores em obras daquele artista. Antes desse artigo aparecerá outro, que já mandei para a redação, sobre uma originalíssima poetisa italiana, completamente desconhecida entre nós, que se chama Annie Vivanti[8]. Creio que lhe interessará muito; está cheio de citações de versos dela.

Vejo com prazer que lhe agradou a minha ode a Abdul Hamid[9], apesar da forma insólita. Aquilo é uma *adaptação* da ode alcaica dos latinos[10]. Os italianos em geral a terminam em um verso de 8 sílabas, assim:

Pace, o cruenti cuori, o magnanime
Ombre! E tu, vinto leone, o esule
duro! la pertinace
cervice e tu piega. Odi in pace."[11]

(Ode a Krüger, de Adolfo de Bosis[12], poeta italiano verdadeiramente grande, de quem aqui se ignora o próprio nome).

Pareceu-me que um decassílabo fecharia a estrofe com mais amplidão; não acha?

Muitos projetos literários trazia eu em mente; mas os tempos correm maus, nunca, desde que me conheço, vi o Brasil tão triste, lamentoso, desnorteado.

É preciso ter coragem, agora, para falar aqui de poesia e de arte. Mas essa coragem, nós *a devemos ter*. O ideal não é só arauto de triunfos e companheiro de prosperidades; é também criador e redentor; e se o presente não o entende, entendê-lo-á o futuro.

Invoquemos a *Musa Consolatrix*[13].

Quando poderei eu ser recebido na Academia? e quem me receberá?[14] Como eu lhe disse, desejo esperar até que chegue o meu novo livro, mas este não pode tardar. Com os elementos que tenho mais ou menos classificados, não preciso mais de duas semanas para escrever o meu discurso.

Aceite para si e sua *Excelentíssi*ma Senhora cumprimentos nossos.

Seu afetuosamente dedicado

Azeredo

---

1 ∾ O longo estudo e o grande amor. – Dante, Inferno, I, 83. (SPR)

2 ∾ "A bela escola / Daquele senhor de altíssimo canto, / Que sobre os outros, como a águia voa." – Dante, Inferno, IV, 94-96. (SPR)

3 ∾ O novo prédio da livraria Garnier no n.º 71 da rua do Ouvidor (àquela altura, Moreira César) havia se transformado em ponto de encontro do grupo de escritores e intelectuais que gravitavam em torno de Machado de Assis. Todos os dias, depois de sair da secretaria do ministério por volta das 15 horas, Machado ia até lá encontrar-se com seus pares para um dedo de prosa, para saber das novidades e também espairecer. (SE)

4 ∾ É interessante observar a persistência no uso da nomenclatura antiga – largo do Paço, para se referir à praça Quinze de Novembro, que já tinha esse nome havia treze anos. O Ministério da Indústria, Viação e Obras Públicas situava-se atrás da Câmara Estadual (palácio Tiradentes). O prédio do ministério foi demolido em 1935, sendo construído no seu terreno um anexo à Câmara. (SE)

5 ∾ O tílburi é um carro de duas rodas e dois assentos, puxado por um só animal, usado no Rio de Janeiro do século XIX e início do XX, como carro de praça para o transporte de passageiros, mediante pagamento. (SE)

6 ∾ Sobre o pintor Weingärtner, ver nota 3, carta [407], tomo III. (SE)

7 ∾ O escultor Rodolfo Bernardelli*, também diretor da Escola de Belas-Artes. (SE)

8 ∾ Em Carmelo Virgillo (1969) o nome de Annie Vivanti (1866-1942) aparece como Amica Vivanti. Nascida na Itália, a escritora desde muito cedo transitou por universos linguísticos distintos, vivendo entre a Inglaterra, a Suíça, os Estados Unidos e o seu país de origem. Mulher de grande beleza e de boa educação, aos 24 anos, estreou na poesia italiana com o livro *Lírica* (1890), prefaciado pelo famoso poeta e já cinquentão Carducci (1835-1907), com quem teve um romance bastante escandaloso, já que ele era casado. O livro foi um grande sucesso. Em 1892, casou com o irlandês John Chartres e viveu por cerca de 20 anos entre a Inglaterra e os Estados Unidos. Neste período, escreveu em língua inglesa, dedicando-se aos contos. Depois de 1897, passou a escrever também romances e peças para teatro, mas não teve o mesmo sucesso de antes. (SE)

9 ∾ Nascido em Constantinopla, hoje Istambul, o Sultão Abd-ul-Hamid (1842--1918) administrou o período de declínio, tanto no que diz respeito ao poder quanto à extensão territorial do Império Otomano. Subiu ao trono em setembro1876, após a deposição de seu irmão Murat V em agosto. Em 1908, foi deposto pela Revolução dos Jovens Turcos e sucedido por Mehmed V. (SE)

10 ∾ A ode alcaica utiliza uma forma de métrica e um gênero de estrofe cuja invenção foi atribuída a Alceu e que foi imitada por Horácio. (SPR)

11 ∾ Tradução gentilmente feita pelo poeta Marco Lucchesi: "Paz, ó corações ferozes, ó magnânimas / sombras! / E tu, leão vencido, ó exilado / forte! Dobra / a cerviz obstinada. Ouve em paz." (SE)

12 ∾ Poeta italiano nascido em 1863 e falecido em 1924. (SPR)

13 ∾ Em vários momentos de sua correspondência, Machado de Assis referiu-se à arte como o único lenitivo eficiente contra as dores e decepções do artista. Azeredo está fazendo uma alusão cifrada às suas recentes leituras, pois algum tempo antes havia recebido as *Poesias Completas* (1901), em cujo primeiro livro – *Crisálidas*, de 1864, "Musa Consolatrix" figura como poema de abertura. Ei-lo:

> "Que a mão do tempo e o hálito dos homens / Murchem a flor das ilusões da vida, / Musa consoladora, / É no teu seio amigo e sossegado / Que o poeta respira o suave sono. // Não há, não há contigo, / Nem dor aguda, nem sombrios ermos; / Da tua voz os namorados cantos / Enchem, povoam tudo / Da íntima paz de vida e de conforto. // Ante esta voz que as dores adormece, / E muda o agudo espinho em flor cheirosa, / Que vales tu, desilusão dos homens? / Tu que

podes, ó tempo? / A alma triste do poeta sobrenada / À enchente das angústias, / E, afrontando o rugido da tormenta, / Passa cantando, alcíone divina. // Musa consoladora, / Quando da minha fronte da mancebo / A última ilusão cair, bem como / Folha amarela e seca / Que ao chão atira a viração do outono, / Ah! No teu seio amigo / Acolhe-me, — e haverá minha alma aflita, / Em vez de algumas ilusões que teve, / A paz, o último bem, último e puro!" (SE)

14 ∞ Azeredo acabou não sendo recebido na Academia. Ver nota 4, carta [675], de 08/12/1902 e carta [677], de 26/12/1902. (SE)

[670]

De: MÁRIO DE ALENCAR
*Fonte*: Manuscrito Original, Arquivo ABL.

MINISTÉRIO DA JUSTIÇA E NEGÓCIOS INTERIORES[1]

Gabinete, em 18 de novembro de 1902.

Ilustre Amigo *Senho*r Machado de Assis

Felicito a Secretaria da Indústria pela volta do seu antigo diretor[2]. A este não sei se devo dar parabéns, mas em todo caso aproveito o ensejo para mandar-lhe um abraço. Mando-lhe também, não como presente, que o não pode ser, mas como lembrança do obsessivo amigo, um livrinho de versos que hoje saiu pela I.ª vez da casa do editor[3]. Autor e editor merecem compaixão; e é somente compaixão que eu espero do meu ilustre amigo, que é bom e há de perdoar este meu novo pecado. Guarde o livrinho como lembrança, e para isso nem precisa pôr olhos mais que na capa. O que está impresso à maneira de versos, nada lerá para não desdenhar do presente e talvez querer mal a quem lhe quer tanto bem.

Abraço-o e peço-lhe que se não esqueça

do seu

Mário de Alencar

1 ∞ Antes de 15/11/1902, Mário de Alencar era um modesto funcionário do Departamento Nacional de Ensino subordinado ao Ministério da Justiça e Negócios Interiores. Com a entrada do governo Rodrigues Alves (1902-1906), o novo ministro da pasta, o baiano José Joaquim Seabra*, que fora líder do governo Campos Sales na Câmara dos Deputados, nomeou Alencar como seu oficial de gabinete. Havia, portanto, três dias que mudara de cargo. (SE)

2 ∞ Machado estava afastado da diretoria-geral do Ministério da Indústria, Viação e Obras Públicas desde 1898. Ver nota 1, carta [671], de 20/11/1902. Ver também Ubiratan Machado (2008). (SE)

3 ∞ *Versos* (H. Garnier, 1902). (SE)

[671]

Para: MARIO DE ALENCAR
*Fonte:* COUTINHO, Eduardo; OLIVEIRA, Teresa Cristina Meireles de. *Empréstimo de Ouro*. Rio de Janeiro: Ouro Sobre Azul, 2009. Fac-símile do manuscrito original.

Rio [de Janeiro], 20 de novembro de 1902.

Meu caro Mário,

Muito obrigado pelas suas felicitações à Secretaria[1]; é um modo delicado de achar em mim qualidades que, a existirem, a idade as terá levado ou diminuído. Quanto ao abraço, cá fica em prova de amizade. Também fica o livro de versos, presente e lembrança, cuja primeira página acabo de ler e é a melhor porta que podia dar ao edifício: adivinhei a pessoa que a inspirou e saboreei o sentimento que exprime. Também adivinho que o livro corresponderá à carta em que a valia do dizer se forra de tão doce modéstia. Vou lê-lo como merece o seu talento. Ainda uma vez obrigado. Aceite um abraço do

Velho amigo

Machado de Assis

I ∾ Por ato do ministro Sebastião de Lacerda, publicado no *Diário Oficial* de 03/01/1898, exigindo especificações técnicas para as chefias de seção e diretoria, dez funcionários foram afastados (uns aditados, outros demitidos). Por ter mais de dez anos de serviço, Machado foi considerado adido e destituído da Diretoria-Geral da Secretaria, o que foi para ele um duríssimo golpe. Logo que soube pelo *Jornal do Comércio*, Mário escreveu-lhe uma carta indignada e muito afetiva, ([413], tomo III) a que o escritor bastante tocado apressou-se em responder no mesmo dia [414]. Em novembro de 1898, Machado foi nomeado pelo ministro Severino Vieira seu secretário, função que exerceu até 15/11/1902, quando o ministro Lauro Müller*, do governo Rodrigues Alves, o reconduziu à diretoria-geral. Segundo Magalhães Júnior (2008), foi a partir deste momento que os dois reataram a correspondência interrompida havia alguns anos. Eles retomam o contato quando em [670] Mário lhe escreve, assinalando ainda a injustiça pretérita, mas parabenizando-o pela vitória. (SE)

## [672]

Para: BARÃO DO RIO BRANCO
*Fonte:* Telegrama Original. Arquivo Histórico do Itamaraty.

[Rio de Janeiro, 1.º de dezembro de 1902.]¹

Barão do Rio Branco [,] Petrópolis

Academia Brasileira dá as boas-vindas ao seu egrégio membro Rio Branco².

Machado de Assis

Presidente

*Resp[ondi]*.³

---

1 ∾ Data do carimbo da Estação de Petrópolis. (IM)

2 ∾ Neste dia, Rio Branco foi recebido triunfalmente, depois de passar longos anos fora do Brasil: desembarcava para assumir o cargo de ministro das Relações Exteriores, que conservou até sua morte, em 1912. (IM)

3 ∾ Anotação de Rio Branco. (IM)

# [673]

De: MAGALHÃES DE AZEREDO
*Fonte:* Manuscrito Original, Arquivo ABL.

Petrópolis, 5 de dezembro 1902.
Praça da Liberdade

Meu querido Mestre e Amigo,

Reuniu-se enfim ontem a nossa Academia, e designaram data para a minha recepção?[1] Eu quis ir, mas não pude, e hoje também tive de ficar aqui tolhido como estou por nevralgias ou reumatismos que me assaltam nestas alturas com desesperadora frequência. Este clima realmente não vai bem com o meu organismo; é demasiado variável e úmido. Mas já agora pouco mais me demorarei cá.

Vai começando para o meu novo livro a *Via Crucis* das injustiças e incompreensões que neste Brasil cabem como sorte comum a quase todos os autores. Viu ontem a *Crônica Literária* do Medeiros e Albuquerque[2]? Pode haver crítica mais estúpida na sua banal e mole benevolência? É triste que um espírito fino e culto como ele, pela precipitação com que lê os nossos livros e escreve as suas impressões, descambe em artiguinhos tão ocos e vulgares, mais de repórter que de crítico. Essas leviandades e inconsciências dos competentes é que doem mais fundo aos escritores que trabalham com sinceridade e perseverança...

A *Gazeta* também não deu notícia alguma sobre a obra, nem a acusou recebida. Falou com a gente de lá?

Vou-lhe pedir um favor: desejo que escreva em poucas linhas o que do meu livro me disse na Secretaria há dias, ou em forma de notícia não assinada para a *Gazeta*[3] (como fez em relação à minha ode a Portugal) ou então em carta que eu possa publicar no *Jornal*. Não é um artigo, mesmo pequeno, o que desejo: apenas um resumo do seu juízo que me deu em conversa, condensado em meia folha de papel, para que ao menos se veja que alguém compreendeu que neste livro eu quis, tentei unir o pensamento à emoção.

Quando vem cá? pena é que não seja amanhã para assistir à festa que se oferece ao Rio Branco[4].

Abraça-o o seu sempre dedicado

Azeredo

---

1 ∾ Na sede da secretaria da Academia, na rua da Quitanda 47 (escritório do acadêmico Rodrigo Octavio*), na presença de sete membros da instituição, o presidente Machado de Assis comunicou a intenção de Magalhães de Azeredo de ser recebido solenemente, ocasião em que faria o elogio do patrono da Cadeira 9. Raimundo Correia foi designado a lhe responder o discurso, e a data deveria ser ajustada pelo 1.º secretário e Azeredo. (SE)

2 ∾ Medeiros e Albuquerque (1867-1934) escrevia a sua "Crônica Literária", sob o pseudônimo de J. Santos, no jornal *A Notícia*. (SE)

3 ∾ Machado mais uma vez atendeu ao pedido escrevendo um artigo sem assinatura na *Gazeta de Notícias*, tratando não somente de *Horas Sagradas*, de Magalhães de Azeredo, mas também do livro *Versos*, de Mário Alencar. (SE)

4 ∾ O barão do Rio Branco havia chegado ao Rio de Janeiro em 1.º de dezembro, em meio a grandes festejos por suas vitórias na diplomacia, ver em [672]. No mesmo dia subiu a Petrópolis, hospedando-se com a filha Hortência na pensão Central. No dia 3 de dezembro, tomou posse no Ministério das Relações Exteriores. Em Petrópolis, o novo ministro será alvo de grandes homenagens. A festa a que Azeredo faz referência e da qual participará ativamente acontecerá no dia 7, no Clube de Xadrez. Sobre ela, ver nota 5, carta [675], de 08/12/1902. (SE)

[674]

De: MÁRIO DE ALENCAR
*Fonte:* Manuscrito Original, Arquivo ABL.

Rio [de Janeiro], 7 de dezembro de 1902.

Meu ilustre amigo Senhor Machado de Assis

Muito e muito obrigado pelo seu artigo[1]. Adivinhei o autor, se se pode dizer — adivinhar — o distinguir a luz do sol da dos outros astros pequenos, que só brilham de noite. Acredito que apesar do anônimo ninguém deixará de ler no seu fecho daquelas generosas e formosas linhas o nome querido e a admirado, que, se ali não saiu em letra de forma, cá ficou reimpresso no coração do seu sincero e obscuro amigo. O mesmo lhe dirá, em expressões melhor, o nosso Magalhães de Azeredo[2], ao qual o *Senhor* com delicada complacência quis juntar o meu nome para dar-me um pouco do que ele tem de abundante.

Os seus conselhos são ordens que me lisonjeiam e me impõem grande responsabilidade. Hei de trabalhar para ser digno da sua bondade. Contra o entorpecimento terei como defesa e incentivo a sua palavra amiga, que jamais se apagará do meu espírito.

Seu admirador e amigo
Mário de Alencar

---

1 ◈ O livro *Versos*, publicado em 1902, por Mário de Alencar, fora mal recebido pela crítica. Machado de Assis tentou consolar seu jovem amigo, elogiando o livro em artigo anônimo publicado na *Gazeta de Notícias*. (SPR)

2 ◈ Na carta [673], Magalhães de Azeredo, aborrecido com a pouca repercussão das *Horas Sagradas*, havia solicitado que Machado escrevesse "em poucas linhas o que do meu livro me disse na Secretaria há dias, ou em forma de notícia não assinada para a Gazeta". Ver também carta [676], de 11/12/1902. (SE)

---

[675]

Para: MAGALHÃES DE AZEREDO
*Fonte*: Manuscrito Original, Arquivo ABL.

Rio [de Janeiro], 8 de dezembro 1902.

Meu querido amigo,

Recebi a sua carta e dou-me pressa em lhe dizer que a Academia se reuniu e tratou da recepção, mas não ficou assentado o dia. O que implicitamente se resolveu é que será este mês. O Rodrigo Octavio ficou de escrever ao Raimundo Correia[1]. Não obst*ante*, acabo de o fazer também, hoje, e espero que nos responda com prontidão[2]. É claro que o dia deve de ser dentro do mês e antes de 28[3]. Poderemos contar com ele? O Veríssimo, que ficou de ir a Petrópolis, ontem, há de ter-lhe contado o que se passou. A questão da hora (dia ou noite) é que não pode ser resolvida a seu gosto; assentou-se que de noite[4].

Também eu quis ir ontem a Petrópolis[5], mas não pôde ser, a meu pesar; espero fazê-lo domingo. Se for, avisarei.

A *Gazeta de Notícias* falou ontem do aparecimento das *Horas sagradas*, e ao mesmo tempo dos *Versos* do Mário. Se leu a notícia e imaginou que as escrevi, acertou. Procurei justamente condensar o que lhe disse, e já estava feita antes de ler a carta, que chegou às minhas mãos sábado à noite; não lhe mandei logo esta resposta, por não ter à mão caixa de correio. Eu mesmo a levarei hoje, para que suba à tarde. Não lhe falo dos erros tipográficos: *branca, mão firme* e *pensativo*, em vez de *pensativa*; não admitiram que a mão pensasse; um *Horácio* em vez de *Boccaccio*, e outros, sem contar certo ponto final onde não cabia nem vírgula. Também não falo da diversidade dos tipos com que transcreveram alguns versos, quando deviam ser todos do mesmo e miúdo. Enfim...

A notícia foi ligeira, mas não há boa vontade que supra o tempo. Já lhe dei as minhas razões de momento; lembro-me que as aceitou. Nem tempo nem talento lhe faltaram para escrever o belo artigo sobre o Mário, que o deve ter lisonjeado e animado bem. Antes dele, vi o daquela Sada Yacco[6], em que, a propósito da atriz japonesa, nos conta as maravilhas do Oriente e a arte daquelas terras, donde deve estar vindo o nosso Oliveira Lima. Quanto à própria atriz, faz com que a vejamos com os seus talentos e costumes, dando-nos o gesto e a vida, como um encanto novo e original. Gosto de vê-lo ir a todas as inspirações, e falar de arte, depois de a cantar também, unindo ambos os modos de a amar e sentir.

Releve que finde aqui mesmo. Completarei o papel outra vez, ou quando nos virmos. Não estou certo do domingo próximo, mas vou fazer com que possa ser, para visitar do mesmo lance o nosso Rio Branco. Desculpe o desalinho e abrace o

Velho am*ig*o e admirador

Machado de Assis

---

1 ∾ Raimundo Correia* estava morando em Petrópolis. Voltara ao país em 1898 depois que o ministro Assis Brasil, com quem servia em Portugal, foi removido aos Estados Unidos, em substituição a Salvador de Mendonça*. O lugar que ocupava como 1.º secretário da legação foi então suprimido. Em 1899, mudou-se para a cidade serrana, a fim de assumir a vaga de professor de história no recém-criado Ginásio Fluminense, projeto do presidente do estado Alberto Torres (1897-1900), que visava dotar a então capital de um colégio nos moldes do Ginásio Nacional. Em 04/08/1902, no entanto, o presidente do estado Quintino Bocaiúva* (1900-1903) sancionou a lei n.º 542 que declarou Niterói outra vez capital. Raimundo Correia deixou Petrópolis em fins de 1902. (SE)

2 ∾ Carta ainda não localizada. (SE)

3 ∾ Possivelmente data de encerramento do ano acadêmico. (SE)

4 ∾ Parece que foi esta decisão – o evento ser noturno em lugar de diurno – que impediu Azeredo de ser solenemente recebido na Academia. Sobre as suas alegações, ver nota 3, carta [677], de 26/12/1902. (SE)

5 ∾ No dia 7 de dezembro, aconteceu uma grande *soirée* musical e literária no Clube de Xadrez de Petrópolis, em honra ao barão do Rio Branco*, que havia dentre tantas vitórias acabado de assumir a pasta das Relações Exteriores. A festa começou às 21h e terminou depois da 1h 30m. A primeira parte abriu com um concerto do violoncelista Benno Niederberger executando um *Noturno* de Chopin e terminou com Magalhães de Azeredo cantando um trecho de Grieg, *La princesse*, e depois uma ária da ópera *Íris*, de Mascagni. Na segunda parte, Osório Duque-Estrada* recitou poemas de sua autoria saudando o barão. O professor de música Carlos de Carvalho tocou 3 peças de Alberto Nepomuceno: *Chácara, Soneto* e *Amo-te muito*. O violinista Edgar Guerra executou de sua autoria *Berceuse* e de Henryk Wieniawski (1835-1880), *Airs Russes*. Magalhães de Azeredo voltou a apresentar-se com Carlos Carvalho no dueto *Don Juan*, de Mozart. Por fim, Alberto e Walborg Nepomuceno tocaram o *Concerto para 2 pianos*, de Grieg. Azeredo encerrou a récita lendo um poema seu em homenagem ao ministro Rio Branco. A partir desse momento, abriram-se os salões ao baile. Participante ativo do evento, Azeredo ficou decepcionado com a ausência de Machado. (SE)

6 ∾ Atriz e dançarina japonesa (1871-1946). (SPR)

## [676]

Para: MÁRIO DE ALENCAR
*Fonte*: MACHADO DE ASSIS, Joaquim Maria.
*Obra Completa*. Rio de Janeiro: Nova Aguilar, 2008

Rio de Janeiro, 11 de dezembro de 1902.

Meu querido Mário.

Cá recebi a sua carta, e vejo que adivinhou a autoria da notícia da *Gazeta*[1]. Sim, é minha; disse em poucas palavras o que sinto dos *Versos* e do autor. Juntando o seu nome ao de Magalhães de Azeredo, compreendo bem que seria agradável a ambos.

Estimo que as animações que ali pus achem no seu espírito culto e fino o necessário efeito, e folgo de haver acertado. Tem a idade, tem os estímulos, e destes, além dos que lhe podem dar os vivos, contará sempre o do nosso grande morto[2]. Tem já o respeito da arte, que é muito.

Adeus, até à primeira.

Amigo velho,

Machado de Assis,

---

1 ∞ Artigo publicado sem assinatura na *Gazeta de Notícias* de 07/12/1902, tratando dos livros *Horas Sagradas*, de Magalhães de Azeredo* e *Versos*, de Mário de Alencar. Como os dois poetas eram grandes amigos, com personalidades muito próximas e visão do fazer poético com muitos pontos de contato, Machado os reuniu no artigo comentando as semelhanças e a singularidade de cada um. (SE)

2 ∞ Referência a José de Alencar*, pai de Mário e grande influência espiritual e literária de Machado, sendo inclusive escolhido para patrono da Cadeira 23. Sobre a relação de Machado com José de Alencar, ver cartas [74] e [75], tomo I. (SE)

# [677]

De: MAGALHÃES DE AZEREDO
*Fonte:* Manuscrito Original, Arquivo ABL.

Petrópolis, 26 de dezembro de 1902.

Praça da Liberdade

Meu querido Mestre e Amigo,

 Não lhe escrevo há muito, e deve tê-lo estranhado; mas não pode ter imaginado que houvesse aí culpa minha. As razões da falta são duas: excesso de trabalho e deficiência de saúde. Já me não estou dando bem com esta longa permanência na montanha; sou anêmico e nervoso, não resisto por muito tempo a estas altitudes. As umidades de Petrópolis enchem-me de reumatismos; a exuberância de eletricidade no ar e a frequência das tempestades desequilibram-me todo o organismo. Sinto-me continuamente fatigado, muitas vezes como tonto, com a cabeça oca, os braços descaem-me como se vergassem a um grande peso; só pela força raramente vencida da vontade consigo estudar e trabalhar. Enfim, estou precisando de uma viagem por mar e de uma cidade plana onde residir; creio que não tardarei muito a obter uma e outra coisa[1].

 Que decepção nos causou naquele sábado[2]! Ora, deixar de vir, e adiar a excursão indefinidamente! E o pior é ter sido por incômodo de sua Senhora. Mas afinal creio que a tosse já lhe terá passado, e o ar de Petrópolis não lhe pode ser senão útil. Vamos, decidam-se a aparecer por aqui. Nesse dia Petrópolis tomará um aspecto ainda mais festivo do que já tem; não se arrependerão da viagem.

 A minha recepção na Academia é que me está parecendo agora incerta. De dia, está claro, a sessão é impossível; o próprio excesso do calor o impede. De noite, poderei ir? Por mim não sou medroso, mas minha Família, como facilmente compreenderá, não pensa do mesmo modo. E tantas advertências tenho ouvido, de médicos especialmente, que me sinto abalado. Eles dizem que dormir na Tijuca ou em Santa Teresa nada adianta, desde que tenho de ficar na cidade até as 10 ou 11 da noite; o perigo é o mesmo, e grande³. Enfim, estou ainda indeciso, e vou adiantando o discurso. Veremos o que se fará.

Adeus, meu querido Mestre e Amigo, anteontem aí estive, e não pude ir vê-lo! Aceite nossas afetuosas recomendações para si e a Excelentíssima Senhora.

Abraça-o o seu deveras,

Azeredo

---

1 ∾ Azeredo embarcará de volta à Itália em 27 de janeiro de 1903, pelo vapor *Brésil*. Sobre a viagem, ver cartas [684], de 20/01/1903 e [686], de 05/02/1903. (SE)

2 ∾ A concorridíssima festa do Clube de Xadrez (ver em [675]) foi um grande acontecimento social em Petrópolis, no qual Azeredo apresentou-se cantando e recitando. A ausência de seu querido mestre Machado de Assis sem dúvida deixou-o muito decepcionado. (SE)

3 ∾ Sempre o temor à febre amarela, que de fato havia tempos grassava na cidade do Rio. No ano seguinte – 1903 – Oswaldo Cruz (1872-1917) foi nomeado diretor-geral da Saúde Pública do Distrito Federal, pelo ministro da Justiça e Negócios Interiores J. J. Seabra*. Oswaldo Cruz iniciou então a campanha de erradicação da febre amarela e da varíola na cidade. Tomou medidas de combate, tornando obrigatória a vacinação, o que, em meio a toda sorte de boatos, provocou a Revolta da Escola Militar e a Revolta da Vacina. Sobre este último episódio, consultar José Murilo Carvalho (1987). (SE)

[678]

De: MÁRIO DE ALENCAR
*Fonte*: Cartão-Postal Original, Arquivo ABL.

[Capital Federal,] 27 de dezembro de 1902¹.

Boas-festas de
Helena e Mário de Alencar

Excelentíssimo Senhor Machado de Assis e Excelentíssima Senhora
Cosme Velho
Laranjeiras

1 ∾ Datação obtida a partir do carimbo de postagem no verso do cartão-postal, cujo anverso reproduz uma imagem litográfica do templo romano de Vesta, (Héstia, em grego), a deusa do lar. (SE)

## [679]

De: JOSÉ VERÍSSIMO
*Fonte:* Manuscrito Original, Arquivo ABL.

[Rio de Janeiro,] 31 de dezembro de 1902.

Meu caro Machado,

O meu José vai levar-lhe os meus e seus cumprimentos de boas-festas e pedir-lhe as dele na renovação do seu passe na Estrada Central, que termina hoje.

Está claro, nem admite hesitação, que *você* só lhas dará se o puder fazer sem o mínimo vexame.

Até logo, e creia-me sempre o seu

José Veríssimo

## [680]

Para: MÁRIO DE ALENCAR
*Fonte: Catálogo da Exposição Machado de Assis, 1839-1939.* Rio de Janeiro, 1939. Fundação Biblioteca Nacional.

[Rio de Janeiro,] 3 de janeiro de 1903.

Meu querido Mário,

Isto é que é entrar bem um ano-novo[1]. Receba de cá um abraço apertado pela promoção, e se chegar (creio que sobra) divida-o com toda a família.

Velho amigo

Machado de Assis

I ∾ Mário havia sido promovido a oficial de gabinete do ministro J. J. Seabra* em 15/11/1902. Essa proximidade com o novo titular do ministério será de grande valia aos interesses da Academia, pois a sua diligência e a boa vontade do ministro permitiram encontrar um pouso adequado para a instituição. (SE)

## [681]

De: MÁRIO DE ALENCAR
*Fonte*: Manuscrito Original, Arquivo ABL.

Rio [de Janeiro], 5 de janeiro de 1903.

Meu querido amigo Senhor Machado de Assis

Boas-festas em verdade. Mas não menos boas, senão ótimas o querido abraço que me valeu a promoção. Gozei-o, reparti-o pelos meus e ainda me sobrou bastante para não o esquecer nunca mais. Tão grande como o seu coração. Muito e muito obrigado.

Seu sincero amigo.

Mário de Alencar

## [682]

Para: MAGALHÃES DE AZEREDO
*Fonte*: Manuscrito Original, Arquivo ABL.

Rio [de Janeiro], 8 de janeiro de 1903.

Meu querido amigo,

Também eu demorei a resposta. É que, apesar de tudo, esperava dar-lha em pessoa, forçando a mão aos acontecimentos; eles puderam mais, e aqui estou obrigado a começar a resposta pela desculpa[1]. Creio que esta já estará aceita, e pode ser que com a mesma abundância de coração com que costuma fazê-lo. Tudo se perdoa aos amigos. Não sei se chegarei a sair daqui; mas, se sair, não irei a Petrópolis, será à outra parte[2].

Sinto muito os incômodos que o trazem tão acabrunhado, e ainda mais que precise de uma viagem por mar e de uma cidade plana. A viagem teria de a fazer, é claro; mas que as condições do organismo o obriguem a isso é que é mau.

Não menos sinto que não possamos ter a sua recepção na Academia; deixe-me, todavia, esperar que ainda vença os obstáculos, não por modo que se prejudique ou arrisque, e nos dê uma sessão deliciosa. Em todo caso, folgo muito que vá caminhando no discurso; ficará escrito.

Soube efetivamente que esteve cá, há dias, e creio que sentisse não poder ver-me, segundo me escreve. O espetáculo não seria interessante, bem sei; ando muito cansado e muito velho. Como a sua amizade, porém, se acostumou a ver-me com os seus bons olhos, pode ser que a ruína fosse menor ou parecesse tal. Aceite as nossas afetuosas recomendações para a sua *Excelentíssi*ma Família, e para si um abraço do

Velho amigo

Machado de Assis

---

1 ❧ Resposta de Machado à carta [677], em que Azeredo manifestou claramente a sua decepção pela ausência de Machado na festa em homenagem ao ministro Rio Branco*, no Clube de Xadrez, em Petrópolis. (SE)

2 ❧ Comentário breve mas revelador do estado de espírito de Machado. (SE)

## [683]

De: OLIVEIRA LIMA
Fonte: Manuscrito Original, Arquivo ABL.

Tóquio, 16 de janeiro de 1903.

Excelentíssimo Senhor Doutor Machado de Assis
Mui Digno Presidente da Academia Brasileira de Letras, Rio de Janeiro

Em obediência ao nosso regulamento, tenho a honra de solicitar a permissão da Academia para mencionar a minha qualidade de membro no volume que vai agora entrar no prelo sob o título: "No Japão, Impressões da terra e da gente"[1].

Rogaria à Vossa Excelência o obséquio de enviar sua resposta para a Legação do Brasil, Madri, onde me demorarei para corrigir as provas do referido trabalho, na hipótese da minha próxima partida do Japão, em vista da recente promoção[2]. Agradecendo a Vossa Excelência de antemão, desejo-lhe a melhor saúde, e subscrevo-me com particular amizade e subida consideração

De Vossa Excelência

atento Venerador, admirador e Confrade obrigado

M. de Oliveira Lima

---

1 ∞ No Japão – Impressões da Terra e da Gente foi primorosamente editado por Laemmert & C. (1903). Em substancial prefácio, Oliveira Lima, ainda à frente da legação brasileira em Tóquio, afirma que o que sobretudo o instigou a publicar as impressões do distante império nipônico fora o fato de se supor "o primeiro brasileiro que as coligiu e redigiu para oferecê-las aos seus compatriotas". Não faltaram aplausos à obra composta pelo historiador e diplomata, com argúcia, precisão e profundidade. (IM)

2 ∞ Lima deixara Londres para servir na capital japonesa e almejava um novo posto na Europa. Mas, promovido a enviado especial e ministro plenipotenciário, teria como destino o Peru, onde Rio Branco*, já chanceler, precisava de um representante para resolver questões de fronteiras ainda pendentes no andamento da questão do Acre. Oliveira Lima demorou-se em Madri, fato que desencadearia atritos com o chanceler. Finalmente no Rio de Janeiro, foi recebido em sessão solene da Academia por Salvador

de Mendonça\* em julho de 1903. Nesse período, desferiu críticas ao barão do Rio Branco, postura que manteria em textos posteriores, especialmente no livro *Coisas Diplomáticas* (1908) e nas suas *Memórias* (1937, edição póstuma). Acabaria assumindo a legação em Caracas (1905), ver [806] de 17/12/1904. (IM)

[684]

De: MAGALHÃES AZEREDO
*Fonte*: Manuscrito Original, Arquivo ABL.

Petrópolis, 20 de janeiro de 1903.
Praça da Liberdade

Querido Mestre e Amigo,

Ainda não pude responder à sua última carta! E agora, ando tão atarefado e com tanta pressa, que apenas lhe posso mandar poucas linhas. Imagine que partimos para Roma, se Deus quiser, pelo vapor *Brésil* daqui a uma semana[1]. Estou absorto completamente pelos preparativos da viagem. Veja como ainda nisso fomos felizes, e quão útil me saiu esta visita à pátria! Voltamos para Roma, terra dos nossos sonhos. Devo esta mercê singular à grande bondade e ao espírito esclarecido do Barão do Rio Branco, homem capaz de compreender que a Secretaria do Exterior não deve ser uma simples fábrica de burocratas, e que o Governo deve, quando as circunstâncias o permitem, favorecer os interesses intelectuais e morais dos seus funcionários[2]. Mas além do Barão, só achei no Brasil pessoas bem dispostas para comigo, em todas encontrei a melhor vontade de me satisfazer, e em algumas atos positivos de gentileza e simpatia. Como não recordar sempre, por exemplo, a afetuosa solicitude do nosso grande Amigo Quintino, e o favor do velho Visconde de Cabo Frio[3], que sempre me tem sido tão propício? E entre os companheiros de letras tive também, geralmente, o mais lisonjeiro acolhimento para mim e para os meus livros, começando pelo querido Mestre e Amigo.

E então não vem a Petrópolis? Ora isso! mas ao menos é impossível não passarmos juntos aí algumas horas, antes da minha partida.

Domingo eu não posso descer, que espero aqui vários amigos; mas não lhe seria fácil dispor da manhã de 26, segunda-feira? almoçaríamos juntos, conversaríamos até a uma, as duas horas. Que lhe parece? Dê-me esse prazer. Afinal a recepção ainda não será desta vez: paciência[4]!

Adeus, não repare na precipitação, na incoerência com que rabisco esta carta: a própria letra é vertiginosa. Estou atarefadíssimo. Até segunda-feira, sim? Espero-o na Prainha.

Recomendações nossas à sua E*xcelentíssi*ma Senhora.

Abraça-o afetuosamente o seu

Azeredo

---

1 ∾ Sobre a viagem, ver nota 3, carta [686], de 05/02/1903. (SE)

2 ∾ Referência à sua permanência na representação da Santa Sé, apesar da promoção alcançada, que segundo a praxe o removeria do posto. O novo ministro Rio Branco* tinha ratificado a decisão anterior que favorecera Azeredo. A respeito, ver nota 4, carta [590]. (SE)

3 ∾ Joaquim Tomás do Amaral (1818-1907) serviu por mais de sessenta anos ao governo brasileiro como diplomata, consagrando-se no cargo de diretor-geral da Secretaria de Estado das Relações Exteriores, função que deixou de exercer somente com o seu falecimento. (SE)

4 ∾ Consultar as cartas [654], [663], [664], [675] e [677], todas tratam das negociações entre os dois missivistas acerca da recepção solene de Azeredo na Academia. (SE)

[685]

Do: BARÃO DO RIO BRANCO
*Fonte*: Cartão de Visita Original, Arquivo ABL.

Petrópolis, janeiro de 1903.

Ao querido mestre e amigo Machado de Assis agradece, desejando-lhe todas as prosperidades no novo ano

Rio-Branco[1]

1 ∾ Considerando-se a presteza de Rio Branco em responder seu correio, o cartão deve ser dos primeiros dias de janeiro. (IM)

## [686]

> De: MAGALHÃES AZEREDO
> *Fonte:* Cartão-Postal Original, Arquivo ABL.

A Bordo do *Brésil*, 5 de fevereiro de 1903.[1]

Querido Mestre e Amigo,

Envio-lhe um afetuoso abraço. Chegaremos a Dacar esta noite e a Lisboa no dia 10. Viagem excelente; as saudades são muitas, mas cumpre ir avante. De Roma lhe escreverei longamente. Não esqueça o que lhe pedi, e prepare tudo se puder, com brevidade, para que o livro possa aparecer a tempo[2].

Escreva-me; dê frequentes notícias suas ao seu muito dedicado.

Azeredo[3]

Monsieur Machado de Assis
Ministério da Indústria e Viação
Rio de Janeiro
Brésil

---

1 ∾ Documento inédito. Embaixo do cartão-postal está escrito: Fotur. Foto-Dacar. (SE)

2 ∾ Azeredo ainda insistindo nas notas biográficas a fim de compor o trabalho sobre Machado. Parece que não vinha obtendo êxito. (SE)

3 ∾ Azeredo e sua família viajaram no paquete *Brésil*, que saiu do porto do Rio em 27/01/1902, às 17 horas, com embarque no cais dos Mineiros. A rota tocava os portos de Dacar, Lisboa, Vigo e, por fim, Bordeaux. (SE)

# [687]

De: JOAQUIM NABUCO
*Fonte:* Manuscrito Original, Arquivo ABL.

Pau, 14 de fevereiro de 1903.[1]

Meu caro Machado,

Somente para agradecer-lhe e retribuir os seus felizes votos. Estou a caminho de Roma[2], que talvez seja estação para o Rio de Janeiro, acabado o Arbitramento.

Como vai V*ocê* e todo o seu Patriarcado? Há muito que não o leio, o que me parece indicar que V*ocê* se recolhe para alguma grande surpresa. Não sei porque tenho o pressentimento que o seu mais belo livro está ainda inédito e que o século XX está para o roubar ao século XIX. Ao Garnier é que ninguém há de roubar[3].

Recomende-me muito aos nossos amigos comuns e dê-me de vez em quando notícias suas para Roma, onde V*ocê* vai ter agora um forte destacamento[4].

Meus respeitosos cumprimentos à sua Ex*celentíssi*ma Senhora e sempre seu, meu caro Machado,

Velho Admirador e Amigo

Joaquim Nabuco

*Post Scriptum.*[5]

Proximamente os exemplares da minha Primeira Memória[6] serão expedidos para o Ministério do Exterior. Irão primeiro os exemplares em francês e mais tarde os exemplares em português. Desejo que V*ocê* tenha um destes; a coleção dos documentos, cinco volumes, segue com os exemplares da Memória em francês (exceto para os colecionadores, como o Veríssimo e o Capistrano, eu julgo preferível ter-se somente a Memória em português). Além disso, há um Atlas. São ao todo oito volumes, formando, porém, duplicata. Veja se o Rio Branco o inscreve na lista para a Memória em português[7], da qual lhe mandei 200 exemplares.

Diga o mesmo aos que Você sabe estimariam ter o livro, como o Ramiz, o Veríssimo[8], o João Ribeiro, o Rodrigo Octavio, porque assim terão a precedência no pedido — e de outra forma poderiam ficar sem ele porque a distribuição tem que ser feita por bibliotecas, repartições oficiais, etc. Eu mesmo ainda não escrevi ao Rio Branco sobre essas remessas, de maneira que lhe dou a primeira notícia[9]. Sei que Você gosta delas. Inscreva-se portanto para a Memória em português. Deixe a Memória em francês e os documentos ser distribuídos à vontade da Chancelaria. Suponho que Você está em excelentes relações com o nosso homem. As notícias do Acre estão chegando boas, e vejo que além de chanceler se fez comandante em chefe.

---

1 ॰ Papel tarjado; luto pelo falecimento de D. Ana Benigna, mãe de Nabuco. Ver em [666]. (IM)

2 ॰ A 15/09/1902, Nabuco registra no diário: "sinto que não ouço, quase surdo". Uma semana depois escreve, de Paris, para a esposa, referindo-se ao "ouvido esquerdo, que era o bom" agora muito afetado. Com tal aflição, deixa Londres, em 07/01/1903, e permanece um mês em Paris, trabalhando intensamente na defesa do Brasil perante aos interesses britânicos — questão da Guiana inglesa, que teria por árbitro o rei da Itália. A caminho de Roma, faz uma parada em Pau, para consultar o Dr. P. Lapalle sobre a aflitiva surdez (2008). (IM)

3 ॰ Frase omitida por Graça Aranha* (1923). E não se trata de uma observação ocasional: o editor francês Hippolyte Garnier* deixara que o próprio Graça e Nabuco lessem as provas de *Dom Casmurro* em Paris, no ano de 1899, antes de distribuí-lo ao público brasileiro, em março de 1900. Ver [490] e [526], tomo III, com respectivas notas. (IM)

4 ॰ Referência aos acadêmicos Graça Aranha e Magalhães de Azeredo*. (IM)

5 ॰ Uma particularidade do documento original é o longo *Post Scriptum*, em grande parte redigido perpendicularmente nas margens superiores da missiva que se anuncia como "somente" escrita para "agradecer e retribuir felizes votos". Ao que se depreende, Nabuco queria mesmo pedir a Machado seus bons serviços junto a Rio Branco* (ver nota 8). (IM)

6 ॰ *Fronteiras do Brasil e da Guiana Inglesa: o direito do Brasil: apresentada em Roma a 27 de fevereiro de 1903*. (Paris: A. Lahure, 1903). É a primeira memória brasileira relativa à questão submetida a S. M. o Rei da Itália. (IM)

7 ∾ Ver em [690], de 17/03, e em [695], de 31/03/1903, bem como a carta de Machado a Nabuco [700], de 20/04/1903. (IM)

8 ∾ Ramiz Galvão* e José Veríssimo*. (IM)

9 ∾ Segundo os *Diários* de Nabuco (2008), suas relações com Rio Branco estavam "acrimoniosas" desde que este lhe propusera acumular a comissão com a legação em Roma, tendo Nabuco recusado; tal situação lança uma luz interessante sobre a missiva a Machado e o pedido feito. (IM)

[688]

De: JOSÉ VERÍSSIMO
*Fonte*: Manuscrito Original, Arquivo ABL.

[Rio de Janeiro,] 19 de fevereiro de 1903.

Caro Machado

Aí vai a carta do Arinos[1].

Eu sou uma besta: o Caritat de Condorcet teve mais de 3 mil votos![2] E que eleições! Não imagina Você como estou contente, por me ver justificado nas minhas opiniões eleitorais.

E chama-se isto um país civilizado!

Todo seu

J. Veríssimo.[3]

---

1 ∾ Carta ainda não localizada. (IM)

2 ∾ Graças a informações prestadas pelo historiador José Murilo de Carvalho, foi possível apurar que as eleições de que trata esta carta foram as que tinham se realizado na véspera, em 18/02/1903, para o Senado, para a Câmara Federal e para o cargo de vice-presidente, vago em consequência da morte de Francisco Silviano Almeida Brandão, falecido antes de tomar posse. José Murilo informou-nos também que a votação fora perturbada por distúrbios de rua e atos de vandalismo, o que explica o comentário final de Veríssimo: "E chama-se isto um país civilizado!" Enfim, o historiador identificou o candidato que obtivera "mais de 3.000 mil votos": era Lauro Sodré,

eleito senador pelo distrito federal, por 3.772 votos. Estava, finalmente, encontrado o curioso personagem que Veríssimo (e na intimidade, sem dúvida Machado) denominavam "o Caritat de Condorcet". Qual a razão dessa alcunha? Sabe-se que o militar e político Lauro Sodré era republicano e positivista, e que a doutrina positivista de Auguste Comte derivava em grande parte da filosofia de Marie Jean Antoine de Caritat, marquês de Condorcet (1743-1794). Condorcet é considerado o último herdeiro dos filósofos iluministas, e redigiu, quando foragido da Convenção, um *Esboço do quadro histórico dos progressos do espírito humano*, uma das principais bases teóricas da ideologia do progresso linear da humanidade, que dominou o século XIX, e que acabaria encontrando um lugar permanente na bandeira republicana brasileira. Pelo tom geral da carta nota-se que Veríssimo, embora paraense como Sodré, não era exatamente um dos seus partidários, o que sugere que o uso do apelido ou obedecia a considerações de prudência política ou era simplesmente irônico, o que é mais provável. (SPR)

3 ◦∞ A missiva não se encontra nas tradicionais edições da correspondência machadiana. (IM)

## [689]

De: MAGALHÃES DE AZEREDO
*Fonte*: Cartão-Postal Original, Arquivo ABL.

[Paris, 16 de março, 1903][1]

Ao querido Mestre e Amigo

Escrevo cá de Paris onde apenas nos demoramos um dia, um afetuoso abraço. De Roma lhe escreverei logo! Dê-me notícias suas.

Seu muito deveras

Azeredo

Voie Lisbonne Par le Sud Express
Monsieur Machado de Assis
Ministério da Indústria e Viação
Rio de Janeiro
Brasil

---

1 ◦∞ Documento inédito. A datação foi feita a partir do carimbo do correio brasileiro, no verso do cartão-postal. (SE)

## [690]

Para: BARÃO DO RIO BRANCO
*Fonte:* Manuscrito Original. Arquivo Histórico do Itamaraty.

Rio [de Janeiro], 17 de março de 1903.

Meu eminente e querido amigo

    Deixe que, em meio de seus graves trabalhos, vá ocupá-lo com a minha pessoa. O que me dá confiança, além da sua bondade, é tratar também de pessoa amiga nossa. Nabuco escreveu-me de Pau, dando-me notícia, entre outras coisas, da Primeira Memória que vai mandar para o Ministério das Relações Exteriores[1]. Disse-me ele que lhe pedisse a inscrição do meu nome na lista dos que tenham de receber a Memória em português, a qual virá depois da Memória em francês, e só duzentos exemplares. É o que faço desde já, confiado em que não serei esquecido. Não é preciso dizer mais nada, senão que o acompanho, como todos os brasileiros, na grande campanha do Acre. E mais (isto agora em segredo diplomático, porque é uma frase confidencial do Nabuco): "Vejo que o nosso homem, além de chanceler, se fez comandante em chefe."

    Queira-me sempre bem, como eu lhe quero, além da grande admiração que lhe tenho, e releve a interrupção do

Velho amigo e admirador

Machado de Assis.

---

[1] Ver em [687] e respectivas notas. (IM)

# [691]

Para: JOSÉ VERÍSSIMO
Fonte: *Revista da Academia Brasileira de Letras*, XXXIII, n.º 104, ago. 1930.

Rio [de Janeiro], 17 de março de 1903.

Meu caro *José* Veríssimo,

Afinal é preciso lançar mão da pena para lhe dizer e ouvir, se é possível, algumas palavras. Sei que esteve nos Mendes[1], onde viu convalescer um filho e donde uma filha voltou doente. Sei também que a doente sarou. Tanto melhor para eles e os pais, a quem deram mais essa prova de amor filial. Tudo sei, meu caro; só ignoro o motivo da cólera do destino que nos faz desencontrados. Você, quando chego ao Garnier, já saiu, e agora cedo. Eu, é certo que chego tarde, mas sabe o que é, faz acaso mínima ideia do que, em linguagem administrativa, se chama a última quinzena do trimestre adicional? Repita comigo: última quinzena do trimestre adicional. Outra vez, devagar, e mande-me de lá um suspiro. Eis uma das razões de sair agora mais tarde. Hoje, porém, espero sair mais cedo, e se o não encontrar no Garnier é porque o Destino continua a querer a nossa eterna separação. Às tardes, quando o bonde me leva para casa, ainda tenho ocasião de ler o $V$.[2] e os comentários dos telegramas, mas é pouco e rápido. Alguém me perguntou, há dias, se Você deixara o "Correio da Manhã". Respondi que não, e dei algumas das razões últimas, acima citadas.

Adeus, meu caro *José* Veríssimo, vou preparar a pasta do dia. O papel não dá para letras, nem o tempo, nem o lugar; isto não quer dizer que a resposta, se vier, não traga algumas. Vá desculpando estas palavras emendadas; é obra da pressa e da velhice. Não falo em doença para o não enfadar ainda uma vez com esta desculpa, mas a velhice fica. Quando não fosse obra da natureza, era do calendário.

Adeus, meu bom amigo, não esqueça o

Velho amigo e admirador

Machado de Assis.

1 ∞ Localidade fluminense famosa pelo bom clima (hoje município de Mendes). Aliás, as mesmas "serranias" de onde desceu a enigmática Rafaelina de Barros*, conforme a carta [356], tomo III. (IM).

2 ∞ "V.", letra com que Veríssimo assinou uma seção diária de comentários aos telegramas internacionais em *A Notícia*. (IM)

## [692]

De: JOSÉ VERÍSSIMO
*Fonte*: Manuscrito Original, Arquivo ABL.

Rio [de Janeiro], 19 de março, 1903.

Meu caro Machado.

Também eu, meu amigo, sinto a sua falta e o desejo de vê-lo e conversá-lo, mas como Você sabe, e o reconhece na sua boníssima carta de ontem, há mais de um mês e meio que tenho andado atarantado com moléstias graves de filhos, sem nenhum vagar, nem disposição para o doce comércio dos amigos, aliás bem poucos, que, como Você, fazem a vida menos insuportável. As poucas vezes que tenho ido à cidade, tem sido de carreira, regressando logo à casa. Felizmente a minha filha entrou em convalescença. Mas de tudo me ficou um singular estado de espírito, que junto a outras causas, ameaça fazer de mim um casmurro, infelizmente muito menos interessante que um certo historiógrafo dos subúrbios, meu vizinho neste Engenho Novo, e que Você conhece bem[1].

Contra o meu hábito, não li ontem a sua carta senão já no regresso para casa, às 2 horas. Senão tê-lo-ia esperado para ter o grande prazer de vê-lo. Sendo quase certo que ainda hoje não demorarei lá em baixo, escrevo-lhe para ao menos assim por letras conversarmos.

E delas é tudo que lhe posso dizer, pois agora ando deveras afastado delas. Pois Você lê o $V^2$. Bondoso e dedicado amigo! Quanto sinto que a minha situação, que não é tão brilhante quanto a alguns *amigos* parece, me não permita livrá-lo desse dever de amizade!

Aí lhe mando uma carta de Oliveira Lima cujo objeto lhe concerne[3].
De todo o coração lastimo a sua tarefa da última quinzena do trimestre adicional, e quase choro sobre V*ocê*. Não creia nem nos formulários patológicos, nem nos calendários; creia-me a mim: V*ocê* está moço e fero, como se diz em Portugal, jura-o o seu am*igo* e adm*irad*or obrigado.

José Veríssimo.

---

1 ∾ Deliciosa alusão a Bentinho, o Bento Santiago de *Dom Casmurro*, já então morador do Engenho Novo, onde queria "atar as duas pontas da vida" e pensava em fazer uma "História dos Subúrbios". (IM)

2 ∾ O próprio Veríssimo, em *A Notícia*. (IM)

3 ∾ Do início de 1903, conhece-se apenas a carta [683], endereçada a Machado como presidente da Academia. (IM)

## [693]

De: LUÍS GUIMARÃES FILHO
*Fonte*: Manuscrito Original, Arquivo ABL.

Montevidéu, 25 de março de 1903.

Meu querido Machado de Assis.

Aproveito a sua amizade e nunca desmentida gentileza para solicitar-lhe um favor.

Eu preciso ser transferido o mais breve possível porque Montevidéu é uma linda mas banalíssima cidade, onde o meu espírito morre a pouco e pouco à míngua de elementos que o seduzam.

Há um ano que aqui estou. O Rio Branco removeu já uma quantidade de Secretários, e eu ainda fiquei neste molho sem sal, como um bacalhau em penitência. Ora o Rio Branco tem como seu ajudante de Gabinete o Domício da Gama e este decerto não deixará de satisfazer um desejo do Mestre da Literatura Brasileira. Manifeste-lhe Você o desejo de ver-

-me transferido e tudo se arranja. O que lhe peço é que se interesse, que insista, que o não deixe descansar.

Vão-lhe responder que não há vagas, mas o meu ilustre amigo replicará que eu posso ser *destacado* para Londres, por *exemplo*, mesmo sem vaga.

Em idêntica situação está (*sic*) o Eduardo Ramos em Paris, o Lima e Silva em Washington e o Brandão em Bruxelas.

Já vê, pois, que o que se pode para outros deve poder-se para mim.

Mas, por amor de Deus, tire-me deste insípido país, onde nem sequer tenho inspiração para a minha Arte. O desânimo, o aborrecimento, e quejandas calamidades, apoderam-se dos meus nervos. Meu caro Machado de Assis: a amizade que o ligou a meu Pai[1] não será suficiente para inspirar a sua generosidade?

Rogo-lhe que me responda, e creia que lhe falo com toda a sincera impaciência do meu Espírito[2].

Adeus,

Creia na amizade e admiração do seu

Luís Guimarães.

---

1 ∾ O poeta Luís Guimarães Júnior*. (IM)

2 ∾ Servir em postos ibero-americanos era considerado um verdadeiro calvário imposto aos diplomatas da época que, naturalmente, almejavam uma capital europeia. Neste tomo desfilam as aflições de Aluísio Azevedo*, Magalhães de Azeredo* e Oliveira Lima*. Machado já intercedera sem sucesso junto a Joaquim Nabuco*, visando à nomeação de Guimarães Filho, ver [492], tomo III. Não se conhece a resposta à presente carta, mas cabe registrar que, em 1904, Guimarães Filho publicava, ainda em Montevidéu, seu livro *Pedras Preciosas*. (IM)

# [694]

De: AFONSO ARINOS
*Fonte:* Manuscrito Original, Arquivo ABL.

São Paulo, 30 de março de 1903.[1]

Meu caro Mestre.

Tive a honra de receber a carta em que me incita a apresentar-me aí em breve prazo, levando o discurso de recepção na Academia. Deixei de responder-lhe imediatamente porque só lhe podia dar uma resposta favorável, e esta me foi difícil obter. Com efeito, minha mulher tem verdadeiro horror ao clima do Rio no verão, por causa da febre amarela. Este horror se agravou com a morte do Eduardo[2]. Assim, desde novembro, em que prometi ao José Veríssimo ir ao Rio, estou impedido de fazê-lo, não tanto por causa das péssimas notícias do estado sanitário neste verão, quanto pela certeza de inquietar muito minha família. Agora, porém, e à vista da carta do meu caro mestre, tive lógica bastante para incutir no espírito dos meus a convicção de que eu não correrei tanto risco quanto o Eduardo, quando foi da sua recepção no Instituto Histórico.

Irei sem falta em abril, com o discurso pronto. Subirei para Petrópolis e apenas pedirei ao presidente da Academia esta fineza: - que a recepção seja durante o dia, ainda que mesmo num domingo, de modo a permitir-me o regresso para Petrópolis[3].

Creia sempre na amizade sincera e na admiração do seu confrade

Afonso Arinos

---

1 ❧ Carta escrita em papel do jornal *O Comércio de São Paulo*, que traz estampado na margem esquerda uma reprodução da primeira página do periódico e abaixo, transversalmente, endereço e outras informações. (IM)

2 ❧ Conforme assinalado em [616], Eduardo Prado contraíra a febre amarela quando veio ao Rio de Janeiro para tomar posse no Instituto Histórico e Geográfico Brasileiro (09/08/1901) e faleceu em São Paulo em 30/08/1901. (IM)

3 ∾ Arinos foi recebido por Olavo Bilac* em sessão solene realizada às 20h e 30m do dia 18/09/1903, no Gabinete Português de Leitura. (IM)

## [695]

Para: BARÃO DO RIO BRANCO
*Fonte:* Manuscrito Original. Arquivo Histórico do Itamaraty.

Rio de Janeiro, 31 de março de 1903.

Meu eminente e querido amigo,

Esta carta completa a outra que lhe entreguei acerca da inclusão do meu nome entre os favorecidos com um exemplar da Primeira Memória, em português, do nosso Nabuco[1]. Ao mesmo tempo obedece à indicação que me deu outro dia na Secretaria do Exterior. A lista dos contemplados é a seguinte: Sílvio Romero, José Veríssimo, Capistrano de Abreu, João Ribeiro, Rodrigo Octavio, Ramiz Galvão e eu.

Devo lembrar que o Nabuco, além das indicações feitas para a Memória, em português, refere-se à mesma em francês, que vem acompanhada de documentos e de um atlas, citando a respeito desta "os colecionadores como o Veríssimo e o Capistrano." Cumpro naturalmente os desejos do autor, fazendo aqui tal menção.

Peço-lhe que para a edição francesa seja contemplada a nossa Academia.

Também lhe peço, meu bom amigo, que se não esqueça do que me prometeu acerca dos seus trabalhos.

Quanto ao mais receba ainda um abraço e muitas felicitações deste

Amigo velho e cordial admirador

Machado de Assis.

---

1 ∾ Ver em [687] e [690]. (IM)

## [696]

Para: MÁRIO DE ALENCAR
*Fonte: Ilustração Brasileira*, ano 17, 50. Fundação Biblioteca Nacional. Fac-símile do manuscrito original.

[Rio de Janeiro, 6 de abril de 1903.]

2.ª feira

Meu querido Mário,

 Esta vai lembrar-lhe que se não esqueça da Academia e de mim[1]. Sei que está ou esteve em momentos exclusivos de qualquer outra preocupação. Uma vez, porém, que não fiquemos esquecidos e possamos corresponder à sua boa vontade, teremos ganho (...) muito. É o que lhe peço, ainda mais uma vez. Um abraço mais e novas felicidades manda

O velho am*i*go

Machado e Assis

---

1   A datação foi estimada a partir da carta [697], de 6/04/1903, de Mário de Alencar, cujas primeiras palavras são: "Não esqueci da Academia, porque não me esqueço nunca do Presidente dela". O dia 6 de abril de 1903 caiu numa segunda-feira, tal como consta acima. Machado e alguns dos seus interlocutores mais frequentes, como Veríssimo* e Alencar, trabalhavam no centro do Rio, e costumavam trocar bilhetes por meio de portador, que aguardava a resposta. Possivelmente é o caso. Este bilhete de Machado, que motivou a resposta de Mário de Alencar em [697], reflete a preocupação incessante do presidente da Academia na busca por um pouso definitivo para a instituição. (SE)

## [697]

De: MÁRIO DE ALENCAR
*Fonte:* Manuscrito Original, Arquivo ABL.

GABINETE DO MINISTRO DA JUSTIÇA
E NEGÓCIOS INTERIORES

Rio de Janeiro, 6 de abril de 1903.

Meu ilustre Amigo

Não esqueci da Academia, porque não me esqueço nunca do Presidente dela. Dos prédios ocupados por este Ministério nenhum presta para o fim que desejamos. O Ministério da Fazenda é que os tem, melhores e em maior número, mas ainda não consegui a relação.

Espero vê-lo hoje. Estará na Garnier às 4 horas? Se estiver conversaremos mais sobre o assunto.

Seu muito amigo

Mário de Alencar.


## [698]

De: MAGALHÃES DE AZEREDO
*Fonte:* Manuscrito Original, Arquivo ABL.

Roma, 16 de abril de 1903.
Legação do Brasil junto à Santa Sé

Meu querido Mestre e Amigo,

Recebeu vários bilhetes-postais que lhe mandei de bordo, de Lisboa e de Paris[1]? Só hoje lhe posso escrever um pouco mais largamente, e ainda não com bastante vagar para lhe contar tudo o que eu desejaria. Que quer? Desde que daí partimos até o princípio deste mês[2], o nosso tempo andou sempre de tal maneira disputado por visitas, por convites, pela procura de casa, que na verdade nos parecia uma continuação da viagem; temos aqui tantas relações, adquiridas em seis anos de residência, e demais neste momento há tantos brasileiros em Roma, que, divididos os dias entre uns e outros, não chegam as horas para muito mais. Agora, já instalados numa casa aliás provisória e mobiliada (apesar de termos aqui toda a nossa mobília) porque atualmente achar casa conveniente em Roma é uma tarefa árdua e espinhosa, graças ao rápido aumento da população, já podemos enfim reatar o curso da nossa vida normal. Mas, nestes dias, outro trabalho, não menos importante nem menos urgente, me tem absorvido o tempo; é que estou preparando para o Congresso Latino[3], aqui reunido, uma memória, que por indicação do nosso Graça me foi pedida, sobre a literatura no Brasil. A coisa interessa-me, não só pela utilidade que tem para nós, mas pelo ensejo que me proporciona de exprimir certas ideias minhas. Há de lê-la no *Jornal*, e eu lhe mandarei depois, se a publicar separadamente em francês, um exemplar do folheto. Tenho até esperança de que esse trabalho sintético seja o prelúdio de outros mais minuciosos e desenvolvidos sobre o mesmo assunto; pois de há muito que penso em fazer aqui umas conferências em italiano sobre os nossos escritores contemporâneos; não as fiz ainda pela impossibilidade de achar um terreno *neutro* onde pudesse falar *a todos*. Compreende o que eu quero dizer. Pela incompatibilidade do Vaticano, que arrasta também a dos diplomatas ali acreditados, com o Governo Real, não posso subir à tribuna do Colégio Romano, que tanto me tentaria; por outro lado não me convém absolutamente falar numa sala de palácio pertencente à Santa Sé, como a Chancelaria, aliás tão deliciosa e soberba nas suas linhas traçadas por Bramante, para não dar a conferências leigas uma inoportuna cor eclesiástica. Veja, agora, no próprio Congresso Latino, não sou eu que vou ler a minha memória; tenho de confiá-la, de resto assinada por mim a um colega *do outro lado*, o Dantas[4], neto do velho conselheiro, e meu amigo. Creio que no Círculo Jurídico[5] daqui, muito bem frequentado, e onde têm falado escritores italianos de renome, como Fogazzaro e De Bosis[6], encontrarei o meio mais próprio para as conferências que projeto.

A minha primeira visita ao Santo Padre foi interessante[7]. A sua atitude para comigo me comoveu na verdade. Acolheu-me com simpatia e um prazer tão evidente pela nossa volta a Roma, que realmente me senti tocado no coração, e reconhecido e confuso por tanta honra; pois de fato não é pouco que um homem naquelas alturas e com tantas preocupações severas, universais, conserve lembrança tão amável de um secretário de legação. Depois, encantou-me achar ainda uma vez no velho, nonagenário Pontífice o artista, o escritor apaixonado pelas letras e pesaroso de que os seus trabalhos obrigatórios não lhe permitam cultivá-las com mais assiduidade. Ele perguntou-me que livro estava eu preparando, e disse-me: "Ah! eu compreendo bem o seu gosto pela poesia; também eu, quando posso compor uma elegia, um *carme*, um epigrama, sinto um grande prazer!" Enfim, o tríplice peso do sacerdócio, da etiqueta e da idade não mataram nele a espontaneidade e o vigor da imaginação literária: é um Homem!

O meu novo livro, *Odes e Elegias*[8], achei-o aqui encalhado, por causa da parede dos tipógrafos, fato grandioso e insólito que durou quase 50 dias, e por dois ou três arrastou consigo uma tentativa de *parede* geral. Agora que os operários, aliás completamente vencidos apesar da heroica resistência, voltaram aos seus postos, vou tratar de ativar a impressão, para que o livro possa estar aí ao menos em Setembro.

Rogo-lhe que se não esqueça de mandar-me as informações que lhe pedi para o meu estudo crítico a seu respeito[9]. Antes de tudo, a lista dos seus livros por ordem cronológica: depois todos os elementos biográficos, intelectuais, morais, que concorreram para a sua formação, isto é, a largos traços, as suas leituras prediletas em literatura, em filosofia; e ainda, todas as indicações que me possa dar sobre artigos seus não reunidos em volume, trabalhos críticos publicados no Brasil ou em Portugal sobre a sua obra, enfim tudo o que me possa fornecer dados completos acerca deste assunto.

Adeus, sou forçado a terminar aqui. Escreva-me, dê-me notícias suas. O Nabuco, o Graça[10] e eu falamos continuamente do Mestre e Amigo;

na realidade não está ausente do nosso círculo; mas isso mesmo nos faz sentir mais que a sua presença não seja visível aos olhos de todos, e que Roma não dê aos seus o encanto dos monumentos e da paisagem.

Aceite muitos cumprimentos nossos para si e à sua *Excelentíssi*ma Senhora. Abraça-o o sempre seu

Azeredo

---

1 ∾ Sobre os bilhetes, ver cartas [686] e [689]. (SE)

2 ∾ Azeredo havia passado férias no Brasil de agosto de 1902 a janeiro de 1903. (SE)

3 ∾ É possível que este Congresso Latino seja o precursor da União Latina. (SPR)

4 ∾ Luís Martins de Sousa Dantas (1876-1954), na ocasião 2.º secretário da missão ordinária do Brasil na Itália, neto do conselheiro Manuel Pinto de Sousa Dantas (1831-1894), pai de Rodolfo Epifânio de Sousa Dantas (1855-1901), amigo dileto de Nabuco*, falecido na mesma época de Eduardo Prado. Registre-se que o embaixador Luís de Sousa Dantas teve atuação destacada na II Grande Guerra (1939-1945), em favor dos perseguidos do nazismo (judeus, homossexuais, comunistas e outras minorias ameaçadas), concedendo-lhes visto para o Brasil. Em 1982, foi-lhe conferido *in memoriam* o título de *O Justo Entre as Nações*, pelo Museu do Holocausto, em Israel. (SE)

5 ∾ O Congresso Latino aconteceu no Capitólio de Roma. (SE)

6 ∾ Antônio Fogazzaro (1842-1911) e Adolfo De Bosis (1863-1924). (SE)

7 ∾ Leão XIII, cujo pontificado está perto de terminar, pois vai falecer em 20 de julho de 1903, aos noventa e três anos. (SE)

8 ∾ *Odes e Elegias* foi publicado em 1904, pela Irmãos Centenari, de Roma. (SE)

9 ∾ Desde 1901, Azeredo vem insistindo para que Machado lhe repassasse informações biobibliográficas para compor seu trabalho, o escritor, porém, resiste. (SE)

10 ∾ Nabuco e Graça* estão em Roma, em missão diplomática junto ao rei italiano. (SE).

## [699]

Para: BARÃO DO RIO BRANCO
*Fonte:* Telegrama Original. Arquivo Histórico do Itamaraty.

[Rio de Janeiro, 20 de abril de 1903.][1]

BARÃO DO RIO BRANCO

Rua Westphalia n.º 5
Petrópolis

A nossa academia e eu enviamos saudações ao forte e grande brasileiro honra da pátria e de seu pai.

Machado de Assis

Res*pondi* 22 tel*egrama*[2]

---

1 ∾ Data do carimbo da Estação de Petrópolis. Era o 58.º aniversário de Rio Branco. (IM)

2 ∾ Anotação de Rio Branco. (IM)

## [700]

Para: JOAQUIM NABUCO
*Fonte:* Fundação Joaquim Nabuco. Fac-símile do manuscrito original.

Rio de Janeiro, 20 de abril de 1903.

Meu caro Nabuco,

Não vai cedo a resposta à sua carta, por uma razão, é que queria falar primeiro ao Rio Branco, acerca da inscrição de alguns nomes (entre eles o meu, a quem V*ocê* confiou a comissão), para a distribuição de exemplares da *Primeira Memória*[1]. Falei-lhe; ele próprio me indicou também o de Sílvio Romero, dizendo-me que lhe remetesse para Petrópolis a lista dos beneficiados. Assim fiz, e por esse lado estamos prontos. Não esqueci a Academia, e se alguém aparecer mais que *deva* receber um exemplar, escreverei ao nosso Chanceler.

Está V*ocê* em Roma, donde recebi o cartão-postal com a galante lembrança dos "meus três cardeais"². Três são, para receberem a minha bênção, mas é de velho cura de aldeia, e sinto não estar lá também, pisando a terra amassada de tantos séculos de história do mundo. Eu, meu caro Nabuco, tenho ainda aquele gesto da mocidade, à qual os poetas românticos ensinaram a amar a Itália; amor platônico e remoto, já agora lembrança apenas³.

Lá está V*ocê* para ganhar a vitória que todos esperamos, e será um louro para a máscula cabeça daquele que eu vi adolescente, esperanças do venerando pai.

Voltando à *Primeira Memória*, agradeço-lhe o exemplar que aí virá brevemente. Os nossos amigos, a quem noticiei a boa-nova, ficaram igualmente agradecidos. Peço-lhe que reparta as saudades que lhe mando com os nossos amigos Graça Aranha e Magalhães de Azeredo; com este passei aqui muitas horas longas. O Graça vive debaixo dos nossos olhos, com a edição nova da *Canaã*, em casa do Garnier. Apresente os meus respeitos à sua E*xcelentíssi*ma Senhora, e receba um abraço do

Velho am*ig*o e adm*ira*dor

Machado de Assis

---

1 ◠ Sobre o assunto, ver [687], [690] e [695]. (IM)

2 ◠ Segundo Graça Aranha* (1923), o grupo fotográfico onde ele e Magalhães de Azeredo* ladeiam Nabuco. (IM)

3 ◠ Trecho caro aos estudiosos que analisam o Machado *não* viajante. (IM)

[701]

> Para: RODRIGO OCTAVIO
> *Fonte:* Manuscrito Original, Arquivo Particular.

[Rio de Janeiro,] 27 de maio de 1903.

Meu caro Rodrigo Octavio,

Há algum inconveniente da sua parte em fazermos sessão 6.ª feira? Amanhã não dá tempo aos anúncios, sábado fica talvez longe. No caso de poder ser naquele dia, a hora é a mesma, três ou três e meia[1]. A matéria é pouca, como sabe. Tenha-me, em todo caso, às (...)[2]

Machado de Assis

---

1 ∾ A ata da sessão, datada de 27/05/1903, informa que foi comunicado o falecimento de Valentim Magalhães* e declara vaga a Cadeira 7. (IM)
2 ∾ Original incompleto. (IM)

[702]

> Para: DESTINATÁRIO IGNORADO
> *Fonte:* Manuscrito Original,
> Fundação Biblioteca Nacional.

[Rio de Janeiro,] 04 de junho de 1903[1].

Excelentíssimo Senhor

Remeto incluso à Vossa Excelência a minha contribuição para a Polianteia a Camões.

Sou com respeito e consideração,

De Vossa Excelência

Atento admirador e obrigado

Machado de Assis

1 ∾ Este documento inédito foi preservado junto com o seu envelope original. Nele está escrito a lápis, com letra desconhecida: "Lucília Ribeiro Malaguti de Sousa – 07/10/63." Possivelmente seja o nome da pessoa que doou o documento. (SE)

[703]

De: GRAÇA ARANHA
*Fonte:* Manuscrito Original, Arquivo ABL.

Gênova[1], 17 de junho de 1903.
Eden Palace Hotel – ci-devant Parc Hotel

Meu querido Machado de Assis,

Recebi a sua carinhosa carta nesta cidade onde me vim encontrar com o Nabuco. Agradeço-lhe muito todos os consolos[2]. A sua amizade nunca me faltou na hora do sofrimento. Um dos sustentáculos da minha vida é a afinidade que eu sinto entre nossos espíritos e por maiores que sejam os silêncios trazidos pelas circunstâncias, Você sabe como eu o amo, como compreendo a profunda, sutil e misteriosa bondade que o abala e o comove intimamente, secretamente, superiormente. Creio que breve nos reuniremos sem ideia de separação. Tudo me chama ao Brasil [,] desgraças e esperanças. Aqui estou com o Nabuco e com ele vou até Viena por 8 dias. Na volta é provável que descanse um tempo na Suíça onde minha mulher e filhos vão ter e depois talvez vá a Paris prestar a minha atividade à impressão dos documentos e da segunda memória.

Em Roma deixei o nosso Azeredo tão bom e tão fiel. Deixei-o numa ânsia de trabalho e de estudo[3]. Com ele se pode contar seriamente.

O Nabuco é todo Missão, porém está armado de grandes planos para depois. Sempre falamos em Você, Machado, - presente como o Espírito.

Pensamos também na Academia. Qual é o seu candidato, o *nosso* candidato. Nabuco e eu lembramos o Jaceguai[4]. É a Marinha, é a inteligência geral, culta e agradável. Representa muito, creio que na sua classe é o único que tem espírito e sabe escrever. Aproveitemos porque depois a

Marinha por muito tempo só nos dará bombardeios, e barbaridades[5]. A não ser o Jaceguai quem seria? O Assis Brasil[6]? O Augusto de Lima[7]? O E*uclides* da Cunha, dos Sertões de Canudos?[8] Quem? Nem o Nabuco nem o Azeredo tomamos a sério a candidatura do Silvino do Amaral, de quem sou camarada, mas a quem negamos decididamente o voto. Não é um escritor, nem um homem de letras, nem um representativo. Ainda não é nada[9].

Minha mulher e eu apresentamos as nossas homenagens à sua Excelen*tíssi*ma Esposa. Você receba um abraço pelo dia 21 (nosso dia[10]) e outro e mais outro por tudo.

Seu do coração

Graça Aranha.

---

1 ∾ No original, "Gênes". (IM)

2 ∾ Carta não localizada. Sabe-se que Graça Aranha tivera problemas de saúde e sofria de um abalo nervoso; seu desejo era voltar para o Brasil e, livre de obrigações profissionais, escrever um novo livro (Azevedo, 2002). (IM)

3 ∾ Observação pertinente, que bem se reflete na correspondência de Magalhães de Azeredo\*. (IM)

4 ∾ Joaquim Nabuco\* insistia em suas missivas no ingresso do almirante Jaceguai\* na Academia. (IM)

5 ∾ Revolta da Armada (1893). (IM)

6 ∾ Assis Brasil retirou sua candidatura para a sucessão de Eduardo Prado e não voltou a se apresentar. (IM)

7 ∾ Augusto de Lima\* fora eleito quatro meses antes, a 03/02/1903. (IM)

8 ∾ Graça faz essa referência com certo desdém. Oliveira Lima\*, nas *Memórias* (1937), recordando a visita do conferencista italiano Guglielmo Ferrero\* ao Brasil em 1907, conta que a este foi entregue uma coleção de obras de autores brasileiros onde "*Canaã* ostentava-se no cimo e *Os Sertões* 'escondidinho lá no fundo'". (IM)

9 ∾ O diplomata Silvino Gurgel do Amaral, que servira com Nabuco na legação do Brasil em Londres, deste receberia uma longa carta (04/09/1903) que sublinhava a preferência por Jaceguai e recomendava deixar para mais tarde sua candidatura: "Dê

tempo ao tempo e creia na minha experiência [...]. Digo-lhe tudo isto pela fé que me inspira o crescimento certo e a florescência do seu talento." Cabe registrar que Amaral publicara, com prefácio datado de 1900-1902, o *Ensaio sobre a vida de Hugo de Groot (Grotius)*, em primorosa edição (Garnier, 1903). (IM)

10 ∽ Aniversário de Machado e Graça Aranha. Ver em [706] e respectivas notas, no postal inédito, agora identificado, de 21/06/1903. (IM)

[704]

De: FRANCISCO XAVIER FERREIRA MARQUES
*Fonte*: Manuscrito Original, Arquivo ABL.

Cidade de Salvador, 20 de junho de 1903.

Ex*celentíssi*mo S*en*ho*r* Machado de Assis, digníssimo Presidente da Academia Brasileira de Letras

Autor de várias obras em mais de um gênero de literatura, tenho a honra de apresentar-me ao sufrágio da Academia Brasileira de Letras, candidato à vaga[1] do laureado escritor, o muito saudoso D*ou*to*r* Valentim de Magalhães[2].

Ao arriscar este passo, cuja temeridade reconheço, confesso-me vencido pela atração desse foco brilhantíssimo que é a Academia de Letras, para onde gravitarão, inelutavelmente, sem liberdade, mas por isto mesmo leves de culpa, todos os grandes e pequenos espíritos literários que, em nossa Pátria, não sei que possam aspirar a mais alto prêmio nem receber mais poderoso incentivo.

Devo, todavia, acrescentar que esta minha venial ambição saberia conter-se, dormiria e morreria comigo se lhe não tocasse o sopro do mesmo sugestivo espírito que na Academia Brasileira honraria a cadeira "Castro Alves"[3]. Foi assim, Ex*celentíssi*mo S*en*ho*r*, que ousei alongar os olhos e pô-los com alguma firmeza na eminência dessa "torre de marfim", dedicada pelos seus nobres fundadores a ser o gasalhado daqueles que fazem literatura, mais que um elegante exercício de horas sucessivas, uma paixão superior, a preocupação e ocupação dominante da vida.

Declarando esta circunstância, não quis ser indiscreto nem consumar sacrifício propiciatório. Sei que os mortos não se vão tão depressa quanto inculca a sentença, formulada, quem sabe? por um detrator dos sentimentos humanos. Mas a verdade é que os vivos têm o direito de governar-se, e a mim não me saberiam honrar os títulos que, posto invejáveis,

"Melhor é merecê-los, sem os ter,

Que possuí-los, sem os merecer".[4]

Se não desdouro os brilhos da inteligência, tão bem representada, nessa ilustre corporação, se nos frutos do meu lavor de vinte anos hei porventura algum mérito que me absolva do arrojo deste ato, permita Vossa Excelência, permitam os preclaros membros da Academia de Letras que se proponha à distinção dos seus votos o de

Vossa Excelência

Compatriota e venerador

Xavier Marques

---

1 ◦‿ Xavier Marques só foi eleito em 24/07/1919, para a Cadeira 28, na vaga de Inglês de Sousa. A Cadeira 7, de Valentim Magalhães*, foi ocupada por Euclides da Cunha* numa eleição especialmente concorrida. Sobre o assunto, ver cartas [705], de 21/06/1903; [709] de 10/07/1903 e [714], de 26/07/1903. (SE)

2 ◦‿ Aos 44 anos incompletos, depois de descer de Friburgo, Valentim Magalhães sentiu-se indisposto, recolheu-se ao leito e em menos de uma semana faleceu, segundo a medicina do tempo de "gripe intestinal". Valentim morava na rua São Cláudio n.º 2. (SE)

3 ◦‿ Xavier Marques era baiano. (SE)

4 ◦‿ Camões. *Lusíadas*, canto IX. (SPR)

[705]

De: EUCLIDES DA CUNHA
Fonte: Manuscrito Original, Arquivo ABL.

Lorena¹, 21 de junho de 1903.

Excelentíssimo Senhor Machado de Assis

Tenho a honra de solicitar à Vossa Excelência a minha inclusão entre os candidatos à vaga existente na Academia de Letras². Certo de uma aquiescência que por si só valerá para mim como o melhor dos títulos, subscrevo-me com a mais elevada consideração.

De Vossa Excelência

Criado muito atento e admirador

Euclides da Cunha

---

1 ⚬ Euclides da Cunha transferiu-se com a família para o estado de São Paulo, na região do Vale do Paraíba, em 1901. Assumira o posto de engenheiro-chefe do 2.º distrito de Obras Públicas, com sede em Guaratinguetá, fixando, no entanto, residência em Lorena, onde ficou até fins de 1903, quando se mudou para Santos. As cartas [709], de 10/07/1903, [714], de 26/07/1903, [720], de 22/09/1903, e [731], de 26/12/1903, foram escritas ali. (SE)

2 ⚬ Em sessão de 06/06/1898, por proposição de Valentim Magalhães*, ficou decidido que para ser considerado oficialmente postulante à vaga, o candidato deveria manifestar esse desejo por escrito à Academia. Euclides com esta carta cumpre a formalidade acadêmica. (SE)

[706]

De: GRAÇA ARANHA
Fonte: Cartão-Postal Original, Arquivo ABL.

Viena, 21 de junho de 1903.¹

L'aiglon à l'Aigle².

1 ∾ Postal com imagem da glorieta de Schönbrunn, palácio dos Habsburgo, e a dedicatória "O filhote de águia à Águia". Este documento permaneceu "indecifrável" até a elaboração da presente *Correspondência*, e não foi citado nas biografias e outros estudos machadianos. O remetente se diz *L'aiglon* (filhote de águia – 'aguioto' ou 'aigoto'), identificando-se com infeliz filho de Napoleão I – a Águia – e de Maria Luísa. Victor Hugo, no poema "Napoléon II" (*Chants du Crépuscule*, 1835) forjou tal nome: "*L'Angleterre prit l'aigle et l'Autriche l'aiglon.*" ("A Inglaterra aprisionou a águia e a Áustria o aguioto.") A identificação do remetente foi possível graças às maiúsculas (o mesmo 'A' de 'Aranha' em outros manuscritos) e, concretamente, à carta [703], na qual ele anuncia sua partida para Viena. Acrescente-se que, no dia 21 de junho, Graça Aranha completava 35 anos e Machado, 54. (IM)

2 ∾ O *Aiglon* estava em moda na época, depois do sucesso da peça de Edmond de Rostand, com o mesmo título (1900), que Graça, aliás, depreciara em [571], tomo III. A águia era uma alusão transparente a Machado de Assis, o mestre da literatura brasileira, e o próprio Graça se via como seu filho e natural sucessor. Essa hipótese teria sido apoiada por um neurologista austríaco que três anos antes publicara na mesma cidade de Viena um livro sobre as astúcias do inconsciente, intitulado *A Interpretação dos Sonhos*. (SPR)

# [707]

Para: RODRIGO OCTAVIO
*Fonte*: Cartão de Visita Original, Arquivo Particular.

[Rio de Janeiro,] 3 de julho de 1903.

Deixo-lhe aqui as comunicações da candidatura de Euclides da Cunha, Domingos Olímpio e Horta Barbosa[1].

MACHADO DE ASSIS

18, Cosme Velho

---

1 ∾ Vaga de Valentim Magalhães*. Horta Barbosa não figura entre os candidatos na ata da eleição realizada em 21/03/1903. (IM)

# [708]

Para: JULIEN LANSAC
*Fonte:* Manuscrito Original, Arquivo ABL.

Rio de Janeiro, le 10 juillet 1903.

Mon cher monsieur Lansac,

Je vous ai envoyé l'autre jour un exemplaire de mes *Várias Histórias* avec des corrections pour la prochaine édition. Vous aurez vu, je crois, qu'elles sont très nombreuses, quelquefois cinq ou six dans une page, et même il y a une ligne répétée dans la même page, c'est-à-dire qu'une de ces lignes occupe la place où l'on devait mettre une autre qui n'a pas été imprimée; j'ai écrit celle-ci à la marge.

Toutes ces fautes, mon cher Monsieur Lansac, font naturellement du mal à l'ouvrage, surtout étant, comme il est, adopté pour les écoles. On m'en parle partout, et la *Notícia* d'hier soir en fait la critique.

Vous aurez envoyé certainemant l'exemplaire à Paris. Je vous prie de transmettre ces considérations à Monsieur Garnier, qui en reconnaîtra la justesse et fera corriger notre livre. Il faut lui rappeler que, quoique mes autres ouvrages aient aussi des fautes typographiques, aucun n'en est pas aussi plein que *Várias Histórias*.

Un de ces jours je vous enverrai un exemplaire de *Memórias Póstumas de Brás Cubas* avec les corrections pour une autre édition que la maison aura à faire[1].

[sem assinatura][2]

---

1 ∾ Rascunho, com algumas emendas; a carta definitiva, ainda não localizada, certamente teve as correções necessárias. Ao protestar quanto ao desleixo do tratamento gráfico do seu editor Garnier, Machado reitera sua posição manifestada em [646]. (IM)

2 ∾ TRADUÇÃO DA CARTA:
Prezado Senhor Lansac, / Enviei-lhe outro dia um exemplar de minhas *Várias Histórias*, com correções para a próxima edição. O Senhor terá observado que elas são muito numerosas, às vezes 5 ou 6 por página, e há mesmo uma linha repetida na mesma página,

isto é, uma dessas linhas ocupa o lugar onde se deveria inserir outra, que eu escrevi à margem. / Todos esses erros, caro Senhor Lansac, prejudicam naturalmente a obra, sobretudo levando-se em conta que ela é adotada nas escolas. Fala-se sobre isso em toda parte, e a *Notícia* de ontem fez uma crítica a respeito. / O Senhor certamente enviou o exemplar a Paris. Rogo-lhe transmitir essas considerações ao Senhor Garnier, que reconhecerá sua justeza e fará corrigir nosso livro. É preciso lembrar ao Senhor Garnier que embora minhas outras obras também tenham erros tipográficos, nenhuma contém tantos como *Várias Hstórias*. / Um desses dias, lhe enviarei um exemplar de *Memórias Póstumas de Brás Cubas*, com as correções para uma nova edição que a casa empreender. (SPR)

[709]

De: EUCLIDES DA CUNHA
*Fonte*: GALVÃO, Walnice Nogueira; GALOTTI, Oswaldo. *Correspondência de Euclides da Cunha*. São Paulo: Edusp, 1997.

Lorena, 10 de julho de 1903.

*Excelentíssi*mo *senho*r Machado de Assis

Tendo tido a felicidade de ser incluído por Vossa Excelência entre os concorrentes à cadeira que vagou na Academia de Letras em virtude do lamentável falecimento de Valentim Magalhães[1], e recordando-me das animadoras palavras que me dispensou[2], e que foram para mim uma grande honra e um grande estímulo, — venho solicitar o seu voto em prol da minha candidatura[3].

Peço-lhe que acredite sempre na mais elevada consideração do seu

Compatriota cr*i*ado m*ui*to at*en*to e adm*ira*dor

Euclides da Cunha

---

1 ∾ Valentim Magalhães* faleceu em 17/05/1903; a sua cadeira foi considerada oficialmente vaga em 27/05/1903, e a eleição marcada para 21/09/1903. Os candidatos tiveram perto de quatro meses para fazer a sua campanha. A eleição à Cadeira 7 foi muito concorrida. (SE)

2 ∾ É provável que essas palavras animadoras a que Euclides alude expressassem o contentamento de Machado em vê-lo membro da Academia Brasileira de Letras. (SE)

3 ∾ A resposta de Machado, escrita em 20 de julho, ainda não foi localizada, mas é referida por Euclides na carta [714] de 26/07/1903. Certamente deve ter sido bastante favorável no que diz respeito às possibilidades da sua eleição, pois em 24 de julho Euclides escreve ao amigo Francisco de Escobar:

> "Quanto à Academia tenho, certos os seguintes votos: Rio Branco, Machado de Assis, Artur Azevedo, João Ribeiro, Veríssimo, Lúcio de Mendonça, Afonso Celso, Coelho Neto, Filinto, Araripe, Raimundo Correia, Garcia Redondo e provavelmente, Oliveira Lima, Laet e alguns outros. Dois, Arinos e Augusto de Lima, que eram certíssimos, ainda não tomaram posse."

Euclides teve o voto de Afonso Arinos*, que foi recebido em 18 de setembro, três dias antes da eleição. Já Augusto de Lima, embora eleito, só foi empossado em 1907. Na *Correspondência de Euclides da Cunha* (Galvão; Galotti, 1997), há várias cartas que marcam a entrada de Euclides na Academia. Lendo-as, é possível observar que o escritor orientou-se muito bem. Escreveu muito, sempre com elegância e senso de medida a vários acadêmicos. É provável que nem todas as cartas estejam ali, pois algumas certamente se perderam ou ainda não foram localizadas; mas pela leitura sequencial das remanescentes, pode se ter uma visão de como foi conduzida a sua campanha: com sobriedade e muita determinação. (SE)

## [710]

De: JOSÉ VASCO RAMALHO ORTIGÃO
*Fonte:* Manuscrito Original, Arquivo ABL.

[Rio de Janeiro,] 16 de julho de 1903.

Ilustríssimo Amigo Senhor Machado de Assis,

Meus cumprimentos.

Lembro ao meu amigo que será bom providenciar com tempo para a colocação de cadeiras no salão do Gabinete, para amanhã[1], bem assim a conveniência de oficiar à diretoria do Gabinete convidando-a para a sessão.

Eu já dispus tudo quanto diz respeito à iluminação etc.

Como se tivessem esquecido de nos remeter alguns cartões de convite para dirigirmos aos nossos membros do conselho e sócios graduados, tomei a deliberação de expedir alguns convites em nome da nossa diretoria.

O ofício a que me refiro acima pode ser feito com data de alguns dias atrás e dirigido ao presidente[2], mas entregue a mim.

   Queira dispor do

   Amigo obrig*adíssi*mo

   R. Ortigão

---

1   Trata-se dos preparativos para a sessão solene de 17 de julho, em que ocorreu a recepção de Oliveira Lima*, que estava em trânsito no Brasil, recém-promovido a enviado extraordinário e ministro plenipotenciário. A preocupação do presidente do Gabinete era legítima, pois a festa foi concorridíssima, contando inclusive com a presença do presidente da República, Rodrigues Alves (1848-1919), do diplomata português José Lima de Sá Camelo Lampreia (1863-1943) e de membros destacados da comunidade luso-brasileira. A mesa da presidência foi composta por Machado, Medeiros e Albuquerque, Inglês de Sousa*, Rodrigo Octavio* e Silva Ramos*. Oliveira Lima fez o elogio de Francisco Adolfo Varnhagen (1816-1878), visconde de Porto Seguro, estudando-o como historiador, diplomata e literato, expondo a sua longa contribuição à cultura brasileira. Em nome da Academia, Salvador de Mendonça* respondeu historiando a vida pública do recepcionado, assinalando que certamente Oliveira Lima já se transformara num dos mais importantes pesquisadores da história do Brasil. Diversos acadêmicos compareceram: José Veríssimo*, Sílvio Romero*, Artur Azevedo*, Filinto de Almeida*, Guimarães Passos, Raimundo Correia*, Martins Júnior*, Domício da Gama* e barão de Loreto*. Entre os convidados destacaram-se a esposa de Lúcio de Mendonça*; o ministro brasileiro em Madri Pedro Beltrão, cunhado de Oliveira Lima; o ministro do Supremo Tribunal Federal Amaro Cavalcanti, o diplomata Gastão da Cunha; o professor Hemetério dos Santos e o pintor Rodolfo Amoedo. Ver também, notas 2 e 3, carta [589]. (SE)

2   Não se pôde ainda apurar com relativo grau de certeza quem era à época o presidente do Gabinete Português de Leitura, pois Antônio Gomes de Avelar* (conde de Avelar) esteve à frente da instituição entre 1899 e 1903, sendo substituído interinamente de 1903 a 1904, por Álvaro Thedim Lobo, quando então José Vasco Ramalho Ortigão tornou-se presidente no biênio 1904-1906. Certamente Ortigão já pertencia aos quadros da alta administração do Gabinete em 1903. (SE)

## [711]

> Para: MAGALHÃES DE AZEREDO
> *Fonte:* Manuscrito Original, Arquivo ABL.

Rio de Janeiro, 17 de julho de 1903.

Meu querido amigo,

Enfim, posso começar e acabar esta carta. Ainda assim, vai escrita em má hora, quando o seu espírito deve estar atribulado com a doença do seu grande amigo Leão XIII e o próximo e triste desfecho[1]. Aqui todos se admiram da resistência de enfermo, e houve dia em que se acreditou que a morte ainda agora recuaria; mas essa crença durou pouco. Viu-se logo que o caso era mortal; somente, por mortal que seja, trata-se de um organismo que veio vivendo até aqui e não irá sem luta. Certamente esta carta lhe chegará no meio dos últimos responsos, ou ainda talvez dos primeiros.

A notícia que me deu na carta da primeira visita ao papa[2], modesta embora, ou por isso mesmo, trouxe a nota da impressão que lhe deixou. Sim, vale muito essa lembrança viva de pessoa tão altamente posta, com tais e tão grandes cuidados. É que em um ponto do espírito não há pontífice nem secretário, mas só poesia e amor das letras, em que ambos se encontram e se compreendem.

Recebi todos os seus bilhetes postais, e depois deles a carta que me escreveu de Roma, e a que acabo de aludir[3]. Não tem desculpas que pedir da demora por motivo de visitas, convites e arranjos de casa, porque eu, para perdoar, devia não ter pecados e é difícil ser mais pecador. Por mais que os pecados se expliquem são pecados, e só a sua pronta absolvição os pode resgatar. Querido amigo, não é de hoje que nos correspondemos, nem de hoje que aprecio a sua terna amizade. Agora, à medida que os anos descem, sinto mais preciosas as afeições de lá e de cá, e delas a sua está entre as mais fundas[4].

Espero que a Memória que ficou escrevendo para o Congresso Latino esteja pronta ou adiantada, e conto vê-la em breve no *Jornal do Comércio*.

Conto também que realize a promessa do exemplar, se a der separadamente em francês. Vejo por tudo o que me escreve a dificuldade da leitura da Memória, não podendo ser de uma nem de outra banda. Digo mal, a Memória sei que vai ser lida do lado de lá, pelo neto do Dantas; refiro-me às conferências que queria fazer e de que me fala. Realmente, a situação é embaraçosa, e é difícil achar terreno neutro onde nada é neutro.

Graças que findou a *parede* dos tipógrafos e vai continuar a impressão de *Odes e Elegias*. Aqui as esperamos em Setembro ou Outubro. Vejo que, a despeito de tudo, continua a trabalhar muito. Não perca tempo, posto que não vale também precipitar a obra; ambas estas regras são suas. Quanto ao que me escreve e de que falamos cá, acerca das notas minhas e da minha formação, juntarei o que me indica e o mais que valer. A minha vida em si não teve nem tem relevo; vai passando, como tantas outras, salvo na parte literária em que, não o fruto, mas o esforço pode significar alguma coisa. Logo que possa coligir matéria que valha mandar-lha-ei dentro de uma folha de papel.

Ontem[5] tivemos aqui uma festa brilhante da Academia, a recepção solene de Oliveira Lima[6], que fez o elogio histórico de Varnhagen, patrono da sua cadeira. Respondeu-lhe Salvador de Mendonça; e apesar do mau dia que fez, ameaçando noite pior, o salão do Gabinete Português de Leitura encheu-se de convidados, entre eles o presidente da República. Lá esteve também o ministro de Portugal, Conselheiro Lampreia. Os discursos serão publicados amanhã no *Jornal do Comércio*; leia-os e gostará de ambos. O do primeiro é um estudo completo de Varnhagen, imparcial e grave, aqui e ali salpicado da nota acadêmica; esta nota domina igualmente no do segundo, de par com a análise rápida da vida e dos escritos de Oliveira Lima. A sessão durou duas horas, e acabou sem o menor sinal de fadiga; ao contrário, a audiência pública estava disposta a mais prolongada atenção. Todos saíram contentes, e hoje a sessão teve, como se diz, uma boa imprensa.

Vamos ter eleição acadêmica no meado de Setembro. Lá receberá comunicação oficial pelo Rodrigo Octavio. Não quero insinuar-lhe voto[7], mas o candidato que parece reunir maioria é o Euclides da Cunha, autor dos *Sertões*[8]. Estamos concertados muitos em votar nele, começando pelo Rio Branco.

Escrevo-lhe esta depois de concluir um trabalho, há tempos começado. Encargos diversos fizeram com que estivesse parado até que lhe dei um derradeiro empurrão. Não o anunciei a ninguém, e vai aqui a notícia em reserva para o caso de sobrevir nova demora. Vou aproveitando os últimos dias, aliás já poucos. Nem todos podem, como Leão XIII, ajuntar um *Carme* aos noventa.

Adeus, meu querido amigo. Não meça as suas demoras pelas minhas, e escreva-me logo que possa; eu sei que pode sempre. Apresente à sua *Excelentíssi*ma Esposa os meus respeitos e os de minha mulher, particularmente receba as saudações do

Velho am*i*go e adm*ira*d*o*r

Machado de Assis.

---

1 ∞ I O Papa Leão XIII faleceu três dias depois, em 20 de julho de 1903. Recebido algumas vezes, Azeredo foi sempre distinguido com a atenção especial do pontífice. Narra isso em algumas cartas da década anterior. Em 1900, a família Azeredo passou uma temporada de férias no castelo da família Pecci, em Carpineto Romano, onde o papa nasceu em 1810. Sobre a visita ao castelo, ver carta [537], tomo III. Além disso, ao publicar *Odes e Elegias*, em 1904, Azeredo vai inserir dois poemas dedicados ao papa – "Leão XIII, poeta latino" e "Pontífice Morto". O primeiro é fruto da admiração pelo poeta sacro; o segundo, resultante das impressões de acompanhar a sua agonia final. (SE)

2 ∞ Sobre a visita ao papa, ver carta [698]. (SE)

3 ∞ Há dois cartões-postais: [686] e [689]. Já em Roma, o diplomata escreveu-lhe a carta [698] em que comenta a visita que fez ao papa Leão XIII, sem fazer referência ao estado de saúde do pontífice. (SE)

4 ∞ De novo Machado fala sem rodeios. Talvez pressionado por tantas demandas – trabalho na secretaria, a presidência da Academia, a grave doença de Carolina, a atividade literária e a administração da rede de amigos e confrades – isso lhe desse um sentimento de urgência, que o tornou mais direto com os que o faziam sentir-se à vontade. Com Azeredo, passa ser mais confessional. Com Mário de Alencar*, demonstrará

a sua fragilidade física. Com José Veríssimo*, exercitará seu humor, tão necessário nas horas difíceis. (SE)

5 ∞ Machado certamente equivocou-se na datação da carta. A recepção solene de Oliveira Lima* ocorreu no dia 17 de julho, o "ontem" a que se refere; portanto esta carta seria de 18 de julho. Sobre a recepção de Oliveira Lima, ver carta [710]. (SE)

6 ∞ Sobre o evento, ver carta [589]. Ver também [710]. (SE)

7 ∞ Machado começara um discreto trabalho em favor de Euclides. Afirma por denegação — *não quero insinuar-lhe o voto* — e, em seguida, lembra ao diplomata que o titular do Ministério das Relações Exteriores, ao qual Azeredo estava subordinado, votaria em Euclides. (SE)

8 ∞ O aparecimento de *Os Sertões* foi um acontecimento nas letras nacionais, pois afastou a literatura da zona de conforto, tirando a vida urbana do foco central, estabelecendo a distinção entre o litoral e o sertão, sem fazer literatura regional. O livro fixou a crise nas estruturas econômica e política do Brasil do final do século XIX, e a ausência de diretrizes na ação social para atender e acolher esse Brasil que emergia do livro e que seria o do século XX. Foi impossível ficar indiferente ao livro: Alberto Rangel, Vicente Licínio Cardoso, Afonso Arinos*, Domício da Gama*, Basílio de Magalhães, Sousa Bandeira*, todos comentaram a respeito dele, mas, sobretudo, José Veríssimo* e Araripe Júnior*, conforme destaca Alberto Venancio Filho (2009) ao dizer que o sucesso da edição deveu-se muito à avaliação dos dois, que muito rapidamente compreenderam a peculiaridade da obra e espalharam a boa-nova. (SE)

# [712]

De: JOSÉ JOAQUIM SEABRA
*Fonte*: Manuscrito Original, Arquivo ABL.

## GABINETE DO MINISTRO DA JUSTIÇA
## E NEGÓCIOS INTERIORES

Rio de Janeiro, 17 de julho de 1903.

Il*ustríssi*mo Am*ig*o Sen*ho*r Machado de Assis

Com muito pesar deixarei de assistir hoje à sessão da Academia Brasileira, em que vai ser recebido o D*outo*r Oliveira Lima[1]. Tinha esperança de que melhorasse o tempo; mas vejo que ele não é meu amigo, pois com a sua desumanidade insiste em privar-me do delicado prazer de tão excelente companhia. Creia que sinto não poder ir, por mim pessoalmente e como Ministro, porque julgo que às solenidades dessa natureza não deve faltar o elemento oficial para o efeito que convém produzir no público.

Renovo os meus agradecimentos pela gentileza do convite e aproveito a ocasião para assegurar o alto apreço com que sou seu

Amigo criado atento Admirador

J. J. Seabra

---

1 ∾ Sobre a posse de Oliveira Lima*, ver cartas [589] e [710]. (SE)

## [713]

De: SALVADOR DE MENDONÇA
*Fonte:* Manuscrito Original, Arquivo ABL.

Petrópolis, Hotel Alexandra[1], 23 de julho de 1903.

Meu caro Machado de Assis.

Agradeço cordialmente teu telegrama; estiveste realmente em espírito comigo no dia dos meus anos[2], pois a atmosfera de suave e terna amizade que me cercava, revelava-me a tua presença. Fora meus irmãos[3], és hoje o amigo que há mais anos tenho, sempre o mesmo, bom e sincero.

Minha mulher e filhos comigo enviam à tua Excelentíssima Senhora e a ti lembranças afetuosas.

Abraça-te estreitamente

Teu do coração

Salvador.

1 ∞ Situado na rua dos Artistas, atual Sete de Abril, em Petrópolis, o conceituado hotel Alexandra, de propriedade de Mlle. Ana Lentz, ocupava o prédio em que funciona hoje o Convento de Nossa Senhora de Lourdes. Em março de 1909, os credores de Mlle. Lentz solicitaram a sua falência ao juiz da I.ª vara comercial Dr. Cícero Seabra, que acatou o pedido, sendo eleito síndico da massa falida o credor Paul Zaddack. Há também uma triste coincidência ligando seu nome ao de Machado de Assis. A mesma Mlle. Lentz, em 29/09/1908, dia do falecimento do escritor, inaugurou um salão de chá no "entresolo", como se dizia, do recém-inaugurado edifício do *Jornal do Comércio*, na recém-aberta avenida Central, com uma grande festa muita concorrida, e entre os presentes estavam Rui Barbosa*, Antônio Azeredo*, José Carlos Rodrigues*, Paulo Barreto*, Campos Sales, barão de Jaceguai* e Ernesto Senna. (SE)

2 ∞ Salvador comemorava o seu aniversário exatamente um mês depois – 21 de julho – do de Machado de Assis. Nos últimos tempos, os dois passaram a se cumprimentar com mais regularidade. (SE)

3 ∞ Os irmãos de Salvador: Francisco (1843), tabelião em São Gonçalo do Sapucaí; João (1845), telegrafista-chefe dos Correios e Telégrafos; Cândido (1847), de convicções monarquistas, advogado e deputado à assembleia provincial do Rio de Janeiro; quando da proclamação da República, afastou-se da política, dedicando-se apenas à advocacia; Amália (1849), casada com Manuel Duarte Moreira; Mercedes (1851), casada com Miguel Figueiredo de Araújo; Lúcio de Mendonça* (1854); e Júlia (1855), casada com Francisco de Paula Bueno de Azevedo. (SE)

## [714]

De: EUCLIDES DA CUNHA
*Fonte:* GALVÃO, Walnice Nogueira; GALOTTI, Oswaldo. *Correspondência de Euclides da Cunha*. São Paulo: Edusp, 1997.

Lorena, 26 de julho de 1903.

E*xcelentíssi*mo *senho*r Machado de Assis

 Cumprimentando-o respeitosamente e à E*xcelentíssi*ma Senhora, apresso-me em agradecer a grande distinção de sua carta de 20 do corrente[1] que hoje li, ao voltar de viagem. Ela não me surpreendeu. Desde o primeiro dia em que tive a felicidade de conhecer pessoalmente à Vossa Excelência – o que para mim foi o complemento de relações bem antigas – fiquei sob a impressão de um deslumbramento, ao notar a incomparável bondade e a rara superioridade de coração com que me revestiu a sua nobilitadora estima. O sufrágio que me vai dar será para mim uma consagração[2].

Subscrevo-me, com a mais profunda estima e elevado apreço, seu amigo e criado atento obrigado e admirador

Euclides da Cunha

---

1 ∾ Documento ainda não localizado. (SE)

2 ∾ Oficialmente houve 4 candidatados à Cadeira 7: Euclides da Cunha (24 votos), Domingos Olímpio (4), Silvino Amaral (2) e Xavier Marques* (1). Barbosa Horta, que não está arrolado na ata da eleição, também se apresentou, pois em carta do primeiro-secretário Rodrigo Octavio* a Machado, [707], de 03/07/1903, é nomeado candidato. Deve ter se retirado à última hora. Além desses, Quintino Bocaiúva* certamente foi cogitado, pois em carta ao pai de 12/06/1903, Euclides comenta:

> "[...] entre outros antagonistas, o velho autor dos Mineiros da Desgraça Quintino Bocaiúva, que me derrotará pela certa – porque leva para ação a própria influência política, e levantou-lhe a candidatura o *primus inter pares* da nossa gente, o barão do Rio Branco".

No entanto, apesar do que diz ao pai, Euclides escreveu ao barão em 9 de julho e obteve resposta favorável: Rio Branco* lhe daria o voto, o que certamente o alegrou. Além de Quintino, também Jaceguai* foi cogitado. A campanha em favor do almirante tinha um defensor de peso: Nabuco*, que na carta [718], de 18/08/1903, diz que o seu candidato é Jaceguai. Em falta deste, se Quintino se lançar, votará em Quintino e, no caso de nenhum deles, então será por Euclides, o que acabou acontecendo. Outro defensor da candidatura Jaceguai foi Graça Aranha*. Em carta [703], de modo sinuoso esquadrinha o coração de Machado, perguntando: "A não ser o Jaceguai quem seria? O Assis Brasil? O Augusto de Lima? O Euclides dos Sertões de Canudos? Quem?" Registre-se que Augusto de Lima* já havia sido eleito em 05/02/1903. Machado, no entanto, desde o início manteve-se discretamente favorável à entrada de Euclides na Academia. Em carta [711] a Azeredo*, escreve nos seguintes termos:

> "Vamos ter eleição acadêmica no meado de Setembro. Lá receberá comunicação oficial pelo Rodrigo Octavio. Não quero insinuar-lhe voto, mas o candidato que parece reunir maioria é o Euclides da Cunha, autor dos *Sertões*. Estamos concertados muitos em votar nele, começando pelo Rio Branco." (SE)

# [715]

> Para: JULIEN LANSAC
> *Fonte*: Manuscrito Original, Arquivo ABL.

[Rio de Janeiro, sem data.][1]

Mon cher monsieur Lansac.

J'ai l'honneur de vous remettre l'exemplaire des «Memórias Póstumas de Brás Cubas» pour la nouvelle édition, revu à demande de *Monsieur* Garnier et d'accord avec nos conventions.

Je crois, monsieur, que cette nouvelle édition de Brás Cubas pourra porter sur la couverture l'indication «Quarta edição» au lieu de simplement «Nova edição». De cette façon, n'ayant pas de date on ne pourrait pas la confondre avec la troisième édition qui vient de finir. Je n'ai pas fait aucun changement, excepté sur l'en-tête. Pour ce qui est de la couverture, on fera là-bas ce que l'on jugera mieux et plus pratique[2]

---

1 ∾ Rascunho sem data nem assinatura, e repleto de emendas que escaparam à transcrição no excelente *Catálogo da Exposição Machado de Assis* (1939). Pelo teor, o rascunho deve ser imediatamente posterior à carta [708]. (IM)

2 ∾ TRADUÇÃO DA CARTA:

> Prezado Senhor Lansac. / Tenho a honra de passar-lhe às mãos o exemplar das *Memórias Póstumas de Brás Cubas* para a nova edição, revisto a pedido do Sr. Garnier e de acordo com nossas convenções. / Creio, senhor, que essa nova edição de Brás Cubas poderá trazer na capa a indicação "Quarta edição" em vez de simplesmente "Nova edição". Assim, não tendo data, não poderia ser confundida com a terceira edição, que acaba de esgotar-se. Não fiz mudança alguma, salvo no cabeçalho. Quanto à capa, far-se-á em Paris o que se julgará melhor e mais prático. (IM/SPR)

# [716]

Para: LÚCIO DE MENDONÇA
*Fonte:* Revista da Academia Brasileira de Letras,
XXXI, n. 94, out. 1929.

Rio de Janeiro, 8 de agosto de 1903.[1]

Meu caro Lúcio.

A lembrança do meu nome, honrosíssima em si, veio de encontro a um grande obstáculo. Não quero referir-me à representação literária, que a bondade dos amigos me dá, como um prêmio de assiduidade e tenacidade no trabalho. Refiro-me à significação política, quando eu vou galgando os sessenta anos, para não dizer a verdade inteira. Meu querido, não é idade em que comece um papel destes quem não exerceu nenhum análogo na mocidade.

Você, que abriu os olhos em plena luta, me compreenderá bem, e transmitirá aos demais companheiros a minha escusa com os meus agradecimentos. Outrossim, me desculpará também se a lembrança, como a outra, foi também sua.

O velho amigo

M. de Assis.

---

1 ◦∾ A *Revista* da ABL e demais publicações dedicadas à correspondência machadiana, equivocadamente, apresentam esta carta como datada de 8 de agosto de 1902. Na verdade, o assunto se reporta a uma iniciativa de Lúcio de Mendonça (existe farta documentação em jornais da época), visando à criação de uma comissão de notáveis para indicar nomes de candidatos à presidência da República. Até então, futuros sucessores eram apoiados pelo presidente em exercício. Carlos Süsskind de Mendonça retificou o erro da data e deu fartos esclarecimentos no *Jornal do Comércio* (28/03/1937), artigo arquivado na ABL. Magalhães Jr. (2008) oferece minuciosos detalhes sobre o assunto. É importante observar que Machado de Assis, indicado por Lúcio meses antes de redigir a presente missiva, manteve-se em silêncio, até manifestar sua posição negativa ao convite do confrade republicano. (IM)

[717]

Para: VISCONDESSA DE CAVALCANTI
*Fonte:* Manuscrito Original, Instituto Histórico e Geográfico Brasileiro.

Rio de Janeiro, 16 de agosto de 1903.

Ex*celentíssi*ma Senhora Viscondessa de Cavalcanti.

Li as três biografias que o *Jornal do Comércio* publicou no dia 20 de julho[1], extraídas do livro de Vossa Excelência. Que correspondessem ao que eu esperava de uma senhora de espírito não admira. O que me parece menos fácil ou quase novo foi justamente a quantidade e a sobriedade, a primeira no que toca aos elementos da vida de cada um dos biografados, a segunda na exposição deles. Não há aí nenhuma dessas roupagens vistosas e excessivas, que não servem à matéria nem à forma, e conseguintemente não completam, nem deleitam, antes enfastiam. Vossa Excelência sabe o que eu quero dizer, por isso mesmo que deu o tom ao livro. Quis fazer um *pequeno dicionário biográfico brasileiro*, adotou o plano único, e sobre ele deixou trabalhar a sua inteligência culta e paciente, amiga da verdade e da exação. Pelo que li, irei adivinhar o que está inédito; entrarão no livro os que merecerem por armas ou por letras, por ação política, científica ou outras. Quem souber que devemos essa obra às horas furtadas da vida social, terá ainda uma vez que reconhecer o valor da autora e a extensão do seu exemplo.

Queira Vossa Excelência receber os protestos de grande estima e alta consideração com que sou

De Vossa Excelência

Admirador e obrigado

Machado de Assis

---

1 ~ A viscondessa de Cavalcanti, há tempos, coletava dados para o seu *Pequeno Dicionário Biográfico Brasileiro*, pois há notícia de correspondência trocada entre ela e Rui Barbosa* em 05/05/1898, na qual solicita-lhe os seus dados biográficos para inseri-los

no dicionário. Rui, parece, aquiesceu ao pedido da viscondessa, pois esta agradece em 27/10/1898. Agora, em 1903, com o trabalho bastante adiantado, D. Amélia, como forma de suscitar o interesse do público, publicou no *Jornal do Comércio* de 20 de julho alguns verbetes da letra "A": José de Alencar*; José de Abreu (Mena Barreto) (1771--1827), o barão do Cerro Largo; e Frederico Cavalcanti de Albuquerque (1829--1901), e Machado respondeu-lhe em termos muito gentis. (SE)

[718]

De: JOAQUIM NABUCO
*Fonte*: Manuscrito Original, Arquivo ABL.

Challes, 18 de agosto de 1903.

Meu caro Machado,

Meu voto é pelo Jaceguai, caso ele se tenha apresentado[1]. Se o Quintino se apresentar, será do Quintino, pela razão que dou na carta inclusa quanto aos da Velha[2] geração. Não creio que o Jaceguai se apresente contra o Quintino[3]. Nesse caso Você explicaria a este o meu compromisso; a minha ideia sobre a representação da Marinha, que mesmo a ele não deve ceder o passo; a minha animação ao Mota[4] dizendo-lhe que desde a fundação eu pensei que homens como ele, Lafaiete, Ferreira Viana, Ramiz Galvão, Capistrano e os outros que Você sabe deviam ser dos que têm a honra de ser presididos por Machado de Assis. (Vejo que Você presidiu ao Presidente no outro dia. Isto lhe devia ter causado prazer[5]. O discurso do Oliveira Lima esteve excelente; o que ele disse menoscabando a diplomacia e a cozinha francesa, [as duas coisas de que ele mais gosta, a terceira, Você sabe, é fazer livros][6], foi naturalmente para a galeria. O Salvador manteve as tradições acadêmicas, não deixando sem retribuição em boa moeda portuguesa, e manuelina, a hospitalidade portuguesa. É singular que a Academia de Letras Brasileira precise do agasalho do Gabinete Português de Leitura. Nem nisso faremos a nossa independência literária?!)

No caso de não haver candidatura Jaceguai, à qual eu daria o meu voto no Conclave, quando mesmo ele quisesse ter esse voto único (único parece não seria, pelo que me disse o Graça Aranha), nem candidatura Quintino... Quintino, *Você* sabe, esteve sempre associado para mim com *Você*; eram segundo me lembro, o Castor e Pollux dos meus quatorze anos, por volta de 1863, e o brilho do talento dele foi muito grande. Como todos os que se desindividualizam, ou despersonalizam, para se tornarem coisa pública, propriedade das massas, matéria demagógica, podemos dizer, o diamante nele desapareceu no cascalho, e desde a República ainda não lhe li uma página, nem sequer uma frase, que me lembrasse o antigo escritor. Mas ainda assim pelo seu passado, ele tem direito à nossa homenagem, e não há dúvida que mesmo hoje lhe bastaria (sei que isto lhe é impossível, mas só isto) sacudir os andrajos políticos[7] para mostrar o velho paladino intemerato, com aquele gládio arcangelesco tão nosso conhecido. Ou estarei eu enganado? O Salvador pareceu-me sem sopro, ainda que sempre epigramático, o que é sinal de vitalidade e poder criador em literatura[8]. [1] *Você*, que é mestre no epigrama, sabe que enquanto os pode compor, o escritor não decaiu, [2] ainda que não se sinta o mesmo ilimitadamente. Isto seria uma tolice aplicada a *Você* mesmo, não me creia, eu mesmo, tão decaído que tivesse podido unir mentalmente os dois membros da frase, que agora vou numerar e separar com tinta encarnada. *Você* sabe disso, mas não por si, que, Deus louvado, é ainda ilimitadamente a nossa glória, e o nosso mestre. Explico-me somente por que sei que *Você* é desconfiado e modesto.

No caso de não haver candidatura Quintino, nem Jaceguai, o meu voto será pelo Euclides da Cunha, a quem peço que então *Você* faça chegar a carta inclusa[9]. Se o Jaceguai nos frequenta ainda, mostre-lhe o que digo dele nesta carta ao Euclides.

Estou muito cansado. Desta vez em 6 meses darei 6 volumes, para juntar aos 8 da primeira Memória. Fico assim em 14. Em *Dezembro* darei mais 2, 16. É um *record*, uma biblioteca de *infólio* em um ano. A memória já está aí na Secretaria. Os meus amigos e os que se interessam pelo assunto devem recorrer ao Rio Branco.

Muitas saudades a todos sob o seu anel, meu caro Machado, e creia-me sempre seu muito dedicado

Joaquim Nabuco

---

1 ∾ Vaga de Valentim Magalhães*, fundador da Cadeira 7. (IM)

2 ∾ Rasurado: "nossa". (IM)

3 ∾ Quintino Bocaiúva* nunca se apresentou como candidato à Academia. (IM)

4 ∾ O barão de Jaceguai*, almirante Artur Silveira da Mota. (IM)

5 ∾ Posse de Oliveira Lima*. A ata é lamentavelmente breve, sem alusão às autoridades presentes. (IM)

6 ∾ Os colchetes, nesta carta, são do próprio Nabuco. (IM)

7 ∾ Observação de um monarquista convicto, agora a serviço do Brasil republicano. (IM)

8 ∾ Nesse ponto, Nabuco escreveu, com tinta encarnada, o número 1 e acrescentou no rodapé: "P. S. Ponho o Atlântico, que nos separa entre o começo e o fim da frase"; tal acréscimo vai até o número 2. A correspondência publicada por Graça Aranha* (1923) e as demais ignoraram tal comentário, perfeitamente legível no manuscrito original. (IM)

9 ∾ Carta a Euclides da Cunha*:

"Challes, 18 de agosto de 1903. / Meu caro colega, / O meu voto seria pelo Jaceguai, se ele se apresentasse, por causa dele mesmo e da Marinha, que não está representada na Academia. Eu penso que os moços que têm a vida diante de si devem um tanto ceder o passo aos que precisam de animação para se demorarem na cena, e quando se passou Humaitá há quase quarenta anos depende-se um pouco do favor do público para viver. Como, entretanto, o nosso glorioso Artur Silveira da Mota não se apresenta ainda, tenho o maior prazer em dar-lhe o meu voto. Agradeço-lhe o seu livro, que já se tem lido com admiração em roda de mim, mas no qual não pude ainda tocar. Estou no momento no mais aceso da luta, como se diz, entrevendo, porém, à distância que já se pode medir, o fim dela. Então isto é, com mais cinco meses, terei acabado os meus trabalhos, que há três anos me mantêm afastado de tudo que é literatura. Poderei então ler e escrever outra coisa que não seja Tacutu e Rupununi, se não ficar antes enterrado nos campos do rio Branco. Não pretendo, porém, esperar até lá para ler o seu livro. Vou ter agora um intervalo de um mês, e essa será a minha primeira, e confio forte, distração intelectual. O Graça Aranha admirou-o muito, e isto me faz levá-lo com confiança em meu saco de viagem. Desejando-lhe uma eleição triunfante, creia-me seu muito sinceramente / Joaquim Nabuco"

Optamos por incluir em nota a transcrição desta carta (Nabuco, 1949) porque ela foi mandada a Machado, para entrega ao destinatário. E, ainda, porque mostra claramente como Nabuco pensava a política acadêmica. Jaceguai foi eleito, sem concorrente, em 28/09/1907. No interessante discurso de posse, desculpou-se por não fazer o elogio do antecessor, Teixeira de Melo*, pois não conhecera "o homem nem sua obra". Euclides da Cunha morreu em 1909, aos 43 anos, e Jaceguai em 1914, já septuagenário. (IM)

[719]

Para: SALVADOR DE MENDONÇA
*Fonte: Catálogo da Exposição Machado de Assis, 1839-1939.* Rio de Janeiro: Ministério da Educação e Saúde, 1939.

Rio de Janeiro, 29 de agosto de 1903.

Meu querido Salvador,

Vai aqui um abraço pelo teu restabelecimento, agora completo. Quando o Lúcio me falou da tua doença, ela chegara ao estado agudo[1], mas ontem as notícias eram boas, e ele próprio, que conta subir a Petrópolis hoje, leva-te um abraço pessoal.

Viva a velha guarda, meu amigo. Eu, apesar do pessimismo que me atribuem, e talvez seja verdadeiro, faço às vezes mais justiça à Natureza do que ela a nós. Não posso negar que ela respeita alguns dos melhores, e estou que os fere por descuido, mas logo se emenda e põe o bálsamo na ferida. Adeus, meu querido amigo, apresenta à tua E*xcelentíssi*ma Senhora as minhas congratulações e as de m*inh*a mulher, que também as envia para ti; e continua a lembrar-te do teu

Velho Amigo

Machado de Assis

I ∾ Salvador sofria de beribéri, isto é, uma polineurite desencadeada por carência de vitamina $B_1$, o doente apresenta distúrbios motores (especialmente dos membros inferiores), problemas secretores e circulatórios (edemas e cardiomiopatia). (SE)

[720]

De: EUCLIDES DA CUNHA
*Fonte:* Transcrições, Arquivo ABL.

Lorena, 22 de setembro de 1903.

Ex*celentíssi*mo *senho*r Machado de Assis

Cumprimentando-o e à Excelentíssima família, apresso-me em lhe agradecer a extrema gentileza de seu telegrama de ontem[1], dando-me a mais agradável das notícias. Creia o meu distintíssimo patrício que no novo posto a que fui elevado (e não sei de nenhum outro mais elevado, neste país) me encontrará sempre assistido de uma boa vontade sem limites para obedecer à lúcida direção que está imprimindo ao movimento intelectual da nossa pátria.

Sempre com a mais alta consideração e maior estima

sou seu amigo, cr*ia*do muito adm*ira*dor

Euclides da Cunha

I ∾ Machado teve o cuidado de telegrafar pessoalmente a Euclides na mesma tarde do dia em que ocorreu a eleição – 21 de setembro – para avisá-lo da vitória. Além desse cuidado, Machado também reagiu à presente carta rapidamente: dois dias depois, em 24 de setembro, carta [721], a sua resposta já seguia para Lorena. Por outro lado, a comunicação oficial da Academia foi feita pelo primeiro-secretário Rodrigo Octavio* (Galvão; Galotti, 1997) em carta de 25 de setembro ao novo acadêmico, que acusa o recebimento nos seguintes termos:

"Rio, 10 de outubro de 1903. / Ex*celentíssi*mo *senho*r d*ou*t*o*r Rodrigo Octavio, d*ig*níssimo 1.º Secretário da Academia Brasileira de Letras. / Agradecendo à

Vossa Excelência a honrosa comunicação que me fez em data de 25 de setembro próximo findo, relativamente à minha eleição de membro dessa ilustre corporação, para a cadeira de Castro Alves, vaga pela morte de Valentim Magalhães, declaro que a recebi com a maior satisfação, ficando inteiramente ciente dos grandes e nobilíssimos deveres imanentes a tão elevado cargo. / Aproveito a oportunidade para apresentar a Vossa Excelência os protestos da maior estima e consideração, subscrevendo-me / confrade obrigado e muito admirador / Euclides da Cunha" (SE)

## [721]

Para: EUCLIDES DA CUNHA
Fonte: Manuscrito Original, Biblioteca Brasiliana Guita e José Mindlin, USP.

Rio de Janeiro, 24 de setembro de 1903[1].

Excelentíssimo Senhor Doutor Euclides da Cunha,

Recebi a sua carta de anteontem. Não é mister dizer-lhe o prazer que tivemos na sua eleição para a Academia, e pela alta votação que lhe coube, tão merecida[2]. Os poucos que, por anteriores obrigações, não lhe deram o voto, estou que ficaram igualmente satisfeitos. Como membros da Academia, estimarão que esta se fortaleça com escolhas tais.

Joaquim Nabuco mandou-me o seu voto, com a declaração de que este recairia no almirante Jaceguai, se se apresentasse candidato[3]. Não se apresentando, votaria no autor dos *Sertões*, e foi o que sucedeu, por meu intermédio. Pediu-me que se lhe transmitisse a carta que achará inclusa[4], e só agora o faço, com grande prazer.

Renova as seguranças de alta consideração e estima, com que sou

Admirador e amigo muito obrigado

Machado de Assis

1 ∾ Carta tarjada de luto. Em 2007, pessoal e gentilmente, José Mindlin franqueou-nos o original. (SPR)

2 ∾ Machado de Assis foi desde o início um apreciador do talento literário de Euclides. (SE)

3 ∾ Artur Jaceguai* foi eleito em 28/09/1907, para a Cadeira 6, na vaga aberta por Teixeira de Melo*. (SE)

4 ∾ Ver carta de Joaquim Nabuco*, em [718]. (SE)

[722]

De: ANTÔNIO GOMES DE AVELAR
– CONDE DE AVELAR
*Fonte*: Original Manuscrito, Arquivo ABL.

Rio de Janeiro, 26 de setembro de 1903.

Ilustríssimo Excelentíssimo Senhor Doutor Machado de Assis[1].

Com a mais particular distinção acuso a recepção da atenciosa missiva de Vossa Excelência se dignou dirigir-me em 25 do corrente[2], cumprindo-me cientificar a Vossa Excelência que a diretoria do Gabinete Português de Leitura muito agradece a Vossa Excelência o ter dado preferência à nossa Instituição para celebrar a sessão solene, que teve lugar no dia 18 do corrente[3].

Reiterando, pois, o nosso sincero oferecimento, rogamos a Vossa Excelência se digne honrar esta Instituição sempre que dela necessitar.

A diretoria apresenta a Vossa Excelência o testemunho da mais elevada estima e consideração que tributa a Vossa Excelência.

Conde de Avelar

Presidente

1 ∾ Papel timbrado do Gabinete Português de Leitura, com data e endereçamento a Machado de Assis no final da carta redigida por terceiros e assinada por Antônio Gomes de Avelar. (IM)

2 ∾ Missiva ainda não localizada. (IM)

3 ∾ Posse de Afonso Arinos*. Ainda sem sede, a Academia fora acolhida no belíssimo Gabinete Português de Leitura, à rua Luís de Camões, para realizar três sessões solenes anteriores: a primeira, em 01/07/1900, recepção de Domício da Gama*. A seguinte, na noite de 02/06/1901, assinalando o início daquele ano acadêmico, com alocuções de Rodrigo Octavio* e de Medeiros e Albuquerque* (secretário-geral em substituição a Joaquim Nabuco*, enviado para Londres a fim de resolver a questão de limites com a Guiana inglesa), e, na mesma ocasião, Olavo Bilac* fez o elogio a Gonçalves Dias, seu patrono; em julho de 1903, Oliveira Lima* fez o elogio de Varnhagen, patrono da Cadeira 39, e foi recepcionado por Salvador de Mendonça*. (IM)

[723]

Para: JOAQUIM NABUCO
*Fonte*: Fundação Joaquim Nabuco. Fac-símile do manuscrito original.

Rio de Janeiro, 7 de outubro de 1903.

Meu caro Nabuco,

Demorei uns dias esta resposta para que fosse completa, isto é, contendo alguma coisa acerca da sua Memória. Há tempo falei ao Rio Branco[1], e não há muitos dias ao Domício[2]; ultimamente fui à Secretaria do Exterior onde soube pelo Pessegueiro[3] que se estava completando um trabalho, depois do qual se fariam as remessas ou entregas. O meu nome está na lista dos contemplados. Não sendo já esta semana, prefiro escrever-lhe uma carta de agradecimento a esperar.

Também agradeço o último retrato de Leão XIII, com a curva da idade e os versos latinos. Outrossim, o cartão-postal com o selo da sede vacante. Não tenho coleção de selos, mas este vale por uma e cá fica. Mandar lembranças a um velho é consolá-lo dos tempos que não querem ficar também.

Do que V*ocê* me diz naquele, já há de saber que nada se fez[4]. O prazo findara. Já deve saber que o Euclides da Cunha foi escolhido, tendo o seu voto, que comuniquei à assembleia. Não se tendo apresentado o Jaceguai nem o Quintino, o seu voto recaiu, como me disse, no Euclides. Mandei a este a carta que V*ocê* lhe escreveu[5]. A eleição foi objeto de grande curiosidade, não só dos acadêmicos, mas de escritores e ainda do público, a julgar pelas conversações que tive com algumas pessoas. Mostrei ao Jaceguai a parte que lhe concernia na sua carta. Espero que ele se apresente em outra vaga, não que mo dissesse, mas pela simpatia que sabe inspirar a nós todos, e terá aumentado com a intervenção que V*ocê* francamente tomou.

A recepção do Euclides não se fará ainda este ano. Já há dois eleitos, que estão por tomar posse, o Augusto de Lima, de Minas Gerais, e o Martins Júnior, de Pernambuco[6]. Não é esta a razão; as entradas se farão à medida que estiverem prontos os discursos, e é possível que o Euclides se prepare desde já. Responder-lhe-á o Afonso Arinos[7]. A recepção deste foi muito brilhante; respondeu-lhe o Olavo Bilac.

A Academia parece que enfim vai ter casa. Não sei se V*ocê* se lembra do edifício começado a construir no Largo da Lapa, ao pé do mar e do Passeio. Era para a Maternidade. Como, porém, fosse resolvido adquirir outro, nas Laranjeiras[8], onde há pouco aquele instituto foi inaugurado, a primeira obra ficou parada e sem destino. O Governo resolveu concluí-lo e meter nele algumas instituições. Falei sobre isso, há tempos, com o Ministro do Interior[9], que me não respondeu definitivamente acerca da Academia; mas há duas semanas soube que a nossa Academia também seria alojada, e ontem fui procurado pelo engenheiro daquele Ministério[10]. Soube por este que a nossa, a Academia de Medicina, o Instituto Histórico e o dos Advogados ficarão ali. Fui com ele ver o edifício e a ala que se nos destina, e onde há lugar para as sessões ordinárias e biblioteca. Haverá um salão para as sessões de recepção e comum às outras associações para as suas sessões solenes.

Seguramente era melhor dispor a Academia Brasileira de um só prédio, mas não é possível agora, e mais vale aceitar com prazer o que se nos oferece e parece bom. Outra geração fará melhor[11].

Interrompo-me aqui para não demorar mais a resposta, ainda que vá completa do que há, mas a matéria com V*ocê* é sempre renascente. Demais, o prazer que traz a certeza de que me lê um amigo, dá vontade de continuar. Vá desde já o abraço do costume, enquanto o permitem estes velhos ossos do

*Velho amigo e grande admirador*
Machado de Assis

---

1 ∾ Ver em [700]. (IM)

2 ∾ Domício da Gama*. (IM)

3 ∾ Pessegueiro do Amaral. (IM)

4 ∾ Postal ainda não localizado; vale lembrar que Machado de Assis conservou, zelosamente, a correspondência enviada por Nabuco. (IM)

5 ∾ Ver em [718]. (IM)

6 ∾ Augusto de Lima* só seria recebido em 05/12/1907, e Martins Júnior* tomou posse por carta, vindo a falecer em agosto de 1904. (IM)

7 ∾ A recepção de Euclides da Cunha* foi feita por Sílvio Romero*, em 18/12/1906. (IM)

8 ∾ A Maternidade fora projetada para funcionar em antigos terrenos alagadiços e malsãos, vizinhos ao Passeio Público. Ora, num Rio de Janeiro vítima de péssimas condições higiênicas e de epidemias gravíssimas, fazer do prédio "moderno" uma maternidade que poria em risco a sobrevivência de mães e bebês gerou protestos, ponderações e medidas objetivas. A revista mensal *Renascença*, fundada e dirigida por Rodrigo Octavio* e Henrique Bernardelli*, traz no seu primeiro número (março de 1904) um minucioso e bem ilustrado artigo escrito por Abreu Fialho, da Faculdade de Medicina. Intitula-se "A Maternidade do Rio de Janeiro". Finalmente instalada "no prédio n. 66 da rua das

Laranjeiras /.../ esplêndida *Villa*, situada num fidalgo arrabalde", a casa foi adquirida pelo governo e "custou a soma de 180:000$000." Prossegue o autor:

"O primitivo edifício, destinado àquele fim e construído a meio na praia da Lapa, já não satisfazia, decorridos tantos anos do plano de então, às exigências da atualidade. Era central, próximo de um ponto movimentado, e tinha sido ideado ainda num tempo em que dominava falso preceito científico. Reinava o horror à infecção puerperal, e o hospital era dividido em pequenos quartos, consoante à regra da época."

A centenária "Maternidade do Rio de Janeiro" converteu-se na Maternidade-Escola da UFRJ (sempre em Laranjeiras), prestadora de excelente assistência médica. (IM)

9 ∽ José Joaquim Seabra*, ver em [769], de 21/07/1904. (IM)

10 ∽ Ver em [724], de 08/10/1903. (IM)

11 ∽ Em 1904, a Academia finalmente obteve pouso no próprio nacional que receberia o nome de "Silogeu Brasileiro", lá permanecendo de 31/07/1905 até 15/12/1923. Só então pode dispor de "um só prédio", como augurou Machado: o Petit Trianon, pavilhão construído pelo governo francês para a exposição do centenário da Independência brasileira e doado à ABL 27 anos após a sua primeira reunião preparatória. (IM)

# [724]

Para: RODRIGO OCTAVIO
*Fonte*: Manuscrito Original, Arquivo Particular.

[Rio de Janeiro,] 8 de outubro de 1903.

Caro colega

Acabo de estar com o D*ou*tor Fonseca, Engenheiro do Ministério do Interior, e fica adiada a nossa entrevista hoje no escritório da rua dos Inválidos[1]. Logo lhe direi o que se passou. Disponha do

Velho am*i*go e colega

Machado de Assis

---

1 ∽ A perspectiva de obter espaço para a instalação da Academia. Ver [723]. (IM)

## [725]

Para: MAGALHÃES DE AZEREDO
*Fonte*: Manuscrito Original, Arquivo ABL.

Rio de Janeiro, 20 de out*ubro* de 1903.

Meu caro am*i*go e confrade,

Só agora respondo à sua última carta, e ainda assim para não demorar mais um paquete. Isto quanto a uma das partes da carta, aquela em que me fala de notas biográficas e outras. Das primeiras sei que há publicadas as essenciais, mas até agora não as achei nas horas de lazer que tenho tido, e não são muitas. As outras não sei se as acharei a seu gosto e acertadas. Mandá-las-ei, em breve, com as razões da minha dúvida[1].

Espero que esta carta o encontre de saúde perfeita e a todos os seus. Não se dá o mesmo conosco; minha mulher e eu temos andado adoentados, eu menos que ela, ambos, ambos todavia com a esperança de transpor este momento e repousar, não digo de vez, mas por outro momento, que será breve ou longo, não sei...[2]

Nenhum de nós será "esse velho mais que nonagenário" que seu estilo simples, terso e grave nos descreveu agonizante "no aposento modesto e simples de um dos palácios mais suntuosos da terra." Eu, pelo menos não sou da têmpera dos que vão tão longe. Meses, anos, poucos anos, e terei dito adeus à nossa língua para ir aprender o *esperanto* que nos querem ensinar aqui, e só se aprende bem na outra escola[3].

Mas deixemos melancolias. Aí terá uma das razões do meu silêncio. Ando, com pequenos intervalos, em períodos de abatimento. *Sursum, corda*[4]! Falemos de coisas alegres.

Os seus trabalhos últimos do *Jornal do Comércio* são de boa valia. Sente-se nele Roma, um espírito sério e um coração pio. A morte do papa, as suas exéquias e a análise da poesia de Luís (*sic*) XIII são dignas do vulto que os católicos perderam. A sua sinceridade nesta parte da inspiração nunca se desmentia; o seu espírito não tem só a gravidade precisa ao assunto, mas ainda alguma feição eclesiástica, tal que parece não lhe dará mais gosto em outra parte como nessa Roma pontifícia. A intimidade que Luís (*sic*) XIII[5] lhe deu não viria só da comunhão poética, mas ainda da afinidade religiosa.

A nossa pequena capela acadêmica já tem santuário. Há no Largo do (*sic*) Lapa, entre o convento dos carmelitas e o Passeio Público, e com um lado para o mar, uma obra que ia em começo para a Maternidade e parou há muito[6]. A Maternidade fez-se em outra casa, nas Laranjeiras[7]; o Ministro do Interior mandou acabar aquela obra para alojamento do Instituto Histórico, Instituto dos Advogados, Academia de Medicina e Academia Brasileira. Já é alguma coisa, embora fosse melhor um edifício especial e exclusivo; não importa, cumpra-se a lei e a boa vontade. Mais tarde se fará mais, se for possível e preciso.

Há de saber que já foi eleito o acadêmico para a vaga do Valentim Magalhães. Coube a palma ao Euclides da Cunha, autor dos *Sertões*, obra de grande valor. O eleito ficou satisfeitíssimo com a escolha, o que [a] todos nos contentou por ver que a nossa Academia inspira o mesmo amor que os fundadores lhe têm. Ele queria entrar já este ano, mas nós resolvemos adiar a recepção para o ano.

Releve-me se aqui mesmo acabo a carta. Agora é questão de mala. Até breve; desculpe-me se a maior parte do que lhe disse foi a meu respeito; leve à conta dos achaques, e receba de lá, no fim, um grande abraço para si e os nossos respeitosos cumprimentos para todos os seus

do

Velho am*i*go e confrade

Machado de Assis

---

1 ~ Pela primeira vez, Machado responde a respeito das notas biográficas solicitadas. (SE)

2 ~ Machado estava preocupado com o próprio estado de saúde, mas sobretudo com o de Carolina\*, talvez intuindo o desfecho infeliz daí a exatamente um ano. Trata-se de um desabafo. Aliás, no parágrafo seguinte, voltará ao tema da morte ao falar sobre o recém-falecido Leão XIII, de quem em carta anterior, Azeredo tinha dado notícias.

Por fim, falando de si diz que em breve dirá adeus à nossa língua para ir aprender o esperanto numa outra escola. Depois de três parágrafos bastante fortes, conclui se recompondo:

> "Mas deixemos melancolias. Aí terá uma das razões do meu silêncio. Ando, com pequenos intervalos, em períodos de abatimento. *Sursum, corda!* Falemos de coisas alegres." (SE)

3 ∾ Magalhães Júnior (2008) diz que esse trecho seria uma alusão à morte da irmã de Carolina, D. Emília Cândida de Novais Braga ocorrida naquele dia, avó da menina Laura, futura herdeira de Machado. De fato, Emília faleceu às 13 horas do dia 20 de outubro, e seu enterro se realizou no dia seguinte, às 14 horas, saindo o corpo da praia de São Cristóvão 149, para o cemitério de São Francisco Xavier, no Caju. A morte de Emília foi um golpe duro para Carolina, cuja saúde bastante fragilizada se agravava, levando-a ao desenlace exatamente um ano depois. Em carta à sua amiga Eufrosina Martins Ribeiro, ela comenta a respeito da perda da irmã, ocorrida quatorze dias antes:

> "Novembro, 3. / Boa amiga Eufrosina / Recebi e muito agradeço a sua cartinha. É verdade! lá se foi a minha pobre irmã! era tão forte, tão sadia e em 8 dias a morte levou-a! Houve tempo que nós pouco nos víamos, mas ultimamente era assim, quase todos os meses ela passava aqui comigo 10 ou 15 dias. Habituei-me a ela e foi quando Deus a chamou! eu sei que para morrer que se nasce, e ela já era velha [,] mas tem impressionado muito [,] enfim acabou... Eu continuo na mesma, dias melhor dias pior, boa nunca, veremos se a mudança de ares dá resultado [,] tencionamos passar algum tempo fora, talvez em Friburgo [,] ainda não há nada decidido[.] / Adeus, lembranças e saudades a todos e à senhora abraço da amiga sincera / Carolina"

A viagem a Nova Friburgo acontecerá logo no início de 1904, por volta do dia 10 de janeiro, em razão da saúde de Carolina, que vinha se abatendo desde 1896. Registre-se que em carta ao mesmo Azeredo [347], de fevereiro de 1896, tomo III, Machado diz que estava se mudando para o Hotel Corcovado *"onde vou estar algumas semanas, por motivo de moléstia de minha mulher."* (SE)

4 ∾ Derivada do *Prefácio* da missa rezada em latim, é uma expressão de encorajamento. Originalmente oficiante diz: *Sursum, corda* – "corações para cima!" – e o clérigo responde – *Habemus ad Dominum* – "temo-lo voltado ao Senhor!" A fonte é um trecho das *Lamentações de Jeremias* (3,41), na qual se lê: *Levamus corda nostra cum manibus ad Dominum in caelos*, isto é, "ergamos nossos corações com as mãos ao Senhor nos céus". (SE)

5 ∾ Machado equivocou-se nas duas vezes em que escreveu o nome do papa recém--falecido: em vez de Leão XIII, escreveu Luís XIII, cujo primeiro-ministro, o todo poderoso Cardeal Richelieu, fundara outra Academia, a francesa. (SPR/SE)

6 ∾ Prédio do Silogeu Brasileiro, na praia da Lapa. (SE)

7 ∾ Atualmente é a Maternidade Escola da Universidade Federal do Rio de Janeiro, ao lado da saída do Túnel Santa Bárbara. (SE)

## [726]

Para: HIPPOLYTE GARNIER
*Fonte*: Manuscrito Original, Arquivo ABL.

Rio de Janeiro, le 9 Novembre 1903.

Monsieur Garnier,

Avec cette lettre pour vous, je remets à M*onsieur* Lansac les épreuves de mon livre *Último*[1]. Je les ai lues et corrigées avec beaucoup de soin. J'attends qu'elles soient mises en page, et renvoyées ici pour les relire encore une fois et définitivement.

Il n'est pas besoin de vous demander que les chapitres de ce nouveau roman soient divisés comme ceux de *Dom Casmurro* et de *Brás Cubas*, et la composition interlignée. Pour tout cela et le reste je remet[s] à vous. Pour le papier, il faut qu'il soit gros (celui de *Dom Casmurro* est bien). Ne pouvant pas calculer le nombre de pages que nous donnera le tout, j'espère que vous fer[r]ez à ce propos les recommandations nécessaires.

Dans les épreuves, il y a des endroits où j'ai supprimé des lignes; il y a même un chapitre dont il est coupée une partie, et l'autre partie ajoutée au chapitre suivant, de façon que le livre aura un chapitre de moins, et finira avec le numéro CXXI, au lieu de CXXII, qu'il avait. Très peu.

Pour l'épigraphe, j'avais cru d'abord la faire remettre dans une seule page, comme dans le manuscript, qui est à Paris; mais en y pensant, je crois qu'il vaut mieux la conserver dans la place où elle est dans l'épreuve, c'est-à-dire, au-dessus du premier chapitre. Il faut corriger seulement le nom de *Dante*[2].

Au chapitre LXXXI (titre *Ai duas almas...*) il y a des vers qui sont composés comme si c'était la prose; j'ai fait la remarque en marge, en priant qu'ils soient mis au centre de la ligne, et composés en petits caractères. Un de ces vers est en allemand, qu'un autre vers, répeté, traduit en portugais³.

Maintenant, il y a au *feuillet 16* une transposition de fin de chapitre, que j'ai indiqué avec des numéros au crayon bleu. Je pense qu'il faut bien y avoir attention. Remarquez bien que cette transposition [...]⁴

---

1 ◦◦ Primeiro título de *Esaú e Jacó*. (IM)

2 ◦◦ A epígrafe é um verso de Dante: *"Dico che quando l'anima mal nata..."* [Digo que quando a alma mal nascida...] (*Inferno*, canto V, verso 7). Essa epígrafe é explicada no capítulo XIII de *Esaú e Jacó*. (SPR)

3 ◦◦ O manuscrito original, conservado no Arquivo da ABL, cita o verso do *Fausto* nas duas versões, em português e em alemão, mas a edição impressa em 1904, e em todas as subsequentes, a versão alemã desaparece. (SPR)

4 ◦◦ TRADUÇÃO DA CARTA (rascunho incompleto):

Rio de Janeiro, 8 de novembro de 1903. / Senhor Garnier, / Com esta carta que lhe é dirigida, entrego ao Senhor Lansac as provas do meu livro *Último*. Li-as e corrigi-as com bastante cuidado. Aguardo que elas sejam paginadas, e devolvidas para que eu possa relê-las ainda uma vez e definitivamente. / Não é necessário pedir-lhe que os capítulos deste novo livro sejam divididos como os de *Dom Casmurro* e *Brás Cubas*, e que a composição seja interlinear. Para tudo isso e o resto confio no Sr. Quanto ao papel, é preciso que seja grosso (o de *Dom Casmurro* está bom). Não podendo calcular o número de páginas a que chegará o livro como um todo, espero que o Sr. faça a propósito as recomendações necessárias. / Nas provas, suprimi linhas em alguns lugares; há mesmo um capítulo do qual cortei uma parte, acrescentando a outra parte ao capítulo seguinte, de modo que o livro terá um capítulo de menos, e acabará no número CXXI, em vez de CXXII, como originariamente. Pouca diferença. / Quanto à epígrafe, tinha pensado a princípio em pô-la numa só página, como no manuscrito que está em Paris. Mas pensando melhor, acho preferível conservá-la onde ela está, isto é, acima do primeiro capítulo. É preciso apenas corrigir o nome de Dante. / No capítulo LXXXI, intitulado "Ai duas almas", há versos compostos como se fossem prosa; fiz uma observação sobre isso à margem, solicitando que fossem postos no centro da linha, em pequenos caracteres. Um desses versos está em alemão, que outro verso, repetido, traduz em português. / Agora, há na folha 16 uma transposição no fim do capítulo, que eu indiquei com números em lápis azul. Penso que é preciso prestar atenção nisso. Observe que tal transposição... (SPR)

## [727]

Para: RUI BARBOSA
*Fonte: Catálogo da Exposição Machado de Assis, 1839-1939.*
Rio de Janeiro: Ministério da Educação e Saúde, 1939.

Rio de Janeiro, 9 de novembro de [1903][2]

Excelentíssimo Senhor Senador Rui Barbosa.

Li, com a pausa necessária a tão largo, numeroso e profundo trabalho, a réplica de Vossa Excelência às defesas de relação do Código Civil[2], da qual agradeço o exemplar que me mandou. Que, mais de uma vez, fique o meu nome entre os que Vossa Excelência escolheu como dignos de citação, é já de si grande honra, mas Vossa Excelência a fez ainda maior com as palavras generosas que lhe acrescentou a meu respeito. Assim que, ambas as razões, a de admiração e a de gratidão, me levam a guardar este livro entre os que mais prezo, para estudo da nossa língua e animação a mim próprio.

Queira Vossa Excelência receber a sincera expressão de minhas homenagens, como de quem é de Vossa Excelência Velho admirador amigo e obrigado

Machado de Assis

---

1 ∾ Carta tarjada. Machado estava de luto pela morte de sua cunhada Emília Cândida. Sobre a sua morte, ver nota 3, carta [725]. (SE)

2 ∾ A redação do código civil estava fervendo no Senado Federal, porque Rui Barbosa, advogado experiente, valendo-se do expediente da chicana, obstruía o andamento do projeto com um volume absurdo de emendas à redação, e o projeto não andava. Travou-se então na imprensa uma ruidosa polêmica linguística envolvendo o revisor do texto, Ernesto Carneiro Ribeiro, José Veríssimo*, Rui Barbosa, Medeiros e Albuquerque e outros mais. Rui então imprimiu o texto *Réplica*, com grande quantidade de exemplos tirados de autores da língua portuguesa, entre os quais Machado de Assis, aliás, citado várias vezes. Todos os exemplos naturalmente serviam para corroborar o seu ponto de vista. Após a impressão, Rui apressou-se em enviá-lo ao escritor. (SE)

## [728]

> Para: BARÃO DO RIO BRANCO
> *Fonte:* Manuscrito Original. Arquivo Histórico do Itamaraty.

[Rio de Janeiro,] 1.º de dezembro de 1903.

Pelo duplo aniversário de hoje[1], receba o caro e ilustre amigo Rio Branco um apertado abraço do
Velho amigo e ad*mirad*or

Machado de Assis

---

1 ◦◦ Ver em [672]. (IM)

## [729]

> De: MAGALHÃES DE AZEREDO
> *Fonte:* Cartão Manuscrito Original, Arquivo ABL.

Roma, 16 de dezembro de 1903.

Legação do Brasil junto à Santa Sé.

Querido Mestre e Amigo, acaso pela primeira vez desde que nos conhecemos, estou em atraso de correspondência! Aqui tenho duas cartas suas[1], tão afetuosas e bondosas, e até agora, apesar de mais de uma tentativa, não lhe pude escrever longamente, como desejaria. Hoje mesmo tenho de reduzir-me a poucas linhas; os meus trabalhos cresceram por tal forma que é raro ter eu tempo para uma carta um pouco mais extensa[2]. Enfim espero dar-lhe em breve páginas mais largas. Por hoje quero apenas fazer-lhe dois pedidos: um é o de apressar se é possível a remessa dos dados críticos, biográficos, bibliográficos que me prometeu — sobretudo a lista dos seus livros por ordem de publicação[3]; o outro é o de devolver-me o bilhete-postal incluso com uns versos autógrafos: se me mandar nele o seu soneto, que eu muito admiro, *Prometeu*[4], lhe ficarei agradecidíssimo[5]. Faça inutilizar o selo do bilhete, e envie-me este depois *como casa*, em envelope. Afetuosas recomendações nossas. Um abraço do seu muito dedicado

Azeredo.

---

1 ∾ Referência às cartas [711] e [725]. (SE)

2 ∾ É bom assinalar que Joaquim Nabuco* e Graça Aranha* estavam acreditados em missão especial junto ao governo italiano. Informalmente, talvez, Azeredo os estivesse auxiliando a aclimatar-se à vida elegante, cultural e política de Roma. Afinal, Azeredo vivia na capital italiana desde 1896. (SE)

3 ∾ Magalhães de Azeredo continua pedindo as notas biográficas para compor o seu estudo sobre Machado de Assis. (SE)

4 ∾ Trata-se do poema "Desfecho" que abre as *Ocidentais*, livro que faz parte das *Poesias Completas* (1901), cujo exemplar Azeredo recebera autografado. Sobre o poema, ver carta [761], de 13/05/1904. Ver também [733], de 02/01/1904 e [747], de 07/02/1904. (SE)

5 ∾ Sobre o hábito dos cartões-postais autografados, ver nota 2, carta [650]. (SE)

[730]

De: ARTUR AZEVEDO
*Fonte*: Cartão-Postal Original, Arquivo ABL.

São João Del Rei, 22 de dezembro de 1903.[1]

Ao meu Ilustre Mestre Senhor Machado de Assis desejo boas festas.

Artur Azevedo

Ilustríssimo Excelentíssimo Senhor
Machado de Assis
Na Secretaria da Indústria
Rio de Janeiro

---

1 ∾ Cartão-postal com vista panorâmica da então rua Direita, hoje rua Getúlio Vargas, tendo ao fundo a Igreja de Nossa Senhora do Carmo no largo do mesmo nome, naquela cidade mineira. (SE)

## [731]

De: EUCLIDES DA CUNHA
*Fonte*: Cartão-Postal Original, Arquivo ABL.

Lorena, 26 de dezembro de 1903.[1]

"onde o estudante e a serenata acordam
Morenas filhas do país do Sul."
Felicidades!

Euclides da Cunha

Excelentíssimo Senhor Machado de Assis
Rua Cosme Velho 18
Rio de Janeiro

---

1 ∾ No anverso do cartão-postal, vista panorâmica da cidade de São Paulo do século XIX, com uma citação modificada da penúltima estrofe de "Versos de um Viajante", do livro *Espumas Flutuantes* (1870), do poeta Castro Alves (1847-1871), patrono da Cadeira 7, para a qual Euclides acabara de ser eleger. Eis a penúltima estrofe: "*Tenho saudades... ai! de ti, São Paulo, / — Rosa de Espanha no hibernal Friul — / Quando o estudante e a serenata acordam / As belas filhas do país do sul.*". (SE)

## [732]

De: TOMÁS LOPES
*Fonte*: Cartão-Postal Original, Arquivo ABL.

[Sem local,] 1.º de janeiro de 1904.[1]

Ao ilustre Mestre, muitas glórias em 1904 —

Tomás Lopes

Excelentíssimo Senhor Machado de Assis
Secretaria da Indústria
Rio

---

1 ∾ Postal europeu, ilustrado com duas graciosas gueixas. (IM)

## [733]

> Para: MAGALHÃES DE AZEREDO
> *Fonte:* Manuscrito Original, Arquivo ABL.

Rio de Janeiro, 2 de janeiro 1904.

Meu querido amigo,

Escrevo-lhe com o pé no estribo. Penso em ir daqui a dias para Nova Friburgo[1], onde passarei algumas semanas. O motivo principal é a saúde de minha mulher. Mas não é só por isso que a carta é breve. Há também uma razão de arrufo. Posto que demorasse a minha resposta à sua última carta, há muito que lha mandei, e já havia tempo de receber outra carta sua, amiga como são todas; nada, porém, me chegou até agora. Tenho que há de haver explicação fora de esquecimento[2].

Além de minha mulher, que está enfraquecida e precisa de outro ar, sinto-me eu próprio assaz cansado, e conto criar forças lá em cima. Eu só engordei uma vez na vida, foi quando fui convalescer em Nova Friburgo da moléstia que me reteve por meses na cama. Verdade é que lá vão vinte anos, e a natureza interior ajudava a ação externa. Veremos agora. O meu cansaço vem do muito trabalho que tenho, constante, complexo e de grande responsabilidade[3]. Acrescente o que já lhe disse mais de uma vez, isto é, que não trabalho às noites, e ponha o remate dos anos, cujo peso cresce à medida que se acumulam, como diria La Palice.

A idade, meu jovem amigo, é coisa que se não entende, por mais que se leia dela; cada um lê com os seus olhos, e os olhos moços não sabem contar os anos, por não os terem aprendido. Tal me acontecia então. Agora, que os tenho velhos é que vejo bem este capítulo. Os amigos daqui riem quando eu me queixo, e o Veríssimo afirma que os hei de enterrar a todos. São palavras benévolas; eu sinto que o repouso me é necessário para esperar o desfecho.

Mas basta de lamúrias. Venhamos ao presente e apertemos a mão de longe. Aperto a sua duas vezes, pela amizade e pelo gosto com que li o seu estudo sobre o nosso Bernardelli[4]. Como em todos os seus trabalhos análogos, sente-se neste a crítica serena, a nota simpática, sem exclusão da análise precisa, e o gosto educado pela vista e pelo sentimento. Não há nele a erudição de encomenda, aborrecível, como sabe, mas feita, como se faz a planta e mais a flor. Bernardelli não há de sentir, decerto, a divisão que dá das suas obras, e reconhecerá a legitimidade da causa a que atribui os defeitos; não é o grande talento, que tão bem define, nem a inspiração e o estudo. Há de agradecer-lhe. Quanto ao estilo e à língua, folgo de ver que os apura e conserva. Viva a mocidade, meu amigo, a mocidade e Roma, a antiga e a nova, e a nossa língua que se lhe impõe cá de longe, por mais que ouça a outra.

A Academia Brasileira vive. Já tem casa, não sei se lho disse. Está quase acabada, é uma das alas daquele edifício da Lapa[5], em que ia ser posta a Maternidade. Agora será de três ou quatro associações literárias e científicas. Tudo isto é maternidade também. Deve ficar pronto no último dia de Março, e a primeira recepção, que será a do Euclides da Cunha[6], verificar-se-á já na casa própria e de lei. O Ministro do Interior, Doutor Seabra, com quem tenho conferenciado a respeito do edifício, mostra-se com a melhor vontade e dedicação. Já comuniquei tudo isto à Academia, em sessão que celebramos esta semana[7].

Não posso ir mais longe agora; estou com o pé no estribo. Quando me escrever, mande a carta para a mesma casa nossa do Cosme Velho, 18; ou estarei de volta, ou ela irá ter a Nova Friburgo. Não me sobra tempo para novidades literárias. Há sempre algum para um abraço cá de longe, e para os meus respeitos à sua Família, a quem minha mulher se recomenda também.

Velho amigo

Machado de Assis.

---

1 ~ A prática do turismo de montanha ou de saúde surgiu na Europa, no século XIX, quando foram construídos sanatórios e clínicas para doenças então tratadas pelo isolamento. Depois o conceito se estendeu a outras moléstias, até alcançar também as

doenças cuja prescrição de tratamento era repouso físico e mental a fim de revitalizar o organismo, fosse em hotéis acolhedores ou em luxuosas estações termais. A pequena Nova Friburgo, na região serrana do estado Rio de Janeiro, era conhecida pelo ar puro e clima ameno, e logo ganhou fama de boa para a saúde. Ali se refugiu Casimiro de Abreu*, em 1860. Ali se refugiara Machado em 1878, quando sofreu um grande esgotamento e uma severa retinite. Lá se abrigaram também Joaquim Serra* e Saldanha Marinho. Na primeira vez em que lá esteve, Machado licenciou-se da secretaria e instalou-se no Hotel Leuenroth por três meses, na companhia de Carolina*. Ao voltar ao Rio em março de 1879, tinha parte de *Memórias Póstumas de Brás Cubas* composto e o organismo em boas condições. Desta vez o casal hospedou-se no Hotel Engert. (SE)

2 ○ Na correspondência entre os dois, este é um dos momentos em que Machado se queixa de abandono epistolar. Havia escrito a Azeredo em 20 de outubro, [725], que lhe respondeu somente em 16 de dezembro, [729], carta que, por alguma razão, Machado ainda não recebera. Então em 02/01/1904, Machado escreve a presente carta. Somente em Friburgo, receberá a carta de [729], em que Azeredo lhe pedia que remetesse um bilhete-postal autografado com o poema "Desfecho". Sobre o poema, ver carta [761], de 13/05/1904. (SE)

3 ○ Machado era o responsável pela Diretoria-Geral de Contabilidade do Ministério da Indústria, Viação e Obras Públicas, de onde se licenciou para subir a Friburgo. (SE)

4 ○ Trata-se do escultor Rodolfo Bernardelli (1852-1931). (SE)

5 ○ O edifício do Cais da Praia da Lapa – Silogeu Brasileiro – permaneceu como sede da Academia Brasileira de Letras de 1905 até 1923, quando se transferiu para o Petit Trianon, na avenida das Nações, atual Presidente Wilson. (SE)

6 ○ Euclides da Cunha* foi recepcionado solenemente nos salões do Silogeu Brasileiro, em 18/12/1906, na presença do presidente da República Afonso Pena. Compareceram os acadêmicos Machado de Assis, Rodrigo Octavio*, Rio Branco*, Medeiros e Albuquerque, Silva Ramos*, Salvador de Mendonça*, Domício da Gama*, Clóvis Bevilacqua, Sílvio Romero*, Graça Aranha*, José Veríssimo*, Artur Azevedo*, Filinto de Almeida*, Raimundo Correia* e Mário de Alencar*. Entre os convidados destacam-se José Américo dos Santos*, Miguel Calmon, Gastão da Cunha, Ataulfo de Paiva e as escritoras Júlia Lopes de Almeida e Maria Clara Cunha Santos. (SE)

7 ○ Não foi possível encontrar o registro dessa comunicação. (SE)

## [734]

> Para: GRAÇA ARANHA
> *Fonte*: Cartão-Postal Original, Arquivo ABL.

[Rio de Janeiro,] 5 de janeiro de 1904.[1]

Saudações e saudades

1904

Machado de Assis

Ex*celentíssi*mo *Senhor* D*outor* José da Graça Aranha
Légation du Brésil près le Quirinal
Roma[2]

---

1 ∾ Data do carimbo do correio brasileiro. Trata-se de fotografia de uma praia deserta e morro ao fundo, com a legenda "Ponta do Leme". (IM)
2 ∾ Endereço substituído por "Hôtel St. Petersbourg / Alpes Maritimes / Nice / France". (IM)


## [735]

> Para: JOAQUIM NABUCO
> *Fonte*: Fundação Joaquim Nabuco. Fac-símile do cartão-postal original.

Rio de Janeiro, [5 de janeiro de] 1904.[1]

Saudações e saudades

1904

Machado de Assis

Ex*celentíssi*mo *Senhor* D*outor* Joaquim Nabuco
Légation du Brésil près le Quirinal
Roma[2]

---

1 ∾ Data do carimbo do Rio de Janeiro, onde apenas se lê o ano. Trata-se de fotografia do atual Museu do Ipiranga, com a legenda "Monumento do Ipiranga – S. Paulo".

Considerando o cartão-postal [734] para Graça Aranha*, com as mesmas palavras e endereçamento, é cabível inserir em seguida este documento inédito. (IM)

2 ◦◦ Endereço substituído por "Hôtel St. Petersbourg / Nice / France / Alpes Maritimes". Nos *Diários* de Nabuco (2008), há esta anotação de 01/01/1904: "Em Nice. H. S. Petersbourg." Aliás, também nos *Diários*, encontram-se anotações feitas no mesmo hotel em novembro de 1903. (IM)

# [736]

De: ARLINDO FRAGOSO
*Fonte*: Cartão-Postal Original, Arquivo ABL.

Bahia, 9 janeiro de 1904.[1]

1904

Bons anos.

Arlindo Fragoso[2]

Excelentíssimo Senhor Machado de Assis
Friburgo[3]

---

1 ◦◦ Data da postagem, carimbada na Bahia. (IM)

2 ◦◦ Fotografia com a legenda "Convento de S. Francisco – Bahia". Ao lado, a anotação de Machado: "respondi". (IM)

3 ◦◦ O postal foi endereçado ao Ministério da Indústria, Rio de Janeiro, e posteriormente encaminhado a Nova Friburgo. (IM)

# [737]

De: EUCLIDES SANTOS
*Fonte*: Cartão-Postal Original, Arquivo ABL.

Rua Correia 10 ou Caixa Postal 348 – São Paulo
São Paulo, 12 de janeiro de 1904.[1]

Senhor Machado de Assis

Recebeu a minha carta?[2] Sem mais sou com estima e consideração de Vossa Excelência

        Atento e obrigado
        Euclides Santos

Excelentíssimo Senhor Machado de Assis
Aos cuidados do Senhor Hippolyte Garnier
Rua do Ouvidor 71
Rio de Janeiro

---

1   O cartão-postal reproduz uma vista do Jardim Público da cidade de São Paulo, conhecido também como Jardim da Luz, inaugurado em 1825, e que passou por diversas reformas. (SE)

2   Carta ainda não localizada. Não se obtiveram informações sobre esse missivista. Registre-se, contudo, a mistura entre a objetividade da pergunta e o tratamento cerimonioso logo a seguir. (SE)

## [738]

De: JOSÉ VERÍSSIMO
*Fonte:* Manuscrito Original, Arquivo ABL.

Rio [de Janeiro], 12 de janeiro de 1904.

Meu caro Machado

Os pais põem... e as filhas dispõem. Foi justamente no sábado que minha filha decidiu que precisava de uns sapatos para domingo, e que eu a levaria à cidade a comprá-los. Mas atrás dos sapatos vêm outras coisas, e quando dei por mim não era mais tempo de ir à Prainha dar-lhe o meu abraço e gritar-lhe, comovido:

— Deus acompanhe o peregrino audaz![1]

Aí vão os últimos *Temps*[2] e uma carta que achei no Garnier para você. Não precisa devolver os jornais.

Achei ontem o Garnier insípido; *você* me faltava.

Imagino que você leu o Deiró outro dia. É a primeira vez que o leio desde o famoso [: "] O pontífice máximo da literatura brasileira...", há uns bons vinte anos³. Verifiquei que é sempre muito ruim; pois não é?

Desejo muito que sua senhora, a quem apresento os meus respeitos, e você tirem todo o proveito da sua estada aí. Se se derem bem, não tenha pressa em voltar.

Seu sempre

José Veríssimo

---

1 ∾ Do poema "A Maciel Pinheiro" (1865) de Castro Alves em *Espumas Flutuantes* (1870), que tem como epígrafe *"Dieu soit en aide au pieux pèlerin"* ("Deus ajude o piedoso peregrino"). Todas as estrofes do poema de Castro Alves terminam com o verso "Deus acompanhe o peregrino audaz". A epígrafe do poema de Castro Alves foi retirada de uma ode feita em homenagem a Lamartine, por ocasião de sua partida para o Oriente, em 1833. Cada estrofe dessa ode terminava com o verso *"Dieu soit en aide au pieux pèlerin"*. O autor do poema era um certo Monsieur Bouchard, que reincidiu anos depois, compondo outra ode para Lamartine, tendo como tema o futuro da humanidade, e em que cada estrofe terminava também com o mesmo verso: *"Enfant des mers, ne vois-tu rien là bas?"* ("Filho dos mares, não vês nada ao longe?"). Sabe-se pouco hoje sobre esse Bouchard, mas segundo Lamartine, em *Recueillements Poétiques*, era um "jovem poeta de grande esperança e alta filosofia". (SPR / IM)

2 ∾ Prestigioso jornal francês, constantemente lido por Veríssimo e Machado. Ver em [648]. (IM)

3 ∾ Eunápio Deiró (1829-1909), biógrafo, jornalista, político e historiador baiano que se transferiu para o Rio de Janeiro. Foi um dos oradores no enterro do jovem Artur de Oliveira\*; sobre a perda desse amigo de Machado de Assis, em 1882, ver nota 1 na carta [212], tomo II. Vale lembrar que Deiró era muito ligado a Castro Alves, crítico entusiasta do drama *Gonzaga*, bem como responsável pela recomendação do jovem poeta baiano a José de Alencar\*. Em [74], tomo I, tem-se a carta aberta de Alencar a Machado (18/02/1868), da qual destacamos a seguinte passagem:

> "O **Senhor** Castro Alves trouxe-me uma carta do **Doutor** Fernandes da Cunha, um dos **pontífices da tribuna brasileira. Digo pontífice, porque nos caracteres dessa têmpera, o talento é uma religião, a palavra um sacerdócio.**"

Naquela época, Eunápio Deiró escrevia os discursos do senador Cunha... Passam--se os anos, e, em 09/01/1904, Deiró publica no *Jornal do Comércio* uma arenga em resposta às "Reminiscências" estampadas no mesmo periódico, concernentes ao Ministério de 5 de janeiro de 1878 – assunto mais ou menos caduco – onde ele fala da política do Segundo Reinado "que só irracionalmente pode ser eliminada da vida da Nação Brasileira, como o historiador Loriquet em França suprimia o império de Napoleão I, a quem denominava general do exército de S. M. o Rei Luís XVIII." Fica mais que óbvia a ironia de Veríssimo a respeito de Deiró, e Machado replicará em [741], de 17/01/1904. (IM)

## [739]

Para: JOSÉ VERÍSSIMO
Fonte: *Revista da Academia Brasileira de Letras*, XXXIII, n.º 104, ago. 1930.

Nova Friburgo, 14 de janeiro de 1904.

Meu caro Veríssimo,

 Vai ficar espantado. A sua carta chegou aqui comigo, e mal entrei no Hotel Engert, onde estou, era-me ela entregue[1]. Não quero dizer que viesse antes de escrita, mas que eu não vim sábado, como supunha, e só ontem, quarta-feira, pude fazer viagem, tudo por causa da parede dos carroceiros e cocheiros. Não entro em pormenores que já enfadam[2].

 Agradeço muito as palavras amigas que me escreveu, e as desculpas que não eram necessárias mas provam sempre o seu afeto. Minha mulher agradece-lhe igualmente os seus bons desejos, e espera, como eu, ganhar aqui o que se perdeu com a doença, se não é esta (anemia) que persiste ainda; o clima é bom e dizem que famoso para esta sorte de males. Enfim, agradeço-lhe os números do *Temps*[3] e a carta que estava no Garnier. Vim achar aqui alguma diferença do que era há vinte anos, não tal, porém, que pareça outra coisa[4]. Há um jardim bem cuidado, e algo mais. O resto conserva-se. Posso consolar-me com o que correspondente de Viena diz no *Temps* que Você me mandou, a propósito da demolição da casa em que morreu Beethoven: "Si la maison de Beethoven avait été située dans la partie vieille de Vienne, là où les ruelles tortueuses et bâtisses pittoresques subsisteront *encore des siècles*, peut-être eût-on pu la conserver."⁵

Suponhamos Viena, menos os séculos que terão de viver as casas velhas. Quanto ao algo novo, além do jardim público e árvores recém-plantadas, são uma dúzia de casas de residência e ruas começadas⁶.

Adeus, meu caro Veríssimo. Recomendações nossas à sua Excelentíssima Família, e para Você um estreito abraço do

Velho amigo e admirador

Machado de Assis

---

1 ∾ Machado de Assis, debilitado pelas exigências do serviço público e pela luta até que fosse sancionada a Lei Eduardo Ramos em favor da Academia, a 08/12/1900, (ver missivas de novembro e dezembro no tomo III), via progredir a doença (câncer) que levaria sua "pobre querida". Com ela muito enferma, partiu para Nova Friburgo, onde esperava, sobretudo, que a mudança de clima contribuísse para a recuperação de Carolina* e a dele próprio. O casal hospedou-se, até o final de fevereiro de 1904, no Hotel Engert, fundado em 1861 e situado na rua General Osório, atual avenida Alberto Braune. Esse ponto central da cidade – depois designado como praça Getúlio Vargas – é um dos belos jardins públicos concebidos e assinados pelo paisagista francês Glaziou. Ver em [577]. (IM)

2 ∾ Começavam as greves na República. Esta, relativa ao imposto que onerava trabalhadores de transportes urbanos, e que devia ser pago pelos proprietários dos veículos e dos animais de tração. (IM)

3 ∾ Sobre *Le Temps*, ver [648]. (IM)

4 ∾ Na verdade, 25 anos antes. Referência à temporada, por licença médica, de dezembro de 1878 a março de 1879. (IM)

5 ∾ "Se a casa de Beethoven estivesse situada na parte velha de Viena, onde as vielas tortuosas e os edifícios pitorescos subsistirão ainda durante séculos, talvez tivéssemos podido conservá-la." (SPR)

6 ∾ Vale rever a correspondência de Machado e Veríssimo, em janeiro e fevereiro de 1901, quando era este quem buscava repouso em Friburgo. (IM)

[740]

De: EUCLIDES DA CUNHA
*Fonte*: Cartão de Visita Original, Arquivo ABL.

Santos, 16 de janeiro de 1904.

Ao Excelentíssimo Senhor Machado de Assis

EUCLIDES DA CUNHA

saúda; e comunica-lhe que na sua nova residência, em Santos, onde veio dirigir uma das Seções do Saneamento[I], está inteiramente ao dispor do distinto mestre e amigo.

---

I ∾ Euclides ficará pouco tempo neste trabalho. Francisco Venancio Filho (1946) esclarece acerca de sua curta permanência: "Nomeado em janeiro de 1904, incompatibilidade de gênios, dele e de José Rebouças, Chefe da Comissão, leva-o a demitir-se em abril". (SE)

[741]

Para: JOSÉ VERÍSSIMO
*Fonte*: *Revista da Academia Brasileira de Letras*, XXXIII, n.º 104, ago. 1930.

Nova Friburgo, 17 de janeiro de 1904.

Meu caro Veríssimo,

Acabo de receber a segunda remessa do *Temps* e um cartão-postal datado de ontem perguntando-me se recebi a primeira[I]. Não só recebi a primeira, mas já lhe respondi agradecendo-lha, bem como os seus bons desejos a nosso respeito. Provavelmente a carta terá sido entregue depois da partida do cartão; se não a recebeu, peço-lhe que mo diga para indagar o que houve, porquanto não fui eu que levei a carta, mas uma pessoa que saía para o correio.

Agradeço-lhe esta 2.ª remessa do *Temps*. O *Kosmos*[2] chegou-me ontem, e já li a sua crônica do ano literário, franca e justa, como sempre. Vou ler o resto da publicação, que me parece excelente, assim dure o que merece. Não sei se esta carta irá a tempo (são duas horas da tarde de domingo) de descer na mala da manhã. Ouvi tais explicações a este respeito que não posso acabar de entender se há mala de manhã ou só de tarde. No segundo caso, a carta só lhe chegará terça-feira. Vou pessoalmente à Agência do Correio saber o que há.

Minha mulher vai passando melhor, conquanto algumas pessoas amigas nos arrastassem a visitas e excursões e dessem conosco no Teatro, anteontem. O ar é bom, o calor não é mau, sem ser da mesma intensidade que o de lá, segundo contam e leio. Eu vou andando; não tenho a palestra do Garnier, e particularmente a nossa, mas Você tem a arte de a fazer lembrar.

Li ontem no *Jornal do Comércio* a reincidência do Eunápio Deiró[3], e concordo com o que Você me disse na primeira carta. Concordar e tremer é tudo um, por causa dos dois volumes anunciados.

Adeus meu caro Veríssimo, mande-me um bilhetinho dizendo-me se recebeu esta e outra carta, e receba mais um abraço do

Velho amigo

Machado de Assis

---

1 ∾ Este postal não se encontra entre os documentos da numerosa correspondência de Veríssimo, conservada por Machado de Assis. (IM)

2 ∾ *Kosmos: revista artística, científica e literária*, foi lançada em janeiro de 1904, sob a direção de Mário Behring (1876-1933). Comenta Brito Broca (2005) que a revista apresentava "feitio moderno, ligeiramente inspirado em *L'Illustration Française*, embora conservando caráter próprio e inconfundível". Firmou-se pela qualidade gráfica, utilizando fartamente a fotografia, e pela excelência de seus colaboradores. Sintetiza Broca: "Embora dando margem à nota mundana e social, *Kosmos* seria uma revista de cultura com o predomínio da parte literária e artística – a revista mais típica talvez do nosso '1900'." (IM)

3 ∾ Ver em [738]. (IM)

# [742]

Para: JOSÉ VERÍSSIMO
*Fonte: Revista da Academia Brasileira de Letras*, XXXIII, n.° 104, ago. 1930.

Nova Friburgo, 21 de janeiro de 1904.

Meu caro Veríssimo,

Creio que Você terá já duas cartas minhas. Aqui vai terceira para acompanhar as duas remessas do *Temps*, que foram lidas com o prazer do costume; leva os meus agradecimentos de amigo e devoto leitor da folha.

Vamos passando. Tem havido chuvas e calores, estes comparativamente menores que lá embaixo. Você e os seus como têm passado? Que há de novo entre os amigos da Academia e os habituados do Garnier? Daqui ouço as vozes secretas da Câmara, e agora ouço as primeiras da trovoada do dia cá de cima. Esta impede muita vez os passeios ou interrompe-os.

Ontem excepcionalmente, não choveu. Ouvi missa cantada, ou meia cantada, na matriz[1], com acréscimo de um sermão, apologia de *São Sebastião*, mártir. Nos domingos há também prédica no meio da missa. A igreja, que é alegre, estava cheia. De tarde, procissão. Nesse capítulo vim achar muito trabalho católico. Há um colégio jesuíta, do qual só está construído um terço, e será dos maiores ou o maior edifício[2].

Vou fechar a carta para ver se chega a tempo da mala. Escreva-me um bilhetinho em resposta, e quando souber alguma coisa que valha a pena dizer, é dizê-lo ao velho amigo e admirador

Machado de Assis

---

1 ↝ A igreja matriz de São João Batista, inaugurada em 01/12/1869, tornou-se a catedral de Nova Friburgo. Machado, descrente desde a juventude, frequenta cerimônias religiosas nessa temporada serrana, por certo acompanhando Carolina*, que era católica. (IM)

2 ↝ O Colégio Anchieta, fundado pelos jesuítas italianos em 1886, começou a funcionar na casa-grande da antiga fazenda do Morro Queimado. Assinale-se que a Companhia de Jesus, voltando para o Brasil depois da expulsão determinada pelo marquês de Pombal (1757), não conseguia ter um colégio na Corte e nem mesmo

em Petrópolis. O Colégio São Luís (1867) firmou-se como formador da elite, em Itu, porque tampouco a capital paulista aceitava os inacianos enviados pela Província Romana da Companhia. Estes também acabaram se estabelecendo em Nova Friburgo. Com o sucesso do seu Anchieta, promoveram uma nova e monumental construção em 1901, obra que durou oito anos e até hoje causa admiração. Foi um internato famoso pela qualidade do ensino. Converteu-se em seminário a partir de 1922, formando jesuítas brasileiros; em 1966, tornou-se externato e, modernizado, continua em plena atividade. O acadêmico Pe. Fernando Bastos de Ávila (1918-2010), que lá ingressou em 1935, deu uma preciosa descrição do estabelecimento no livro autobiográfico *A Alma de um Padre* (2005). Outras informações interessantes sobre Nova Friburgo se acham na carta [776] de 14/09/1904, enviada por Magalhães de Azeredo*. (IM)

[743]

De: JOSÉ VERÍSSIMO
*Fonte*: Manuscrito Original, Arquivo ABL.

Rio [de Janeiro], 22 de janeiro de 1904.

Meu caro Machado

Recebi hoje a sua 3.ª carta; a segunda recebia-a na 3.ª feira passada, como *você* previra. Também chegaram-me os jornais que, como lhe tinha dito, *você* não precisava devolver-me. Ainda não tenho outros.

Estimo muito que sua *senho*ra e *você* estejam aproveitando de saúde. *Você* sabe que eu não gosto de Friburgo, acho isso muito aborrecido e presunçoso; não há verdadeiramente onde passear a não ser na cidade. Para mim isso só era suportável com o nosso Rodolfo[1]. Demais, chove sempre. Para você que não joga nem é homem de frequentar as palestras da botica do Azevedo, deve ser muito insípido. Tanto que *você* já vai à missa e à prédica do padre Miranda. Vou, para desacreditá-lo, espalhar aqui que *você* está se fazendo carola[2].

Notícias daqui lhe darão os jornais e os seus companheiros de vilegiatura. Discute-se o Acre, e *você* vê como. Um artigo que apareceu com um verso de Voltaire no fim, é do Jaceguai. O *Rio Branco* respondeu-lhe em duas linhas na seção livre do *Jornal* de anteontem.

Você continua a faltar-nos no Garnier, mas de coração consolo-me com a ideia que é para seu bem.

Adeus, nossos afetuosos cumprimentos e um abraço do

seu

José Veríssimo

---

1 ∾ Rodolfo Dantas, falecido em Paris (12/09/1901). Muito amigo de Veríssimo, acolhera-o na Chácara do Chalé (atual Parque São Clemente), em Nova Friburgo. Nas cartas [577], [579], [583] e [585] há muitas referências. (IM)

2 ∾ Ver em [742]. (IM)

[744]

De: MANUEL MARIA DE CARVALHO
*Fonte:* Manuscrito Original, Arquivo ABL.

GABINETE DO MINISTRO DA INDÚSTRIA

Rio de Janeiro, 25 de janeiro de 1904.

Excelentíssimo Amigo Doutor Machado de Assis

Agradecendo a carta de Vossa Excelência de 19 do corrente, que respondo, tenho a satisfação de dizer que o Senhor Doutor Lauro[1] permite que Vossa Excelência fique ausente, mesmo durante um mês depois das férias, independente de concessão de licença que requereu, ficando assim prejudicado o requerimento que assinei e que tomo a liberdade de devolver por intermédio do Senhor Villas Boas[2].

O que o Senhor Ministro deseja é quanto antes cessem os incômodos por que está passando.

Sempre com toda consideração e estima

Admirador Patrício

Manuel Maria de Carvalho[3]

1 ∾ Ministro Lauro Müller*, titular da pasta da Indústria, Viação e Obras Públicas, ministério ao qual Machado estava subordinado. (SE)

2 ∾ José Diniz Villas Boas, colega de longa data de Machado no ministério. Ver carta [152], tomo II. (SE)

3 ∾ O engenheiro Manuel Maria de Carvalho também participou das obras de modernização da cidade. Havia duas comissões responsáveis: a da avenida Central, composta por Paulo de Frontin e J. Valentim Duham; e a do porto do Rio, composta por Francisco Bicalho, Vieira Souto e Manuel Maria de Carvalho. (SE)

[745]

Para: JOSÉ VERÍSSIMO
*Fonte: Revista da Academia Brasileira de Letras*, XXXIII, n.º 104, ago. 1930.

Nova Friburgo, 31 de janeiro de 1904.

Meu caro Veríssimo,

A letra vai ainda um pouco trêmula, mas os beiços ficam menos arrebentados. Veladamente quero dizer que acabo de sair de uma febre que me trouxe de cama alguns dias. A inflamação de garganta que a acompanhou é que me não deixou de todo, e ainda agora uso de um gargarejo, ao qual não sei que nome dê, mas que produz efeito. Veja o que são as coisas deste mundo. Entrei com saúde em cidade, onde outros vêm convalescer de moléstia, e apanhei uma moléstia. Imagine-me um pouco mais magro, e cheio de saudades.

Receba já a parte destas que lhe pertence, e com ela receba a explicação do meu silêncio. Releve-me se não vou mais longe. Agradeço-lhe a nova coleção do *Temps* que me chegou agora. Concordo com as impressões que me confessa acerca da localidade, e se falar do meu carolismo não me desconceitue; diga que foi defluxo apanhado pouco depois de chegar[1]. Vá desculpando estes rabiscos. Não ponho mais na carta para que ela chegue à mala que vai partir. Faz-se aqui a eleição em boa paz.

Adeus. Reli a carta, é tudo um embrulho, mas prefiro mandá-la assim mesmo a não lhe dizer uma linha.

Um abraço mais do

Velho am*i*go

Machado de Assis

---

1 ∾ Ver em [742]. (IM)

## [746]

Para: JOSÉ VERÍSSIMO
*Fonte: Revista da Academia Brasileira de Letras*, XXXIII, n.º 104, ago. 1930.

Nova Friburgo, 4 de fevereiro 1904.

Meu caro José Veríssimo,

Como vai Você? E os amigos do Garnier e da Academia? Diga-lhes que me lembro deles e que em breve, este mesmo mês, irei vê-los a todos.

Tem chovido e feito sol, menos sol que chuva; tal é o achaque da terra. Lá parece que o calor faz das suas, conquanto alguns me digam que a temperatura tem feito concessões.

Que me lembre do meu Rio de Janeiro, apesar dos excessos de calor que possa haver, é coisa que facilmente se percebe. Contar-lhe-ei uma daqui. Em um dos quartos de banho aqui do Hotel achei escrito (*sic*) a lápis as seguintes palavras: "Saudades de Nova Friburgo". Suponho que as escreveu alguém na véspera de descer. Mas logo abaixo dei com estas outras, provavelmente de alguém que ainda cá ficava: "Saudades do Rio". Era um protesto, também a lápis, e a ideia não parece mal cabida nem mal expressa.

Estive aqui com o D*outo*r Artur Porto, advogado no Pará, que desceu há dias, dizendo-me que antes de seguir para Pernambuco iria procurá--lo; deixei-lhe o número de sua casa no Engenho Novo[1], e indiquei-lhe o Garnier; parece que irá à livraria. Quando aqui cheguei, ele acabava de perder um filho e tinha outro doente. Este escapou, e lá vai com ele o terceiro. Dissemos bastante mal a seu respeito.

Remeto-lhe com agradecimentos os números do *Temps* que me mandou. E aqui fico até breve. Minha mulher fortifica-se. Um abraço para os amigos, e receba o seu do costume, com as saudades do

Velho amigo

M. de Assis.

---

I ∞ Veríssimo residia então à rua Marques Leão, n.º 11. (IM)

[747]

Para: MAGALHÃES DE AZEREDO
*Fonte*: Manuscrito Original, Arquivo ABL.

Nova Friburgo, 7 de fevereiro de 1904.

Meu querido amigo e colega,

Pela data verá onde estou. Cá veio ter a sua carta[1], depois de alguma demora. Li as razões do atraso, e não poderiam ser outras, uma vez que o coração lhe há de lembrar sempre o meu nome e o meu afeto. Também esta é curta. Não lhe posso mandar o que respeita aos dados que me pede, visto ser preciso regressar primeiro ao Cosme Velho, — o que espero fazer no dia 25 ou 26 do corrente. O mesmo digo acerca dos versos autógrafos. Como deseja especialmente o soneto *Prometeu*[2], não posso escrevê-lo aqui mesmo por não estar certo em um dos tercetos; irá logo que chegue ao nosso Rio de Janeiro. Cumprirei as recomendações acerca da remessa. Releve-me se não digo mais nada, e recomende-nos aos seus, recebendo para si o meu apertado abraço do costume

Velho amigo e admirador

Machado de Assis

1 ◈ Finalmente a carta [729], de 16/12/1903, chegou a seu destinatário. Aliás, na carta [733], que escrevera *com o pé no estribo*, Machado pediu que Azeredo continuasse a remeter a correspondência para o Cosme Velho, pois quando ela chegasse, ou ele Machado estaria de volta, ou a fariam chegar a Friburgo. (SE)

2 ◈ Sobre o poema ver carta [761], de 13/05/1904. (SE)

[748]

De: JOSÉ VERÍSSIMO
*Fonte*: Manuscrito Original, Arquivo ABL.

Rio [de Janeiro], 9 de fevereiro de 1904.

Meu caro Machado

Ao contrário do meu desejo, sou obrigado a escrever-lhe uma carta breve porque estou doente. Desde que recebi a sua dando-me notícia da sua febre quis imediatamente escrever-lhe; mas andei nesses dias fora dos gonzos e anteontem adoeci. Felizmente não é nada de cuidado, e já hoje, embora com sacrifício espero poder sair. Como *você* na sua última nada me diz da sua saúde, quero crer que está bom, o que eu m*ui*to desejo. Também estimo m*ui*to as melhoras da sua senhora. Em todo o caso, não venham antes de estarem bons. O calor anda medonho. Todos se lembram de *você* com saudades. As novidades, os jornais lhas darão. Grimm e outros grandes correspondentes do século 18, perderiam hoje o seu talento[1].

Adeus, meus respeitosos cumprimentos à E*xcelentíssi*ma S*en*ho*r*a Dona Carolina e um abraço do

Seu

J. Veríssimo.

Recebi os jornais e mando-lhe um livro[2].

---

1 ◈ Melchior Grimm (1723-1807), escritor e crítico alemão, foi amigo de Diderot e outros enciclopedistas, e redigiu em francês uma correspondência literária sobre a vida cultural parisiense, que ele enviava a vários soberanos estrangeiros. (SPR)

2 ◈ Seria o de Léon Bloy. Ver em [750], de 11/02/1904. (IM)

[749]

Para: MÁRIO DE ALENCAR
*Fonte:* COUTINHO, Eduardo; OLIVEIRA, Teresa Cristina Meireles de. *Empréstimo de Ouro.* Rio de Janeiro: Ouro Sobre Azul, 2009. Fac-símile do manuscrito original.

Nova Friburgo, 10 de fevereiro de 1904.

Meu caro Mário,

Dato esta carta de Nova Friburgo, de onde pretendo descer no dia 25 ou 26 deste mês. Escrevo-lhe especialmente para que me diga, se é possível, o que há relativamente à casa da Academia Brasileira. O *Jornal do Comércio*, referindo-se anteontem, creio eu, ao complemento do edifício da Lapa diz que se não sabe ainda o destino que ele terá. Penso que sobre isto haja já decisão do *Senhor* Ministro do Interior[1]. Houve acaso alteração, excluindo a Academia? Confie-me o que há, se não ao Presidente da instituição, ao seu amigo particular e grato. Ponha-me a nota de *reserva*, se for preciso.

Escrevi há dias ao *José* Veríssimo, pedindo-lhe que dê lembranças a todos os companheiros do Garnier. Repito-lhe aqui as suas particularmente. Que há de versos? Que há de prosa? Os nossos respeitos à sua família, e um abraço aperto (*sic*) do velho amigo

Machado de Assis

---

1 ∞ Desde 15/11/1902, com a entrada do governo Rodrigues Alves (1902-1906), Mário de Alencar tornara-se oficial de gabinete do ministro da Justiça e Negócios Interiores Dr. José Joaquim Seabra*. Nesta condição, empenhou-se continuamente na busca de alojamento definitivo que abrigasse a Academia, a fim de fazer cumprir o que dispunha o art. 1.º da lei 726. Contando com a franca simpatia do ministro, Mário foi incansável na procura das alternativas. Na correspondência entre os acadêmicos mais chegados a Machado, há constantes ecos dessa batalha pessoal de Mário e Machado. Finalmente foi possível instalar oficialmente a Academia Brasileira de Letras na ala esquerda do próprio nacional situado entre a praia da Lapa e o Passeio Público, onde também funcionariam o Instituto Histórico e Geográfico Brasileiro,

a Academia Nacional de Medicina e o Instituto dos Advogados do Brasil, e que recebeu o nome de Silogeu Brasileiro. O cumprimento do art. 1.º da lei 726 deve-se, portanto, em grande parte ao empenho de Mário de Alencar e à simpatia sincera do ministro Seabra. (SE)

## [750]

Para: JOSÉ VERÍSSIMO
Fonte: *Revista da Academia Brasileira de Letras*, XXXIII, n.º 104, ago. 1930.

Nova Friburgo, 11 de fevereiro de 1904.

Meu caro *José* Veríssimo,

Recebi ontem a sua carta de 9, sem tempo de lhe escrever. Aqui vai esta para lhe agradecer as suas boas palavras e os seus conselhos, ao mesmo tempo que levar os meus desejos de o achar totalmente restabelecido. Como não é coisa de cuidado a que o atacou, acredito que está como o deixei quando de lá vim.

Quanto a voltar ao Rio, não o poderei fazer depois da data que lhe disse, creio eu, 25 ou 26 do corrente, por motivo de serviço público[1]. Até lá não terei mais nada, e minha mulher estará convalescida.

Nos últimos dias temos tido mais chuva que sol. Agora mesmo, após o dia e a noite de ontem, estamos com a manhã sem saber o que haverá no resto do dia. Creio que chuva.

Recebi o livro que me mandou. Já li o capítulo relativo a François Coppée, que é de chegar[2]. Veja o que é conservar uma impressão antiga. Esta exclamação: *Généreux et cher vieillard!*[3] causou-me espanto, por ter ainda na cabeça o rapaz de outro tempo e o retrato que então acompanhava as suas edições. Corri a um espelho e reconheci que o tempo também correu para mim.

Concordo que os jornais bastem a dar notícia dos poucos sucessos do dia; poucos e na mor parte cediços. Daqui também não há muito que dizer, a não ser que muita gente se prepara para o Carnaval.

Há três dias leio no *Correio da Manhã* que há ali uma carta para Você, ainda da Inglaterra. Dou-lhe este aviso daqui. Assim soubesse eu de uns jornais de Estocolmo que me mandaram dali, acompanhados de carta escrita em português por um professor sueco[4]. É coisa que interessa à nossa Academia. Adeus; meus respeitos à sua Ex*celentíssi*ma Senhora, com os agradecimentos de minha mulher a ambos, e mais um abraço para Você.

Machado de Assis

---

1   Ver [744]. (IM)

2   "De chegar" (ou "chegada"), expressão lusa significando "merecedor de censura, repreensão". (IM)

3   Provavelmente o livro em questão era *Les dernières colonnes de l'Eglise* (*As últimas colunas da Igreja*), de 1903, de autoria de Léon Bloy (1846-1917). No capítulo satirizando a suposta conversão de François Coppée (1842-1908) o terrível polemista católico usa contra Coppée, ironicamente, a exclamação citada por Machado de Assis: *Généreux et cher vieillard* (Generoso e caro ancião!). (SPR)

4   Possivelmente o poeta Goran Björkman (1860-1923), que se tornaria o segundo ocupante da Cadeira 20 do quadro de sócios correspondentes, em 1910. Interessava-se muito pela literatura brasileira, e sua carta demonstra o conhecimento da língua portuguesa. (IM)

# [751]

De: JOSÉ VERÍSSIMO
*Fonte:* Manuscrito Original, Arquivo ABL.

Rio [de Janeiro], 13 de fevereiro de 1904.

Meu caro Machado

Estimo que *você*, segundo parece da sua boa carta de 4, assim como sua *senho*ra, esteja finalmente de boa saúde. Acho, entretanto, que *você* precipita a sua viagem, vindo a 25 ou 26, e que muito melhor andaria demorando-se mais. É verdade que eu não tenho pelo serviço público o mínimo interesse; acho você e a sua saúde infinitamente mais interessantes.

O meu mal foi, se não mais grave, mais demorado do que eu esperava; reteve-me em casa e quase sempre na cama uns quatro dias. Só ontem fui à cidade e sinto-me ainda abatido.

De você falamos sempre, com saudades, no Garnier, aliás pouco frequentado agora.

Gostei da história do quarto de banho (como esta frase se presta a más interpretações!) e compreendo as suas saudades, eu que não sou carioca.

Aqui todas as preocupações vão ao Carnaval. Já mais de uma vez lhe disse, o carnaval é a coisa mais importante do e para o Rio de Janeiro. É como uma dessas solenidades que faziam na antiguidade parte da vida da Cidade. Todos se preparam para ela, ocupam-se dela, interessam-se por ela, pensam nela, falam dela, vivem um momento nela e por ela. Está organizada, tem os seus padres, os seus oráculos, as suas sacerdotisas, os seus ritos consagrados, o seu programa obrigado. Por nada aqui vejo o povo tomar tamanho interesse. A mim me aborrece positivamente e estes três dias fico em casa.

E o Lyoi[1] — se é assim que se lhe escreve o nome —, esse católico certo não é Jesus Cristo, expulsando os vendilhões, é antes um mercador indignado pela concorrência que outros lhe fazem; mas não importa, algumas das suas vergastadas são merecidas e caem bem. Cumprimentos e abraços do

José Veríssimo

---

1 ∾ Referência a Léon Bloy; ver nota 3 em [750]. (IM)

# [752]

Para: MÁRIO DE ALENCAR
*Fonte:* Transcrições, Arquivo ABL.

Nova Friburgo, 15 de fevereiro de 1904.

Querido e distinto amigo Mário de Alencar,

    Muito lhe agradeço a sua resposta à minha carta[1] relativa ao destino do edifício da Praia da Lapa. As palavras do Doutor Seabra confirmam o que antes sabia por ele mesmo, e que o *Jornal* parecia fazer crer alterado. Agora sei, e em termos sempre positivos, que a Academia pode contar com a parte que lhe toca naquele excelente lugar. Ainda uma vez, obrigado[2].

    Sobre a minha descida daqui, os seus conselhos são de bom amigo, como as demais palavras de carta, mas não posso deixar de a efetuar. Tudo assim o pede, e tudo está determinado. Sem dúvida, não é pouca a necessidade que tenho de descansar, fora dessa minha cidade natal, onde o calor é agora imenso, como me diz e todos os que me escrevem. Aqui não tenho calor, se não ando ao sol e o sol é pouco. Quando eu aí chegar hei de estranhar a temperatura; mas enfim não pode ser de outra maneira.

    Acabo aqui a carta para chegar ao tempo da mala, que é fechada às duas horas, e a Agência do Correio não é perto. Ainda uma vez, agradeço a boa vontade com que me leu e me tranquilizou. Adeus, meu querido amigo, receba os nossos cumprimentos para sua *Excelentíssi*ma Senhora e para si, e particularmente um abraço do

Velho amigo

Machado de Assis.

---

1 ∾ A resposta de Mário de Alencar à carta [749] ainda não pôde ser localizada. (SE)

2 ∾ Este parágrafo testemunha claramente a respeito da firme atuação de Mário junto a Machado, no momento em que este buscava garantir o cumprimento do art. 1º da lei 726. É fato que Alencar pesquisou no âmbito do seu ministério as alternativas

de espaços que pudessem abrigar dignamente a Academia, mas a ação não foi apenas esta. Ele também tranquilizou Machado de Assis toda vez que este se inquietava com a possibilidade de não ver realizado o seu desejo. Ver cartas [696] e [697], ambas de 06/04/1903. (SE)

[753]

De: EUCLIDES DA CUNHA
*Fonte*: Manuscrito Original, Arquivo ABL.

COMISSÃO DE SANEAMENTO DE SANTOS[1]

Santos, 15 de fevereiro de 1904.

Meu eminente mestre,

O *Senhor* está numa cidade que eu vi na mais remota juventude[2], e bem perto do pequeníssimo vilarejo onde nasci[3] — Santa Rita do Rio Negro. Não a conheço mais. Mesmo dessa encantadora Nova Friburgo tenho uma impressão exagerada. Foi a primeira cidade que eu vi; e conservo-lhe, neste rever na idade viril uma impressão de criança, a imagem desmesurada de uma quase Babilônia... Calcule, portanto, quantas emoções me despertou a sua carta! Recebi-a em plena faina do meu triste ofício, e para logo olvidando não sei quantos requerimentos e reclamações, andei a vadiar galhardamente no passado. E foi uma consolação: vi-me por algum tempo fora desta agitação dispersiva em que ando metido. Realmente, desde que aqui cheguei não tive ainda um quarto de hora para me dedicar aos assuntos queridos, nem aos livros prediletos. Estou inteiramente embaraçado e preso numa rede... de esgotos! A comparação, tristemente realista, é tristemente verdadeira. Mesmo na ordem intelectual, a minha leitura exclusiva tem-se feito nuns pesados calhamaços, onde cada página faz o efeito de uma estrapada inquisitorial[4], no deslocar o espírito em sucessivas quedas. Durand-Claye[5], Bechmann[6], Arnold (como estamos longe de Taine, Buckle, Comte, Renan...) estes bárbaros anônimos são os familiares deste Mau Ofício...

Mas já lhes paguei o meu tributo de resignação, aprendendo afinal algumas formulazinhas entre as mil que ensinam; e livre, em breve, dos grandes charlatães, que a ciência brutalmente utilitária transformou em beneméritos curandeiros de cidades, — julgo que poderei em breve dedicar-me à minha profissão real.

E tanto assim é que lhe peço dizer-me para quando está definitivamente marcada a recepção na Academia. Prefiro a I.ª quinzena de Maio; mas subordinar-me-ei ao seu parecer[7]. De qualquer modo aguardo a sua resposta para ir desde já alinhando o discurso.

Recomende-me a todos os seus e creia sempre na maior consideração e profunda estima do

colega muito admirador<br>
E. da Cunha.

---

1 ∾ Euclides deixara a chefia do 2.º Distrito de Obras Públicas, transferindo-se de Lorena para a baixada santista, a fim de trabalhar na Comissão de Saneamento de Santos, constituída pelo decreto estadual n.º 1077, de 23/12/1902, com a finalidade de construir e conservar a rede de esgoto, bem como de conservar e fiscalizar o sistema de abastecimento de água da cidade. (SE)

2 ∾ Machado havia subido para Nova Friburgo numa tentativa de minorar os males que afligiam Carolina* e que a levariam em 20 de outubro deste mesmo ano. (SE)

3 ∾ Euclides da Cunha nasceu na fazenda Saudade, em Santa Rita do Rio Negro, hoje Euclidelândia. O arraial tornou-se distrito de São Pedro de Cantagalo, hoje Cantagalo, por decreto provincial de maio de 1842. Registre-se que essa é uma referência sentimental importante, porque por trás dela está a mãe do escritor, D. Eudóxia Moreira da Cunha, cuja morte, segundo os biógrafos, fez do menino de três anos uma criança calada e tristonha. (SE)

4 ∾ Tortura antiga usada em meios militares e pelo Santo Ofício; amarravam-se as mãos do punido às costas, ligando-as a uma corda presa a uma roldana que o içava e o soltava com violência, deslocando-lhe os braços pela ação do peso do corpo. A comparação dá a dimensão da dificuldade que Euclides teve em suportar o trabalho na Comissão de Saneamento, aliás, o exercício da engenharia em geral não lhe era agradável, testemunhou-o a diversos correspondentes. (SE)

5 ∾ Alfred Durand-Claye (1841-1888), engenheiro civil e sanitarista francês, um dos responsáveis pelo sistema de esgoto do rio Sena, Paris. Teórico do uso da água nas

cidades e seu escoamento, bem como do tratamento das águas servidas, com importantes trabalhos publicados, tornou-se um nome paradigmático em tais assuntos no século XIX. (SE)

6 ∾ Georges Bechmann (1848-1927) autor de *Salubrité Urbaine. Distribuition d'Eau et Assainissement.* (Paris: Polytechnique, 1898). Engenheiro de pontes e estradas, Bechmann entrou para a prefeitura de Paris em 1878, tornando-se responsável pelo sistema de águas e mais tarde também das águas servidas da cidade. (SE)

7 ∾ Devido à viagem para o Alto Purus, a posse acabou se realizando por ofício, conforme a solicitação feita na carta [813], de dezembro de 1904, ao presidente da Academia; mas em 1906, Euclides foi solenemente recepcionado conforme consta na ata de 18/12/1906. (SE)

## [754]

De: MARIA CARMEN SANTOS MOREIRA
*Fonte*: Manuscrito Original, Arquivo ABL.

Nova Friburgo, 3 de março de 1904.

 Quando eu falar...[1]
Quando eu falar, se minh'alma
A doce prece embalar.
Por si alcança-la-á com calma.
 Quando eu falar

------------------

Se as aves derem-me um trino
Quando a terra se calar.
Juntá-la-ei a meu hino
 Quando eu falar

------------------

Doce será tal lembrança!
De poesia se exalar
O bálsamo da Esperança
 Quando eu falar

------------------

Se de paz um voto eterno,
Feliz, meu peito abalar,
Torno-lho Céu, és tão terno...
   Se eu não falar

-----------------

Maria Carmen Santos Moreira

Meus bons amigos,

Muito estimarei se estas poucas linhas forem encontrá-los sem novidade alguma, segundo os meus desejos.

A minha boa amiga *Dona* Carolina pode estar certa que lembro-me sempre de si, e guardo-lhe a mesma simpatia, sobretudo quando vou à casa de *Dona* Isabelinha[2], pois recorda-me daqueles momentos que com prazer, sentia passar em sua amável companhia.

Quanto ao *Senhor* Machado espero que sua alta bondade desculpará meu atrevimento assim como perdoará meus erros.

Esperando o dia de poder pessoalmente agradecer-lhe, faço-o desde já por meio desta, assegurando-lhe que tão bela e mimosa poesia será para mim uma recordação de simpatia e amizade.

              Com mil respeitos e saudades

              Sou sempre a amiguinha sincera

                         Iaiá

---

1 ∞ Os versos são evidentemente uma paródia de "Quando ela fala", poesia de Machado publicada em *Falenas* (1870). Se o estribilho, na poesia de 1870, é "Quando ela fala", na de 1904 é "Quando eu falar." A autora estava se pondo no lugar da amada de 1870, como se fosse ela a destinatária dos versos machadianos. A mulher de 1870, designada por um pronome de terceira pessoa – ela – toma a palavra 34 anos depois, autodesignando-se por um pronome de primeira pessoa – eu. (SPR)

2 ∞ Referência a Isabel Pereira Felício, mulher de Rodrigo Pereira Felício (1856--1925), um dos filhos de Joana de Novais*, mulher de Miguel de Novais*, irmão de Carolina*. (SE)

# [755]

De: EUCLIDES DA CUNHA
*Fonte:* GALVÃO Walnice Nogueira; GALOTTI, Oswaldo
*Correspondência de Euclides da Cunha.*
São Paulo: Edusp, 1997.

## COMISSÃO DE SANEAMENTO DE SANTOS

Santos, 5 de março de 1904.

Meu ilustre mestre e amigo,

Saúdo-o e à Excelentíssima família.

Na carta que anteriormente lhe escrevi (enviei para Nova Friburgo) consultei-o sobre a data da recepção na Academia. Aguardo a sua resposta, para ir desde já dispondo as coisas, e poder estar aí no dia marcado. Penso que a melhor quadra é a de maio e junho; mas aguardo o que resolver.

Continuo na mesma vida fatigada de sempre[1]. Encontro, entretanto, sempre algumas horas de folga para os estudos prediletos; e quando aí for hei de lhe dar conta do pouco que tenho feito.

Disponha sempre de quem é com a maior consideração admirador e amigo

E. da C.

---

1 ∾ Em abril Euclides se afastará da Comissão de Saneamento de Santos, mas permanece no Guarujá, numa situação financeira bastante instável. Apesar de tímido, sai em busca de possibilidades. Numa entrevista com o ministro Lauro Müller*, é bem recebido, mas nada obtém. Os amigos e admiradores então se movimentam. Surge a chance de ser nomeado para uma das comissões de demarcação de limites que se estavam constituindo. Apela aos bons ofícios de Oliveira Lima* e de José Veríssimo*. O seu nome é muito bem acolhido pelo barão do Rio Branco*, mas a nomeação demora. Nesse meio tempo, Euclides colabora em *O País*, *O Estado de São Paulo* e *O Comércio de São Paulo*. Além disso, "*cai na engenharia a retalho das vistorias*", como diz a Coelho Neto, em 07/08/1904. Em 8 de agosto Oliveira Lima, por telegrama, informa-lhe de sua próxima nomeação. Finalmente, em 13/12/1904, segue para a Amazônia como chefe da parte brasileira na Comissão Mista Brasileiro-Peruana de Reconhecimento do Alto Purus. Ver também nota 1, carta [740]. (SE)

## [756]

De: JOÃO RIBEIRO
*Fonte*: Cartão de Visita Original, Arquivo ABL.

[Rio de Janeiro,] 5 de março de 1904.

Ao Senhor Machado de Assis

JOÃO RIBEIRO

restitui esta poesia que conseguiu espertar donde dormia há trinta anos... Se é que dormia, pois não tem cara de tamanho sono[1].

---

1 ∾ Caso se localize uma resposta de Machado de Assis, talvez ela revele qual seria a poesia adormecida durante trinta anos (vale lembrar que *Americanas* saíram em 1875) e não tinha "cara de tamanho sono". (IM)

## [757]

Para: SALVADOR DE MENDONÇA
*Fonte*: Manuscrito Original, Fundação Biblioteca Nacional.

Rio de Janeiro, 6 de março 1904.

Meu querido Salvador,

Estive ontem mesmo com o Campos[1]. Ouvi-lhe que não podia responder logo, mas que em dois dias me mandaria recado à Secretaria. Não havendo objeção fará a transferência do Paulo[2]. Até depois de amanhã. Nossos respeitos e muitas lembranças do

Machado de Assis

---

1 ∾ Caetano César de Campos* (1852-1920), engenheiro formado pela Escola Politécnica, neste momento, era o diretor-geral da Repartição Geral dos Telégrafos, no então distrito federal. Na próxima carta [758], de 09/03/1904, Machado dará a Salvador a resposta à consulta. (SE)

2 ᛜ Paulo Drummond de Moura Mendonça era filho de Isabel Cristina de Moura e João Drummond Furtado de Mendonça, funcionário dos Correios e Telégrafos e morador de Itaboraí, irmão com o qual Salvador gostava de passear pelos arredores da cidade, no período em que voltou a morar ali, depois da sua exoneração do Itamaraty. Sobre a remoção de Paulo Mendonça, ver cartas [532], [535], [542], [546], tomo III. (SE)

## [758]

Para: SALVADOR DE MENDONÇA
*Fonte*: Manuscrito Original, Fundação Biblioteca Nacional.

Rio de Janeiro, 9 de março de 1904.

Meu querido Salvador de Mendonça,

Estive com o César de Campos, que me mostrou a nota recolhida acerca das 2 agências. Disse-me que já houvera pedido de transferência, e alegou que o inventário do Rio Bonito já ali está m*ui*tos anos. Propôs-me vir o Paulo para a Estação Central[1]; disse-me que esperava a resposta. Não adiantei nada acerca da aposentação do outro[2], nem respondi afirmativamente acerca da vinda para cá. Fiquei de lhe dar resposta.

A meu ver, é melhor que você escreva ao Lúcio, como me disse. Vai assim mais direta e prontamente. Mande-me o que lhe parecer.

Adeus; desculpe a pressa com que esta carta é escrita para subir hoje, sábado.

Meus respeitos à Ex*celentíssi*ma Senhora, e mais um abraço do velho

Machado de Assis

---

1 ᛜ Sobre o sobrinho Paulo Mendonça, ver carta [757]. (SE)

2 ᛜ Não foi possível levantar dados a respeito de quem estariam falando. (SE)

# [759]

Para: SALVADOR DE MENDONÇA
Fonte: *Catálogo da Exposição Machado de Assis, 1839-1939*.
Rio de Janeiro: Ministério da Educação e Saúde,
1939. Fac-símile do manuscrito original.

Rio de Janeiro, 30 de março de 1904.

Meu querido Salvador de Mendonça,

Aqui recebi, logo que voltei de Nova Friburgo[1], um exemplar do seu *Ajuste de Contas*[2], lembrança de 46 anos de boa e constante amizade[3].

Quis relê-lo, naturalmente, e ainda uma vez achar o efeito que este trabalho produziu em mim, desde o primeiro dia. Não era precisa a amizade que nos liga; bastava o sentimento de justiça que sempre mostrou em V*ocê* o que este livro tão brilhantemente expõe. Mando-lhe aqui um abraço apertado; outro, ainda uma vez, pelo discurso a Mac-Kinley[4] (*sic*) pela resposta deste, e pela unanimidade da imprensa americana.

Minha mulher recomenda-se-lhe. Ela e eu pedimos que apresente à sua E*xcelentíssi*ma Senhora e a toda a família os nossos sentimentos de respeito e amizade.

Lembranças do

Velho am*i*go

Machado de Assis.

---

1 ∾ Machado esteve em Friburgo, por conta da saúde debilitada de Carolina*. (SE)

2 ∾ Em 1898, Salvador foi exonerado da carreira diplomática quando a sua remoção para Lisboa não foi aprovada pelo Senado Federal. Acreditou ser vítima de vingança orquestrada por detratores, capitaneada sobretudo pelo, à época, ministro das Relações Exteriores Dionísio Cerqueira (1847-1910) e seu concunhado Domingos Olímpio (1851-1906). De volta ao Brasil, Salvador redigiu no *Jornal do Comércio*, entre 04/12/1898 e 31/12/1898, uma série de 15 artigos, em que se defendeu dos diversos ataques havidos na imprensa ao longo de 1897 e 1898, sobretudo após o atentado de 05/11/1897, contra a vida de Prudente de Morais. As acusações eram

muitas, dentre elas: ter-se beneficiado da amizade do imperador para obter o consulado que lhe abriu as portas da diplomacia; de inconstância política, servindo ora à Monarquia ora à República de acordo com seus interesses; valer-se de sua posição nos Estados Unidos para aparecer como o avalista do reconhecimento norte-americano à República nascente, antes de os países europeus fazê-lo; pavonear-se como sendo o responsável pelo sucesso na Questão das Missões, buscando solapar o mérito de Rio Branco*; ter favorecido muito mais aos Estados Unidos do que ao Brasil em acordos celebrados entre os dois países, sobretudo no acordo aduaneiro de 1891; ter feito um mau negócio quando da compra da prata americana em vez da prata inglesa em 1889; ter comprado por um alto preço o material de guerra para sustentar a reação legal à Revolta da Armada; e ter enriquecido de maneira ilícita, incompatível com os seus vencimentos (2 residências nos Estados Unidos, em Nova York e Adirondacks, valiosa coleção de arte e diversos landaus e berlindas). No *Ajuste de Contas*, Salvador reuniu os 15 artigos, acrescentando mais algumas peças: um novo artigo (14/02/1901) em que rebate a Domingos Olímpio; uma conclusão e vários documentos anexos. O trabalho faz o inventário das acusações, às quais responde com argumentos, documentos e testemunhos de pessoas envolvidas. Foi impresso na tipografia do *Jornal do Comércio*, publicado em 1904. (SE)

3 ∾ Quarenta e seis anos de amizade significam que os dois se conheceram em 1858. Machado com 19 anos e Salvador, 17. (SE)

4 ∾ Discurso de despedida proferido em 18/05/1898, com o qual Salvador de Mendonça apresentou a sua carta revocatória ao presidente americano William McKinley (1843-1901), deixando o posto de enviado especial e ministro plenipotenciário brasileiro nos Estados Unidos, seguindo para assumir o posto de Lisboa. Registre-se que, em 06/09/1901, durante o seu segundo mandato, na Exposição Pan-americana de Búfalo, McKinley foi assassinado pelo anarquista de origem polonesa Leon Czolgosz (1873-1901), vindo a falecer em 14 de setembro; Leon foi executado na prisão de Auburn, estado de Nova York, em 29 de outubro do mesmo ano. (SE)

## [760]

De: ALOÍSIO DE CASTRO
*Fonte:* Manuscrito Original, Arquivo ABL.

Rio de Janeiro, 9 de maio de 1904.

Meu prezado mestre e amigo Doutor Machado de Assis,

Meus cumprimentos.

Há cerca de um mês tive a ocasião de incomodar meu bondoso amigo com o pedido que agora lhe reitero, vexado por importuná-lo tão amiudadas vezes.

Acontece, porém, que a conselho do meu mestre Doutor Miguel Couto me apresentei candidato a uma das vagas existentes na Academia Nacional de Medicina. E como o meu trabalho é a credencial com que me apresento tomo a liberdade de, ainda uma vez, solicitar do meu prezado mestre o insigne favor de me externar numa carta a impressão da sua leitura, no tocante à forma do meu escrever. Ninguém melhor do que eu próprio conhece o nenhum valor literário do meu livrete. Todavia, empreguei na feitura dele quanto em mim coube de esforço; e eu me daria por bem pago se a sua pena consignasse simplesmente o esforço que empenhei por escrever corretamente.

Creio que não lhe custará uma declaração destas, que não importa em louvor. Mas vinda de um homem da sua autoridade moral constitui por certo um grande elogio.

Fio da sua generosidade não negará o favor que lhe peço e com o qual aumentará o rol dos muitos que já lhe deve quem por tantos títulos lhe é insolvável devedor[1].

Discípulo e amigo muito grato:

Aloísio de Castro.

Rua São Clemente 93.

---

1 ⁓ Aloísio de Castro era filho de Francisco de Castro*, médico baiano e acadêmico (Cadeira 13), falecido em 1901. Machado de Assis tinha o Dr. Francisco em alto apreço e prefaciara seu livro de versos *Harmonias Errantes* (1878) com grande benevolência. Ver em [159], tomo II. Aloísio foi eleito para a Cadeira 5 da ABL em 1917. (IM)

# [761]

Para: MAGALHÃES DE AZEREDO
*Fonte:* Manuscrito Original, Arquivo ABL.

Rio de Janeiro, 13 de maio de 1904.

Meu querido amigo,

A sua carta última (um cartão!) diz pasmar de lá ter duas minhas sem resposta. O pasmo era natural. Eu, que estava então em Nova Friburgo, não respondi logo. Aqui vieram-me trabalhos que me tomaram o escasso tempo. Escrevendo-lhe agora, nem por isso deixo de notar com saudade que não deu pela minha falta, como eu dei pela sua. Terei eu perdido o meu querido amigo?

Não se espante do cartão-postal que aqui vai com um soneto meu. Recorde-se que mo mandou com aquele mesmo cartão em que me falava das minhas duas cartas não respondidas. Pedia-me justamente este soneto do *Prometeu*[1]. Conquanto visse que o espaço mal daria para os versos alexandrinos aqui os escrevi, e, se isto lhe lembra a minha pessoa, estimo tê-lo satisfeito.

A sua lembra-me sempre, independente das *Crônicas do Vaticano*, que lhe atribuímos aqui, e com razão. O modo de dizer e de sentir descobre o meu Azeredo. Há pessoas talhadas para os cargos e as zonas. O seu cargo não é ainda o que deve ser; a zona pode ser essa ou outra, a dificuldade é que outro se acomode tão bem a essa. Vi também os versos publicados no *Kosmos*[2]. Conheço já os seus trabalhos nesse metro, ao qual vejo que domina, como, aliás, todos os que escolhe e emprega. Aqui fico, à espera de letras suas... Há um ponto sobre que lhe não disse nada; escreverei depois. Por ora, abraços e respeitos do velho am*i*go

Machado de Assis.

---

[1] Eis o poema "Desfecho", que abre as *Ocidentais*, em *Poesias Completas* (1901):

"Prometeu sacudiu os braços manietados / E súplice pediu a eterna compaixão, / Ao ver o desfilar dos séculos que vão / Pausadamente, como um dobre de finados.

// Mais dez, mais cem, mais mil e mais um bilhão, / Uns cingidos de luz, outros ensanguentados... / Súbito, sacudindo as asas de tufão, / Fita-lhe a águia em cima os olhos espantados. // Pela primeira vez a víscera do herói, / Que a imensa ave do céu perpetuamente rói / Deixou de renascer às raivas que a consomem. // Uma invisível mão as cadeias dilui; / Frio, inerte, ao abismo um corpo rui; / Acabara o suplício e acabara o homem." (SE)

2 ∾ "Pela Campanha" faz parte do livro *Odes e Elegias* (1904); o poema foi publicado na revista *Kosmos* n. 4, de abril de 1904. (SE)

## [762]

De: VISCONDE DE TAÍDE
*Fonte:* VIANA FILHO, Luís. *A Vida de Machado de Assis.* Rio de Janeiro: José Olympio, 1989.

Rio de Janeiro, 15 de maio de 1904.

[...] Estivemos em Nova Friburgo algumas semanas, mais de um mês, levados pela doença de Carolina, que ali entrou e a convalescer e agora acaba. [...]

[Machado de Assis]

## [763]

De: ALOÍSIO DE CASTRO
*Fonte:* Manuscrito Original, Arquivo ABL.

[Rio de Janeiro,] 19 de maio de 1904.

Meu bom amigo e mestre,

Não sei como lhe possa agradecer o insigne favor com que me honrou[1].

Enquanto não vou pessoalmente deixe que ainda uma vez lhe afirme com estas linhas os protestos da minha viva gratidão.

Seu discípulo e amigo grato:

Aloísio de Castro.

---

1 ∾ Ver pedido de apreciação literária em [760]. (IM)

[764]

De: MAGALHÃES DE AZEREDO
*Fonte*: Manuscrito Original, Arquivo ABL.

Roma, 5 de junho de 1904.[1]
Legação do Brasil junto a Santa Sé

Querido Mestre e Amigo,

Esta carta ainda será breve, mas outra se lhe seguirá extensa e expansiva como o exige a minha saudade depois de tão longo silêncio. Está queixoso deste, com razão; creia que todos os meus amigos se acham nas mesmas condições. Há muitos meses, há mais de um ano talvez que, salvo raras urgências de coisas inadiáveis, não escrevo uma longa carta. Se se tratasse de outro a falta seria compreensível e desculpável por habitual e prevista; a mim é que dificilmente se perdoam negligências destas porque eu em longos anos de frequência epistolar conquistei a medalha de comportamento exemplar nessa matéria. Enfim, perdoe-me, com a sua larga e humana indulgência e sobretudo, nem por um instante, duvide dos meus sentimentos que são fixos e inalteráveis. Não imagina quantas vezes tenho desejado escrever-lhe, mas escrever-lhe como quem conversa e não é escravo de miseráveis minutos. Mas não me tem sido possível. Estou agora, sempre, sempre, atarefadíssimo. Agora mesmo acabei um livro, as *Odes e Elegias*; tenho-o quase impresso. Vê as *Crônicas*, que são frequentes. Estou preparando outros estudos — entre os quais... mas não, nada direi, que *neste ponto* realmente tem sido ou teimoso, ou modesto demais, deixando de mandar-me notas que me eram precisas. Enfim — algo se fará. Cá tenho o seu belo soneto no cartão-postal. Obrigado. Voltou mais forte de Friburgo para o Rio?

Até breve — até muito breve — irá uma longa carta.

Afetuosos cumprimentos nossos.

Um abraço saudoso do muito dedicado

Azeredo

I ∾ Carta tarjada. É possível que se trate de luto por sua sogra, Amália Goicouría Caymari, cujo estado de saúde não ia bem desde 1901. Azeredo fez um longo comentário na carta [654], justificando a necessidade de adiar a viagem ao Brasil, que estava marcada para junho de 1902, por causa dela. Madame Caymari, que já tinha a saúde debilitada por grave afecção cardíaca, estava na ocasião se recuperando de uma cirurgia sem cloroformização feita em novembro de 1901, quando sobreveio uma grave pneumonia. A família só viajou em agosto. Sobre Madame Caymari, ver carta [340], tomo III. (SE)

[765]

Para: JOAQUIM NABUCO
*Fonte*: Fundação Joaquim Nabuco. Fac-símile do manuscrito original.

Rio de Janeiro, 28 de junho de 1904.

Meu caro Nabuco,

Já, com amigos comuns, lhe mandei os meus cumprimentos; o mesmo com a nossa Academia. Agora pessoalmente vão estas poucas linhas levar-lhe o cordial abraço do amigo, do patrício e do admirador.

Aqui esperávamos, desde muito, a solução do árbitro[1]. Conhecíamos a capacidade e a força do nosso advogado, a sua tenacidade e grande cultura, o amor certo e provado a este país. Tudo isso foi agora empregado, e o trabalho que vale por si, como a glória de o haver feito e perfeito, não perdeu nem perde uma linha do que lhe custou e nos enobrecerá a todos. Esta foi a manifestação da imprensa e dos homens, políticos e outros.

Quisera dizer-lhe de viva voz estas palavras, mas creio que não voltará cá por ora, seguindo daí para Londres, e pela minha parte não irei lá. Já não é tempo para os meus anos compridos, natural fadiga, além de outras razões que impedem este passo, que considero de gigante. Mas, ainda que de longe, terei o gosto de vê-lo continuar a honrar esse nome, duas vezes seu; pelo pai que tanto fulgiu outrora, e por si. Você escreveu a vida de um², alguém escreverá um dia a do outro, e nela entrará o nobre capítulo que acaba de fechar³.

Agradeço-lhe as lembranças últimas que tem tido de mim, especialmente a derradeira, mandada das ruínas do teatro grego e de uma de suas vistas. Assim me deu, com lembrança de amigo, o aspecto de coisas que levantam o espírito, cá de longe, e fazem gemer duas vezes pela distância no tempo e no espaço.

A nossa Academia Brasileira tem já o seu aposento como deve saber⁴. Não é separado como quiséramos; faz parte de um grande edifício dado a diversos institutos. Um destes [,] a Academia de Medicina, já tomou posse da parte que lhe cabe, e fez sua inauguração em sala que deve ser comum às sessões solenes. Não recebi ainda oficialmente a nossa parte, espero-a por dias⁵.

Adeus, meu caro Nabuco. Aceite ainda uma vez a afirmação do particular afeto do

Velho amigo

Machado de Assis

---

I ∾ Nota de Graça Aranha* (1923), que durante cinco anos acompanhou Nabuco na exaustiva missão em defesa dos interesses brasileiros:

"A sentença sobre os limites do Brasil com a Guiana Inglesa foi pronunciada pelo rei da Itália [Vítor Emanuel III] a 14 de junho de 1904. Na impossibilidade de resolver o direito das duas nações, o árbitro, exorbitando das suas atribuições, dividiu entre elas o território. O governo brasileiro havia recusado proposta mais vantajosa da Inglaterra."

No mesmo dia, Nabuco (2008) registrou apenas:

"Às 11 horas ao Quirinal, somos introduzidos o Embaixador inglês e eu; o rei, depois de algumas palavras, faz-nos sentar cada um de um lado, ele no sofá, e dá-nos leitura da sentença. Jantamos todos da Missão em casa do Barros Moreira.".

À esposa, D. Evelina, mandaria esta carta, reproduzida integralmente no livro de sua filha, Carolina Nabuco (1928).

"Hoje todo o dia não te escrevi, mas não quero deitar-me sem o fazer; tenho pensado muito em ti e nos filhos, na decepção que lhes causou o meu insucesso deste dia. Foi um quarto de hora terrível o da leitura que o Rei nos fez, ao Embaixador inglês e a mim, da sentença que concluía pela vitória da Inglaterra. [...] Tenho a consciência de ter feito o que era humanamente possível... A consciência de ter feito o mais inspirou-me um desdém transcendente ao ouvir a sentença, mas se a inteligência desdenhava, o coração lamentava o desastre do nosso incontestável território, e a mão tremia-me quando tive que assinar o recibo dela." (IM)

2 ༄ *Um Estadista do Império – Nabuco de Araújo, sua vida, suas opiniões, sua época* (1897--1898. 3 v.)

3 ༄ Carolina Nabuco usou, como prefácio à biografia do pai, uma carta dele datada de 28/06/1904 – o dia em que Machado de Assis redigiu sua alentadora missiva. (IM)

4 ༄ Em outubro de 1903, o próprio Machado comentara com o amigo distante as perspectivas de instalação da Academia. Ver em [723]. (IM)

5 ༄ Ver [772] e [773], respectivamente de 02 e 04/08/1904. (IM)

[766]

Para: SARA BRAGA DA COSTA
*Fonte:* Manuscrito Original. Arquivo Histórico, Museu da República.

Rio de Janeiro, 12 de julho de 1904.

Boa Sara[1],

Sua tia Carolina não lhe respondeu à carta por haver caído de cama. Levantou-se, mas estando ainda muito fraca, pede-me que lhe escreva por ela. Antes de mais, deixe-me agradecer-lhe as felicitações que me mandou pelo dia dos meus anos[2].

Sabe que ela vinha padecendo desde alguns meses. Na semana atrasada, foi acometida de febre, e o médico chamado descobriu uma inflamação intestinal. Não é o mesmo, é outro médico, o *Doutor* Gomes Neto. Já lhe disse também que podemos mudar de medicina; ela respondeu que primeiro quer ver esta. Agora tratou-se convenientemente, mas está sujeita a pequena alimentação, ao menos por alguns dias, devendo evitar depois o que for de difícil digestão. Naturalmente os meus padecimentos têm sido grandes.

Adeus, boa Sara, lembranças dela e minhas para si e todos os seus. Peça desculpa ao Bonifácio[3] de lhe não escrever também.

    Velho tio amigo

    Machado de Assis.

---

1 ◈ A "boa Sara" representou um elo afetivo singular. Em 1845, a única irmã de Machado de Assis morre de sarampo; a mãe, Maria Leopoldina, falece aos 36 anos (1849), e o pai, Francisco José de Assis, em 1864 (ver [21], tomo I). Pesquisadores não registram parentes colaterais significativos. Restaria a madrasta Maria Inês, da qual o jovem escritor logo se afastou. Portanto, a "família" de Machado, desde o seu casamento com Carolina* (1869), passara a ser a da esposa, cuja sobrinha Sara, assim como os cunhados Miguel de Novais* e o antigo amigo Faustino Xavier de Novais* confirmam tal vinculação (ver esses correspondentes nos tomos I, II e III). Demonstração final de afeição está no testamento de Machado de Assis que torna a filha de Sara, Laura, herdeira de seus modestos bens. Sara Braga Gomes da Costa deu enorme assistência a Carolina, e não pôde fazer o mesmo com o "tio" Machado, porque, em 1908, estava em Corumbá, acompanhando o marido, militar. No tomo V, todos esses fatos se esclarecem. (IM)

2 ◈ A correspondência mencionada neste parágrafo ainda não foi localizada. Sabe-se, porém, de uma carta de Carolina a Sara, datada de 30/05/1904, e parcialmente reproduzida por Luís Viana Filho (1965), nos seguintes termos:

> "Agradeço a tua carta. Eu estava ansiosa por notícias de vocês, mas a minha pouca saúde tirava-me a vontade de escrever. Continuo na mesma, uns dias bem, outros mal, esta semana que acabou tive o dia de segunda-feira excelente, os outros péssimos! Até tive dois dias de febre alta, diz o médico que a febre tinha por causa os intestinos, mas sabe ele o que diz? Agora estou com um remédio novo, se não tirar resultado não tomo mais nada, mudo de médico e de medicina."

Carolina também foi atendida pelo Dr. Miguel Couto*, conforme se verifica na carta [798], de 20/11/1904. (IM)

3 ◈ Major Bonifácio Gomes da Costa*, marido de Sara. (IM)

# [767]

Para: DAVID EUGENE THOMPSON
*Fonte:* Manuscrito Original, Arquivo ABL.

N.º 26

Rio de Janeiro, 21 de julho de 1904.

Tenho a honra de passar às mãos de V*ossa Excelência* as inclusas notas sobre a Academia *Brasileira de Letras* em resposta às informações desejadas[1] pelo *Carnegie Institution*[2] para o Manual das Sociedades e Instituições Sociais que pretende publicar.

Aproveitando o ensejo apresento à V*ossa Excelência, Senhor* Ministro, os protestos da minha alta estima e consideração

Machado de Assis

RO[3]

D*igno* Ministro Americano
Ao Excelentíssimo David E*ugene* Thompson[4]

---

1 ∾ Anteriormente estava escrito "quesitos enviados", expressão que aparece riscada e substituída por "informações desejadas". (SE)

2 ∾ A fundação foi criada pelo escocês Andrew Carnegie (1835-1919), emigrado aos Estados Unidos, que muito jovem tornou-se um empresário de ação agressiva e com excelentes relações com políticos de Washington, o que lhe permitiu fechar negócios milionários. A sua indústria de metalurgia, cujo *know-how* no tratamento do aço transformou-a numa lenda, cresceu à sombra da expansão da rede ferroviária norte--americana. Na imprensa, em razão de seus métodos, era conhecido como *o barão ladrão*. No início, explorava duramente os empregados, com jornadas de 84 horas por seis dias de trabalho. Mais tarde, no entanto, distante dos tempos heroicos, ocupou-se em fazer justiça social. Foi o primeiro empresário norte-americano a pregar publicamente a responsabilidade dos ricos com os menos afortunados, ajudando-os com ações filantrópicas. Em 1901, vendeu a empresa ao banqueiro J. P. Morgan (1837-1913) por 260 bilhões de dólares, se aposentou e passou a se dedicar à filantropia. Ajudou a construir 2800 bibliotecas, diversos museus e algumas salas de concerto, entre as quais a famosa *Carnegie Hall*. Criou também a *Carnegie Mellon University*, com o objetivo de estimular a pesquisa independente para o conhecimento científico básico. Criou então a *Carnegie Institution*, informando ao presidente Theodore Roosevelt (1901-1909) a

disposição de investir 10 milhões de dólares, aos quais em 1907 reuniu mais 2 milhões e, em 1911, mais 10 milhões. Entre muitas ações, a instituição criou bolsas de estudos individuais para antropologia, astronomia, literatura, economia, história e matemática. Em 1904, passou a apoiar departamentos de pesquisa e suas áreas afins. A abordagem da instituição, em atividade até hoje, permanece a mesma — constituição de novos campos do saber, deixando o desenvolvimento para outras entidades. (SE)

3 ∾ Trata-se de uma minuta redigida por Rodrigo Octavio*, primeiro-secretário da Academia, autoria ratificada pela abreviatura "RO", ao final do documento. (SE)

4 ∾ David Eugene Thompson (1854-1942) substituiu o antigo enviado extraordinário e ministro plenipotenciário Edwin Hurd Conger (1843-1907), permanecendo no Brasil de 1893 a 1897, quando foi substituído por Charles Page Bryan (1856-1918). Em 1902, Thompson retornou ao país no mesmo posto, no qual ficou até 1905, sendo depois removido para o México. Pouco depois, o Brasil adotou nova nomenclatura, em lugar de *enviado extraordinário e ministro plenipotenciário*, herança do Império, passou a usar o termo *embaixador*. Nos eventos da Revolta da Armada, o diplomata americano teve atuação destacada, como por exemplo, no controvertido episódio do contra-almirante Stanton, que ao entrar na baía do Rio de Janeiro, em 20 de outubro de 1893, comandando a Divisão Naval do Atlântico, saudou a bandeira dos revoltosos e não se apresentou às autoridades brasileiras constituídas. A atitude do oficial contou com a discreta defesa do ministro norte-americano Thompson, que tomou deliberações que dificultavam a ação do governo federal brasileiro. A atuação do ministro Salvador Mendonça* junto ao governo norte-americano foi decisiva para a mudança de posição daquele governo diante da crise brasileira, que se deu segundo o ministro (Mendonça, 1899-1904) a partir deste episódio. (SE)

[768]

Para: SALVADOR DE MENDONÇA
*Fonte*: Manuscrito Original. Arquivo-Museu de Literatura Brasileira, Fundação Casa de Rui Barbosa. Coleção Machado de Assis.

Cosme Velho, 21 de julho de 1904.

Meu querido Salvador.

Não quero que passe o dia de hoje sem cumprimentar-te, ainda que por letra, não podendo fazê-lo em pessoa. Tenho há muito minha mulher doente. Não quero, porém, que este dia de teus anos acabe sem mandar aqui um abraço de felicitações e saudade[1].

Outra felicitação e outra saudade vão aqui pelo teu discurso sobre João Caetano[2]. Cá o li e reli e guardei; fizeste-me reviver dias passados, compuseste a figura do nosso grande trágico, ele e o tempo, e que tempo! A gente nova de hoje achou fino gosto naquilo que pessoalmente não recordou nada; viu a vida, a pessoa, o quadro, os sucessos, adivinham a arte e o gênio que possuímos. Quando falaste do Paraná e da amizade que o aliava a João Caetano[3], fizeste-me lembrar que o estadista morreu nos braços do ator, e que um poeta da Bahia, ora esquecido (Manuel Pessoa da Silva), em poema que escreveu sobre o marquês, terminou a composição com estes dois versos:

E o gênio da política fenece
Nos braços do imortal gênio da cena

Vi também através do discurso o perfil do nosso querido Muzzio[4]. Também me lembraste ao narrar a noite do ensaio da *Joana de Flandres*, a festa da primeira representação desta ópera[5], quando tu, eu e tantos outros, cercando o Carlos Gomes, descemos em aclamações ali pela Rua dos Ciganos[6] abaixo. Restamos alguns e as lembranças que não acabam; dado que esmoreçam, aí está uma voz para as avivar com a velha alma sempre nova.

Adeus, meu querido Salvador, recomenda-me aos teus, e não esqueças o

Velho amigo

Machado de Assis.

---

1 ∞ Nos últimos anos, Machado e Salvador passaram a cumprimentar-se com mais regularidade pelo aniversário um do outro. (SE)

2 ∞ Discurso oficial proferido na inauguração do Teatro João Caetano, em Niterói, no dia 17 de julho, quatro dias antes da data desta carta. O diplomata atribuiu o convite ao fato de ambos – João Caetano e Salvador – serem oriundos de Itaboraí, cidade na qual o reconhecido ator havia estreado no teatro construído por João Hilário de Meneses Drummond, avô do missivista. (SE)

3 ◌ Trata-se do Marquês de Paraná, Honório Hermeto Carneiro Leão (1801-1856). (SE)

4 ◌ Henrique César Muzzio*, amigo da juventude de ambos. Sobre ele, ver cartas [60], [61], [62], [70], [71], tomo I. (SE)

5 ◌ A ópera de Carlos Gomes, escrita em 1863, *Joana de Flandres* tinha o libreto feito por Salvador de Mendonça. Segundo Azevedo (1971), esta ópera deu a Carlos Gomes a chance de conseguir do governo brasileiro a bolsa de estudos para a Europa. Sobre o compositor, ver nota 1, carta [381], tomo III. (SE)

6 ◌ A atual rua da Constituição, conhecida por cerca de duzentos anos como dos Ciganos, foi aberta no final do século XVIII, entre o Rocio e o Campo de Santana. A grande parte dos ciganos que veio ao Brasil fugia da perseguição movida pela Inquisição na Europa. Na cidade do Rio, fixaram-se para além do despovoado Campo do Rocio Grande (praça Tiradentes) quase até os mangais de São Diogo (parte da Presidente Vargas). A população das cidades brasileiras era dividida em três categorias: 1.ª os portugueses e seus descendentes; 2.ª os trabalhadores e artífices brancos; e 3.ª os escravos, índios e cabras, incluídos nesta os *infames* – judeus, ciganos e degredados, confinados para fora dos limites da cidade (além da rua Vala, atual Uruguaiana). Aos poucos os ciganos foram abandonando o nomadismo, trocando as barracas por casas na já então conhecida como rua dos Ciganos, e fixando-se numa atividade comercial altamente lucrativa: o mercado de escravos, primeiro nos armazéns do Centro, depois no Valongo. (SE)

[769]

De: JOSÉ JOAQUIM SEABRA
*Fonte*: Manuscrito Original, Arquivo ABL.

GABINETE DO MINISTRO DA JUSTIÇA E
NEGÓCIOS INTERIORES

Rio de Janeiro, 21 de julho de 1904.

Ilustre Am*ig*o Sen*ho*r Machado de Assis

Saudações afetuosas.

Preciso falar-lhe sobre o assunto que nos interessa, ao Senhor principalmente como Presidente da Academia Brasileira. Tomo por isso a liberdade de lhe pedir a fineza de vir a este Gabinete, à hora que mais lhe convier. E desculpando-me esse incômodo, aceite mais uma vez os protestos da minha grande consideração e estime seu

Amigo afetuoso Admirador

J. J. Seabra[I]

---

I ∾ Carta redigida integralmente pelo oficial de gabinete do ministro, Mário de Alencar*, e apenas assinada por J. J. Seabra. O convite, em termos muito honrosos, era para tratar da instalação definitiva da Academia na construção ainda inacabada no Cais da Lapa, mas que poderia ser destinada em parte, concluídas as obras, à instituição presidida por Machado. (SE)

## [770]

De: JAMES CARLETON YOUNG
*Fonte*: Manuscrito Original, Arquivo ABL.

[Minneapolis] July, 23rd 1904.

Dear Sir[1]:

The enclosed circular explains the plan of my literary collection for which your books have been selected. Will you honor me by inscribing them? In case you consent kindly advise me amount of draft required to purchase the books and pay transportation of same by post and I will forward at once.

Accept dear sir the assurance of my very high regard.

James Carleton Young[2]

1600 SECOND AVENUE SOUTH
MINNEAPOLIS, MINESOTA, USA

1 ∾ TRADUÇÃO DA CARTA:

    Prezado Senhor: / A circular anexa explica o plano da minha coleção literária, para a qual seus livros foram selecionados. O senhor me honraria autografando-os? Se o senhor consentir, por gentileza, me informe o valor da ordem de pagamento necessária para comprar os livros e pagar o transporte dos mesmos por correio, e eu a enviarei imediatamente. / Aceite, caro Senhor, a certeza da minha mais alta consideração / James Carleton Young. (SE)

2 ∾ Anexada ao manuscrito original, há uma tradução não corrigida em francês feita à época, também manuscrita, porém por mão terceira, escrita no mesmo papel timbrado de M. Young:

    Cher Monsieur, / La Circulaire incluse explique le plan de ma Collection littéraire pour laquelle vos livres se sont choisis. Voulez-vous me faire l'honneur en les inscribant? En cas vous consentez faites-moi la bonté à me dire la somme du tirage nécessaire pour achetez (*sic*) les livres aussi les charges pour en transporter par la poste et j'enverrai sur-le-champ. / Accéptez, cher Monsieur, l'assurance de mon plus haut regard. / James Carleton Young. Le 23 Juillet, 1904.

    Na diagonal do texto, está escrito com letra diferente da que fez a tradução para o francês: "*traduction par V. S.*" (SE)

# [771]

De: SALVADOR DE MENDONÇA
*Fonte*: Manuscrito Original, Arquivo ABL.

[Rio de Janeiro,] 29 de julho, 1904.
63, rua Itapagibe[1]

Meu querido Machado de Assis,

    Bem avalias quanto me comoveu tua boa e terna carta de felicitações e de recordações. Só com um abraço muito apertado poderei retribuir-te toda a expressão de velha e sincera amizade que puseste naquelas linhas douradas pelo sol poente de tuas e minhas saudades. É bem certo que nem tu nem eu o trocaríamos pela mais esplêndida alvorada. Esse é o tesouro dos velhos, que só de corpo o são e têm o privilégio de conservar a alma dos vinte anos.

Dá recomendações de minha mulher e minhas à tua Senhora e aceitá-las para si, com um abraço do

Teu velho e sincero

Salvador.

Preciso um dia destes avivar contigo memórias da Ópera Nacional, para o artigo "Carlos Gomes íntimo"[2] que me pediu o *Jornal do Comércio*. E não escaparás então de uns versos meus.

---

1 ༺ Trata-se da rua Barão de Itapagipe no bairro do Rio Comprido, Rio de Janeiro. Aliás, o irmão Lúcio de Mendonça* também teve uma residência ali, no número 95, por volta de 1894. Nas encostas do Silvestre, esta região cheia de belas chácaras foi também reduto da colônia inglesa no Rio de Janeiro. (SE)

2 ༺ Este artigo foi publicado em 1905, como parte da série de eventos que iriam anteceder a inauguração do monumento ao maestro Carlos Gomes em 02 de julho, na cidade de Campinas, em São Paulo. Sobre o monumento a Carlos Gomes, ver nota I, carta [381], tomo III. (SE)

[772]

Para: JOSÉ JOAQUIM SEABRA
*Fonte*: Atas da Academia Brasileira de Letras, Arquivo ABL

Rio de Janeiro, 2 de agosto de 1904.

Ilustríssimo e Excelentíssimo Senhor Ministro da Justiça e Negócios Interiores

Tive a satisfação de dar à Academia Brasileira em sessão de ontem a notícia de que Vossa Excelência em nome do Governo, havia designado no edifício do Cais da Lapa a ala fronteira ao Passeio Público para instalação daquele instituto em cumprimento do disposto no ato I.º da

Lei 726 de 8 de dezembro de 1900¹. A Academia tomando conhecimento desse fato autorizou-me a apresentar à Vossa Excelência o seu profundo agradecimento esperando corresponda à confiança nela depositada pelos Poderes Públicos da Nação. Cumprindo a deliberação da Academia tenho a honra, Senhor Ministro, de oferecer à Vossa Excelência o meu protesto de alta estima e consideração.

Joaquim Maria Machado de Assis

---

1 ∾ Depois de atender ao convite de J. J. Seabra a fim de ouvir a proposta do ministério, carta [769], Machado responde-lhe conforme a praxe nos negócios oficiais. A partir deste momento começa a ser garantido o art. 1.º da lei 726, garantia que se consolidará na carta [773], com a resposta do ministro. (SE)

[773]

De: JOSÉ JOAQUIM SEABRA
Fonte: Atas da Academia Brasileira de Letras, Arquivo ABL

GABINETE DO MINISTRO DA JUSTIÇA
E NEGÓCIOS INTERIORES

Rio de Janeiro, 4 de agosto de 1904.

Recebi o ofício em que Vossa Excelência se serviu comunicar em ter dado à Academia Brasileira de Letras em sessão de anteontem a notícia de que esse Ministério havia designado no edifício da Praia da Lapa a ala fronteira ao Passeio Público para a instalação daquele instituto. Folgo de que ela tivesse agradado à Academia Brasileira, cujo reconhecimento recebo com satisfação porque me foi realmente grato poder cumprir o disposto no art. 1.º da Lei 726 de 8 de dezembro de 1900, o qual autorizou o Governo dar-lhe permanente instalação em Prédio Público de que pudesse dispor. Executei essa autorização, convencido de que prestava um serviço valioso às letras nacionais, servindo aos que com mais brilho as cultivam e representam, os ilustres membros da Academia Brasileira. Faço votos pela prosperidade da Academia e tenho a honra de renovar à V*ossa Excelência* os protestos da minha grande consideração e particular estima.

J. J. Seabra

Il*ustríssimo* e Ex*celentíssimo* Se*nho*r Joaquim Maria Machado de Assis
Muito digno Presidente da Academia Brasileira de Letras

[774]

Para: RODRIGO OCTAVIO
*Fonte*: Cartão de Visita Original, Arquivo Particular.

[Rio de Janeiro,] 10 de agosto de 1904.

Caro am*ig*o e colega

Aí lhe devolvo a indicação com as duas assinaturas[1]. Até logo[2].

MACHADO DE ASSIS

18, Cosme Velho

---

1 ∾ Na sessão de 06/09/1904, presidida por Machado de Assis, e com a presença de Afonso Arinos*, José Veríssimo*, João Ribeiro*, Araripe Júnior*, Raimundo Correia* e Rodrigo Octavio, registra a ata:

"É lida e aprovada a seguinte indicação: 'Considerando que a Academia Brasileira começou a ter despesas permanentes desde que lhe foi concedida definitiva instalação no edifício do Cais da Lapa e que a Academia ainda não tem uma subvenção nem outro meio de obter recursos para suas despesas, propomos que se adote a seguinte indicação: Art. Único. Fica instituída como medida transitória uma contribuição mensal para os membros da Academia que quiserem concorrer para as despesas de seu expediente. §1.º A contribuição será enviada até o dia 5 de cada mês diretamente ao Tesoureiro. §2.º A presente resolução será comunicada por carta a todos os membros da Academia e em seguida arquivada sem ter publicidade. Rio [,] 9 de agosto de 1904.' (a) Machado de Assis. Artur Azevedo. Rio Branco. Rodrigo Octavio. Domício da Gama. Medeiros e Albuquerque. M. de Oliveira

Lima. João Ribeiro. Filinto de Almeida. T. A. Araripe Júnior. José Veríssimo. H. Inglês de Sousa. Lúcio de Mendonça. Raimundo Correia. Barão de Loreto, Afonso Arinos. Aprovada em sessão de hoje 6 de setembro de 1904. (a) Machado de Assis. Está conforme o original (a). Rodrigo Octavio."

Esta iniciativa em prol do funcionamento da Casa, mediante a contribuição dos acadêmicos, tem antecedentes. De Frascati, junto a Roma, Magalhães de Azeredo* escrevera, no próprio cartão de visita, o seguinte bilhete a Rodrigo Octavio:

"17-IX-1899. Caro colega, envio-lhe oficialmente a carta e a proposta juntas, pedindo que as leia e submeta à Academia, na primeira sessão. Como pode avaliar os meus argumentos, só me resta solicitar o seu mais franco apoio, que conto me será dado, visto que se trata de um interesse fundamental da nossa instituição. Se a subscrição para a mobília for aberta, queira inscrever-me nela pela quantia de 40$000 rs. Rogo-lhe o obséquio de mandar as cartas que lhe envio aos seus destinatários, cujos endereços ignoro. Desde já lho agradeço. Aceite os cumprimentos do admirador e colega afetuoso Magalhães de Azeredo."

A questão da mobília só terá desfecho depois de recebido o aposento no prédio do Cais da Lapa, mencionado nas cartas [772] e [773], conforme explicitará a nota 4 da carta [782], de 04/10/1904. (IM)

2 ∾ Este "até logo" é indicativo de encontro pessoal, naquela quarta-feira. Observe-se que, segundo ata, na véspera se realizara, no salão nobre do andar superior do Gabinete Português de Leitura, a sessão extraordinária dedicada à leitura da peça *O Contratador de Diamantes* pelo próprio autor, Afonso Arinos*. (IM)

[775]

Para: ADRIANO AUGUSTO DE PINA VIDAL
*Fonte:* Manuscrito Original, Arquivo da Real Academia das Ciências de Lisboa.

Rio de Janeiro, 24 de agosto de 1904.

Il*ustríssi*mo e Ex*celentíssi*mo Sen*ho*r

Tenho a honra de acusar recebido o ofício de Vossa Excelência datado de 29 do mês findo, pelo qual Vossa Excelência me comunica que, em reunião da Classe de Ciências Morais e Políticas e Belas-Artes da Academia Real das Ciências de Lisboa, celebrada na véspera, fui eleito por unanimidade sócio correspondente dessa ilustre Corporação Científica¹.

A alta distinção que assim me é feita, tão superior aos meus esforços, enche-me de natural e grande orgulho. Rogo a Vossa Excelência se digne receber e transmitir à Academia os meus cordiais agradecimentos.

Deus guarde a Vossa Excelência

Ilustríssimo Excelentíssimo Senhor Adriano Augusto de Pina Vidal,
Secretário-Geral da Academia Real das Ciências de Lisboa

Machado de Assis

---

1 ∾ O nome de Machado de Assis foi proposto em 13/12/1900, juntamente com os de José Veríssimo* e Sílvio Romero*. O parecer favorável ao nome de Machado foi dado por José de Sousa Monteiro em 07/06/1901. Quase três anos depois, em 03/06/1904, o texto foi aprovado pela seção de literatura, indo ao plenário para votação no mês seguinte. A aprovação do nome de Machado de Assis foi consignada em ata da sessão de 25/07/1904, comunicado por um ofício de 29/07/1904, a que o escritor presentemente responde. (SE)

[776]

De: MAGALHÃES DE AZEREDO
*Fonte:* Manuscrito Original, Arquivo ABL.

Rocca di Papa, 14 de setembro de 1904.
Villino Traversari

Meu querido Mestre e Amigo,

Demasiado se prolongou o meu silêncio. Uma pequena carta não bastava para o muito que tinha a dizer-lhe, após tantos meses. Era preciso deixar correr a pena, encher folhas e folhas, sem contar, sem a preocupação da hora... e isso não se pode fazer sempre. Não o posso fazer quando quero, atualmente; pela força das coisas, com a idade, com a atividade e a ambição do espírito, cresceu e muito a soma de trabalho que tenho de fornecer cada dia. Entre os cuidados do estudo (quisera eu poder refazer toda a minha educação intelectual!) e as exigências da produção literária, vão-se-me as semanas e os meses, e eu vivo a queixar-me não de ser longo o tempo, mas ao contrário da rapidez com que ele corre deixando pelo caminho tantas aspirações esfalfadas... Demais, bem sabe, o serviço oficial toma-me algo dos meus dias, e a sociedade e a natureza querem o seu tributo merecido: os livros são belos, mas a Vida é mais bela ainda; e não há de amar a Vida com amor doce e amargo, não há de mergulhar nela com ânsia tenaz e insaciável quem nasceu poeta e poeta quer ser, poeta mais que tudo, até o fim da sua existência? Veja, pois, como a minha atenção é disputada, entre as almas que brilham e falam misteriosamente nas páginas diletas, e as almas que me palpitam em torno, almas humanas, almas de animais e de plantas, todas reveladoras, ricas de coisas novas, dignas do meu interesse e da minha simpatia. — Deixe passar esse estro de lirismo; deixe-o passar, já que espontaneamente ele pulou do cérebro para a pena... Enfim, já tem aqui a explicação, ou as explicações, do meu involuntário silêncio, cortado ainda assim de quando em quando, deve-se lembrar, por algum curto bilhete que queria dizer: Não é por esquecimento ou indiferença que estou calado.

Imagine! eu queria que esta carta o tivesse ido encontrar em Friburgo, na sua passada vilegiatura! queria levar-lhe então recordações de uns meses que lá morei de Dezembro de 1886 até Março, creio, do ano seguinte[1], e perguntar-lhe que modificações me podia indicar na antiga colônia Suíça, hoje cidade de veraneio — mas não muito próspera, suponho, menos talvez do que quando eu lá estive. Quanto tempo já correu! era eu então um rapazinho de colégio, às voltas com exames e compêndios, mas já mordido pelas tarântulas da poesia... Sim, lembra-me bem que vadiando de manhã e de tarde pela praça muito densa de arvoredo, que fica em frente ao Hotel Salusse[2] e ao palacete do Conde de Friburgo[3], pelos caminhos orlados de framboesais que levam à Fonte dos Suspiros[4] ou ao colégio dos Jesuítas, media os meus versos infantis pelo ritmo da brisa nos ramos, pelo compasso ligeiro das libélulas que se cruzavam no ar, e dos tico-ticos que saltavam de ramo em ramo...

Diga-me: ainda é bela e saudosa, no seu recanto agreste, a Fonte dos Suspiros, com a sua água que me dizia não sei que pessoa de lá saber a beijos? O colégio dos Jesuítas[5] já sei que não conserva mais as feições veneráveis do antigo Château, que ainda conheci, adusto pela pátina dos anos, no alto da colina solitária, e onde fora mestre aquele filósofo original, irônico e melancólico, o Barão de Tautphoeus[6], que ainda no Rio chegou a examinar-me em retórica... Foi lá acima alguma vez — digo, à nova casa que lá construíram os padres? tratou com algum deles? como sabe, foram Jesuítas todos os meus professores em Itu; da maioria guardo boa lembrança; tenho entre eles alguns amigos. O tempo, sem dúvida, foi apagando em meu espírito muitos dos vestígios daquela educação; de resto, mesmo lá, não estava eu entre os alunos mais dóceis quanto às ideias; passava por *fortemente liberal*, e era-o de fato; mas hoje ainda estou mais longe deles que então. Reconheço os grandes méritos da Companhia, a sua admirável organização, a cultura intelectual que nela é obrigatória para todos; a Companhia é uma instituição genial, e não há que estranhar no domínio que adquiriu logo no campo católico. Tenho-a estudado, porém, mais de perto, na Itália que é o seu quartel-general, e não amo a sua ação e a sua influência na sociedade. Está claro que me rio, como todo o homem de bom-senso deve rir-se, dos crimes e intentos sinistros que tanta vez se lhe atribuíram, e nunca foram provados. As virtudes individuais dos seus religiosos estão para mim fora de dúvida, com as exceções que confirmam todas as regras, e acho assombroso o espírito de abnegação e renúncia que distingue cada um deles... *Perinde ac cadaver...*[7] mas justamente não me é simpático esse código tirânico que mata no homem tudo o que é livre e espontâneo, reduzindo-o a um mísero instrumento passivo. A Companhia nunca produziu um poeta, um artista: ai dos pobres noviços que lhe caem nas mãos com a alma cheia de sonhos ingênuos e estrofes em flor! ela os repele inexoravelmente ou os transforma pouco a pouco em áridos pedantes; os poucos que conseguem resistir a esse regímen são olhados pelos mais com suspeição e desdém. Conheço alguns exemplos disso. Não censuro à ordem a sua ambição, porque nenhum grande organismo coletivo vive e cresce sem ambição; mas não amo a projeção filosófica e política da Companhia no mundo, apesar dos seus serviços imensos à religião e à ciência. Os Jesuítas sabem aliás perfeitamente que nunca serão queridos como os Franciscanos e os Beneditinos, por exemplo...

Mas lá deixei Friburgo bem longe. Diga-me: ainda vive lá um poeta, um poeta provinciano que hoje deve ser velho — chamado Cardoso[8]? penso que era então mestre escola ou coisa assim... Poeta romântico, da antiga falange; talvez anacreôntico também; não sei; não me lembro precisamente. Recitava-me, passeando, alguns dos seus versos: naquela minha idade de ingênua e universal benevolência, pareciam-me suaves, melodiosos, sentidos... Sentidos creio ainda que o eram; agora o mais... o pobre Cardoso devia ter alma de poeta: uma alma incompleta, porventura, larvada, sem a força de imaginação e expressão correspondente ao íntimo desejo? O aspecto e o vestuário eram de bardo; usava ainda a melena longa, abundante e inculta, à moda de Castro Alves, e gravata Lavallière[9] negra que, quando havia vento rijo punha-lhe no peito exíguo uma palpitação de asas de corvo; tinha os gestos amplos, lentos, e o olhar vago... Falava-me com desvanecimento das distinções que lhe fazia o Imperador, que estivera em Friburgo uns meses, a ares e a duchas; uma vez que na Fonte dos Suspiros Dom Pedro Augusto[10] aceitara com muita boa graça das suas mãos um copo daquela água fresca, e depois se pusera a conversar com ele, o excelente Cardoso dizia-me reconhecido: "Tal qual o Avô; tal qual o Avô". Pobre Dom Pedro Augusto! Eis aí outra figura que surge das minhas recordações de então – e essa com tão doloroso relevo!

Ele passou em Friburgo o mesmo verão que eu, com os seus colegas de turma da Escola Politécnica[11]. Eu era um dos seus companheiros mais assíduos; e desde então ficamos sempre amigos. Era tão bom, tão modesto, tão leal, o jovem Príncipe! conquistara tão depressa a simpatia do povo! Tinha um ar imperial: infelizmente a sua alma, tão pura e sincera, não era soberana; não soube resistir aos choques de uma revolução que o atirava com os seus para o outro lado do Oceano, e a sua razão naufragou miseramente. Ainda eu lhe escrevi para o exílio, antes do seu naufrágio espiritual; e ele respondeu-me com uma carta afetuosa. Depois, as portas do manicômio se abriram para ele: tudo se lhe apagou no cérebro combalido, até o último vislumbre dos instintos... O Hilário de Gouveia[12], que o viu em Viena, disse-me que já não é um louco, mas um demente incurável — todos os males da vida psíquica se lhe espedaçaram, se lhe aniquilaram. E entretanto, emagrecido, palidíssimo, crescidas as barbas e a cabeleira loura, é belo como um Cristo... morto![13]

Oh! meu caro Amigo, a minha memória já começa por vezes a correr com ânsia, com uma espécie de delírio, à busca das imagens e visões do passado isso prova que já vai ficando para trás o Éden da primeira mocidade. Acreditará que os fios brancos principiam a crescer e a multiplicar-se entre o negrume dos meus cabelos? Dir-se-á que hoje os cabelos deram em destingir-se na juventude, que são neves de primavera? Sim, mas mesmo na primavera as neves são sempre traços de inverno.

Falemos de coisas que começam, e começam bem: já se vai efetuando a instalação da Academia na *sua* casa? tenho visto notícias de conferência do meu Amigo com o ministro do Interior para esse fim. É uma exigência do decoro e é uma necessidade para o bom andamento dos nossos trabalhos termos residência própria, adequada. Vejamos se a Academia faz agora alguma coisa coletivamente, e eu creio que de umas poucas se poderia ocupar com utilidade geral sem exorbitar do seu caráter de associação livre, isenta de formalismos literários, isto é, sem cair no dogmatismo e no misoneísmo de muitas Academias europeias. Imagino entretanto que na nova casa, entrará ainda a saudade da antiga, da emprestada para as grandes sessões — pois certamente não haverá na do Largo da Lapa salão que se pareça nem de longe com o do Gabinete Português de Leitura... Eu, por minha parte, sinto deveras não ser recebido na casa de Camões e Pedro Álvares Cabral. E diga-me: a nova eleição quando será? Vamos a ver se esta se conclui pela chamada do Quintino para a nossa companhia. Eu ficaria contentíssimo se assim for. Esse nome faz-nos falta desde a fundação da Academia. Os méritos intelectuais do nosso Amigo são insignes; na sua longa vida de jornalista político ele sempre se conservou escritor por excelência, e alguns dos seus artigos estão entre as mais belas páginas da nossa literatura. Bem cabem os louros a essa velhice serena e grande. Peço-lhe, meu Amigo, que trabalhe por ele, que além do mais o preza tanto.

Por uma carta do nosso Graça eu soube da publicação do seu novo livro *Esaú e Jacó*. Ora sempre foi mau em guardar segredo comigo sobre isso! O Graça já o leu, e diz dele grande bem: eu vou escrever para que ele tente obter-me do Garnier um exemplar de contrabando, porque estou desejosíssimo de conhecer o seu novo filho, os seus novos filhos quero dizer — são dois.

Breve aí terá as *Odes e Elegias*, que já estão impressas e quase prontas para partir. O nosso amigo Graça será o portador dos meus versos através do Oceano; ele tenciona deixar a Europa daqui a um mês ou pouco mais. É supérfluo recomendar-lhe os meus versos; sei que os lerá como sempre tem lido tudo o que eu escrevo, — ao mesmo tempo com penetração e benevolência; buscará neles não só a forma exterior, mas a manifestação do sentimento, do pensamento, da vida íntima, e os marcos miliários do caminho de um espírito que não gosta de ficar parado. Por isso, nas *Odes e Elegias* distinguirá muito bem a parte escrita quando o livro se começou a fazer da que pertence aos últimos meses, e que, sem naturalmente destoar da primeira, a dilata e completa, mostrando no livro um período de transição.

Está entre os poucos capazes no Brasil de compreender plenamente as *Odes e Elegias*; conto, pois, que fará por elas tudo o que puder, e entre os escritores as defenderá contra prováveis injustiças e faltas de inteligência.

Espero também mandar-lhe breve um novo retrato meu. Não se espante vendo-me assim imberbe ou antes desbarbado; não é isso propriamente efeito de volubilidade, pois há muitos anos desejava ter esta fisionomia que já agora conservarei sempre, e só para ceder a uma doce imposição familiar, é que não sacrificava barba e bigodes. Enfim um dia consegui a necessária licença, e me tornei o que *me via* na minha imaginação. A opinião geral dos conhecidos e amigos é favorável a esta transformação. Entre os pintores que têm autoridade especial no assunto, não encontrei nem um voto contrário; e tenho relações com muitos.

Vi na *Renascença*[14] um esboço do Bernardelli para o monumento do Mauá. Reparou no desenho? não acha nisso mais uma prova frisante do que eu afirmei no meu estudo sobre o nosso escultor? Ele tem realmente pouca imaginação criadora, e confinado ali no nosso ambiente antiestético, está-se inutilizando completamente. Aquele esboço é uma miséria! Não carece unicamente de originalidade e vigor, mas de toda a significação representativa, e do garbo mais rudimentar. Mauá, aquele janota, *passeando* em cima de uma coluna esguia, como São Simeão Estilita?

Ouviu falar sem dúvida da minha remoção para o Quirinal. A ideia foi suspensa, mas creio que não de todo abandonada. No tempo de Leão XIII, pela benevolência afetuosa e pessoal com que ele me distinguia, eu não gostaria da transferência, mas com o Papa atual[15], por quem aliás tenho profunda veneração, como terá visto nas *Crônicas*, não estou ligado por vínculos pessoais, poucas vezes lhe tenho falado e rapidamente. De resto ele mesmo tem concorrido para melhorar as relações do Vaticano com o Quirinal. Ficarei muito contente com a mudança, que tornará estável a minha situação em Roma e além disso me permitirá maior liberdade de linguagem e apreciação nos meus estudos sociais.

Afetuosos cumprimentos nossos. Meus respeitos à *Excelentíssi*ma Se*nho*ra.

Abraça-o o seu de coração

Azeredo

---

1 ～ Em suas *Memórias* (2003), Azeredo alude aos três meses de férias verão passados em Nova Friburgo, quando entre diversos contatos acabou conhecendo o príncipe Pedro Augusto, duque de Saxe-Coburgo-Gotha, que pouco depois da proclamação da

República, ainda a bordo do vapor Alagoas, em direção ao exílio, manifestou a primeira crise do grave distúrbio mental em que posteriormente mergulhou. Azeredo conta:

"Quem me disse, nesses dias serenos e sem nuvem de receio futuro, que o nobre moço tão calmo, tão risonho, tão senhor de si, seria vítima de um trágico destino apenas três anos depois? Ainda guardo um retrato seu, com que me brindou no Rio, e não me caem os olhos sobre essa imagem sem um frêmito de profunda compaixão."

2 ∾ Em 1839, o ex-oficial da armada bonapartista Guillaume Marius Salusse (1788-1875) e sua mulher a suíça Marianne Joset (1806-1900) solicitaram à Câmara de Nova Friburgo permissão para receber em casa doentes em busca de cura na cidade, criando então uma hospedaria. O casal, apesar dos riscos de contágio, enfrentou a situação e rapidamente obteve sucesso. A prosperidade dos hotéis na região deveu-se ao fato de a cidade ser reconhecida como lugar de clima salubre à cura de doenças como a tuberculose, o beribéri e as epidemias de febre amarela e tifo. Além disso, o clima ameno tornou-se um convite ao repouso e uma forma de escapar ao calor do Rio de Janeiro. Situado no centro de Friburgo, na atual Praça Getúlio Vargas, o hotel era o ponto de convergência da vida social a partir de 1870. Apesar de não ser o mais luxuoso, as suas *soirées* eram as mais concorridas entre os veranistas. Durante a temporada de 1878-1879, quando esteve convalescendo na cidade hospedado no Hotel Leuenroth, Machado foi assíduo frequentador das festas do Salusse. Aliás, na crônica de 22/01/1893, em *A Semana*, Machado comenta: "Oh, bons e saudosos bailes do salão Salusse!" (SE)

3 ∾ O palacete pertenceu a Antônio Clemente Pinto (1795-1869), barão de Nova Friburgo, pai do conde de Nova Friburgo, Bernardo Clemente Pinto Sobrinho (1835-1914). Atualmente a propriedade é sede do Nova Friburgo Country Clube. Antônio veio jovem de Portugal (1821), começando a vida como caixeiro no comércio do Rio. Depois se tornou traficante de escravos, fazendo grande fortuna. Rico, mudou de ramo comprando fazendas de café na região de Nova Friburgo, Catagalo e São Fidélis. Na corte, construiu o Palácio das Águias, no antigo largo do Valdetaro, que em 1897, por ato do presidente em exercício Manuel Vitorino, tornou-se a sede do governo federal, com o nome de Palácio do Catete, assim permanecendo até 1960. (SE)

4 ∾ Nas consultas feitas aos historiadores locais, verificou-se que o nome usual é *Fonte do Suspiro* e não *Fonte dos Suspiros*. (SE)

5 ∾ Ainda existente e hoje conhecido como Colégio Anchieta. Sobre o assunto, ver nota 2, carta [742]. (SE)

6 ∾ H. von Tautphoeus foi uma personalidade celebrada por muitos homens importantes do século XIX, por sua erudição, modéstia, cultura e dedicação absoluta

ao magistério. Foi mais que um professor, foi um mestre que inspirou muitos jovens estudantes. Sobre ele, há pelo menos dois testemunhos de peso: o de Joaquim Nabuco* em *Minha Formação* e o de Salvador de Mendonça* em *Coisas do Meu Tempo*. Infelizmente, os dois não se detiveram em estabelecer muitos dados biográficos sobre o barão. Ambos tratam mais da poderosa impressão que lhes causou aquela personalidade nos anos decisivos de formação e convivência. (SE)

7 ∾ Célebre lema disciplinador dos jesuítas – *exatamente como um cadáver* – para significar a necessária renúncia à subjetividade que todo inaciano deve ter e que só pode ser alcançada por meio de uma obediência irrestrita à autoridade do papa e aos superiores hierárquicos, ideia subjacente à convicção de ser tudo para a maior glória de Deus. (SE)

8 ∾ Nas *Memórias* (2003), Azeredo faz um longo comentário sobre esse poeta, sem, no entanto, declinar o seu nome completo. (SE)

9 ∾ Trata-se de uma gravata de seda com laço largo e bufante. (SE)

10 ∾ Pedro Augusto Luís Maria Miguel Gabriel Rafael Gonzaga de Saxe-Coburgo e Bragança (1866-1934) era o filho mais velho da princesa D. Leopoldina e do príncipe Luís Augusto de Saxe-Coburgo-Gotha, e neto de D. Pedro II. O príncipe foi tratado como herdeiro presuntivo durante certo período, enquanto D. Isabel e o conde d'Eu não tiveram um filho varão. (SE)

11 ∾ Dom Pedro Augusto havia se formado em engenharia civil, com especialização em mineralogia. (SE)

12 ∾ Hilário de Gouveia*, médico de renome, era cunhado de Joaquim Nabuco*. (SE)

13 ∾ Toda essa passagem foi citada por Mary del Priore em *O Príncipe Maldito* (2007), p. 291. (SPR)

14 ∾ Trata-se da revista *Renascença*, editada entre março de 1904 e setembro de 1908, por Rodrigo Octavio* e Henrique Bernardelli*. (SE)

15 ∾ Azeredo está se referindo ao Papa Pio X, Giuseppe Melchiorre Sarto (1835--1914). (SE)

# [777]

De: OSÓRIO DUQUE-ESTRADA
Fonte: Manuscrito Original, Arquivo ABL.

Rio [de Janeiro], 19 de setembro de 1904.

Excelentíssimo Senhor Joaquim Maria Machado de Assis

O abaixo-assinado — autor dos trabalhos publicados: *Alvéolos* (poesias), *O Fonógrafo Indiscreto* (comédia), *Questões de Português, A Aristocracia do Espírito* e *Flora de Maio* (poesias) — tem a honra de comunicar à Vossa Excelência que é candidato na próxima eleição[1] de um membro da Academia de Letras, na vaga aberta pelo falecimento do Doutor Martins Júnior[2].

De Vossa Excelência

Atento Venerador e Criado

Osório Duque-Estrada

---

1 ∾ A apresentação das candidaturas teve prazo até 30 de novembro. Assinale-se que nesse meio tempo Machado de Assis passava por uma grande crise pessoal — o agravamento da doença de Carolina*, seguido de sua morte. A eleição marcada para 15/02/1905 foi muito concorrida. Apresentaram-se três candidatos: Sousa Bandeira* (15 votos), Osório Duque-Estrada (14) e Vicente de Carvalho (2), que havia retirado a candidatura à última hora. Sem maioria, nova eleição foi marcada para 27 de maio, quando Sousa Bandeira foi eleito por 17 votos a 7 de Duque-Estrada, que só se elegeu em 25/11/1915, na vaga de Sílvio Romero*. (SE)

2 ∾ Martins Júnior* havia falecido na tarde de 22/08/1904, na casa da rua Riachuelo 232, depois de 19 dias acamado, com pneumonia. O seu corpo foi embalsamado, transportado ao Recife, sua terra natal, onde foi sepultado. (SE)

# [778]

> De: JOSÉ VERÍSSIMO
> *Fonte*: Manuscrito Original, Arquivo ABL.

Mangaratiba, 30 de setembro de 1904.

Meu caro Machado de Assis

Desde que aqui cheguei a 8 do corrente, que ando todos os dias para escrever-lhe. Mas o primeiro efeito em mim do campo, de que tanto gosto, é uma indisposição manifesta por qualquer trabalho ou tarefa com visos de intelectual. Trouxe livros para ler, trabalhos a fazer, um artigo a escrever para o *Kosmos*, e nada fiz. Afora a malfeita leitura dos jornais, só *Esaú e Jacó* reconciliaram-me estes dois últimos dias com a vida intelectual. E que convívio delicioso que foi esse. Imagine que tive o meu Machado de Assis aqui ao meu lado, numa longa e sempre interessantíssima palestra de 48 horas. Como tudo do livro, o título é muito bom, ao contrário do que a princípio me parecia. Agradeço-lhe as horas encantadoras que me fez passar[1].

Esta terra – última do mundo como lhe chama um primo meu, fazendeiro aqui – é o berço natal de minha família paterna. E a minha vinda a ela foi também uma peregrinação de piedade filial. Meu pai aqui nasceu, e já visitei o sítio em que isso foi, no qual não existem senão alguns muros em ruínas, e duas enormes jabuticabeiras, segundo a tradição familiar, plantadas por meu avô. Como sabe, eu sou um amador do passado, de sorte que as lembranças que aqui encontro desfazem o tédio que resumbra desta vilazinha miserável.

Ainda está aí o Euclides da Cunha. Para onde poderia eu escrever-lhe? Lembranças, primeiro à sua senhora, a quem desejo a melhor saúde, e depois aos *nossos*. Espero estar de volta pelo dia 8 ou 10. Receba, com os meus emboras pelo seu novo livro, um saudoso e *muito* afetuoso abraço do seu

José Veríssimo

---

1 ∾ A respeito da crítica de Veríssimo sobre *Esaú e Jacó*, ver nota 3 em [782], de 04/10/1904. (IM)

[779]

> De: OTÍLIO VEIGA
> *Fonte:* Manuscrito Original, Arquivo ABL.

Rio [de Janeiro], setembro de 1904.

Excelentíssimo Senhor Doutor Machado de Assis

Faço grande empenho em possuir na minha coleção (de artistas)[1] o nome de Vossa Excelência, e tomo a liberdade de junto com esta, enviar um porte para o autógrafo do brilhante autor de Dom Casmurro.

Otílio Veiga

---

1 ⁌ Sobre o tema das coleções de autógrafos, ver nota 2, carta [650]. (SE)

[780]

> Para: MÁRIO DE ALENCAR
> *Fonte:* MACHADO DE ASSIS, Joaquim Maria.
> *Obra Completa.* Rio de Janeiro: Nova Aguilar, 2008

Rio de Janeiro, 3 de outubro de 1904.

Meu querido Mário.

Ontem li e reli o seu artigo acerca de *Esaú e Jacó*[1]. Pela nossa conversação particular e pela sua cartinha de 26[2] sabia já a impressão que lhe deu o meu último livro; o artigo publicado no *Jornal do Comércio* veio mostrar que a sua boa amizade não me havia dito tudo. Creio na sinceridade da impressão, por mais que ela esteja contada em termos altos e superiores ao meu esforço. Vi que penetrou o sentido daquelas páginas, que as leu com amor e simpatia, e desta última parte nasceu dizer tanta coisa bela, mais ainda para quem já vai em pleno inverno. Ainda bem que lhe não desmereci do que sentia antes.

Se houvesse de compor um livro novo, não me esqueceria esta fortuna de amigo, que aliás cá fica no coração.

Adeus, um abraço e até breve.

Machado de Assis

---

1 ⁓ O artigo, saído no *Jornal do Comércio* em 2 de outubro, encontra-se publicado em *Alguns Escritos* (1909), livro que reúne textos produzidos por Mário de Alencar na imprensa em épocas diversas. (SE)

2 ⁓ Carta ainda não localizada. (SE)

## [781]

De: BELMIRO BRAGA
*Fonte:* Manuscrito Original, Arquivo ABL.

Juiz de Fora, 3 de outubro de 1904.

Ilustre Mestre e amigo,

Sinceros cumprimentos.

Acabo de ler no *Jornal do Comércio* de ontem um belo juízo crítico de Mário de Alencar sobre seu último livro *Esaú e Jacó*.

Como me enche o coração de alegria vendo que o maior dos brasileiros ao em vez de descansar depois de tantos *livros* conhecidos, ainda continua a trabalhar para mais longe levar o nome de nossa pátria!...

Deus lhe conserve a *vida* por muitos e muitos anos e que a sua pena festejada continue a enriquecer a nossa literatura.

Que Deus ouça os meus votos ardentes e sinceros.

Orgulho-me de ser,

De V*ossa* Ex*celên*cia

Am*i*go, patrício e adm*ir*ador

Belmiro Braga

## [782]

> Para: JOSÉ VERÍSSIMO
> Fonte: *Revista da Academia Brasileira de Letras*, XXXIII, n.º 105, set. 1930.

Rio [de Janeiro], 4 de outubro de 1904.

Meu caro *José* Veríssimo,

Recebi ontem de manhã a carta que me enviou em data de 30, dando-me notícias suas, pessoais e de família. As minhas são as de costume. Minha mulher manda agradecer-lhe os seus desejos de boa saúde.

Ontem mesmo encontrei o Euclides da Cunha, que está prestes a embarcar para o norte; pretendia ir até o dia 8, mas irá mais tarde[1]. Pode escrever-lhe para a Rua das Laranjeiras n.º 76, onde se acha. Chegou a querer escrever o discurso de recepção na Academia; não podendo fazê-lo, por ser urgente a partida, disse-me que apenas fará a comunicação por ofício, segundo lhe permitem os Estatutos[2].

Estimo que o meu *Esaú e Jacó* lhe tenha produzido o efeito que me diz na carta. Se lhe pareceu que lá me teve a seu lado, em longa e interessante palestra, é porque estava também comigo, e bastou a suprir a presença do amigo velho[3]. Também eu cá o tive com o seu último volume dos *Estudos de Literatura* (4.ª série), publicados na mesma ocasião. Já lhe conhecia as várias partes, entre elas a que me diz respeito, e que ainda uma vez lhe agradeço cordialmente. Já de há muito estou acostumado à sua crítica benévola, e mais que benévola. Esta nova série de estudos, vindo juntar-se às outras, dará caminho a um estudo geral das nossas letras, que servirá de guia a críticos futuros.

Parece-me que a nossa Academia Brasileira de Letras vai ser completada no que concerne ao prédio e à mobília. Esta, que ainda falta, será dada por meio da emenda que os deputados Eduardo Ramos e Medeiros e Albuquerque acabam de propor ao orçamento do Ministério do Interior[4]. Resta o estudo da comissão, que não parece lhe seja contrário, por se tratar de fazer cumprir o art. 1.º da Lei de 8 de dezembro de 1900.

Quanto à vaga de Martins Júnior só temos até agora um candidato apresentado, o Osório Duque-Estrada; os outros (e naturalmente há outros) ainda não apresentaram as respectivas declarações. Esperamo-las[5].

Apesar de estar no fim do mundo, como me disse na carta, lá chegará o abraço que lhe mando daqui, e até breve.

Apresente os meus respeitos à sua família, e não esqueça o

Velho am*i*go

M. de Assis.

---

1 ∽ Nomeado por Rio Branco* em agosto, Euclides da Cunha* chefiaria a Comissão Mista Brasileiro-Peruana de Reconhecimento do Alto Purus. Parte em 13/12/1904 e encerra os trabalhos em 16/12/1906. (IM)

2 ∽ O ofício de Euclides da Cunha foi lido na sessão de 15/02/1905, conforme registro na respectiva ata. Mas houve, sim, sessão solene a 18/12/1906, na qual Euclides proferiu seu discurso, respondido por Sílvio Romero*. Este, numa peça transbordante, finalizou-a com ataques desabridos ao governo, estando presente o presidente Afonso Pena. Grande incômodo para a Academia. (IM)

3 ∽ Veríssimo publicaria excelente crítica na revista *Kosmos* de dezembro de 1904, considerando *Esaú e Jacó* o "regalo literário do ano". Mais tarde, em sua *História da Literatura Brasileira* (1916), fez nova e belíssima apreciação do romance no capítulo dedicado a Machado de Assis. (IM)

4 ∽ Magalhães Jr. (2008) complementa:

"Aprovada a emenda, o ministro J. J. Seabra ordenou ao engenheiro-chefe, F. A. Peixoto, que adquirisse o mobiliário necessário ao bom funcionamento da Academia. Com o da sala de sessões, foram gastos 6:635$000 (seis contos, seiscentos e trinta e cinco mil-réis), com o da secretaria 3:960$000 (três contos, novecentos e sessenta mil-réis) e com o da sala de leitura e biblioteca 1:620$000 (um conto, seiscentos e vinte mil-réis), no total de 12:215$000 (doze contos, duzentos e quinze mil-réis)". (IM)

5 ∽ Apresentaram-se, também Sousa Bandeira* e Vicente de Carvalho (que retirou a candidatura). Sem obter votos suficientes, os dois candidatos concorreram a nova eleição, vencida por Sousa Bandeira. (IM)

## [783]

Para: RODRIGO OCTAVIO
*Fonte:* Cartão de Visita Original, Arquivo Particular.

[Rio de Janeiro,] 6 outubro de 1904.

Para a Academia Brasileira[1], com os cumprimentos de

MACHADO DE ASSIS

18, Cosme Velho

---

[1] ❧ Talvez o oferecimento de um exemplar de *Esaú e Jacó*, recém-lançado e aclamado pela crítica. Não há registro em ata. (IM)

## [784]

De: JOAQUIM NABUCO
*Fonte:* Manuscrito Original, Arquivo ABL.

Londres, 8 de outubro 1904.

Meu caro Machado,

Há tempos recebi a sua boa carta sobre a Sentença, carta verdadeiramente primorosa e uma das que mais vezes hei de reler, quando tiver tempo para voltar ao passado e viver a vida das recordações[1]. Por enquanto sou um escravo da atualidade que passa, e cada dia a tarefa que ela me dá parece calculada para me impedir de olhar para os lados, para o passado e para o futuro. Mas que vivacidade, que ligeireza, que doçura, que benevolência a do seu espírito, eu ia dizendo que beatitude! Você pode cultivar a vesícula do fel para a sua filosofia social, em seus romances, mas suas cartas o traem. Você não é somente um homem feliz, vive na beatitude, como convém a um Papa, e Papa de uma época de fé, como a que hoje aí se tem na Academia. Agora não vá dizer que o ofendi e o acusei de hipocrisia, chamando-o de feliz.

A propósito do Papa vou contar-lhe um sonho que tive há tempos. Via-me em Roma, no Vaticano, e quando me aproximei do trono estava nele uma Mulher, com rosto de Madona, cercada dos Cardeais em toda pompa. Não sabendo o tratamento que devia dar à Papisa, perguntei-lhe como a devia chamar, e ela respondeu-me: "Chame-me Vossa Dor". Vossa Dor! Não seria um tratamento mais sugestivo para a encarnação da Igreja do que Vossa Santidade, ou Vossa Beatitude? Para a encarnação viva de qualquer ideal? Não é da Igreja a mais bela das imagens sobre o nosso mundo: "Este vale de lágrimas?" Confesso-lhe que, acordado, nunca me teria ocorrido semelhante resposta: "Chame-me Vossa Dor."[2]

Quer eu deva também chamá-lo Vossa Beatitude ou Vossa Dor, aceite, meu caro amigo, meus sinceros agradecimentos pelas bondades largamente derramadas em sua carta. Não estou certo de que não teríamos perdido tudo sem o esforço que fiz para coligir e deduzir a nossa prova, e por isso me vou desvanecendo de ter reivindicado a melhor parte para nós da divisão feita pelo árbitro. Não foi uma partida vencida, foi uma partida empatada, e isso, quando o outro jogador era a Inglaterra, é por certo meia vitória. Você um dia ouvirá mais sobre esse assunto.

E a nova eleição? Não falo da eleição do futuro Presidente, da qual parece já se estar tratando aí, mas da eleição do novo acadêmico. O Bandeira[3] escreveu-me e eu teria prazer em dar-lhe o meu voto, mas o meu voto é seu, Você aí é quem vota por mim. Eu pensei que o Jaceguai[4] desta vez se apresentaria. Ele, porém, achou mais fácil passar Humaitá do que as baterias encobertas do nosso reduto. Quais são essas baterias? A do Garnier lhe daria uma salva de... quantos tiros? Onde estão as outras? Eu nada sei, mas se ele for candidato, meu voto é dele, pela razão de que fui eu quem lhe sugeri o ano passado a ideia. Você terá uma carta minha dizendo que ele não se apresentaria contra Quintino. Não sei porque o Quintino[5] não foi membro fundador. E seguramente estranhei essa anomalia na Revista, anomalia tanto maior quanto o nosso criador[6] era um grande entusiasta do Quintino. Agora a entrada de Quintino não tem mais razão de ser, porque pareceria que ele adquiriu título depois da fundação, quando o tinha antes de quase todos os fundadores. A exclusão dele é pois um fato consumado, como seria a do Ferreira de Araújo, se vivesse, como é a de Ramiz, a do Capistrano, que não quiseram[7]. Se o Quintino não recusou, supõe-se que recusou, fica assentado que recusou. Podemos declará-lo; não podemos confessar que o esquecemos. Se, entretanto, ele se apresentar, julgo melhor esperar outra vaga para a combinação e eleger dois ao mesmo tempo. Eu acho bom dilatar sempre o prazo das eleições, porque no intervalo ou morre algum dos candidatos mais difíceis de preterir, ou há outra vaga. A minha teoria já lhe disse, devemos fazer entrar para a Academia as superioridades do país. A Academia formou-se de homens na maior parte novos, é preciso agora graduar o acesso. Os novos podem esperar, ganham em esperar, entrarão depois por aclamação, em vez de entrarem agora por simpatias pessoais ou por serem de alguma *coterie*[8]. A Marinha não está representada em nosso grêmio, nem o Exército, nem o Clero, nem as Artes, é preciso introduzir as notabilidades dessas vocações que também cultivem as letras. E as grandes individualidades também. Assim o *José Carlos* Rodrigues, o redator do "Novo Mundo", o chefe do "Jornal do Comércio", que neste momento está colecionando uma grande livraria relativa ao Brasil[9], e o nosso Carvalho Monteiro, de Lisboa?[10] A este, o Mecenas, Você poderia dar o voto de Horácio. É verdade que Você é Horácio, mas que ele nada lhe deu, e ainda assim Você consagrava o tipo de Mecenas. Etc., etc., etc. Com o Jaceguai entrava a glória para a Academia. É verdade que ele nenhuma afinidade tinha com o Martins Júnior, mas a cadeira ainda está vaga – é a cadeira de Taunay[11], e patrono Otaviano[12], e desses dois o Jaceguai seria o substituto indicado por eles mesmos.

 Nas minhas cartas Você achará o compromisso que tomei para a eleição do Assis Brasil[13]. Não sei se este será candidato. Não o será sem o seu concurso, Você então decida por mim sem prejuízo do Jaceguai. Em uma palavra, Você é o guarda da minha consciência literária, ausente do prélio como me acho.

Você compreenderá agora porque tardei tanto em responder-lhe, era-me preciso escrever uma nova Memória, e tenho horror hoje às Memórias[14]. Estou nos últimos dias do Graça Aranha conosco. Por maior que seja o vazio que ele vai deixar, não quisera prolongar a ansiedade de Vocês todos aí depois de uma separação de mais de cinco anos. Vai haver lágrimas de alegria aí; eu estou cá e lá. Trouxe-o desconhecido do país, restituo-o glorioso, esperando que todos terão o mesmo orgulho dele aí que eu tenho, a mesma certeza que d'ora em diante ele é quem mais pode fazer pelo brilho e nome das nossas letras. Ele o apresentará a um grande amigo que eu novamente tenho aí, o Ministro Russo, Conde Prozor, tradutor de Ibsen[15]. A Condessa Prozor é também uma intelectual de primeira ordem.

Adeus, meu caro Amigo, muitas saudades a todos da nossa pequena roda e um afetuosíssimo abraço do todo seu

Joaquim Nabuco

---

1 ∾ Ver em [765]. (IM)

2 ∾ Ver o comentário sobre esse sonho na Apresentação. (IM)

3 ∾ Sousa Bandeira*, eleito em 27/05/1905. (IM)

4 ∾ Apesar da incessante campanha de Nabuco, o almirante Jaceguai* apresentaria a sua candidatura três anos depois, sendo eleito em 28/09/1907. (IM)

5 ∾ Quintino Bocaiúva*, amigo de juventude de Machado de Assis. (IM)

6 ∾ Lúcio de Mendonça*, ardente republicano, como Quintino. (IM)

7 ∾ Ramiz Galvão* concorreu à vaga de Rio Branco* em 1912, tendo sido derrotado por Lauro Müller*, e somente entrou para a Academia em 1928 (Cadeira 32); Capistrano de Abreu*, embora muito amigo de Machado e de outros fundadores, jamais quis ser acadêmico. (IM)

8 ∾ Igrejinha. (IM)

9 ∾ A coleção do bibliófilo José Carlos Rodrigues* foi comprada por Júlio Benedito Ottoni e por este doada à Biblioteca Nacional (1911), constituindo uma das mais notáveis da instituição. Ver nota 4 em [490], tomo III. (IM)

10 ∾ Antônio Augusto Carvalho Monteiro (1848-1920), bibliófilo milionário, era filho de portugueses, nascido no Rio de Janeiro. Aumentou a grande fortuna que lhe coube como herança com o produto de suas atividades comerciais (café e pedras preciosas); transferiu-se para Portugal e, em Sintra, edificou o Palácio da Regaleira, famosa "casa filosofal", de caráter esotérico. Amigo de Nabuco, com ele se correspondia. (IM)

11 ∾ Visconde de Taunay*, fundador da Cadeira 13. (IM)

12 ∾ Francisco Otaviano*. (IM)

13 ∾ Ver em [627]. (IM)

14 ∾ Nabuco trabalhara incansavelmente na elaboração das Memórias que defendiam o interesse brasileiro na questão da antiga Guiana inglesa. Ver [687], [699], [718] e [723]. (IM)

15 ∾ Maurice Prozor (1848-1928) foi secretário da legação da Rússia e tornou-se amigo de Joaquim Nabuco em 1886. Mantiveram, ambos, correspondência assídua e se encontraram em Roma. Prozor, com a colaboração da esposa, celebrizou-se pela tradução para o francês, e consequente divulgação, das peças de Ibsen. Sua volta ao Brasil como ministro plenipotenciário da Rússia teve repercussão no meio cultural. Em 20/07/1912, publicaria *"Joaquim Nabuco et la culture brésilienne"* na *Revue Hebdomadaire*. (IM)

## [785]

Para: ALCIDES MAIA
*Fonte:* MAIA, Alcides. *Machado de Assis (Algumas notas sobre o "humour")*. Rio de Janeiro: Jacinto Silva, 1912. Fac-símile do manuscrito original.

[Rio de Janeiro,] 10 de outubro de 1904.

Meu jovem colega.

Deixe-me agradecer-lhe cordialmente as boas e finas palavras que fez publicar no *País*[1] acerca do meu livro *Esaú e Jacó*. Quando se conclui algum trabalho dá sempre grande prazer achar quem o entenda e explique com sincera benevolência e aguda penetração. Valham-mo as suas agora, expostas com tão graciosa maneira, e aceite este aperto de mão do

Velho colega

Machado de Assis

1 ∾ Na sua cuidadosa obra *Fontes para o Estudo de Machado de Assis*, Galante de Souza (1958) não faz referência a Alcides Maia. Menciona "A Livraria" em *Os Anais* de 05/11/1904, crítica a *Esaú e Jacó* assinada por "Walfrido", na verdade Valfrido Ribeiro, secretário da revista fundada por Domingos Olímpio (1850-1906). A apreciação, altamente elogiosa, sucede às de Medeiros e Albuquerque* ("J. Santos", *A Notícia* de 30/09) e de Mário de Alencar* (*Jornal do Comércio*, 02/10/1904), e pode ser lida em Ubiratan Machado (2003).

[786]

De: JARBAS LORETI
*Fonte:* Manuscrito Original, Arquivo ABL.

Mariana, 24 de [outubro] de 1904.[1]

Caríssimo Mestre.

Avalio sua dor, que profundamente respeito.
Envio-lhe meu sincero abraço de pêsames

Seu

Admi*rado*r Am*i*go

Jarbas Loreti

1 ∾ A mensagem de pêsames está datada de "24 de **agosto** de 1904". Certamente um lapso, pois seu teor demonstra que foi escrita quatro dias depois do falecimento de Carolina*. Observe-se ainda que no manuscrito lê-se claramente "Loreti", e não "Loretti" como o sobrenome aparece em vários registros. (IM)

[787]

> Para: DOMÍCIO DA GAMA
> *Fonte:* Transcrições, Arquivo ABL.

Rio de Janeiro, 26 de outubro de 1904.

Meu caro amigo,

Há sempre algum amparo na condolência dos amigos, em um transe destes. A razão é deveras a que me dá, dizendo haver nela pouco da doçura, que é a simpatia humana. Aprendo esta verdade, e a minha completa fortuna seria ir levá-la cedo à companheira de toda a minha vida. Aceite os agradecimentos do velho am*i*go e colega

Machado de Assis.

[788]

> Para: BARÃO DO RIO BRANCO.
> *Fonte:* Manuscrito Original, Arquivo Histórico do Itamaraty.

[Rio de Janeiro,] 28 de outubro de 1904.

Meu ilustre amigo,

Agradeço cordialmente os pêsames que me mandou nesta grande desgraça da minha vida. Já os havia pres[s]entido pelo costume em que me pôs de ser sempre bom comigo. Adeus, meu amigo, creia no

Velho e sincero adm*ira*dor

Machado de Assis

# [789]

De: JÚLIO MOUTINHO
*Fonte:* Manuscrito Original, Arquivo ABL.

Porto, 28 de outubro de 1904.

Ex*celentíssi*mo Amigo

Consinta que assim o trate quem tanta amizade e atenções lhe mereceu, quando pequenino. No Álbum de minha santa Mãe, conservo primeiros versos a ela feitos e a mim próprio dirigidos alguns[1].

O destino fez com que eu não cultivasse o prazer e a honra das suas relações, mas nem por isso, o nome de V*ossa* Ex*celênci*a deixou de ser muita vez recordado em verdadeiramente (*sic*) estima.

Nas longas palestras com meu pobre Pai[2] – um grande amigo seu, seu Machado de Assis – em que ele se comprazia em avivar a sua vida passada no Brasil, quantas vezes ele falava, com imensa saudade, na maneira como era recebido por V*ossa* Ex*celênci*a e sua Esposa.

Agora, que pelos jornais, acabo de saber do falecimento da senhora D*o*na Carolina, não posso deixar de quebrar este silêncio de quarenta e tantos anos para vir apresentar-lhe a expressão do meu profundo sentimento pela grande perda que acaba de sofrer um velho conhecimento... que eu nunca conheci!

Desculpe-me V*ossa* Ex*celênci*a o atrevimento e creia continuada no filho a estima e admiração do Pai pelos talentos e pelos primores do caráter de V*ossa* Ex*celênci*a.

Lamentando profundamente a dor que o feriu, peço licença para assinar-me

De V*ossa* Ex*celênci*a<br>
m*ui*to Amigo e Admirador<br>
Júlio Moutinho

Rua da Boa Hora, 23 – Porto

1 ∽ Poema publicado em *A Primavera*, revista semanal de literatura, modas, indústria e artes, que teve apenas quatro números. Para o penúltimo (17/03/1861), Machado de Assis escreveu "No Álbum da Artista Ludovina Moutinho" (Massa, 1965; 1971):

> "Cedo começas a buscar espaço, / Gentil romeira, a estrela do porvir; / Deus que abençoa as lutas do talento / Há-de ao esforço teu o espaço abrir. // Para alcançar o astro peregrino / O teu talento um rumo largo tem: / De tua mãe os voos acompanha, / Que onde ela foi tu chegarás também. // M.A."

Filha de Gabriela da Cunha (ver [1], tomo I) – atriz portuguesa muito admirada por Machado –, Ludovina, precocemente, brilhou nos palcos, casou-se com Antônio Moutinho de Sousa e morreu aos 18 anos. Com o título "Sobre a Morte da Artista Ludovina Moutinho", Machado lamentou essa dolorosa perda (*Diário do Rio de Janeiro*, 17/06/1861), e o longo poema, agora intitulado "Elegia", perpetuou-se em *Crisálidas* (1864), como tal sendo conservado nas *Poesias Completas* (1901). A emoção do filho Júlio Moutinho, nesta carta, bem reflete a epígrafe que o nosso poeta colheu em Camões: "A bondade choremos inocente, / Cortada em flor que, pela mão da morte, / Nos foi arrebatada dentre a gente." (IM)

2 ∽ O ator e autor teatral Antônio Moutinho de Sousa (1834-1899) foi um dos portugueses amigos de juventude de Machado de Assis, e deste mereceu parecer elogioso à sua comédia *Finalmente*, quando submetida à censura do Conservatório Dramático. Viúvo, em 1861, da jovem atriz Ludovina da Cunha de Vecchi, abandonou o palco, retornando a Portugal. Em crônica para a *Ilustração Brasileira* (01/09/1876), Machado ("Manassés") refere-se calorosamente a Moutinho, que viera ao Brasil com a intenção de vender *Dom Quixote* na edição portuguesa ilustrada por Gustave Doré. Houve outra vinda, em 1881, quando recebeu um exemplar das *Memórias Póstumas de Brás Cubas*; empenhado em publicar o romance na *Folha Nova*, esse jornal de Lisboa apresentou apenas 23 capítulos. Vivendo no Porto em precárias condições financeiras, o pai de nosso missivista teve o auxílio de Artur Napoleão*, que realizou um concerto em seu benefício no ano de 1888. (IM)

## [790]

Para: SALVADOR DE MENDONÇA
*Fonte*: Manuscrito Original, Arquivo-Museu de Literatura Brasileira, Fundação Casa de Rui Barbosa. Coleção Machado de Assis.

Rio de Janeiro, 28 de outubro de 1904.

Meu querido Salvador de Mendonça.

Já ontem recebi na igreja os teus pêsames[1] e por teu intermédio os da tua boa e distinta esposa. Agradeço-os a ambos. O pouco trato que entre elas houve foi bastante para avaliarem o coração uma da outra. Eu, meu querido amigo, estou ainda atordoado, pela imensidade do golpe, como pela injustiça que a feriu. Após trinta e cinco anos de casados é um preparo para a morte.

Teu velho amigo do coração<br>Machado de Assis.

---

1   A morte de Carolina* foi tratada como um fato privado, não houve nenhum tipo de comentário pelos principais jornais pesquisados, apenas apareceram os avisos da missa de sétimo dia, saídos nos dias 26 e 27 de outubro, com o seguinte texto, adaptado conforme a data:

"CAROLINA A. N. MACHADO DE ASSIS. / J. M. Machado de Assis agradece cordialmente às pessoas que lhe fizeram o obséquio de acompanhar os restos mortais de sua cara esposa ao cemitério, e novamente convida a assistirem à missa de sétimo dia que há de celebrar, amanhã, quinta-feira, 27 do corrente, na igreja de S. Francisco de Paula, às 9 ½ horas."

Além do de Machado, houve um segundo convite, das famílias Martins Ribeiro e Xavier da Silveira Jr.*:

"A viúva Martins Ribeiro e sua filha Alcina Martins Ribeiro, o Dr. Narciso Luís Martins Ribeiro e sua família, e o Dr. Xavier da Silveira Júnior e sua família mandam rezar amanhã 27 do corrente uma missa de 7.º dia por alma de sua muito prezada amiga D. Carolina Augusta de Novais Machado de Assis, às 9 horas, na igreja do Sagrado Coração de Jesus, em Petrópolis." (SE)

## [791]

De: ULISSES VIANA
*Fonte:* Manuscrito Original, Arquivo ABL.

[Rio de Janeiro,] 31 de outubro de 1904.[1]

Ex*celentíssi*mo Sen*ho*r Machado de Assis

Não pretendia por simples cartão, mas pessoalmente, exprimir-lhe as minhas condolências pelo falecime*n*to de sua Senhora. Há mais de 20 dias guardo, porém, o leito com impossibilidade de sair.

Creia que partilho o pesar, que o acabrunha. Não tenho a pretensão de dirigir-lhe uma palavra de conforto: "più è tacer che ragionare"[2].

Aperta-lhe a mão

o adm*ira*dor e [am*i*go]

Ulisses Viana

---

1 ∾ Papel tarjado. (IM)

2 ∾ No canto XVI do *Paradiso*, verso 45, Dante afeta não dar importância a questões de genealogia, e diz: "É melhor calar-se que discorrer [sobre esse assunto]". (SPR)

## [792]

Para: RODRIGO OCTAVIO
*Fonte:* Cartão de Visita Original, Arquivo Particular.

[Rio de Janeiro, outubro de 1904.]

MACHADO DE ASSIS

agradece penhoradíssimo[1]

18, Cosme Velho

---

1 ∾ Cartão tarjado, luto de Carolina*. (IM)

# [793]

> Para: ANTÔNIO SALES
> *Fonte:* Manuscrito Original. Arquivo-Museu de Literatura Brasileira, Fundação Casa de Rui Barbosa.

Rio de Janeiro, 6 de novembro de 1904.

Meu querido amigo e confrade [,]

Recebi e agradeço o seu abraço de pêsames pela morte da minha boa e estremecida esposa. Imaginou bem o golpe; não podia ser maior. Não se rompe assim uma existência de trinta e cinco anos sem deixar sangrando a parte que ficou.

Não sabia o golpe que também recebeu pela morte de seu querido irmão. Neste papel vai também um abraço de pêsames do

Am*igo* e adm*ira*dor
Machado de Assis.


# [794]

> Para: JOAQUIM NABUCO
> *Fonte:* Fundação Joaquim Nabuco. Fac-símile do telegrama original

Replies Should be Ordered "Via Eastern."
**The Eeastern Telegraph Co., Ltd.**
*No*    8 11 1904
*From*    Rio *via "Eastern."*
*Words*    7 *Date*   8 *Time*   5 pm h
*TO*    Joaquim Nabuco
London

[Rio de Janeiro, 8 de novembro de 1904.]

Obrigado[1].

Machado de Assis

1 ∞ Ao saber da morte de Carolina*, Nabuco telegrafou de Londres (documento ainda não localizado), e a resposta foi apenas esta palavra, que condensa uma enorme gratidão; o próprio Machado a confirmará na comovida carta [797], de 20/11/1904, obrigatoriamente citada pelos especialistas machadianos. (IM)

## [795]

De: JOAQUIM NABUCO
*Fonte*: Transcrições, Arquivo ABL.

BRAZILIAN LEGATION

Londres, 17 de novembro de 1904.

Meu caro Machado,

Que lhe hei de dizer? Morrer antes de Você foi um ato de misericórdia que a Providência dispensou a Dona Carolina. A viúva sofre sempre mais, às vezes tragicamente. No seu caso a imaginação, o interesse intelectual, o trabalho é um ambiente que permite em parte à dor a evaporação excessiva. A resolução do dilema inevitável foi a melhor para ambos: coube a Você o sofrimento, Você compreenderá que o vácuo do coração precisa ser compensado pelo movimento e pela agitação do seu espírito. Será este o seu conforto e a maior dívida da nossa língua para com o túmulo a cuja sombra Você vai se acolher.

Quanto sinto, meu caro Amigo, não estar ao seu lado; está, porém, o Graça. Coitado! que triste volta a dele: o seu luto e a moléstia do Veríssimo. Fico ansioso por notícias deste. O telégrafo anuncia-nos também mortes e sofrimentos no Rio de Janeiro[1]. Eu que julgava passada para a República a crise das convulsões!

Adeus, meu caro Machado,

creia-me sempre muito sinceramente seu

Joaquim Nabuco

1 ∞ A Revolta da Vacina, em novembro de 1904, capítulo de singulares proporções na história da República. Nabuco escreve quando o conflito, deflagrado a 10/11/1904, caminhava para o auge, dada a violência dos revoltosos e a reação repressora do governo Rodrigues Alves, que tornaria o Rio de Janeiro um verdadeiro campo de batalha a partir do domingo 13/11/1904. Já no dia seguinte, avulta o levante da Escola Militar da Praia Vermelha que, embora cruento, logo arrefeceu. Não cabe discorrer em nota o episódio da vacinação obrigatória contra a varíola, proposta e comandada por Osvaldo Cruz. Há vastíssima bibliografia; destaque-se a análise em capítulo de *Os Bestializados* (Carvalho, 1987). Por outro lado, é interessante observar ser esta a única e breve menção a fato de tal magnitude na correspondência machadiana do período marcado pelo drama de sua recente viuvez. (IM)

[796]

Para: OLIVEIRA LIMA
*Fonte*: Manuscrito Original. The Oliveira Lima Library, The Catholic University of America, Washington.

Rio de Janeiro, 18 de novembro de 1904.

Meu prezado e ilustre amigo,

Acabo de receber a sua carta[1], referindo-me o efeito que lhes produziu a notícia da morte da minha amada e boa Carolina, e trazendo-me as condolências de ambos. Também eu não contava com tal golpe. A doença era pertinaz e o estado de abatimento grande, mas estava longe de supor que, saindo de casa para a Secretaria, viesse achá-la prostrada na cama. Pouco depois do meio-dia, manifestara-se uma forte hemorragia, que lhe fez perder os sentidos. Quando voltou a si, e quiseram mandar-me chamar, tiveram de obedecer à sua vontade contrária, por me não querer assustar, disse ela. Vinte quatro depois (*sic*), expirava.

Diz-me bem, em termos próprios, o que esta dor foi para mim, e o que vai ser a minha vida, se vida se pode chamar o resto dos meus velhos dias. Sinto-me acabado. Vivemos casados 35 anos, e eu sempre imaginei ir antes dela.

Creio, creio nos sentimentos de pesar que, em nome da *Excelentíssima Senhora Dona* Flora e no seu me envia neste momento cruel da existência. Creio e agradeço-os, como sendo dos remédios morais que ainda podem trazer algum ânimo a um enfermo desenganado de si mesmo e meio morto de solidão. Peço-lhe que apresente à sua distinta Consorte os meus respeitos e para si envio-lhe um abraço do

amigo velho e agradecido

Machado de Assis[2]

---

1 ∾ Carta ainda não localizada. (IM)

2 ∾ Papel tarjado e, apenso, envelope também tarjado com o endereçamento "Exmo. Sr. / Dr. M. de Oliveira Lima / Engenho Villeta / Estação de Timbó-Açu / Pernambuco." A partir desta carta estreita-se um laço de amizade entre Machado e Oliveira Lima, que se evidenciará na correspondência posterior mantida por ambos. (IM)

## [797]

Para: JOAQUIM NABUCO
*Fonte:* Fundação Joaquim Nabuco. Fac-símile do manuscrito original.

Rio de Janeiro, 20 de novembro de 1904.

Meu caro Nabuco,

Tão longe, em outro meio, chegou-lhe a notícia da minha grande desgraça, e Você expressou logo a sua simpatia por um telegrama[1]. A única palavra com que lhe agradeci[2] é a mesma que ora lhe mando, não sabendo outra que possa dizer tudo o que sinto e me acabrunha. Foi-se a melhor parte da minha vida, e aqui estou só no mundo. Note que a solidão não me é enfadonha, antes me é grata, porque é um modo de viver com ela, ouvi-la, assistir aos mil cuidados que essa companheira de 35 anos de casados tinha comigo; mas não há imaginação que não acorde, e a vigília aumenta a falta da pessoa amada. Éramos velhos, e eu contava morrer antes dela, o que seria um grande favor; primeiro, porque não acharia ninguém que melhor me ajudasse a morrer; segundo, porque ela deixa alguns parentes[3] que a consolariam das saudades, e eu não tenho nenhum. Os meus são os amigos, e verdadeiramente são os melhores; mas a vida os dispersa, no espaço, nas preocupações do espírito e na própria carreira que a cada um cabe. Aqui me fico, por ora na mesma casa, no mesmo aposento, com os mesmos adornos seus. Tudo me lembra a minha meiga Carolina. Como estou à beira do eterno aposento, não gastarei muito tempo em recordá-la. Irei vê-la, ela me esperará[4].

Não posso, meu caro amigo, responder agora à sua carta de 8 de outubro; recebi-a dias depois do falecimento de minha mulher, e Você compreende que apenas posso falar deste fundo golpe.

Até outra a breve; então lhe direi o que convém ao assunto daquela carta, que, pelo afeto e sinceridade, chegou à hora dos melhores remédios. Aceite este abraço do triste amigo velho

Machado de Assis

---

1 ∾ Telegrama ainda não localizado. (IM)

2 ∾ "Obrigado". Ver em [794]. (IM)

3 ∾ Certamente Machado pensaria nos mais chegados – a sobrinha Sara Braga da Costa*, seu marido e filhos. No Brasil, também vivia a irmã solteira de Carolina*, Adelaide de Novais. (IM)

4 ∾ O soneto "A Carolina" irá traduzir em forma poética insuperável a imensa dor que esta carta expressou. (IM)

# [798]

De: MIGUEL COUTO
*Fonte*: Manuscrito Original, Arquivo ABL.

Rio de Janeiro, 20 de novembro de 1904.

Excelentíssimo Senhor Machado de Assis

Peço à Vossa Excelência a fineza de levar o insignificante serviço médico, que prestei à sua Excelentíssima Senhora, à conta da amizade; dessa amizade que cada um tem intimamente aos grandes homens do seu país.

De Vossa Excelência
atento admirador obrigado
Miguel Couto[1]

---

1 ✢ O grande médico brasileiro acompanhou a enfermidade fatal de Carolina*. Em 1919, seria eleito sucessor de Afonso Arinos* na Cadeira 40 da ABL. (IM)

# [799]

Para: SARA BRAGA DA COSTA
*Fonte*: Manuscrito Original. Arquivo Histórico, Museu da República.

Rio de Janeiro, 26 de novembro de 1904.

Minha boa Sara,

A Isabelinha[1] manda-lhe os inclusos cartões de pêsames pela notícia da morte do nosso Miguel[2]. Parece-lhe que não chegaram ao seu destino os que havia mandado por morte da minha querida Carolina. Vou escrever-lhe dizendo que nada se sabe da primeira, além do telegrama que saiu no *País*. Terão recebido lá algum outro? O Capitão como vai[3]? Vou levar esta carta ao Correio.

Lembranças e saudades a todos

    Velho amigo e tio

    Machado de Assis

---

1 ∾ Esposa de Rodrigo Pereira Felício, enteado de Miguel de Novais*. (IM)

2 ∾ Miguel, cunhado e correspondente notável de Machado de Assis (ver suas cartas nos tomos II, III), falecera em Portugal, um mês depois de Carolina*. (IM)

3 ∾ Bonifácio Gomes da Costa*, marido de Sara. (IM)

## [800]

De: SOUSA BANDEIRA
*Fonte:* Manuscrito Original, Arquivo ABL.

Rio de Janeiro, 26 de novembro de 1904.[1]

Excelentíssimo Senhor Presidente da Academia Brasileira de Letras

 Rogo a Vossa Excelência a especial fineza de incluir o meu nome entre os candidatos à Academia na vaga de Martins Júnior.

 Agradecendo de antemão, sou com a maior consideração e estima de Vossa Excelência

    discípulo e admirador

    J. C. de Sousa Bandeira

---

1 ∾ Papel timbrado "J. C. de Sousa Bandeira / Advogado / Rua do Rosário, 68". (IM)

# [801]

Para: OLIVEIRA LIMA
*Fonte:* Manuscrito Original. The Oliveira Lima Library, The Catholic University, Washington.

Rio de Janeiro, 4 de dezembro de 1904.

Prezado amigo,

Creio que a minha carta em resposta à sua de pêsames o haverá achado no Engenho que deixou indicado[1]. Esta vai com o mesmo destino, e espero tenha igual encontro.

O objeto agora é agradecer-lhe as finezas que me fez, em meio à sua viagem; refiro-me ao seu gentil artigo acerca do meu último livro, *Esaú e Jacó*[2]. Todo este, de princípio a fim, manifesta o seu espírito tão longamente benévolo, ao mesmo tempo que ansioso de buscar a verdade e defini-la. Sucede comigo o que sucederá com os que lhe merecem simpatia particular: esta dominará o julgamento. Muitos me falaram em tal trabalho, e eu cá o tenho entre as minhas melhores lembranças.

Quisera dizer-lhe mais que isto, mas confesso-lhe que estou ainda sob a ação da minha desventura. Minha mulher, se pudesse ter lido o artigo, sentiria o mesmo que eu; mas nem sequer leu o livro, posto me dissesse o leria segunda vez; apenas leu algum trecho, o que me foi confirmado por uma de suas amigas, a quem ela confessou o estado em que se achava[3].

Adeus, meu caro amigo e confrade. Peço-lhe que apresente os meus respeitos à Excelentíssima Senhora Dona Flora e disponha do

Admirador e amigo

Machado de Assis

---

1 ⚭ Ver [796]. (IM)

2 ⚭ "O último romance de Machado de Assis", *Gazeta de Notícias*, 21/11/1904. A excelente crítica se abre com uma justificativa do título: "É *Esaú e Jacó* o último na data: não será decerto o último da série." Vale recordar que ao assinar o contrato para

a edição com Hippolyte Garnier, em 18/07/1903, o romance se chamava *Último*; somente ganhou o nome definitivo mediante novo termo de contrato assinado em 15/04/1904. (IM)

3 ∾ Francisca de Basto Cordeiro (1875 – ?), em *Machado de Assis na Intimidade* (1965), faz clara alusão ao fato. (IM)

[802]

Para: JOAQUIM NABUCO
*Fonte:* Fundação Joaquim Nabuco. Fac-símile do manuscrito original.

Rio de Janeiro, 6 de dezembro de 1904.

Meu caro Nabuco,

Quando ia responder à sua carta de 8 de outubro, aqui chegada depois da morte da minha querida Carolina, trouxe-me o correio outra de 17 de novembro, a respeito desta catástrofe. A nova carta veio com palavras de animação, quais poderiam ser ditas por Você, tão altas, cabais e verdadeiras. Há só um ponto, meu grande amigo; é que as lê e relê um velho homem sem forças, radicalmente enfermo. Farei o que puder, para obedecer ao preceito da amizade e da bondade. Ainda uma vez, obrigado!

Indo à carta anterior[1], dir-lhe-ei que a inscrição para a Academia terminou a 30 de novembro, e os candidatos são o Osório Duque-Estrada, o Vicente de Carvalho e o Sousa Bandeira. A candidatura do Jaceguai não apareceu; tive mesmo ocasião de ouvir a este que não se apresentaria. Quanto ao Quintino, não falou a ninguém. A sua teoria das superioridades é boa; os nomes citados são dignos, eles é que parecem recuar. Estou de acordo com o que Você me escreve acerca do Assis Brasil, mas também este não se apresentou. A eleição, entre os inscritos, tem de ser feita na primeira quinzena de fevereiro[2]. Estou pronto a servir a Você, como guarda da sua consciência literária, por mais bisonho que possa ser. Há tempo para receber as suas ordens e a sua cédula.

Adeus, meu caro amigo. Tenho estado com o nosso Graça Aranha, que trata de estabelecer casa em Petrópolis, onde vai trabalhar oficial e literariamente; ouvi falar de outro livro, que para ser belo, não precisa mais que a filiação de *Canaã*. O Veríssimo está de há muito restaurado. Eu, se reviver do grande golpe, não o deverei menos, a V*ocê* e às suas belas palavras, para o único fim de resistir; não é que a vida em si me valha muito. Releve-me a insistência, e receba um abraço amantíssimo do

Amigo velho

Machado de Assis

---

1 ∾ Ver a carta [784] e, em especial, suas notas referentes à Academia. (IM)

2 ∾ Como já se apresentou, a eleição de 15/02/1905 não teve candidato vencedor. Sousa Bandeira* foi eleito em novo turno, em 27/05/1905. (IM)

## [803]

De: ROSA DE NOVAIS
*Fonte*: Manuscrito Original, Arquivo ABL.

Lumiar, 11 de dezembro de 1904.

Quinta das Calvanas, 300

E*xcelentíssi*mo S*enho*r de Meu M*ui*to respeito

Não serei eu decerto que virei dar à V*ossa Excelência* a triste notícia do falecimento de meu querido Marido e de V*ossa Excelên*cia, cunhado tão dedicado, pois que foi-me achar sem forças para o fazer há mais tempo, pedi ao Conde de São Mamede[1] para em meu nome participar a todos os seus parentes no Brasil, e estou convencida o teria feito.

Hoje não venho falar da minha grande dor à V*ossa Excelênci*a, que como ninguém a poderia hoje compreender, venho apenas dizer-lhe que longe de supor que tantas fatalidades se dessem em tão curto prazo de tempo, ele deixou testamento em favor de suas manas D*o*na Emília e D*o*na Carolina[2]. Veja V*ossa Excelênci*a, como o homem põe, e Deus dispõe!.. Hoje são seus herdeiros a Senhora Dona Adelaide, e seus sobrinhos a quem tenciono também escrever pedindo para enviarem as suas procurações, e amigavelmente se proceder ao inventário amigável, que será o que mais lhes poderá convir. Eis aqui Senhor Machado de Assis a razão por que não irá uma parte dos seus haveres para meu querido esposo³. Assim como não iria tenha Vossa Excelência a certeza, se ele ainda existisse, creia Vossa Excelência.

Desculpe-me Vossa Excelência havê-lo talvez incomodado, mas precisava dizer-lhe que as suas últimas cartas foram abertas por quem é

De Vossa Excelência Muito atenta obrigada

Rosa de Novais

---

1 ∾ José Pereira Felício, o 2.º conde de São Mamede, era enteado de Miguel de Novais\*, cujo falecimento ocorrera em 20 de novembro. (SE)

2 ∾ Emília havia falecido em 20/10/1903 e Carolina em 20/10/1904. Sobre a morte de Emília, ver nota 1, carta [790]. (SE)

3 ∾ Conferindo com o manuscrito original, verificou-se que houve um equívoco neste trecho. D. Rosa Augusta, depois de explicar os motivos jurídicos pelos quais parte da fortuna de Miguel não iria para Machado, deveria ter dito algo como "Eis aqui Senhor Machado de Assis a razão por que não irá uma parte dos haveres de meu querido esposo para o senhor." Sobre o imbróglio da herança de Miguel de Novais, ver nota. 5, carta [808], de 21/12/1904. (SE)

## [804]

Para: JOAQUIM NABUCO
*Fonte:* Fundação Joaquim Nabuco. Fac-símile do manuscrito original.

Rio de Janeiro, 13 de dezembro de 1904.

Meu caro Nabuco,

Não se admire se esta carta repetir alguma resposta já dada, tal é a confusão do meu espírito depois da desgraça que me abateu. Fiquei de lhe responder especialmente sobre a eleição da Academia; é o que vou fazer. Se já o fiz, não se perde nada¹.

Os candidatos são apenas três, Osório Duque-Estrada, Vicente de Carvalho e João Bandeira[2]. Não se apresentou o Jaceguai; perguntei-lhe dentro do prazo o que cuidava fazer, disse-me que não se apresentaria[3]. Os outros nomes citados por V*ocê* merecem as reflexões que os acompanham, e tenho que o seu plano no modo de ir recompondo o pessoal acadêmico é acertado. Mas é preciso que as candidaturas venham de si mesmas, em vez de se deixarem quietas, como estão. Desta vez, com a casa nova e a quantia votada no orçamento para a mobília (pende ainda do Senado o orçamento)[4], sempre cuidei que os candidatos seriam mais numerosos. Parece-me que alguns não suportam a ideia da não eleição, como se fosse um desaire. V*ocê* sabe que não há desaire; a escolha de um nome pode ser explicada por circunstâncias, além do valor pessoal do candidato. O preterido não perde nada; ao contrário, fica uma espécie de dívida por parte da Academia, que não fará parar à porta esquecido quem já tiver direito de ocupar cá dentro uma cadeira.

Há tempo para vir o seu voto, e estou pronto a recebê-lo; se quiser que eu escreva a cédula, posso ser seu secretário. Basta indicar o nome. Já lhe citei os três, Bandeira, Osório e Vicente de Carvalho. Pelo que me disse na carta de 8 de outubro, o Bandeira escreveu-lhe, e terei prazer em adotá-lo, se não fossem as razões, que aliás desapareceram. Aqui estou para tudo o que V*ocê* mandar; aproveite enquanto há algumas forças restantes; não tardará m*ui*to que elas se vão e fique só um triste esqueleto de vontade.

Ontem à noite estiveram aqui em casa o nosso Graça[5] e sua Senhora, falamos de V*ocê*, de literatura e de viagens. Sobem daqui a dois dias para Petrópolis, onde o Graça vai funcionar na comissão do Acre. O Veríssimo está restabelecido.

Quero pedir-lhe uma coisa, – se é possível, mandar-me alguma das suas fotografias últimas.

Não vi ainda o Conde Prozor[6], ministro da Rússia, de que falamos ontem com referência à carta de 8 de outubro. Se tivéssemos agora a recepção na Academia, eu quisera obter do Conde a fineza de vir a ela com a Condessa, mas o Euclides da Cunha, que devia tomar posse, fê-lo por carta ao Secretário⁷, e embarca amanhã para o alto Purus, onde vai ocupar um lugar de chefe de comissão.

Adeus, meu caro Nabuco, continue a não esquecer e dispor do

Velho amigo afetuosíssimo

Machado de Assis

---

1 ◦∾ Ver em [802]. (IM)

2 ◦∾ Sousa Bandeira*, candidato à vaga de Martins Júnior*. (IM)

3 ◦∾ Como se observou em [784], o almirante Jaceguai* somente se apresentaria em 1907, sendo então eleito. (IM)

4 ◦∾ Auxílio obtido em 1905. Ver nota 4, em [782]. (IM)

5 ◦∾ Graça Aranha*. Nabuco (1949) o recomendara, com muito empenho, a Rio Branco*, que o trouxe para auxiliá-lo na questão do Acre. Com sua família, Graça passou a morar em Petrópolis, para ficar próximo do chanceler, ali residente. (IM)

6 ◦∾ Ver em [784]. (IM)

7 ◦∾ Ver em [782]. Comunicação a Rodrigo Octavio*, que consta do expediente da sessão de 15/02/1905. (IM)

## [805]

Para: FRANCISCO RAMOS PAZ
*Fonte:* Manuscrito Original, Fundação Biblioteca Nacional.

Rio de Janeiro, 15 de dezembro de 1904.

Meu caro Paz,

Obrigado pelas tuas palavras e pelo teu abraço¹. Ainda que de longe, senti-lhes o afeto antigo, tão necessário nesta minha desgraça. Não sei se resistirei muito. Fomos casados durante 35 anos, uma existência inteira; por isso, se a solidão me abate, não é a solidão em si mesma, é a falta da minha velha e querida mulher. Obrigado. Até breve, segundo me anuncias, e oxalá concluas a viagem sem as contrariedades a que aludes. Abraça-te

O velho am*ig*o

Machado de Assis

---

1 ∾ Paz, velho e querido camarada de Machado, deu-lhe apoio nos difíceis tempos do noivado com Carolina* e receberia a carta [85], tomo I, escrita oito dias depois do casamento, na qual o jovem esposo oferece a sua residência, à rua dos Andradas, ao "amigo verdadeiro e desejado". (IM)

## [806]

De: OLIVEIRA LIMA
*Fonte*: Manuscrito Original, Arquivo ABL.

Pernambuco, 17 de dezembro de 1904.

Meu prezado amigo,

Recebi sua carta de 4 do corrente e anteriormente recebera a da resposta aos meus pêsames m*ui*to sentidos.

Quanto ao artigo nada tem que nele louvar. Ficou m*ui*to aquém do q*ue* eu desejava, mas a culpa é também sua. O S*en*hor é um *sujeito* difícil pela sua própria singularidade e pela sutileza. Por m*ais* que me esforçasse por dar a nota justa, ela escapou-me. Apenas indiquei a m*inh*a grande simpatia pelo autor e a minha grande admiração ao mesmo tempo[1].

As preocupações literárias são as q*ue* m*ais* contribuirão p*ara* minorar o q*ue* chamou com justa razão a sua desventura. Não vou ao extremo de Jules Janin[2] q*ue* creio foi q*uem* escreveu que meia hora de leitura consolava de qualq*uer* dor. É preciso q*ue* a dor seja m*ui*to leve ou tenha m*ui*ta pressa de ser consolada. Mas não há dúvida que o espírito busca e encontra consolação em preocupações estranhas à mágoa. Conheço um americano, meu amigo ainda hoje, que há uns anos perdeu toda a fortuna (perto de 500 mil dólares), a qual aliás recuperou, estando hoje milionário ou perto disso. Disse-me ele que se não fosse a sua paixão pelas conchas (possui a melhor coleção particular dos Estados Unidos) teria ficado maluco. Mergulhou-se nos fósseis e viveu para a vida e para o trabalho.

A demora na remessa da minha credencial³ permitirá que passemos aqui a *festa*, como os nortistas chamamos o Natal. Só partirei agora depois do Ano Bom que desde 1891 não passava aqui com a família. De saúde temos ambos lucrado com a vida do engenho, Flora⁴ especialmente que vai muito bem, felizmente. Para aproveitar o tempo, fiz a minha colaboração, agora regular, para o "Estado de S. Paulo" e outros avulsos, tenho trabalhado no D. João 6.º ⁵ ou (...) corro esta tarde para o Recife para esperar amanhã de manhã o Euclides⁶, que passa no Alagoas, farei a 21 uma conferência que me pediram, a 2.ª de uma série aberta pelo Clóvis Bevilacqua. Verá essa conferência na "Gazeta" provavelmente ou quando não em folheto que daqui lhe mandarei⁷.

Adeus, meu prezado amigo, desejo-lhe resignação e conforto na sua saudade, e com os recados da minha mulher, aceite um abraço meu muito apertado e afetuoso

M. de Oliveira Lima

---

1 ~ Ver em [801] o belo agradecimento de Machado de Assis, bem como as referências à crítica de Oliveira Lima dedicada a *Esaú e Jacó*. (IM)

2 ~ Jules Janin (1804-1874), escritor e jornalista francês que, por sua autoridade, foi denominado "o príncipe dos críticos". Foi o sucessor de outro grande crítico literário, Sainte-Beuve, na Academia francesa. (IM)

3 ~ Numa relação complicada com o barão do Rio Branco* e com a política diplomática por este implantada, não faltaram farpas em seu discurso de posse, no livro *Coisas Diplomáticas* (1908) e nas *Memórias* (1937), assim como queixas explícitas na correspondência pessoal. Oliveira Lima acabaria assumindo o posto de ministro plenipotenciário da legação do Brasil em Caracas. Da vinda do Japão, designado para o Peru, até a destinação à Venezuela, transcorreram quase dois anos de conflitos e decepções. (IM)

4 ∾ Esposa do missivista. (IM)

5 ∾ *Dom João VI no Brasil* (1908). (IM)

6 ∾ Euclides da Cunha*, assumindo a Comissão Brasileira no Alto Purus, para demarcação de fronteiras. Lima lhe tinha imenso apreço, e o evocou em quatro artigos publicados em *O Estado de São Paulo* (1910). Ainda no Japão, lera *Os Sertões* – "uma verdadeira revelação literária, a mais notável que eu jamais presenciara em minha terra". Adiante, recorda esta escala do "Alagoas" que incluiu uma visita a Olinda; Euclides muito desejava conhecer a velha cidade, "no seu crescente apego às tradições nacionais, que tão vivamente, tão impressionantemente retratara no jagunço a nossa mais autêntica e desamparada população nacional." (Venancio Filho, 1946). (IM)

7 ∾ A conferência "Vida Diplomática", pronunciada no Instituto Arqueológico e Geográfico de Pernambuco, com extraordinária repercussão. Impressa em folheto (janeiro de 1905), que Machado receberá e agradecerá em carta de 21/04/1905, a conferência foi incluída no livro *Coisas Diplomáticas*. (IM)

[807]

De: EUCLIDES DA CUNHA
*Fonte:* Cartão-Postal Original, Arquivo ABL.

Recife, 19 de dezembro de 1904.[1]

Saudades e lembranças. Sigo hoje Paraíba[2].

Euclides

---

1 ∾ Cartão-postal com vista panorâmica da Ponte Buarque de Macedo, justa homenagem ao amigo de Machado de Assis, morto em 29/09/1880, em São João del Rei. A ponte sobre o rio Capibaribe liga o bairro do Recife e o de Santo Antônio, na capital pernambucana. Anteriormente, havia ali uma ponte de madeira chamada *Ponte Provisória*, de 1845. Em 1880, à frente do Ministério da Agricultura, Comércio e Obras Públicas, Buarque de Macedo* autorizou a sua construção, mas não chegou a vê-la pronta, pois só foi inaugurada em janeiro de 1890. O postal é uma gentileza de Euclides com Machado, trazendo-lhe a lembrança de um nome querido. Sobre Buarque de Macedo, ver cartas [138], [139], [193], [194] e [196], tomo II. (SE)

2 ∾ Euclides estava em trânsito para o alto Amazonas, a serviço do Ministério das

Relações Exteriores, como chefe da parte brasileira na Comissão Mista responsável pela formalização técnica que permitiria a fixação diplomática dos limites entre o Brasil e o Peru. Eram duas expedições: uma do rio Purus e outra do rio Juruá. Euclides foi nomeado chefe da exploração do Alto Purus em agosto de 1904, escolhendo como principais auxiliares: Alexandre Argolo Mendes (ajudante substituto), Arnaldo Pimenta da Cunha (auxiliar técnico), Tomás Catunda (médico e farmacêutico), Manuel da Silva Leme (secretário) e C. Rodolfo Nunes Pereira (encarregado de material). O escritor partiu do Rio de Janeiro em dezembro de 1904 em direção a Manaus, onde se encontraria com a comitiva peruana que compunha a Comissão Mista. (SE)

[808]

Para: BONIFÁCIO GOMES DA COSTA
*Fonte*: Manuscrito Original. Arquivo Histórico, Museu da República.

Rio [de Janeiro], 21 de dezembro de 1904.

Meu caro am*i*go.

Quando V*o*cê e a Sara me disseram ter obtido de uma amiga dessem hospedagem por dias a D*ona* Adelaide[1], em casa próxima ao cartório do tabelião, onde ela tem de assinar as procurações necessárias para receber a herança do Miguel[2], disse-lhes que podiam trazê-la para aqui[3], a fim de evitar que subisse e descesse as escadas da dita casa, que V*oc*ê me referiu terem perto de noventa degraus.

Vindo examinar se efetivamente podia realizar o oferecimento, verifiquei que não, por falta de cômodo em que a hospedar, e de meios com que o fazer bem, embora por poucos dias; o que me apresso em lhes comunicar para que não desfaçam o que está feito na outra casa. Já não falo do medo que Sara me disse que ela tem do *bond* elétrico, a ponto de lhes falar em vir de carro. Aqui o *bond* elétrico é o único veículo[4].

Até sexta-feira para cuidarmos da outra partilha amigável que se tem de fazer, pela morte da minha Carolina[5].

Lembranças do velho

tio Machado

1 ∾ Adelaide de Novais, irmã solteira de Carolina*, sempre hostilizou Machado de Assis, opondo-se ao seu noivado e casamento. Não admitia na família "gente de cor". (IM)

2 ∾ Sobre o falecimento e herança de Miguel de Novais*, ver carta [803] de sua viúva, Rosa de Novais*. (IM)

3 ∾ Cosme Velho, 18. (IM)

4 ∾ Para o viúvo recente, hospedar tal cunhada devia ser um pesadelo; até o argumento do *bond* serviu para mantê-la longe de si. (IM)

5 ∾ Uma carta de Arnaldo Braga mostra os conflitos suscitados pela herança de Miguel de Novais. A missiva foi dirigida, provavelmente, ao cunhado Bonifácio, marido de Sara Braga da Costa*. O documento original está no Arquivo Histórico do Museu da República e merece ser transcrito neste volume:

"Porto, 13 de dezembro de 1904.

Ilustríssimo e Excelentíssimo Senhor.

Recebi a carta de Vossa Excelência cujo conteúdo me surpreendeu. Desde que meus Pais faltaram [,] meus irmãos preocupam-se pouco em participar-me qualquer fato que se dê entre nossos parentes do Brasil; assim como soube do falecimento de minha tia Carolina apenas pelos jornais, e como as minhas relações com o Tio Machado foram sempre poucas e nenhumas, ignorávamos por completo a situação financeira e o caso que se dá agora. Pelo que Vossa Excelência me diz vejo que falta a escritura antenupcial, que não foi suprida por um testamento, que minha tia deveria ter feito, coloca o viúvo na contingência de se desfazer de metade dos seus bens, que eram com certeza seus, a favor dos herdeiros da falecida.

Declaramos em primeiro lugar a Vossa Excelência que não serei eu que crie dificuldades ao meu Tio Machado, conformando-me em absoluto com o que os outros herdeiros receberem, permita-me contudo Vossa Excelência que, abstraindo do valor da herança e das relações de amizade que existem entre autor e herdeiros, faça algumas considerações sobre o caso que me não parecem de fácil solução.

O repúdio da herança para resultar favorável a meu Tio Machado precisa de ser feito por todos os herdeiros, pois se houver um que se negue ao repúdio é a este e não a Machado de Assis que enviasse a parte repudiada pelos outros. De direito qualquer dos herdeiros pode repudiar a herança desde que os casados obtenham consentimento de marido e mulher; mas em consciência parece-me que só devem fazer aqueles dos herdeiros que não tiverem descendência.

Suponhamos que os herdeiros concordem *todos* no repúdio da herança. Este repúdio pode ser feito particularmente? Feito judicialmente, o que importa uma doação, terá Machado de Assis de proceder a inventário para o tesouro se cobrar da contribuição de registo?

Suponhamos ainda na melhor das hipóteses que pode ser feito particularmente; fica Machado de Assis (...) de todos os seus bens, que, por sua morte, passam para os seu herdeiros naturais ou para quem ele instituir em testamento, revertendo a metade a que os herdeiros de minha Tia tinham direito a favor de pessoas que nos podem ser completamente estranhas. Será justo? Não me parece. Parece-me antes que deveria arranjar-se meio de ficar ele de posse de todos os seus bens enquanto vivo, passando a meação por sua morte por quem de direito.

Isto são considerações que faço abstraindo o valor da herança e do meu empenho em ser-lhe agradável e a meu Tio. Vossa Excelência dirá se são justas; eu em consciência não me julgo com direito a alienar em absoluto coisa alguma que possa vir a pertencer a meus filhos.

E visto que a minha desistência isoladamente de nada serve, aguardo a resolução da minha tia Adelaide e meus irmãos que acatarei em absoluto.

Agradecendo as atenções de Vossa Excelência, aproveito a ocasião para me subscrever com a maior estima e consideração.

De Vossa Excelência
Atento servidor obrigado
Arnaldo Braga". (IM)

[809]

De: TRISTÃO DE ALENCAR ARARIPE JÚNIOR
Fonte: Cartão-Postal Original, Arquivo ABL.

[Rio de Janeiro,] 21 de dezembro de 1904.

Boas Festas.

1904-1905[1]

---

1 ∾ Em 1903, criou-se um órgão diretamente ligado à presidência da República – a Consultoria Geral da República, tornando-se Araripe Júnior o primeiro a exercer o cargo de consultor-geral (decreto n.o 957, de 02/01/1902) e no qual permaneceu até a morte em 1911. Araripe deu consultoria nos governos Rodrigues Alves (1902--1906), Afonso Pena (1906-1909), Nilo Peçanha (1909-1910) e em parte do governo Hermes da Fonseca (1910-1914). Portanto, quando enviou este cartão de boas-festas, já atuava como consultor-geral da República, atual advogado-geral da União. (SE)

## [810]

> De: HEMETÉRIO MARTINS
> *Fonte:* Cartão-Postal Original, Arquivo ABL.

Campos — Estado do Rio — Brasil[1]

Campos, 25 de dezembro de 1904.

Boas-festas

[Heméterio Martins]

Ilustríssimo Senhor
Machado de Assis
*Casa Garnier*
Capital Federal

---

[1] Impressa no cartão-postal, há uma vista panorâmica do prédio da Prefeitura Municipal da cidade de Campos dos Goytacazes. (SE)


## [811]

> De: ARTUR AZEVEDO
> *Fonte:* Cartão-Postal Original, Arquivo ABL.

[Rio de Janeiro,] 26 de dezembro de 1904.[1]

Boas-festas.

Artur Azevedo

*Excelentíssimo Senhor*
*Joaquim Maria* Machado de Assis
Cosme Velho, 18
Laranjeiras

---

[1] Cartão-postal com vista do Ministério da Indústria, Viação e Obras Públicas, na Praça Quinze, onde os dois correspondentes trabalhavam. O prédio, projetado por Pereira Passos, foi demolido em 1935. (SE)

## [812]

De: ARLINDO FRAGOSO
*Fonte:* Cartão-Postal Original, Arquivo ABL.

Bahia, 30 de dezembro de 1904.[1]

1904 – 1905
Bons anos.
Arlindo Fragoso

Ex*celentíssi*mo S*enho*r Machado de Assis
Ministério da Indústria
Rio de Janeiro

---

1 ∾ Data no carimbo. Postal com foto e legenda "M. Donnay". Trata-se de Maurice Donnay (1859-1945), autor francês que se celebrizou por suas comédias de "boulevard" e foi eleito para a Academia Francesa em 1907. (IM)

## [813]

De: EUCLIDES DA CUNHA
*Fonte:* GALVÃO, Walnice Nogueira; GALOTTI, Oswaldo. *Correspondência de Euclides da Cunha.* São Paulo: Edusp, 1997.

Rio [de Janeiro], dezembro de 1904.

Ao presidente da Academia Brasileira de Letras

Ex*celentíssi*mo s*enho*r presidente da Academia Brasileira de Letras,

Impossibilitado de tomar posse, em sessão solene, do meu lugar nessa Academia, pelos motivos que V*ossa* Ex*celênci*a conhece[1], faço-o, de acordo com o artigo 22 do Regimento Interno, por meio deste ofício[2].

Apresentando a V*ossa* Ex*celênci*a os protestos da minha mais elevada consideração, subscrevo-me

Confrade atento obrigado e admirador

Euclides da Cunha

1 ∽ A ida para o Alto Purus. (SE)

2 ∽ Este ofício foi consignado pelo primeiro-secretário Rodrigo Octavio* na ata de 15/02/1905, conforme se pode ler abaixo:

"Lidas e aprovadas as atas das sessões de 1 de agosto e 6 de setembro de 1904, anuncia a leitura do expediente que consta de um ofício do Sr. Euclides da Cunha comunicando que tendo de se ausentar desta cidade por tempo indeterminado, tomava posse da cadeira por esse ofício nos termos do art. 22 do Regimento Interno."

Registre-se que, no segundo semestre de 1904, as sessões ordinárias foram interrompidas a partir de 06 de setembro. Houve somente mais uma sessão em 09/09/1904, de caráter extraordinário, no salão nobre do Gabinete Português de Leitura, para que se fizesse a leitura da peça de O Contratador de Diamantes, de Afonso Arinos*. Depois disso, possivelmente, em razão do agravamento da saúde de Carolina seguido de seu falecimento, a Academia não mais se reuniu naquele ano. Após o retorno de Euclides, nos salões do Silogeu Brasileiro, em 18/12/1906, ocorreu a sua recepção solene, com a presença e altas autoridades e intelectuais. (SE)

# Caderno Suplementar

[00]

Para: DIOGO BIVAR
*Fonte:* Manuscrito Original,
Fundação Biblioteca Nacional.

Ilustríssimo Senhor
Número 284
À distribuição

[Rio de Janeiro,] em 11 de setembro de 1857.

Diogo Bivar, P[1]

Tenho a honra de remeter à Vossa Senhoria, como digno secretário do Conservatório Dramático Brasileiro[2], a fim de exibir à respectiva censura, a ópera cômica em 1 ato, imitada do francês dos Senhores Jaime e Trefeu[2] pelo abaixo-assinado, e intitulada: "O derradeiro paladino".

Deus Guarde a Vossa Senhoria por muitos anos

[Machado de Assis]

Digníssimo Secretário do Conservatório Dramático Brasileiro

---

1 ∾ Abreviatura desconhecida. (SE)

2 ∾ É possível que se trate de Diogo Soares da Silva de Bivar (1785-1865). Joaquim Manuel de Macedo afirma que Bivar fundou e dirigiu como presidente perpétuo o Conservatório Dramático Brasileiro, responsável por fazer a censura das composições dramáticas a ser representadas nos teatros do Rio de Janeiro. Entretanto, no presente documento, Machado se dirige ao "Digníssimo Secretário". (SE)

3 ∾ A peça em que Machado se baseou para fazer a sua imitação é *Croquefer* ou *Le dernier des paladins* (1857), opereta bufa em um ato de Jacques Offenbach (1819--1880), com libreto de Etienne Tréfeu (1821-1903) e Adolphe Jaime (1824-1901). (SE)

[64 A]

De: JÚLIO DE CASTILHO
*Fonte*: Fundação Biblioteca Nacional. "Folhetim".
*Diário do Rio de Janeiro*, 1867. Seção de Periódicos.
Microfilme do original impresso

Correspondência – Sobre novidades memoráveis

CARTA I

Sumário. – Introdução. – *Great Eastern*. – Telegrafia. – Universal. – Conferências Literárias em Lisboa. – Tradução das *Geórgicas* de Virgílio pelo Se*nho*r Antônio *Feliciano* de Castilho. – Tradução de Anacreonte impressa em Paris pelo mesmo autor. – Amostras.

Lisboa, 7 de janeiro de 1867.[1]

Se*nho*r Redator.

Dou parabéns a mim mesmo por achar na vossa folha um lugarinho[2], onde possamos conversar. Convidou-me a vossa casa hospitaleira; não havia resistir a tão poderoso atrativo. Eis-me entre vós pela primeira vez, prometendo tornada breve. Espero e desejo concorrer todas as semanas ao vosso convívio intelectual, oferecendo-vos o que deste velho mundo puder mais ou menos interessar no vosso mundo novo, e sendo aos vossos leitores uma espécie de correio, que, mais por aqui, mais por ali, os traga em dia com algumas novidades da nossa matrona europeia.

A empresa é árdua, bem sei; nem eu quero arrogar-me foros de pedagogo nestas rápidas conversações em que havemos de entreter-nos. Por muito conspícua e amestrada que fosse a minha pobre pena, era-lhe mister empregar forças bem superiores às suas, se quisesse tratar assuntos de polpa em tão pequeno espaço; o reduzir quadros à miniatura de poucas linhas era trabalho para semanas. O meu fim, porém, não é doutrinar: é narrar; e é menos ainda narrar que borboletear por este ou aquele assunto curioso, sugando-lhe o precioso néctar e oferecendo-o de mim aos meus leitores.

Teremos ora uma notícia literária, ora um cometimento científico; ora alguma novidade de outro gênero, nem literária nem científica; alguma amostra de livro inédito; a resenha das obras novas; em suma, o que possa dar azo a que os vossos leitores passem vinte minutos sem grande enfado, vendo de longe, como refletido no vidro da câmara escura, algum espetáculo que os interesse, e os instrua ou os deleite.

Forcejarei por manter entre estes tópicos principais o meu programa, sempre alheio às políticas, de que nada entendo, e às personalidades odiosas, com que nada quero.

Quereis-me assim? Pois então atravessarei duas vezes no mês as duas mil léguas que nos separam, e irei levar-vos o que tiver colhido nas minhas excursões. Quero ter a glória de ser também dos vossos, e de colaborar (ao meu pouco) para a vossa obra de civilizamento.

Começarei por dar aos meus leitores notícias que interessam a todos os progressos ao mesmo tempo: notícias de um dos personagens mais ilustres do nosso tempo, um gigante poderosíssimo que teve a glória de contribuir para um dos maiores cometimentos da humanidade. Falo do nosso já tão conhecido *Great Eastern*, aquele monstro marinho que tem dado tanto em que falar neste mundo[3]. O monstro, talvez com medo à inverneira que está ameaçando a Europa, mandou fazer um casaco, e de cobre. Está para isso fundeado na Mersey, onde o estão forrando de novo, e apercebendo de duas caldeiras. Quando sair do alfaiate, tem tenção, o *Great Eastern*, de começar a 20 de março próximo, a sua carreira entre Brest e New York, levando por comandante ao capitão Sir James Anderson. Nas boas horas, parta e volte o imortal veículo do cabo transatlântico. O Atlante da fábula aguentava ao ombro o peso enorme de um mundo; este assombro dos mares uniu e apertou dois mundos no mesmo abraço.

------

— Este abraço de sublime fraternidade é a telegrafia.

Viu o nosso tempo a estupenda maravilha deste invento singular, que fez das distâncias um mito, e ativou o grandioso pensamento da família humana.

Abriu-se o ano de 1866 com sete mil estações telegráficas patentes na Europa. Todas as capitais europeias, e até todas as cidades de certa importância comercial, industrial ou política, se achavam já compreendidas na grande rede.

Duas linhas se estendem da Europa à África: uma corre de Marsala até Biserta[4], e liga-se com os fios da Argélia; a outra vai de Malta até Bengazhi, e dilata-se até a Alexandria. Esta linha estava predestinada para ligar as Índias à África e à Europa; mas a dificuldade de conservar o cabo no golfo arábico obstou a primitiva ideia, e obrigou a procurar-se outro caminho.

O Egito ainda se liga com a Europa e com a Ásia pelo fio que atravessa a Síria, passa em Jerusalém, Alep[5], Trípoli, Beirute, galga o Bósforo, e vem soldar-se às linhas da Turquia europeia.

Os despachos para a Índia podem tomar dois caminhos. O primeiro segue as linhas italianas, passa de Trento a Vallona[6] atravessa a Turquia europeia e a asiática, e chega até Bassora[7] no golfo pérsico. Daí vai prender na linha das Índias em Karachi pelos cabos do Golfo Pérsico e do Golfo de Omã.

O segundo caminho atravessa a Rússia, o Cáucaso, a Pérsia, e chega igualmente a Bassora.

Contam as Índias 161 estações, sendo 4 na ilha de Ceilão[8].

Todos os dias se estreita mais essa rede, que pensa e fala. É caso de parabéns à humanidade.

----------

Ainda se não abriram este ano no Grêmio Literário[9] e nem no colégio artístico as tão desejadas e festejadas conferências literárias, que o inverno passado despovoaram Lisboa.

Espera-se, porém, que nem a ilustrada administração do Grêmio, nem o solícito diretor daquele estabelecimento de educação deixem de continuar o que tão brilhantemente encetaram. Todos se recordam em Lisboa da alacridade com se (*sic*) concorria àqueles festins da inteligência, festins lautos, que a perícia dos cozinheiros conseguia tornar opíparos.

Desde outubro que estamos privados de tais palestras, onde o gosto se apura, e as turbas a pouco e pouco vão aprendendo a ouvir, que não é tão fácil coisa como parece. Saber ouvir é uma ciência, quase tão difícil quanto saber dizer.

Às salas do Grêmio e às do Se*nho*r Andrade Ferreira, concorriam as principais notabilidades da capital. Lá se viam representadas todas as províncias do saber humano; o vasto recinto dos salões mal bastava para tantos espectadores.

Ainda a 9 de outubro se anunciava em todas as folhas que ia celebrar-se, com tais auspícios, a primeira leitura da esmerada tradução das Geórgicas de Virgílio, obra com que o Se*nho*r Antônio Feliciano de Castilho acaba de opulentar a literatura de Portugal. Acudiram ao reclamo os entendedores, todos os contrastes daquele ouro sem liga. Pairavam no ar não sei que vagos perfumes acadêmicos; dizia o auditório com o motivo do convite; nunca Virgílio se achara em mais amena e idônea companhia.

Subiu ao estrado o poeta dos Ciúmes do Bardo, e num curto improviso expôs o assunto da conferência, reivindicando para Virgílio a glória toda que pudesse grangear-lhe mais uma tradução de sua obra prima, e agradecendo em nome do Vate de Mântua a amável concorrência do auditório, e sobretudo a das senhoras. Disse que não se propunha a fazer ali a apologia do grande homem, cujo talento ia naquela mesma noite receber mais uma consagração; que esta apologia estava feita, já de séculos, pelo culto artístico, quase religioso culto, que em todos os países tinha compelido as primeiras inteligências a irem pendurar tantas coroas no livreiro do Pausilipo.

Acrescentou que esta versão portuguesa era uma cópia fiel do grande quadro do mestre; que ele, tradutor, era por assim dizer o telescópio com que os espectadores iam procurar Virgílio no firmamento escuro e vasto da antiguidade, entre as constelações que ainda hoje nos são guia e espanto; e que assim como no refletor do telescópio vem pintar-se a longínqua imagem do astro, assim também na obra portuguesa esperava ele viesse refletir-se um longe fiel do que foi Virgílio.

Expôs o assunto do poema, canto por canto; pediu desculpa às senhoras, da aridez forçada de tais matérias e prometeu-lhes (certo de que o poeta romano o não havia de deixar ficar mal) que alguns passos ameníssimos do poema haviam de compensá-los da agrura dos outros lugares.

(Pena tenho eu de que nesta minha primeira carta não caibam, pela brevidade que a mim mesmo impus, alguns versos, ao menos daquele monumento).

Depois da breve introdução que à obra do poeta romano fez o poeta português, seguiu-se a leitura. Leu o filho mais novo do tradutor, o *Senhor* Eugênio de Castilho[10].

O auditório ouvia atentamente, e por muitas vezes rompeu em bravos entusiásticos, quando a voz juvenil do leitor acentuava, cheia de fogo e vida, aqueles trechos imortais, repassados de sentimento, ou aquelas incríveis maravilhas, aqueles portentos da forma da estatuária intelectual, que ainda hoje são os modelos por onde se afere o belo em toda parte.

A tradução das *Geórgicas* pelo senhor Antônio Feliciano de Castilho é (segundo bons juízes) a obra prima da sua pena, assim como (segundo Voltaire) são as *Geórgicas* a obra prima do Mantuano.

Elevou-se o tradutor, ou antes segundo o autor à portentosa altura do vate da Eneida, correu parelhas com ele, venceu-o muita vez e fez de uma cópia um assombroso original.

Os primeiros dois cantos foram quase consecutivamente lidos no primeiro sarau; os dois restantes no segundo, a 12 do mesmo mês, com igual ou maior concurso de espectadores, e o mesmo aplauso.

O *Senhor* Andrade Ferreira presta com tais conferências um verdadeiro serviço às nossas letras; facultando a sua bela sala aos talentos da sua terra, abre-lhes um estádio honroso, instaura um como mercado de inteligência, e converte aquele recinto num *outeiro* admirável que ressuscita modernizados os engraçados torneios poéticos de nossos avós.

A Arcádia Fluminense[11], esse grandioso ensaio, com que os vossos conterrâneos e os nossos irmãos portugueses aí fomentaram não há muitos meses a literatura do Brasil, foi um felicíssimo cometimento para o progresso da vossa pátria.

---

Como aditamente à notícia precedente, cumpre acrescentar que as Geórgicas de Virgílio se acham impressas nitidamente em Paris, e brevemente se acharão no mercado. A edição é adornada com seis magníficas estampas gravadas pelo primeiro artista deste gênero de que hoje Paris se ufana: Lemaître. É uma boa nova aos amantes do clássico, e aos apaixonados sectários (que ainda os há) das letras antigas.

Concluirei esta carta, *Senhor* redator, duas das formosas odesinhas de Anacreonte, extraídas da versão que delas concluiu há dois meses em Paris o tradutor das Geórgicas, e que a exemplo do poema de Virgílio, se acham também já impressas, e em caminho de publicação.

Acontecimentos literários da força destes não vêm todos os dias; por isso demos às Geórgicas e ao Anacreonte o lugar de honra que, segundo bons conhecedores, é o fim da carta, espécie de sobremesa a assuntos mais pesados.

Traduções de Anacreonte pelo *Senhor* Antônio Feliciano de Castilho

Ode 2.ª
Das mulheres

Deu ao touro a natureza
duras pontas por defesa;
ao corcel a pata bruta;
pé volante à lebre hirsuta;
ao leão presas tiranas.
Deu ao peixe as barbatanas;
voo ao pássaro; ao varão
deu enfim, deu a razão.

À mulher a natureza
já não tinha mais que dar!
Tinha apenas a beleza;
só com isso a pode armar.
Quem por lança e por escudo
tem beleza, que mais quer?
Vencem ferro, e fogo, e tudo
os encantos da mulher.

Ode 45.ª
Um dia o marido da bela Ciprina
de aceiro forjava na Lemnia Officina
a usada encomenda das setas do amor.
Ciprina em mel puro tempera-lhe as pontas;
cupido, após ela, deitando outras contas
em fel as retinge, de a erbo amargor.

Eis entra Mavorte, que vem da matança;
e, ufano brincando co' o peso da lança,
de arminhas tão leves escárnio lhe faz.
"– São leves! Nem todas (responde o frecheiro)
"Talvez que mal possa com esse um guerreiro.
"Aí tens; experimenta! Depois mo dirás."

Mavorte a recebe da mão do menino.
Ciprina sorri-lhe (sorriso divino!).
Mavorte suspira: – "Que peso que tem!
"Não posso com ela. Retoma-a, cupido!"
Cupido zombando-lhe volve atrevido:
"Conserva-a contigo, que está muito bem."

X.

[Júlio de Castilho]

1 ∾ Publicado em 09/02/1867. (SE)

2 ∾ Transcrevemos a seguir nove cartas mandadas em 1867 ao redator do *Diário do Rio de Janeiro*, jornal que até abril daquele ano era dirigido por Machado de Assis. Consideramos plausível a hipótese de que o autor das cartas fosse Júlio de Castilho, filho de Antônio Feliciano de Castilho. Sabe-se, com efeito, que na década de 1860 o jovem Júlio de Castilho fora correspondente do periódico brasileiro em Lisboa. Ora, todas as cartas, como vimos, são de 1867. Outro dado é a transcrição integral numa das missivas, datada de 28 de fevereiro de 1867, de uma carta que Antônio Feliciano de Castilho dirigira a jornais de Lisboa em 2 de fevereiro do mesmo ano. Além disso, são extremamente frequentes as alusões à família Castilho: não somente Antônio, pai do presumido autor, mas também seu tio, José; seu primo Alexandre e a si próprio. Se acrescentarmos certas características estilísticas de Júlio, como versatilidade e humor, há pouca dúvida de que o autor das cartas seja efetivamente Júlio de Castilho. Esclarecemos que todas essas cartas foram digitadas pela professora doutora Andréa Portolomeos, da UFF, a mesma que decifrou e copiou as cartas do conde de la Hure, no tomo II, e a quem agradecemos por mais essa valiosa contribuição. (SPR/SE).

3 ∾ Considerado o maior transatlântico da época, o *Great Eastern*, desenhado por Isambard Kingdom Brunel (1806-1859), foi construído com casco duplo, tendo as folhas de metal separadas por compartimentos, de modo que, ocorrendo um rombo no casco, só uma seção seria inundada, e ele se manteria flutuando. Contudo o navio foi marcado pelo infortúnio. Na sua construção, cinco operários morreram, e um rebitador desapareceu, que segundo consta fora acidentalmente emparedado no casco duplo do navio, numa das etapas do trabalho. Em 1859, ao ser lançado ao mar, uma caldeira explodiu matando cinco tripulantes. Depois, nas viagens o capitão relatou ser acordado por constante martelar, que lhe parecia vir da fuselagem. Correu entre a marujada que era o rebitador desaparecido. Além disso, a sua carreira comercial não foi bem-sucedida; jamais conseguiu vender passagens suficientes que cobrissem as despesas das viagens. Constantemente, era perseguido por tempestades e acidentes. Ganhou má fama. Em 1862, o vapor atingiu um rochedo submerso na baía de Nova York. A partir de 1865, foi também usado na colocação de cabos telegráficos transoceânicos, tarefa pouco usual a um transatlântico de luxo. Em 1887, já em fim de carreira, quase afundou ao ser rebocado a um estaleiro de desmanche em Liverpool, Inglaterra. Dizem os boatos que, em 1889, na desmontagem final, ao ser cortado o casco, os operários encontraram um esqueleto humano ao lado de uma caixa de ferramentas enferrujadas. (SE)

4 ∾ Cabos oceânicos que ligaram a cidade de Marsala na Sicília à cidade de Biserta, na Tunísia, norte da África. (SE)

5 ∾ Alepo, na Síria. (SE)

6 ∾ Valônia, na Bélgica. (SE)

7 ∾ Cidade de Basra, no Iraque. (SE)

8 ∾ Ceilão é o atual Sri Lanka. (SE)

9 ∾ O Grêmio Literário Português, também conhecido como Grêmio Literário de Lisboa, foi fundado por carta régia de Dona Maria II, em 18/04/1846, e reuniu as duas principais figuras do Romantismo na sua fundação: Alexandre Herculano e Almeida Garret. Teve diversas sedes, até instalar-se no palacete do visconde de Loures, construção ainda hoje preservada, com varanda aberta sobre o Tejo e o castelo de São Jorge, além de um jardim de 1844, único no centro histórico lisboeta. Nas primeiras décadas, o Grêmio manteve uma intensa atividade intelectual e mundana. São frequentes, na literatura oitocentista portuguesa, menções a ele, sobretudo em obras de autores como Júlio de Castilho, Ramalho Ortigão e Eça de Queirós*. (SE)

10 ∾ Eugênio (1847) era irmão mais novo de Júlio de Castilho (1840), o correspondente de Machado no *Diário do Rio de Janeiro* e o primogênito de Antônio Feliciano de Castilho (SE)

11 ∾ Arcádia Fluminense foi uma sociedade literária e musical, organizada por José Feliciano de Castilho*, em 15/09/1865, na festa de comemoração do centenário do poeta português Manuel Maria du Bocage. Ela funcionava nas instalações do Clube Fluminense, situado na esquina da praça da Constituição (atual Tiradentes) com a rua do Conde (atual Visconde do Rio Branco). Foi uma das primeiras sociedades a permitir a frequência das damas em seus eventos sociais. (SE)

[64 B]

De: JÚLIO DE CASTILHO
*Fonte*: Fundação Biblioteca Nacional. "Folhetim".
*Diário do Rio de Janeiro*, 1867. Seção de Periódicos.
Microfilme do original impresso.

Rio de Janeiro, 10 de fevereiro de 1867.[1]

Correspondência — Sobre novidades memoráveis

CARTA II

Sumário. — Conferências científicas em Paris. — Palestras de Alexandre Dumas na Alemanha. — Pesca da baleia pelo novo sistema de *Monsieur* Thiercelin. — Perfuração do monte Cenis. — Iconoscópio de *Monsieur* Javal. — Nova espingarda de *Monsieur* Houdin. — Relógio aperfeiçoado por *Monsieur* Bonnin — Relógio aperfeiçoado por *Monsieur* Houdin. — Prêmios para memórias científicas. — Lakby, ou bebida tripolitana; como se obtém.

Falamos na nossa carta precedente acerca das conferências literárias de Lisboa; é justo que mencionemos agora as conferências científicas de Paris. Estão no gosto público estas instrutivas diversões; e a prova é que em toda parte as estão repetindo.

É muito para ver o entusiasmo com que a velha Sorbonne se presta a congregar no seu recinto os primeiros oradores científicos da França.

Inaugurou-se em 26 de dezembro último o quarto ano de conferências, com a preleção de *Monsieur* Fernet, hábil professor do Liceu de *São* Luís, sobre eletricidade aplicada às artes.

Seguiu-se logo a de 27 *Monsieur* Riche, professor de Escola Superior de Farmácia, lecionando sobre diamante e carvão.

Hoje, a esta mesma hora em que vos estou escrevendo (8 ½ horas da noite de 10 de janeiro) está sem dúvida *Monsieur* Bertin, professor da Escola Normal Superior, conversando na catedral da Sorbonne sobre um dos mais interessantes assuntos da óptica: a polarização da luz.

A 17 deste mês fala *Monsieur* Cazin, professor do Liceu de Versailles sobre o calor.

A 24 Monsieur Desains, professor da Faculdade de Ciências de Paris, sobre composição da luz e coloração dos corpos.

A 31 Monsieur Bert, professor da Faculdade de Ciências de Bordeaux; é seu assunto influência do homem sobre os animais.

A 7 de fevereiro seguinte Monsieur Jamin, professor da Faculdade de Ciências de Paris e da Escola Politécnica; assunto: a chuva.

14; Monsieur de Luynes, doutor em ciências: vidro.

21; Monsieur Mascart, doutor em ciências: o olho.

28; Monsieur Simonin, engenheiro civil de minas: os placeres da Califórnia.

14 de março; Monsieur Vaillant, doutor em ciências: as madréporas[2].

21; Monsieur Lissajous, professor do Liceu de São Luís; os telescópios.

28; Monsieur Bourget, professor da Faculdade de Ciências de Clermont-Ferrand; os planetas.

E enquanto Paris toda se reúne a escutar na Sorbonne as lições dos sábios, a Alemanha escuta o primeiro conversador da Europa, o inimitável Dumas, que por lá anda em palestras literárias a fazer as delícias do público ilustrado. A sua palavra, o seu espírito, o seu talento, multíplice e original bastam para atrair de toda a parte as atenções.

Fala-se vagamente de uma visita do autor do *Monte Cristo* à nossa Lisboa; a nossa boa fortuna no-lo traga. Dumas não tem pátria; em toda parte está entre os seus. A celebridade tem-lhe atirado todas as suas coroas e pouco se dá a um homem da sua plana, que um ou outro embusteiro malévolo, como não há muito se deu com ele, pretenda conspurcá-lo com a sua baba venenosa. O veneno dos invejosos tem a rara virtude de sobredourar os talentos que hostiliza.

--------

Já que falamos em veneno, sempre diremos que o veneno, aplicado à pesca da baleia, é que é invento sem precedente. Ora ouçam.

Foi apresentada à academia de França uma comunicação de Monsieur Thiercelin, que, segundo ele diz, importa um notável melhoramento no modo até hoje usado para a pesca da baleia. Imaginou ele que um veneno poderoso seria uma arma eficassíssima contra os corpulentos cetáceos de que se trata; mas como o operador só podia, pela natureza dos instrumentos, empregar veneno sólido, seguia-se que tinha a atender a duas circunstâncias importantes: 1.ª que o veneno fosse prontamente solúvel apenas estivesse em contato com a água do mar; 2.ª que fosse facilmente absorvível pela economia de um animalejo de tal lotação, que excede não raro a 100.000 quilogramas. Ocorreu, pois, ao Senhor Thiercelin o mais solúvel dos sais de estricnina, misturado com um vigésimo de *curare*. Tinham sido feitas experiências em vários mamíferos terrestres; tinham sido vitimados sem dó coelhos, cães e até cavalos; e dessas experiências resultara que ministrado em dose de 0, 0005 por quilograma de carne, a nova mistura de veneno ideada por *Monsieur* Thiercelin produz morte dentro de 12 ou 15 minutos, e em muito menos tempo, se a dose for aumentada.

Como o peso das baleias varia geralmente entre 90.000 quilogramas e 50.000, fabricou o declarado inimigo dela uns cartuchos de 30 gramas, cada um dos quais devia bastar contra um bicho de 60.000 quilogramas, para mais, e dois contra as maiores baleias do polo norte. Depois embebeu cada cartucho no meio da pólvora de um projétil explosivo já usado e conhecido com o nome de *bomb-lance* americano.

Assim apetrechado, o nosso homem abalou-se por esses mares fora a bordo de um navio de pesca, para ir desafiar as baleias todas, e assistir às primeiras vitórias de seu invento. Na viagem travou-se combate com dez vagabundas, que todas morreram quase instantaneamente. Das dez aproveitaram-se unicamente seis porque duas das ilustres finadas pertenciam a uma variedade que não está em uso utilizar-se, e outras duas se perderam por ocorrências independentes do novo invento de *Monsieur* Thiercelin.

E com isso entendeu *Monsieur* Thiercelin (e creio que entendeu bem) haver prestado um serviço relevante à humanidade pescadora. As baleias que lho agradeçam. Deve andar o seu nome em grande cheiro de santidade lá nas profundezas do mar.

--------

Mais incrível que tudo isso parece que ainda se não esgotasse a paciência do homem. São maravilhas sobre maravilhas; é um Pelion sobre Ossa³; descobrimentos sobre ousadias; ousadias sobre inventos; é o mundo material numa contínua maré enchente, que não sabemos se há de ser para fecundação, se para alagamento.

Olhai para as obras da perfuração do monte Cenis⁴. Que número espantoso de operários não trabalha naquele formigueiro! Como as forças todas se dirigem conspiradas ao mesmo fim! Ali é que é pasmar ante a atividade e o cálculo.

Nove anos ainda se estima que durarão as obras, antes que se ache concluído o túnel, e patente à circulação dos trens da via férrea. Verdadeiro troféu da civilização fica esta obra; o seu monumento é a montanha.

E enquanto não chega esse dia tão suspirado, e tão digno de ser assim assinalado nos anais da humanidade, está-se a toda a pressa construindo a linha provisória para a passagem dos trens a vapor pelos altos da montanha. Segundo as experiências já indicam, os 80 quilômetros entre *São Miguel* e *Sousa* hão de ser galgados em 4 horas quando muito, com uma rapidez de quatro léguas por hora, sendo cada carruagem para 50 viajantes.

O inóspito daquelas brutas serras, por onde o caminho interino vai estender-se, é de infundir respeito ao mais ousado. Para tudo porém acham remédio a indústria e perseverança; nem as enormes quantidades de gelo, que os invernos acumulam por ali, nem as avalanches, que tão terrível submersão têm dado a aldeias inteiras, foram obstáculo. O ferro-carril serpeia ora debaixo de grandes telheiros, ora por baixo de robustíssimas abóbadas, que lhe são escudo contra a fúria dos invernos.

------

*Monsieur* E. Javal apresentou há pouco tempo à Academia de Paris um instrumento a que pôs o nome de iconoscópio.

É uma aplicação engenhosa das leis da visão binocular, e está estritamente aparentado com o pseudocopo de Whiststene, e o telestereóscopo de Helmholtz. Por meio do iconoscópio, as figuras pintadas num plano adquirem relevo de escultura, e saltam aos olhos com verdadeiro corpo.

------

Não descansam, nem sabem descansar os inventores; anda prenhe sempre o espírito da raça humana de novas receitas que aperfeiçoem a já tão supérflua e tão perfeita arte de matar. Pois não apareceu agora em Paris um tenente da marinha, *Monsieur* Bonnin, com outro invento de espingarda? Este *Monsieur* Bonnin é ajudante de ordens de *Monsieur* Chasseloup-Laubat, e, segundo me informa pessoa que em Paris teve ocasião de tratá-lo de perto, é mancebo de reconhecido talento e provada aptidão. Apresentou no paço ao Imperador a sua espingarda. Sua Majestade acolhe-o com muita benevolência e distinção, e reconheceu que o novo instrumento reúne duas qualidades apreciáveis: rapidez incrível nos tiros sucessivos e muito grande simplicidade no mecanismo.

Sua Majestade fez ao inventor a honra de o convidar para o almoço, e deu logo ordens ao general Le Boeuf[5] para que a nova espingarda fosse oficialmente experimentada. Veremos o que surde.

------

Mas confessemos que nos não deve reduzir um tal invento. E depois as espingardas de agulha deram tanto em que falar, que esgotaram o assunto. Ponhamos de parte a questão prévia da utilidade e do merecimento humanitário, filosófico e civilizador destes mortíferos engenhos; um caricaturista francês ainda não há muitos dias que atribuía às espingardas de agulha a grande habilidade de coserem a tiro a farda rota de um recruta lorpa. Estas, porém, do *Senho*r Bonnin, acho que nem para remendar fardas poderão servir; e o mais a que poderão aspirar é arrombá-las melhor, mais o corpo que as traz, e a dizimar francamente e expeditamente a pobre humanidade.

Para nos distrairmos pois da negrura destas ideias, vejamos como *Monsieur* Robert-Houdin[6], filho, relojoeiro acreditado da rua de Choiseul, em Paris, acaba de aperfeiçoar os relógios.

As modificações introduzidas pelo S*enho*r Houdin nesses nossos inseparáveis companheiros são de tal ordem, que não será difícil acreditar que os farão conhecidos dentro em pouco tempo, e os espalharão por toda a parte. Podem resumir-se no seguinte: A chave, por exemplo, que afinal de contas é um verdadeiro empecilho, fica suprimida pela nova legislação de M*onsieur* Houdin, porque aos novos relógios dá-se corda sem chave. Dá-se corda ao mesmo tempo ao engenho do movimento e ao da campainha, o que os obriga a andarem sempre bem irmanados, e sem os tão frequentes erros de concordância. Além disso, muda-se à vontade a posição dos ponteiros, quando se quer acertar o relógio, sem ser necessário ir logo com os dedos acima deles, mas somente tocando numa pequena mola, cuja ação é sobre os ponteiros, o que evita que seja necessário abrir a vidraça do mostrador. Já no mostrador dos relógios de sala não aparecem aqueles dois desgraciosos orifícios por onde se dava corda; supressão essa que muito concorre para a beleza do instrumento. Os relógios de M*onsieur* Houdin têm corda para um mês.

Digam-me se depois de tantas virtudes domésticas não devem os novos medidores de tempo desbancar os seus já atrasadíssimos confrades!

-------

Aviso aos médicos. — A companhia de seguro de vidas (*Popular Life*) de New York oferece um prêmio de 500$ fortes a quem apresentar a melhor obra sobre os sinais da longevidade.

As memórias podem ser escritas em qualquer língua, e dirigidas à dita companhia antes de janeiro de 1868.

-------

Também M*iste*r Asheley Gooper fundou agora um prêmio de 300 libras esterlinas para a melhor memória que se apresentou sobre assunto à escolha livre dos competidores. São convidados todos os homens de ciências nacionais ou estrangeiros, excetuados unicamente os médicos dos hospitais de São Vítor e São Tomás[7]; esses constituem o júri que há de examinar as memórias apresentadas, e adjudicar o prêmio.

-------

É curioso o sistema empregado pelos tripolitanos para extraírem das tamareiras antes da maturidade do fruto o *lakby*, que é a bebida predileta daquela gente.

Encontrei essa explicação num jornal estrangeiro, e por a achar singular a estampo aqui. Depois de desmudarem de toda a sua casca as sumidades da árvore, e de lhe cortarem toda a ramada, fazem-lhe por metade da sua altura uma incisão funda, por onde se esgote o líquido, que pouco tarda em correr, como de uma fonte quase caudal, para os vasos onde o recolhem. Nada mais fácil, segundo se vê, do que ter um chafariz de *Calby*, pouco ou nada custa a sua construção aos municípios da moirama, e bastante agradam àqueles paladares maometanos. Não raro acontece que o *lakby* estila durante um mês inteiro de dentro de uma mesma tamareira, chegando a dar dez quartilhos por dia. A árvore a que façam esta tosquia e esta mungidura fica três anos sem dar fruto.

Até ao próximo paquete. Então reataremos o fio da conversação, que hoje forçadamente interrompemos.

[Júlio de Castilho]

---

1 ∾ Data de publicação. (SE)

2 ∾ Madréporas é nome comum dado a diversos corais pétreos, que entram na formação dos recifes de coral nos mares tropicais. (SE)

3 ∾ Para escalarem o Olimpo, os Titãs colocaram o monte Pélion sobre Ossa. (SPR)

4 ∾ Sobre o monte Cenis, ver nota 4, carta [64 C]. (SE)

5 ∾ Edmond Le Boeuf (1809-1888), ministro da Guerra de Napoleão III, que após a morte do marechal Adolphe Niel (1802-1869), deu continuidade aos planos de reorganização do exército francês elaborada pelo antecessor. Le Boeuf implantou uma concepção moderna de força armada, fato que lhe deu grande aprovação popular e prestígio político. (SE)

6 ∾ Jean Eugène Robert-Houdin, fils, cuidava da relojoaria da família na rua Choiseul n.º 1. O seu pai era o grande ilusionista Jean Eugène Robert-Houdin, père (1805--1871), considerado o criador das modernas técnicas de prestidigitação. Filho de

relojoeiro – Prosper Robert – Robert-Houdin, père, herdou daquele ofício. Em 1820, no entanto, depois de comprar o *Tratié des Montres à Longitudes*, de Ferdinand Berthoud (1721-1807), enganou-se na hora de pegar o embrulho, levando para casa os dois volumes de Giuseppe Pinetti, *Amusements Physiques* (1784). Em lugar de devolvê--los, leu os livros e resolveu se dedicar ao ilusionismo, tornando-se um grande nome do século XIX. Robert-Houdin tinha três filhos: Jean, Jacques e Emile. (SE)

7 ∞ O Saint Thomas Hospital faz parte do Kings College London of Medicine. (SE)

## [64 C]

De: JÚLIO DE CASTILHO
*Fonte*: Fundação Biblioteca Nacional. "Folhetim".
*Diário do Rio de Janeiro*, 1867. Seção de Periódicos.
Microfilme do original impresso.

### CARTA I.

Lisboa, 28 de fevereiro de 1867.

Amigo e *Senhor* Redator.

Dar palavras, *dare verba*, era entre os romanos sinônimos de enganar. Hoje é modas, tolera-se e festeja-se talvez o dar palavras, tanto aos leitores dos jornais, como aos dos livros, o que é pior, e não só dá-las, senão também vendê-las [,] o que é péssimo.

Eu, no caso de que essa honrada e ilustradíssima redação me queira seu correspondente, já daqui lhe dou palavra de seguir sempre outro rumo; não palavras, mas coisas, *res non verba*, eis aqui a minha divisa: não quero ser desses *gastadores maus do tempo que sabemos*, como dizia o Camões.

Herborizarei na conversação e na leitura o que se me deparar mais interessante de novidades úteis, científicas literárias ou artísticas: raras vezes de outra espécie, e com isso desconexamente coligido, como flores em herbário de botânico; rechearei se puder as minhas cartas.

De preâmbulo nada mais, que seria faltar à promessa logo no princípio.

## ESTUDOS MARÍTIMOS.

A propósito de um novo instrumento de sondagem recém-inventado nos Estados Unidos por M*ister* Brooke[1], para se reconhecer a natureza do fundo do mar e a temperatura nas diversas profundidades dele, é bom recordar o que diz M*ister* Humboldt:

"A obra de M*ister* Brooke é preciosíssima por dar as correntes ao oceano, direção dos ventos e a temperatura. É já este um belo resultado dos seus trabalhos, e a excelente disposição do prumo deixe (*sic*) conceber esperanças ainda maiores."

O papel que representa no sistema da natureza pe[lo] nosso globo a circulação do oceano, diz Maury[2], vemo-lo nós manifesto a cada passo; nos costumes das baleias, nas correntes frias que descem dos polos, na vegetação dos climas suavizados pelas correntes quentes, enfim na flora e na fauna dos mares; porque é sabido que as variações da temperatura não influem menos no oceano que na terra, e por isso é que as plantas e os animais que povoam essas profundezas não são repartidos com igualdade em toda a sua extensão. Se se abolisse essa lei viria a baleia das regiões polares estoiçar[3] nas águas da zona tórrida, e a outra das pérolas dos mares da Índia iria incrustar-se nos bancos dos mares árticos.

Em realidade (*sic*) que a nascente ciência meteorológica está prometendo resultados imensos e prospérrimos, que o vulgo não prevê e de que talvez ainda zombam os que pouco sabem e pouquíssimo refletem. Deixar os sábios teimar nestas suas pacientes investigações e se verá o que dentro em pouco hão de lucrar em segurança e rapidez a navegação e tudo quanto dela depende, a agricultura e quase tudo quanto sustenta e melhora a vida dos povos, e que possante auxiliar não está já sendo para a meteorologia a telegrafia elétrica. O mundo acrescenta a ciência; a ciência acrescenta o mundo. O homem confirma de dia para dia o seu título de rei da criação.

## PERFURAÇÃO DO MONTE CENIS[4].

Enquanto uns estudam a atmosfera e outros os mares para reconhecerem e sujeitarem a natureza, por outra, educam a escrava para o nosso serviço, o sistema também todo moderno de abrir e facilitar vias à locomoção pela superfície do globo exerce não menos as diligências de grande número de indivíduos. Visitemos de relance os homens toupeiras do Monte Cenis.

A *Opinione*[5], de Turim, diz:

"A 31 de Dezembro de 1866 do lado de Bardonèche[6], a galeria escavada tinha 2.940 metros e do lado de Modane[7] 3.434 – total 6.374. Destes metros 1.025 foram abertos no ano de 1866. Ora [,] como o todo da galeria há de ter 12.220 faltam ainda para completar 5.845."

"Esta perfuração tem de durar ainda nove anos; outro caminho de ferro interino, enquanto ela se não acha aberta, há de transportar os viajantes com muito maior âmbito por fora do monte."

## ISTMO DE SUEZ

O presidente fundador[8] da companhia anuncia que dois grandes vapores rebocadores destinados aos trabalhos de *Monsieur* Borel e Lavalley[9] efetuaram o seu trânsito pelo canal de água doce e chegaram a Suez. Outrossim, declara que a 22 de Dezembro, 14 dragas grandes tendo efetuado o mesmo trajeto, hão de estar a trabalhar na linha entre Seraferum e o Mar Vermelho.

Supérfluo seria encarecer o monumentoso deste fato, que prova a uma ser navegável o canal de água doce, à outra o impulso novo que vai ter aquela obra.

Os filhos de Adão já cavam como se ele tivesse comido um quarteirão de maçãs.

## TELÉGRAFO ELÉTRICO[10]

Já há linha telegráfica contínua desde a cidade de Sidney (Cabo Bretão) até Nova Orléans. Por consequência está a eletricidade atravessando de um jato a América do Norte, a Nova Escócia até ao golfo do México, contando os Estados Unidos.

## NAVIOS COURAÇADOS[11]

Alvitra-se agora recobrir de cobre as couraças férreas dos navios. Diz-se que hão de durar mais, caminhar com maior velocidade e poupar por consequência tempo e combustível, economizando parte do espaço que ele pejava.

Saiamos das obras materiais.

## LAMARTINE

Soa que o governo francês vai propor à aprovação das câmaras uma recompensa nacional de 400.000 francos para Monsieur Lamartine[12].

## CAMILO CASTELO BRANCO[13]

Este infatigável escritor, tão estimado no Brasil como cá, anda traçando e tenciona dar para o próximo estio a história do púlpito de ambos os nossos países. Monte Alverne[14] arcebispo da Bahia, e o cônego monsenhor Pinto de Campos[15] não podem deixar de ter nesta obra particular e muito honorífica menção.

## UMA PRIMAVERA DE MULHER

Tal é o título de um bonito poema em 4 cantos que brevemente vai sair dos excelentes prelos de Monsieur Lallemant[16], em Lisboa, escrito com liberdade de versificação e rima à maneira do *Dom Jaime*, do Tomás Ribeiro[17], e do *Poema da Mocidade*, de Pinheiro Chagas[18]. O primeiro destes dois poetas encarregou-se de fazer o prólogo. O título da obra tem dúplice e muito apropriada significação; o assunto é, com efeito, a primavera namorada de uma interessante menina; a poesia é uma inspiração espontânea e ameníssima de uma jovem senhora, que aparece de repente poetisa, na idade de 18 anos, tendo levado a vida entre sua mãe e uma irmã mais nova, em uma quinta a 3 léguas da capital sem mais sociedade que a das suas árvores.

O seu nome é *Dona* Maria Amália Vaz de Carvalho[19]. Creio não ser já de todo novo este nome para os leitores do Brasil. O poema, sim que o há de ser.

Daremos conhecimento dele logo que apareça impresso.

Consta-nos que a mesma senhora se entretém agora escrevendo romances em prosa.

### O REI DOS FLORISTAS.

Este sim que é já conhecido em toda a América, como em toda a Europa.

Na sua estada em Paris, o *Senhor* Antônio *Feliciano* de Castilho[20] teve ocasião de o visitar e dedicou-lhe, com bastante propriedade, a tradução de Anacreonte[21].

Constantino, o Rei dos floristas[22], prepara para o seu poeta um presente de flores da sua lavra, e já lho mandou anunciar.

### GEÓRGICAS DE VIRGÍLIO.

Acha-se há mais de um mês terminada em Paris a bela edição deste poema vertido em verso alexandrino, pelo mestre de todos nós, o *Senhor* Antônio Feliciano de Castilho, e só espera para ser publicado que se aprontem seis esplêndidas gravuras em aço, que devem acompanhá-la e que são devidas todas ao buril de *Monsieur* Lemaître[23], o 1.ª artista francês neste gênero. As duas primeiras são os retratos do autor e do tradutor; as outras quatro, alusivas a cada um dos cantos do magnífico poema.

### DELFINA DO MAL[24].

É este um novo poema que já ouvimos ler e aplaudir numa sociedade numerosa dos entendedores, pelo *Senhor* Tomás Ribeiro. É em 10 cantos, livres na forma e rica como o *Dom Jaime*, e igualmente rico em episódios.

Do mesmo autor está a viúva Moré[25], no Porto, editando um volume de poesias[26], muitas das quais já são conhecidas do público, outras porém são inteiramente novas.

Os últimos 8 cantos da *Delfina do mal* foram o emprego que o poeta fez destas últimas férias parlamentares, retirado no recanto da sua serra da Estrela[27].

## OUTRA COLEÇÃO DE POESIAS.

São os primeiros versos do *Senhor* Júlio de Castilho[28], autor das *Memórias dos vinte anos*. Estão-se imprimindo em Paris; devem deitar um volume de 300 páginas.

## MONUMENTO A BOCAGE[29].

Esta paga de dívida nacional não tardará muito em realizar-se; o monumento para o qual o Brasil tem contribuído generosamente, será levantado ainda este ano na praça principal de Setúbal, terra natal do poeta, graças aos esforços do *Senhor* Conselheiro José Feliciano de Castilho.

## COLEÇÃO DOS AUTORES ROMANOS.

Crê-se que não tardará muito que a nossa Academia Real das Ciências ponha em andamento esta empresa tanto desejada e pedida pelos amantes da boa literatura. Alguns autores romanos têm já as suas respectivas traduções em português; as de outros andam entre mãos. É uma das obras mais prestadias e mais acadêmicas de que a sábia corporação se poderia encarregar.

Perece-nos que servirá talvez de tônico para a enfermidade de consumpção que a literatura hodierna está padecendo.

## ROTEIRO DE ÁFRICA.

Está quase concluída a impressão do 2.º e último volume desta obra, cujo 1.º apareceu há meses, e que tantos gabos obteve de todos os peritos, escrita pelo 1.º tenente da nossa armada, o *Senhor* Alexandre Magno de Castilho[30].

O *SENHOR* VIALE[31].

Este nosso distinto acadêmico, autor do *Bosquejo métrico da história portuguesa*, e nosso primeiro helenista, acaba de batizar um filho com o nome de Teópisto, que em grego quer dizer *fiel a Deus*.

Permita ele que o menino corresponda a tão boa estreia, e que saia também fiel às boas letras como seu pai. Duvidamos todavia que o nome de Teópisto pegue e lavre muito: um moço com este nome não precisará nunca de condecoração para se distinguir.

TESTAMENTO IMPORTANTE.

Um russo excêntrico, o conde Alejo Araks Cheteff, falecido a 2 de abril de 1833, depositou um capital de 50.000 rublos no Banco do Império, onde devem permanecer durante 93 anos, a acumularem-se-lhe os juros. Esta soma é para se premiar a pessoa que escrever em 1925 a melhor história do reinado do Imperador Alexandre I[32]. A Academia Imperial russa concederá o prêmio que consistirá, segundo cálculos feitos, em 19.120.000 rublos. Parte desta soma deverá destinar-se aos gastos da tradução da obra em muitas línguas e à sua publicação em todos os jornais da Europa.

Por mais vontade que haja de elogiar um lutador que se lembra de ser útil, seca-se a prosa a respeito deste conde, quando se pensa na aplicação que deram aos seus dinheiros outros muitos homens generosos, como o imortal Moutem, e ainda há dois dias entre nós o conde de Ferreira[33], legando 100 contos de réis fortes para a criação de escolas primárias neste reino.

Com o tal testamento russo, fica-se tiritando de frio.

INFLUXO DO CRISTIANISMO NA CIVILIZAÇÃO.

O *Senhor Dom* Antônio da Costa de Sousa de Macedo[34], da casa dos condes de Mesquitela, neto do nosso clássico Antônio de Sousa de Macedo[35] tem concluído um livro sobre o assunto indicado neste título, e brevemente o dará à estampa. Há nele páginas e muitas dignas de

Chateaubriand. Este juízo não é ditado por considerações de afeto: é opinião de quantos lhe ouviram a leitura. Os capítulos acerca das mulheres e acerca das crianças são de uma formosura completa. O autor é um pensador profundo, e um prosador dos mais brilhantes.

### FAUSTO DE GOETHE[36].

O *Senhor* Comendador José Feliciano de Castilho[37] fez num círculo de amigos a leitura da sua tradução em versos desta peça de que a literatura alemã com razão se gloria. Excitou entusiasmo nos poetas e literatos que o escutaram.

### FARSÁLIA DE LUCANO[38].

Aos mesmos ouvintes de escolha tem ele apresentado com igual êxito, amostra deste poema, um dos mais notáveis da antiguidade romana, apesar dos seus defeitos, que ainda assim não são em geral senão excelências levadas ao exagero.

A tradução da *Farsália*[39] e o corpo das notas que a acompanham vão ser dados à luz muito brevemente pela nossa academia. É obra para 6 volumes, e que deverá já figurar na coleção dos clássicos romanos.

### PROGRAMA.

Recorda a Academia Francesa, para excitação dos estudiosos, quais são os objetos que ela deseja tratados.

1.ª Investigar e demonstrar o grau de influxo que exerceu nas belas-artes a nacionalidade e a política, moral e a religião, a filosofia e as ciências. Dar bem a conhecer até que ponto os artistas mais eminentes se mostraram sujeitos a esse influxo, ou isentos dele.

2.ª Estudar e pôr em relevo as diferenças e as analogias que existem entre a arquitetura grega e a arquitetura romana. Especificar, quer por fatos, quer por induções que artistas e que artífices contribuam para a construção e para a decoração dos edifícios públicos e particulares, assim na Grécia, como na Itália, e nas outras partes do Império romano, e qual era a condição civil e social desses artistas.

O prazo para o primeiro destes assuntos é o ano de 1867, e para o 2.ª o de 1868. Cada prêmio consistirá em uma medalha de ouro no valor de 3.000 francos.

A Academia propõe também a concurso – uma ponte monumental –, prêmio do valor de 1.000 francos.

### LAGO DE TRASIMENO[40]

Este lago, famoso pelo destroço que Aníbal aí fez no exército romano do cônsul Flamínio, parece que vai ser esgotado e convertido em terra de cultivo por uma companhia. As suas águas despejar-se-ão por canais adequados para o Tibre e para o Arno[41].

O lago ao presente anda arrendado por 16.000 francos anuais; são 12.000 hectares de superfície; calcula-se que será grande o proveito para o Estado com a transformação daquele império de Náiades em reinos de Ceres e Pomona, de Silvano e Flora.

Asseveram os engenheiros que em dez anos poderão dar tudo concluído.

[Júlio de Castilho]

---

1 ∾ Em 1852, a fim de auxiliar na fixação dos cabos submarinos norte-americanos, que ligariam os Estados Unidos à Europa, o engenheiro naval John Mercer Brooke (1826-1906) construiu uma sonda com um dispositivo acoplado que permitia a coleta de amostras do fundo do mar. (SE)

2 ∾ Matthew Fontaine Maury (1806-1873), oficial da marinha norte-americana, historiador, astrônomo, cartógrafo, geólogo e educador; é considerado o pai da moderna oceanografia e meteorologia naval. Produziu extensa obra, tratando dos temas de seu interesse. (SE)

3 ∾ Variação estoiçar / estouçar, significando "fazer barulho". As duas formas estão hoje em desuso. (SE)

4 ∾ Abertura do túnel ferroviário Monte Cenis ou de *Fréjus*, que começou a ser construído em 1857 e foi inaugurado em 17/08/1871, fazendo a ligação entre a Itália e a França, na região dos Alpes do Norte. (SE)

5 ⚜ Jornal diário editado entre 1846-1900 em Turim, no Piemonte; fundado por Camilo Benso (1810-1861), conde de Cavour, o unificador da nação italiana. O jornal tinha a finalidade de difundir as ideias dos liberais moderados. Em 1852, Giacomo Dina passou a dirigi-lo, permanecendo até 1879. O herói do *Risorgimento* italiano, Cavour, foi um dos contemporâneos que mais impressionaram Machado. Em 10/02/1859, no *Correio Mercantil*, publicou em primeira página a poesia "Itália"; em 1876, escreveu sobre o conde nas *Histórias de Quinze Dias*; em *Memórias Póstumas de Brás Cubas* (cap. 5), o seu nome ressurge como um símbolo da obstinação, fruto de uma ideia fixa. Quando o italiano morreu, Machado, sob o pseudônimo de Gil, voltou a escrever sobre ele (18/10/1861). (SE)

6 ⚜ Júlio de Castilho valeu-se dos topônimos franceses, embora estivesse se referido ao lado italiano do túnel ferroviário, a cidade Bardonecchia, no Piemonte. (SE)

7 ⚜ Cidade francesa na fronteira com a Itália, cuja economia mudou completamente depois da construção do túnel ferroviário, deixando de ser apenas local de passagem entre a Itália e a França, para tornar-se um dos destinos de inverno dos Alpes. (SE)

8 ⚜ O diplomata e empresário francês, tio da imperatriz Eugênia de Motijo, Ferdinand de Lesseps (1805-1894), presidente do grupo franco-belga, *Compagnie Universelle du Canal Maritime de Suez*, responsável por levar a cabo o empreendimento e explorar comercialmente o trânsito de embarcações após a construção. Registre-se que, na inauguração do canal, Eça de Queirós* esteve presente e escreveu depois sobre o assunto. (SE)

9 ⚜ Paul Borel e Alexandre Lavalley são os empresários da *Compagnie Borel & Lavalley*, que executou a dragagem para o aprofundamento do leito e finalizou a obra do Canal de Suez (160 km de extensão) e que passou a fazer a ligação entre o mar Mediterrâneo e o mar Vermelho. (SE)

10 ⚜ Em 1832, o norte-americano Samuel Morse inventou um sistema dotado de um interruptor, um eletroímã e apenas um fio, criando o telégrafo registrador e estabelecendo os princípios relativos ao código de pontos, traços e intervalos, com base na presença/ausência de impulsos elétricos. Após três anos, aperfeiçoou o invento: a ação mecânica do eletroímã movimentava uma alavanca que suportava um lápis. A passagem dos impulsos elétricos pelo eletroímã acionava o lápis sobre a superfície de uma fita de papel apoiado num cilindro. À medida que a fita avançava sobre o cilindro, o lápis ia traçando uma linha ondulada, na qual se escrevia em alfabeto Morse. Neste momento da carta de Castilho, o telégrafo já não era tão rudimentar, já recebia múltiplas mensagens por meio de longas linhas de transmissão submarinas, ligando continentes. O principal nome ligado à implantação do telégrafo no Brasil é o de Guilherme Schüch de Capanema (1824-1908) que, em 1852, fundou e dirigiu o Telégrafo Nacional. (SE)

11 ∾ Navios de guerra de grande porte, pesadamente blindados, dotados de artilharia de longo alcance e grosso calibre. Os couraçados tornaram-se símbolos de poderio naval no início do século XX e, durante algumas décadas, constituíram-se em fator de persuasão nas estratégias diplomáticas e militares das nações que os possuíam. A corrida por armamentos, iniciada nesse período, teve na construção dos couraçados os meios para os grandes embates da I Grande Guerra Mundial. A batalha naval de Jutlândia (31/05-1/06/1916), entre enormes frotas de couraçados britânicos e alemães, foi a maior batalha naval da história. (SE)

12 ∾ Em 1867, o poeta Alphonse de Lamartine (1790-1869) que, nos últimos anos, escrevia por necessidade premente de dinheiro, recebeu do governo imperial francês uma dotação de quase meio milhão de francos. (SE)

13 ∾ Camilo Castelo Branco (1825-1890), grande nome da segunda geração romântica portuguesa, tem uma obra extensa; porém até o presente não foi possível localizar uma *História do Púlpito* ou algo equivalente. (SE)

14 ∾ Frei Francisco do Monte Alverne (1784-1858), teólogo franciscano, foi orador e pregador oficial do Império do Brasil. Aliás, assinale-se que Machado de Assis parece admirá-lo bastante. No poema "Monte Alverne", que dedicou ao padre-mestre Silveira Sarmento, o poeta ao final observa:

"A dedicatória desta poesia ao padre-mestre Silveira Sarmento é um justo tributo pago ao talento, e à amizade que sempre me votou este digno sacerdote. Pareceu-me que não podia fazer nada mais próprio do que falar-lhe de Monte Alverne, que ele admirava, como eu." (SE)

15 ∾ Sobre o Monsenhor Pinto de Campos* (1819-1887), ver carta [182], tomo II. (SE)

16 ∾ Um dos Lallemant Frères, François ou Adolphe, cuja casa editorial fundada em Lisboa, a Tipografia Franco-Portuguesa, na rua do Tesouro Velho n.º 6, foi das mais conceituadas da época. (SE)

17 ∾ Tomás Ribeiro (1831-1901), escritor, jornalista e poeta, tornou-se político proeminente durante o período da Regeneração portuguesa. Literariamente, ligava-se ao grupo de Antônio Feliciano de Castilho, o representante do *status quo* na Questão Coimbrã, a que Antero de Quental chamou de *Sociedade do Elogio Mútuo*. (SE)

18 ∾ Manuel Joaquim Pinheiro Chagas (1842-1895), romancista, historiador, dramaturgo, jornalista e político de prestígio. Em 1865, publicou *Poema da Mocidade*, cujo posfácio escrito por Antônio Feliciano de Castilho desencadeou a chamada Questão Coimbrã. No posfácio – *Carta ao Editor Antônio Maria Pereira*, Castilho aproveitou para criticar o grupo de jovens escritores e estudantes de Coimbra, entre os quais Teófilo Braga e Antero

de Quental, acusando-os de exibicionismo, obscurantismo propositado e inadequação na escolha dos temas poéticos, o que provocou uma intensa troca de acusações e cartas pela imprensa, entre os defensores de Castilho Antônio e seus adversários. (SE)

19 ∞ Escritora portuguesa (1847-1921), que em 1874 se casará com o poeta brasileiro naturalizado português, Antônio Gonçalves Crespo*. A respeito do poeta, recomenda-se a leitura da carta [105], tomo II. (SE)

20 ∞ Em 1866, na companhia de seu irmão, Castilho José*, Antônio esteve em Paris, onde aliás foi apresentado a Alexandre Dumas pai, de quem era ardoroso admirador. Nesse mesmo ano, ainda em Paris, editou a *Lírica* de Anacreonte; em 1867, a tradução das *Geórgicas* de Virgílio. (SE)

21 ∞ Anacreonte (563 a.C.-478 a.C.), poeta cortesão de origem jônica, cuja lírica celebra os prazeres da vida e as musas. (SE)

22 ∞ Constantino José Marques Sampaio e Melo (1802-1873) foi um artesão de Lisboa, que produzia flores artificiais, elemento de ornamentação muito apreciado no século XIX, e cujo talento rendeu-lhe epíteto de *Rei dos Floristas*. Há na freguesia de São Jorge de Arroios, em Lisboa, um jardim de bairro em sua homenagem: o Jardim de Constantino. (SE)

23 ∞ Augustin François Lemaître (1797-1870) fez gravura em metal para impressões luxuosas de várias casas editoriais, mas sobretudo para Firmin Didot Frères Editeurs, rua Jacob n.ª 6, Saint-Germain des Près, Paris, talvez os livreiros mais importantes do século XIX na França. (SE)

24 ∞ *A Delfina do Mal* (Lisboa: Imprensa Nacional) tem um longo prólogo dedicado ao irmão do autor, Henrique Ribeiro Ferreira Coelho, abade de Santa Maria dos Silgueiros, no qual o autor esclarece o tema: "Tinha escrito D. Jaime para a pátria, quis escrever a Delfina do Mal para a humanidade. / Como era às penas que me dirigia, tomei a resignação por assunto." (SE)

25 ∞ A morte do editor francês Nicolas Moré deu origem à Casa Viúva Moré. Nicolas, dono de uma livraria na rue de Arcole, em Paris, fundou a filial do Porto em data incerta. Ali residiu por muito tempo, pois desde o famoso Cerco do Porto (1832) se tem notícia dele como participante do episódio, na qualidade de tenente do Batalhão Francês; mais tarde casou-se em segundas núpcias, retornando à França. Em Paris, permaneceu à frente dos negócios mantendo a casa editorial no Porto. Falecido em 1861, a loja do Porto ganhou o novo nome, que se estendeu à roda de intelectuais que frequentavam diariamente a livraria: o famoso *Café da Viúva Moré*. (SE)

26 ∞ *Sons Que Passam*. Porto: Casa Viúva Moré, 1868. (SE)

27 ∾ Cadeia de montanhas nos distritos da Guarda e Castelo Branco, que cruza os municípios de Seia, Manteigas, Guarda, Gouveia, Celorico da Beira e Covilhã. Região de turismo rural tanto no verão quanto no inverno. Tem a única estação de esqui portuguesa situada no Parque Natural da Serra da Estrela. Região de clima temperado, com ventos vindos do Mediterrâneo e da Oceania e famosa por seu queijo. (SE)

28 ∾ *Memórias dos Vinte Anos*, Lisboa: Tipografia do Futuro, 1866. (SE)

29 ∾ A homenagem nasceu no Rio de Janeiro, em 15/09/1865, durante as celebrações do seu centenário de nascimento. Incentivada por Castilho José e Castilho Antônio, a comunidade luso-brasileira organizou uma lista de adesão. Recolheram-se 8.427.640 réis, parcialmente depositados na Casa Fortinho & Muniz, que acabou falindo. Devolvidos apenas 162 mil réis, o restante perdeu-se. À parte não depositada, somaram-se novos valores e, então, a obra foi encomendada a Pedro Carlos dos Reis, que a produziu em Lisboa, na oficina de José Sales. O monumento, em Setúbal, só foi inaugurado em 21/12/1871, na presença de notabilidades da época, entre elas, Eça de Queirós*. Em mármore branco, mede 12m de altura; composto de uma coluna coríntia sobre quatro degraus oitavados, e encimando o capitel a estátua do poeta, com 2m. (SE)

30 ∾ A *Descrição e Roteiro da Costa Ocidental de África, desde o Cabo de Espartel até o das Agulhas* (Lisboa: Imprensa Nacional, 1866) é considerado o 1.º trabalho tecnicamente rigoroso a respeito da costa de Angola. Escrito por Alexandre Magno de Castilho (1834--1871), oficial-engenheiro da marinha, estudioso da história náutica portuguesa e, que, em 1867, deu início a um importante arquivo cartográfico e de instrumentos náuticos, a uma mapoteca e uma biblioteca de obras portuguesas e estrangeiras sobre os descobrimentos, que hoje pertencem ao acervo do Institu o Hidrográfico português. O autor dedicou o livro a seu pai, José Feliciano de Castilho Barreto e Noronha*. Alexandre Magno era primo de Júlio de Castilho. (SE)

31 ∾ Antônio José Viale (1807-1889) publicou o livro *Bosquejo Métrico dos Acontecimentos Mais Importantes da História de Portugal até a Morte do Senhor Rei D. João VI* (Lisboa: Imprensa Nacional, 1858), destinado aos estudantes de Humanidades. Composto em versos, é dedicado pelo autor ao "Príncipe dos Poetas Portugueses Contemporâneos, Dr. Antônio Feliciano de Castilho". (SE)

32 ∾ Alexandre I da Rússia (1777-1825), tzar da dinastia dos Romanov, neto favorito de Catarina II, subiu ao trono em 1801. Por decisão de sua avó, Alexandre foi educado em Paris, sob o influxo iluminista. Muito popular em todos os níveis da sociedade russa, modernizou as instituições, sempre com forte resistência dos conservadores. O seu reinado foi marcado pelas lutas contra Napoleão Bonaparte, de quem foi inicialmente aliado. A sua atuação foi decisiva para a queda final de Napoleão na Europa. (SE)

33 ∾ Joaquim Ferreira dos Santos (1782-1866) é representante do que em Portugal do século XIX era chamado de *brasileiro*, português oriundo das camadas populares que, emigrado para o Brasil, retornava à sua terra enriquecido, ostentando gosto ou modos extravagantes. Registre-se que boa parte da fortuna do conde foi amealhada no tráfico negreiro de Angola para o Brasil. (SE)

34 ∾ Com o nome literário de D. Antônio da Costa publicará *O Cristianismo e o Progresso* (Lisboa: Imprensa Nacional, 1868). Registre-se que escreveu sobre outros temas: história da instrução escolar em Portugal, a educação das crianças e história portuguesa, especialmente uma biografia do "nosso clássico Antônio de Sousa de Macedo", citado por Castilho. (SE)

35 ∾ O epíteto "nosso clássico" especifica a referência: *Antônio de Sousa de Macedo* (1606-1682) fidalgo da Casa Real, desembargador da Casa de Suplicação, que foi secretário da embaixada portuguesa na Inglaterra no período crucial da Restauração da Independência, quando o país saiu do domínio espanhol (1580-1640). Era de suma importância obter o reconhecimento inglês à legitimidade dos direitos do duque de Bragança, D. João IV, o que o embaixador D. Antão Almada e o secretário D. Antônio alcançaram com rara habilidade e eloquência. Ambos passaram à história portuguesa. O neto homônimo de D. Antônio não teve atuação política relevante. Assinala-se por fim que "neto" neste caso deve ser entendido como descendente. (SE)

36 ∾ Na longa *Advertência* à tradução portuguesa do poema dramático de Goethe (1749-1832), obra que nunca fora traduzida para o português, Castilho Antônio narra as vicissitudes por que passou o trabalho. Durante a permanência em Hamburgo, havia já trinta anos, Castilho José traduziu diversas obras, entre elas, uma primeira mão ainda um tanto rudimentar do *Fausto*. Ao próprio Castilho José lhe pareceu ser o seu conhecimento da língua insuficiente para atender às sutilezas da linguagem poética e responder aos nós górdios do estilo de Goethe. Valeu-se então dos conhecimentos de Eduardo Laemmert, editor alemão radicado no Rio de Janeiro, erudito notável, conhecedor de ambas as línguas, que lhe fez uma tradução interlinear e textual escrupulosa. Com a colaboração de Laemmert, Castilho José pôs termo à segunda fase da tradução, exarada em versos de metros variados. Ainda assim, lhe pareceu precisar ser aperfeiçoada, ganhar mais ritmo, apurar mais as imagens e ideias e aprofundar as sutilezas na nova língua para se aproximar do espírito do texto original. Esse trabalho foi feito por Castilho Antônio, valendo-se, parece, de uma tradução francesa, o que não está dito na *Advertência*. Portanto a leitura do *Fausto* de que fala o missivista ainda é da fase intermediária, aquela produzida com o auxílio de Laemmert. (SE)

37 ∾ Tio do missivista. Sobre Castilho José*, ver carta [43], tomo I. (SE)

38 ∾ Marco Aneu Lucano (39-65), poeta nascido na província romana da Hispânia Bética, que corresponde hoje à região sul da Espanha, a Andaluzia. A obra *Farsália*

conta a segunda guerra civil da república romana, entre 49 a.C. e 45 a.C., protagonizada por Júlio César e Pompeu Magno. Deste confronto, Júlio César emergiu vitorioso, ascendendo definitivamente ao poder. (SE)

39 ~ José Feliciano de Castilho (1810-1879), homem dotado de cultura clássica sólida, traduziu os excertos da *Farsália*, de Lucano (os cantos I, VI, VII e metade do X), saídos esparsamente em jornais e revistas da época e outros tantos espalhados pelas anotações aos textos ovidianos traduzidos por seu irmão Antônio Feliciano de Castilho (1800-1875). (SE)

40 ~ Trata-se do lago Trasimeno situado na região da Úmbria, província de Perúgia, na Itália, estende-se por uma área de cerca de 128km² e está a 258m acima do nível do mar, e sua maior profundidade é de 7m. O episódio histórico referido é a Batalha do Lago Trasimeno, durante a II Guerra Púnica, batalha em que o exército cartaginês infligiu uma dura derrota aos romanos. Na manhã em que o exército do cônsul Caio Flamíno foi batido, uma espessa névoa escondia o lago e cobria densamente o vale do rio Mecerone. Flamínio, ansioso por enfrentar o general cartaginês, deu ordem de avançar. Aníbal esperou até que os primeiros soldados entrassem em choque com parte de sua escolta, estacionada abaixo do corpo principal de seu exército. Do flanco ocidental e do norte desceram as tropas ali acantonadas, protegidas pela névoa, atingindo inesperadamente as legiões romanas em seu flanco esquerdo e fechando-lhes o cerco por trás. Sem poder avançar nem recuar, o exército consular se desorganizou e Aníbal atacou sem parar. A vanguarda romana, fiel e obstinada, abria o caminho duramente pelas escarpas voltadas para o acampamento cartaginês, enquanto o corpo principal lutava bravamente mas ia sendo dilacerado. A batalha durou cerca de três horas e foi considerada o maior fracasso imposto ao quase sempre vitorioso exército romano. O cônsul Caio Flamínio pereceu com seus soldados. Registre-se que apesar dessa vitória, Aníbal Barca foi batido pelos romanos. (SE)

41 ~ Ao longo dos tempos, o lago e o entorno sofreram transformações, mas o lago não desapareceu como supôs o correspondente. (SE)

[64 D]

De: JÚLIO DE CASTILHO
*Fonte:* Fundação Biblioteca Nacional. "Folhetim".
*Diário do Rio de Janeiro*, 1867. Seção de Periódicos.
Microfilme do original impresso.

CARTA II.

Lisboa, 28 de fevereiro de 1867.[1]

Amigo e *Senhor* Redator.

Um escritor político dos mais distintos em Espanha, acha-se ao presente emigrado em Portugal: é o *Senhor Dom* Roque Barcia.[2] Qual é o seu crime? Por que deixou a terra do nascimento? Amava-a muito; desejava-a livre e feliz: que maior atentado perante o Pretório dos atuais dominadores?

Os dias longos de exílio, se bem que entre amigos que o estimam e respeitam, não são estéreis para o *Senhor* Barcia, enquanto aguarda saudoso por novos destinos, que já não podem vir longe, trata ele de suavizar as horas aborridas com o estudo da conversação das musas; isto é, suspira ou canta, enquanto lhe não é dado trabalhar.

Corre mui festejada em Lisboa a sua intitulada poesia —*A el Tajo* — opúsculo de verdadeira e alta inspiração, que eu sinto não poder copiar integralmente; seria extenso na correspondência de um jornal, posto que a nenhum leitor de instrução e gosto o haveria de parecer: limito-me, apesar meu, na transcrição de alguns trechos.

Está o autor solitário e contemplativo na margem esquerda do Tejo, defronte de Lisboa.

"Al pié sentado de árboles umbrosos
Casi mi consolé de mis reveses:
¡Que floridos, que alegres, que frondosos
Son los hermosos campos portugueses!"

Depois de se enlevar nas amenidades circunfusas que ele pinta com ânimo deveras namorado da natureza, exclama, detendo os olhos numa casinha pintada, que se lhe afigura um ninho de pombas:

> "¡Ah! quien vivera ali con su deseo
> Al amparo de cálida palmera,
> Lejos de un mundo carcomido y feo
> En que suspira el alma prisionera!"

Dali lhe voa naturalmente o pensamento para as terras natais:

> "Mundo feudal dó la justicia es crimen;
> Mundo que me repugna aun desde lejos;
> Osário de cadáveres que gimen,
> Tumba podrida de esqueletos viejos."

> "Mundo que del pasado es sombra vana;
> Mundo que cerca ve su última hora;
> Mundo que cae, y que al caer, aplana.
> Monstruo que muere, y que al morir, devora."

Exalado este gemido de patriota, a quem dói mais do que os seus próprios males, os da sua querida Espanha, refoge como corça ferida que procura nos desvios silvestres a folha do dictamno[3] reparador, para as saudades refloridas da sua infância:

> "Préstame tu verdor, pino copudo;
> Dame tu vida joven, primavera.
> ¡Campo! ¡Templo de Dios! yo te saludo
> Y mi alma siente su niñez primera."

As saudades são porém nele as de uma alma forte: Começava a enternecer-se, reanima-se de repente, levantando-se em espírito para o Ente Supremo e Supremo Consolador.

> "Y amo mas, soy mejor, mirando el rio
> Ó del monte la rústica aspereza,
> Y hasta parece que me das, Dios mio,
> Algo de tu misterio y tu grandeza."

Encanta-o a vastidão do Tejo, a majestade das suas perspectivas, o céu que se retrata com as suas estrelas no espelho das águas:

> "¡Quien sabe lo que habrá bajo ese fondo!
> Esclamo contemplando tu corriente;
> Y después a mí mismo me respondo:
> ¡Quien sabe lo que habrá sobre mi frente!

> "¿Quien mueve (sin moverse) nuestro suelo?
> ¿Quien duerme (sin dormir) en dura peña?
> ¡Oh bosque! ¡oh fuente! ¡oh rio! ¡oh mar! ¡oh cielo!
> Dadme esa vida que mi vida sueña.

..................................................

> "Calla el sol, calla el mar, calla la tierra;
> El rio calla a mi ferviente anhelo;
> Pero yo busco al Dios que el mundo encierra
> Aunque calle la tierra y calle el cielo."

> "No calla el cielo, no: grave, velada,
> Miro otra sombra que no tiene nombre:
> Viene sedienta, herida, ensangrentada:
> E un Calvario, un Crucifijo, EL HOMBRE."

..................................................
..................................................

"Dios, fuente inmensa de esperanza y vida,
Dios, que estás mas allá del océano
¿No es verdad que en tu espíritu esculpida
Diste tu eternidad al ser humano?"

..................................................
..................................................

"Amor! murmura sonoroso el viento,
¡Amor! repite la fragosa sierra,
¡Amor! pregona el alto firmamiento.
¡Amor universal! clama la tierra."

Então se deixa ir ao sabor dos seus devaneios filosóficos, a considerações profundas e solenes, sobre os abismos da natureza, as vicissitudes do globo, a imutabilidade de Deus, e os destinos misteriosíssimos do homem, até que, como que necessitado de retomar fôlego na esfera do conhecido, e respirar os ares comuns da humanidade, remonta com os olhos da alma, corrente do Tejo acima até as longas terras do nascimento, e canta, após, a Divindade a mulher. A transição do Criador para a criadora é naturalíssima:

..................................................

"Escucha! Oh Tajo! estas querellas mias,
Tu que arrullabas mi infantil anhelo,
Quando en otras arenas... y otros dias
Un amor concebi que sabe el cielo."

"En tu orilla soñó mi desvario
Una mujer que el alma me consuela,
Que es menester soñar ¡ Oh hermoso rio!
Para hallar la mujer que el alma anhela."

"A tus frescas riberas ir solia,
En tus blancas arenas me acostaba,
Y en tus blancas arenas escribia
Los dulces sueños que mi amor forjaba."

..............................................

"Allí canté bajo ciprés callado
De un alba frente el virginal destello,
Y un tímido mirar enamorado,
Que tímido ha de ser para ser bello."

"Y allí, durmiendo sin estar dormido,
Una aparición vi, forma no humana,
Yo no sé si color, aire ó ruido,
Eco triste de música lejana."

"Y no sé que figura vi dormida
Que la frente me quema con su aliento,
Sombra confusa de mujer querida,
Vago suspiro que se lleva el viento."

"Ay! en aquellas noches encantadas,
Tu, loco corazón, ya presentias
El júbilo de dichas esperadas
Y el dolor de pasadas alegrias."

..............................................

"Mira, rio Tajo, mi aflicción extrema,
Tu que viste otro tiempo mi ventura,
Y apague el fuego que my sienes quema
El fresco aliento de tu brisa pura."

"Y tu mi último amor, virgen sagrada,
Consuelo y gloria de las penas mias,
No me niegues por Dios ¡ oh! arpa adorada!
Tu dulce regalada melodia."

Se o pai de todas as formosuras, de todas as delícias, de todas as bondades, foi o primeiro assunto a que esta poesia se elevou como hino, se logo depois ela passou como cântico às memórias da mulher outrora amada e agora tão distante, com que delicada naturalidade estas duas ideias a da Providência e a de amor, conduzem a lembrança do poeta a abraçar-se com outro ente que é ao mesmo tempo amor e providência: — sua mãe!

"Tajo, (¡ oh dolor!) en tierras españolas
Un puro acento hirió tu linfa verde,
Acento que murmura entre tus olas
Pues la voz de una madre no se pierde."

"Ni se pierde su llanto: ¡ ay de mí triste!
Mujer, santa mujer ¿me perdonaste?
¡ Como pagar lo que por mí sentiste!
¡ Como pagar lo que por mí lloraste!"

"Y al expirar bajo el paterno techo,
Hondo recuerdo te asaltó importuno:
Tu contaste a tus hijos desde el lecho
Y digiste llorando: *falta uno.*"

"Muriendo lloras por el hijo ausente.
¿ Como pagarte aquel afan prolijo?
¿ Como pagar lo que una mujer siente
Cuando da el primer beso al primer hijo?"

"Si allá en tu cielo puede entrar mi pena,
A tí mi pena llegue, madre amada.
Llena de amor y de suspiros llena,
Yo volveré á besar tu huesa helada."

"¡Quien pudiera pasar la breve vida
Contigo hablando en plática amorosa,
Sobre la tierra en donde estás dormida,
Junto á la cruz de tu desierta fosa!"

"Tu amor que fué tu gloria y tu destino
De mi suerte templara los rigores:
Amor puro, amor casto, amor divino,
Amor... que es el amor de los amores."

........................................

"Y esas flores que ven mi acerbo llanto,
Acerbo llanto que mi rostro escalda,
Para ornar tu sepulcro sacrosanto
Me darán¡ madre mia! una guirnalda."

Quem profere o nome de mãe, a mais doce palavra da língua materna, sente logo por umas destas promiscuidades tão frequentes nos sonhos, e na poesia, o nome de mãe transformar-se no de pátria, que é não menos mãe, amor e providência, e em cujo regaço até na ausência se está vivendo, e na ausência muito mais e infinitamente: imagine-se então o que será quando essa pátria se chama a Espanha! o país do entusiasmo, dos cavaleiros, das formosas, dos moiros galãs, das moiras encantadas, país do sol e da música, das danças, dos poetas, das aventuras, a terra da hipérbole pomposa, dos navegantes, e descobridores atrevidos, os ares romanos, cristãos e árabes ao mesmo tempo. Ver a ufania com que se ergue destas tristezas e exclama ao Tejo:

> "Por ti me acuerdo con amarga peña
> Del gran pueblo señor del oceáno:
> ¡Aun ese fondo en su revuelta arena
> Siente la quilla del bajel hispano!
>
> Allí batió la lona; tu la viste.
> Allí estubo el piloto, allí el remero.
> Allí noche tranquila escuchó ¡ ay triste!
> La agorera canción del marinero.
>
> Allí rompieron tu corriente aviesa
> Las poderosas naves espanõlas,
> Y la brisa del mar que tu onda besa
> Rizaba sus flotantes banderolas.
>
> De allí partieron para el mar fecundo
> Llevando por divisa un nombre solo;
> Por empresa, el valor: por patria el mundo:
> Por conquista, la mar: por rumbo, el polo."

Mas o entusiasmo descai prestes em consternação e o espírito do filósofo reconhece que as barbaridades da Espanha conquistadora, devem ter sido a causa da expiação atroz que está descontando os seus antigos esplendores.

...................................................

> "¿Cual es tu crimen? Oye: ¡ya esa hora!
> Oye del mundo un pensamiento fijo:
> Tiembla, patria infelice; tiembla y llora!
> Yo tambien lloro y tiemblo: soy tu hijo."

...................................................

"Sangre de esclavos¡ ay! tu vida enerva...
¡No te quejes á Dios, patria querida!
A siervos azotaste: hoy eres sierva:
Fuiste opresora ayer: hoy, oprimida."

Eis os últimos acentos do cisne, mas que algum dia, esperêmo-lo em Deus, há de ressurgir fênix:

"Y cuando llegue al fin de mi destierro
(Que para todos llega esa hora augusta)
En monte, en llano, en selva, en valle, en cerro,
Guarda un sepulcro que al tirano asusta."

"Mármol no quiero em mi mansion postrera
Quiero una cruz que un gran martirio abona,
El astro de la noche por lumbrera,
La piedad de los cielos por corona."

A poesia *Al Tajo* de que apenas podemos dar alguns reflexos, tem sido geralmente vitoriada. Eis como o *Senhor Antônio Feliciano* de Castilho[4] se exprime a respeito dela, numa carta que os jornais publicam, dirigida ao *Senhor* Barcia.

"Ao *Senhor Dom* Roque Barcia, — Não pode deixar de ser agradabilíssimo para um coração como o de *Dom* Roque Barcia a homenagem de respeito e veneração que prestam os nossos poetas ao seu engenho."

"O *Senhor Antônio Feliciano* de Castilho, nosso mestre na prosa e na poesia, escreveu a carta que abaixo publicamos."

"Será supérfluo acrescentar que a carta é digna do autor e do poeta a quem é dirigida."

Eis a carta[5]:

Lisboa, 2 de fevereiro de 1867.

Adorável confrade —

Quase dão tentações de prodigalizar uma indulgência à tirania que está oprimindo a generosa Espanha, quando se ouve este divino canto de saudades que se intitula — *Poesia a el Tajo* — e melhor ainda se pudera chamar: — Consolação profética aos opressos e aos prófugos de todo o mundo e de todos os tempos.

O gênio que produziu esta maravilha moral e intelectual, criara o Deus numa das suas horas mais fecundas e dadivosas; mas se não fora o infortúnio, a escravidão da pátria, o exílio, as dores da ausência, ter-se-ia ele jamais revelado por um modo tão esplêndido? O aço feriu o pedregal e saltou o fogo. Do martírio levantou-se o inspirado.

Esta poesia deve assustar mais aos opressores, e infundir mais ânimo aos tiranizados que trinta batalhões.

Os soldados são incertos e efêmeros; as verdades, firmes e indestrutíveis. Os patriotas fuzilam-se, e enterram-se (enterram-se como dentes de Cadmo); o pensamento, que é filho do céu, quanto mais o perseguem, mais se difunde quanto mais o abatem por uma parte, mais rebenta por mil; quanto mais sonham escravizá-lo mais triunfos lhe asseguram; proscrevê-lo é consagrá-lo; expulsaram-no da terra, avistam-no sobre a cabeça nas alturas inacessíveis; constelação, poesia, horóscopo.

Felicito o *Senh*or *Do*m Roque Barcia, pelas mágoas de ter perdido temporariamente a sua pátria, e a ela mesma dou parabéns de ter por enquanto ficado sem um dos filhos de que mais se deve gloriar. Estas lágrimas do cantor são de mais a mais, e desde já, diamantes para a coroa das Espanhas. Lágrimas destas pode um guerreiro chorá-las sem vergonha; derramando-as enobrece o país que lhe deu o ser, enriquece-o com uma opulência indestrutível e inalienável; cria-lhe, ou acrescenta-lhe virtudes; prepara-lhe e ajuda-lhe o resgate.

Receba, pois, novamente e mil vezes os meus emboras pelo seu poema, dúplice monumento, pois o é tanto para o Tejo espanhol, como para o Tejo português.

"Lisboa há de sempre recordar-se com justa ufania do hóspede, a quem prestou asilo nos dias da tribulação, e que lá o pagou generoso fazendo soar o seu nome num canto que nasceu logo fadado para imortal.

Até aqui podia eu dizer um pouco do extraordinário e do muitíssimo que senti, escutando primeira, segunda, terceira e décima vez estes acentos de uma poética nova, sublime, e criadora; mas como tentaria eu expressar o meu assombro, a minha confusão, o meu agradecimento, quando um homem tal se lembra de repartir comigo os frutos de ouro do seu estro; e acompanha o presente de expressões de tão estremada benevolência, que, se eu chegasse algum dia a merecer muito, constituiriam o meu prêmio mais subido. Aqui recolho-me ao silêncio envergonhado.

Bom uso é, em geral, entre os escritores mimosearem-se de parte a parte com as suas obras. Eu apenas recebi esta, e antes de tomar dela conhecimento, resolvi corresponder ao obséquio espontâneo e tão gracioso, com o oferecimento de alguns dos meus últimos livros; mas logo que o esplendor de tão insólita poesia me deslumbrou, perdi o ânimo; quem vai repartir pobrezas com um opulento? permita-me pois o meu glorioso confrade que até por esta parte eu fique seu devedor.

Aproveito com avidez esta feliz oportunidade de me assinar

De Vossa *Excelência* o maior admirador, o mais humilde confrade e o mais obrigado servo.

### A. F. de Castilho

Além do *Senhor Dom* Roque Barcia, acha-se também em Portugal o poeta espanhol Gutierrez[6], autor do *Trovador*, drama que tanta bulha fez no teatro madrileno, e ao qual se deve a inspiração de uma das mais ricas óperas de Verdi.

A Academia Real das Ciências de Lisboa, sobre proposta do *Senhor Antônio Feliciano* de Castilho, aprovou há poucos dias para seus sócios correspondentes, os *Senhores Dom* Ramón de Campoamor e Dom Antonio de Trueba; o 1.º, autor das *Dolores*, de *Fábulas* e do poema de *Colón*; o 2.º dos *Cuentos populares, Cuentos color de rosa, Cuentos Campesinos, Cuentos fantásticos*, e do *Livro de los cantares*. Ambos eles gozam em Espanha e já na Europa de merecida celebridade[7].

Se o iberismo, como alguns o planeiam, é, e oxalá que seja sempre um sonho, não se pode negar que a multiplicarem-se e estreitarem-se as relações literárias entre os dois Reinos, Espanha e Portugal, pode ser utilíssimo de parte a parte, para isso muito há de concorrer e já começa a descobrir os seus prósperos resultados a via férrea, que prende como em um laço de oito os dois povos.

Estas notícias e estas considerações, parece-nos que não são destituídas de interesse para o Brasil. Brasil, Portugal e Espanha constituem poeticamente uma só família, que deve e há de unir-se cada vez mais. Estas três literaturas, no estado atual das coisas, devem medrar mais pelo seu influxo recíproco do que pela já quase exausta exploração da mina francesa, e pela exploração mais difícil e mais perigosa da mina alemã.

Desenvolver este pensamento seria para aqui intempestivo. Se ele é verdadeiro e praticamente útil, ninguém melhor que o poeta ilustrado redator atual da folha[8] para onde estamos escrevendo o poderia perfilhar.

[Júlio de Castilho]

---

1 ◦ Publicado em 26 /03/ 1867. (SE)

2 ◦ Roque Barcia (1821-1886), lexicógrafo, poeta e político espanhol. Suas convicções libertárias e anticlericais o levaram ao exílio. Na época desta carta, estava refugiado em Portugal, em consequência da violenta repressão que se seguiu a uma tentativa de golpe de estado. (SPR)

3 ◦ O dictamno é uma planta rutácea muito aromática. (SPR)

4 ◦ Antônio Feliciano de Castilho, pai de Júlio de Castilho, o correspondente. (SE)

5 ◦ Carta aberta de Castilho Antônio saída nos jornais de Lisboa, que foi inserta na presente correspondência de Júlio de Castilho, para o *Diário do Rio de Janeiro*. (SE)

6 ◦ Antonio García de los Dolores Gutiérrez (1813-1884) escreveu o drama romântico *O Trovador* (5 atos), cuja estreia, no dia 01/03/1836, no teatro *del Príncipe* foi um grande sucesso. O drama em prosa e verso conta uma história de vingança, amor

e morte, e foi posteriormente convertido por Salvatore Cammarano no libreto da ópera de Verdi – *Il Trovatore*, com estreia no teatro Apolo, de Roma, a 19/01/1853. *Il Trovatore* tornou-se uma das óperas mais populares de todos os tempos, apesar de toda a complicação do enredo. A força da música supera essas dificuldades, permitindo ao espectador sentir todo impacto dramático das cenas. Castilho nesse comentário lembra aos leitores essa filiação. (SE)

7 ∾ Ramón de Campoamor y Campoosorio (1817-1901). Antonio María Trueba de la Quintana (1819-1889), também conhecido como Antón de los Cantares. Ambos escritores espanhóis. (SE)

8 ∾ Certamente está falando de Machado de Assis, que desde outubro de 1866, estava à frente da redação do *Diário do Rio de Janeiro*, data em que o antigo redator--chefe Quintino Bocaiúva* viajou aos Estados Unidos. Sobre a viagem de Quintino, ver tomo I. (SE)

## [64 E]

De: JÚLIO DE CASTILHO
*Fonte*: Fundação Biblioteca Nacional. "Folhetim".
*Diário do Rio de Janeiro*, 1867. Seção de Periódicos.
Microfilme do original impresso.

### CARTA III.

Lisboa, 28 de fevereiro de 1867[1].

Amigo e *Senhor* Redator.

Principiemos por Júpiter: De Júpiter está cheio o universo, diziam os poetas didáticos da antiguidade.

Principiemos nós também pelas obras imediatas do Criador; depois chegaremos às dos homens.

### SOL.

Este vasto, formoso e esplendíssimo corpo celeste, olho divino que aviventa e enfeitiça a natureza, [a]inda não cessou de ser o enigma mais atrativo da curiosidade universal. Não podendo estudá-lo à míngua de ciência, os Persas, os Gregos, os Romanos o arvoraram em divindade, erigiram-lhe templos, ofertaram-lhe sacrifícios, e outro tanto como Persépolis e Atenas praticaram e praticarão ainda, a seu modo, os selvagens nas florestas desconversáveis.

O crescimento e dilatação dos recursos científicos aboliram as honras divinas do sol, descobriram pelo raciocínio, por cima dele e nos abismos da imensidade, um Deus invisível e verdadeiro princípio vivificante que está para o sol, como o sol está para as flores, suas filhas; como as flores estão para os insetos imperceptíveis que as povoam; mas afinal que é o sol? qual dos sistemas, qual das conjecturas dos que o estudam incessantemente lhe atinaria com a natureza? Profundo mistério a envolve ainda, que nenhum vivo chegará jamais provavelmente a devassar.

A observação e o cálculo averiguaram os movimentos do sol, o seu volume e grandeza, a sua distância, as suas multíplices relações com a numerosa família de corpos celestes, planetas, satélites, cometas e asteroides cujo é motor e centro. Sabemos, por exemplo, que dista desta nossa casinha terráquea, 34.353.208 léguas de 4.445 metros, que uma bala de artilharia de calibre 24, despedida pela explosão de 4 quilogramas de pólvora, conservando sempre a mesma velocidade, só em 10 anos chegaria lá. Sabemos que o diâmetro daquela magnífica esfera é de 320.000 léguas, o volume maior do que o nosso Orbe, 1.400.000 vezes; o peso, superior também ao nosso 355.000 vezes!

Depois, sabemos, ainda que menos evidentemente, que de lá nos emanam toda a luz e todo o calor, conseguintemente a vida e a alegria. Mas que é ele mesmo em si o sol? é uma esfera de fogo fluido? é um corpo sólido, em brasa? é um orbe escuro de si, envolto de uma atmosfera transparente toldada de outra luminosa, que ao mesmo tempo que ilumina a todo o sistema planetário, coará um dia perene para a superfície do astro, onde bem poderá ser que vivam entes inumeráveis? A conjectura é verossímil; mas infelizmente não passa de conjectura.

Depois, qual é ou quais são a matéria ou as matérias constitutivas do sol? que analogia terão, se têm alguma, com as do nosso conhecimento experimental e quotidiano? A pobre ciência humana prostra-se unida, com a face contra a terra, e quase que suspira pela morte, único anjo que lhe poderá correr essa cortina.

Entretanto, o espírito humano, fiel à sua índole sublime, que aspira sempre a aproximar-se do Criador pelo conhecimento das criaturas, para logo se reerguer da fatal prostração e volver a interrogar o desconhecido: não se passa um dia de quantos o sol nos liberaliza, sem ser despendidos por muitos sonhadores da ciência na investigação do enigma solar, que uma vez achado nos entregaria logo a chave de mil outros segredos naturais.

Norman Lockyer[2], que é o sábio que verteu para inglês a excelente obra de Guillemin[3], intitulada *O Céu*, leu, pouco há, na sociedade Real de Londres, um artigo sobre algumas observações espectroscópicas[4] assaz interessantes. Segundo M*onsieur* Faye[5], diz ele, o interior do sol é massa nebulosa, gasosa, com franca potencia radiante; com uma temperatura que favorece a dissociação. A fotosfera, isto é, a camada luminosa que reveste por cima a atmosfera do sol, possui uma força radiante avantajada, e temperatura suficientemente baixa que permite as reações químicas. Em cada mancha do astro avistamos pois a tal massa interior nebulosa por um rasgue que se abriu na fotosfera, em consequência de uma *corrente ascendente*. Já se vê que esta observação depõe em favor da hipótese de M. M. Balfour-Stewart[6].

Com medo de vertigem, redescendamos destas alturas inacessíveis em todos os sentidos, e refrigeremo-nos na nossa atmosfera.

## PÁSSAROS

Que interessantes não são estes filhos do sol, meio aéreos, meio terrestres, cidadãos dos arvoredos, sempre entrajados de gala, convivendo com as flores, sempre músicos, sempre amantes e sempre alegres.

Tinha desculpa a superstição antiga que os reputava, por mais vizinhos do céu, sabedores e intérpretes dos destinos e dos futuros.

A arquitetura dos seus ninhos, a criação da sua prole, a liberdade do seu viver, os seus prognósticos do tempo, o seu ajudar caçando insetos aos vegetais e aos lavradores, serviço tão ingratamente pago às vezes pelo homem que os não entende, tudo isto faz dos pássaros em geral os mais simpáticos de quantos viventes ocupamos este planeta.

E que manifesta predileção não exerceu para com eles a Providência em tantas outras coisas ainda!

Como se não bastara vesti-los, pôr-lhes casa e mesa em toda a parte, e em toda[s] delícias concedeu-lhes eterna primavera pela faculdade da emigração, viagem gratuita de pátria para pátria, viagem fácil, rápida, volante, enquanto nós outros carecemos de nos arrastar a peso de ouro, por caminhos previamente calçados de ferro, ou por cima de um sepulcro líquido, prestes sempre a devorar-nos, depois de termos construído o *wagon* e o navio, e arrancado às vizinhanças do inferno o carvão das minas que nos asfixiam enriquecendo-nos.

Acudiu-nos isto ao espírito, a propósito do que lemos no *Cosmos* de Janeiro deste ano, transcrita do *Correio dos Vosges*[7].

Houve em Epinal quantidade enorme de neve; nesta estação era a primeira vez. Enquanto estava nevando, assistimos a um espetáculo curiosíssimo: por cima do bairro de *São Miguel* peneiravam milheiros e milheiros de pássaros, por um trato de muitos quilômetros; levavam rumo de sudoeste.

Vinha esta imensa caravana das Ardenas; eram tudo tentilhões[8] e parecia cá de baixo uma nuvem de gafanhotos. Durou de dia aquele trânsito por espaço de 45 minutos, sem nunca se interromper. Seguiu-se segunda turma daqueles viajantes, muito mais numerosa, dando princípio às 6 horas e meia da manhã e acabando só às 8 e 25 minutos.

Há vinte e seis anos que em Epinal se não visto coisa semelhante: nesse tempo acontecera também ao cair das primeiras neves.

## PALEONTOLOGIA

Anuncia-se uma obra que não podemos ainda ver, e cujo título é *Paléontologie française* ou *Description des animaux invertébrés fossiles de la France, terrain jurassique*[9].

Transcrevendo esse título para chamariz, julgamos fazer obra agradável aos estudiosos senhoreados da cobiça muito natural de conhecer o mundo de outro tempo; ou falando com mais propriedade, uma natureza que existiu, que deixou de si manifestos vestígios e documentos, da qual é filha esta a que pertencemos, e cuja neta e ulterior descendência se há de assemelhar cada vez menos com a atual e com as antepassadas.

É o nosso globo esse grande livro da vida, onde o Criador escreve sucessivamente, assina e pagina e vai virando as folhas concluídas, que nunca mais se tornam a abrir.

O homem pertencente como todos os animais e vegetais seus consócios ao capítulo genésico atual, não apareceu na terra senão depois de uma longa sucessão de outras plantas e de outros animais; os milhares de anos da espécie humana constituem apenas um dia neste infindo poema das metamorfoses do globo; possuímos um volume truncado da grande obra; os precedentes jazem no vasto sepulcro do solo, inteira, ou quase inteiramente consumidos. Quem nos poderia condenar em nós a instintiva curiosidade de procurarmos fragmentos de um pretérito que em verdade não foi nosso; mas de que a lógica secreta das coisas nos fez descendentes. A ciência moderna que se empenha neste estudo criador é a Paleontologia.

À proporção que o mundo das diversas eras se vai recompondo no nosso espírito a peça e peça, outra ânsia nos salteia.

Do passado volvemos os olhos para o futuro, pedimos à história que nos acena a profecia.

Então, convencidos de que transformação progressiva é uma lei e uma fatalidade inevitável, perguntamo-nos ansiosamente que será da nossa própria espécie em uma era que está para vir e que se avizinha incessantemente; assim como ela veio ao sol depois de tantas outras, não desaparecerá com todo este cenário que a rodeia, com toda esta comparsaria de entes vivos, para deixar o teatro a novos atores e a novo drama?

Nestas meditações solenes é impossível não atentar nas epidemias que devastam a olhos vistos com celeridade recrescente as atuais Flora e Fauna, para nos servirmos das próprias palavras dos naturalistas. São em verdade tremendas e humiliativas (*sic*) para o nosso orgulho estas ponderações; mas, por outro lado, se refletirmos em que a sorte do globo, mesmo através de convulsões e catástrofes, tem sido sempre progredir e crescer para a perfeição, dilata-se o ânimo antevendo que extinta a nossa raça, esta raça de hoje, alguma outra há de reinar no globo tão superior à nossa quanto a nossa o fora às primitivas.

Arranquemo-nos a este sonho aflitivo e grandioso ao mesmo tempo.

[Júlio de Castilho]

---

1 ᛞ Publicado em 28 /03/ 1867. (SE)

2 ᛞ Joseph Norman Lockeyr (1836-1920), cientista e astrônomo inglês, cujo interesse particular por espectroscopia solar o levou a identificar as proeminências que rodeiam o disco solar, corroborando os achados anteriores do astrônomo francês Pierre Jules Janssen (1824-1907). Ambos receberam o crédito pela descoberta do elemento químico *hélio*. Norman Lockey lecionou no *Royal College of Science*, dirigiu o *Solar Physics Observatory*, em *South Kensington* e fundou a revista científica *Nature*. (SE)

3 ᛞ Amédée Guillemin (1826-1893) cientista, professor e jornalista francês que tornou a astronomia um assunto de interesse do grande público leitor do século dezenove. *O Céu*, livro magnificamente editado, fez grande sucesso e foi traduzido em diversas línguas. (SE)

4 ᛞ A espectroscopia é a metodologia para a análise de substâncias, baseada na produção e na interpretação dos espectros de emissão ou de absorção das radiações magnéticas. Observações espectroscópicas são as inferências possíveis a partir do uso de tal metodologia. (SE)

5 ᛞ Hervé Etienne Albans Faye (1814-1902) astrônomo francês que observou visualmente o Grande Cometa de 1844, em novembro de 1843, e por isso esse cometa periódico leva o seu nome: 4P/Faye. (SE)

6 ᛞ O físico escocês Balfour Stewart (1828-1887) desenvolveu estudos sobre o calor dos corpos, a radiação, meteorologia e magnetismo terrestre; foi autor de vários livros de sucesso. (SE)

7 ᛞ Jornal criado em 1845, em Epinal, sede do departamento de Vosges, na região da Lorena, nordeste da França. (SE)

8 ∾ Ave encontrada na Europa, Ásia e África, mais conhecida como pintassilgo. Outros nomes: chupim, pardal-castanheiro, pardal-de-asa-branca, pimpalhão, pimpim, pinche, pintalhão. (SE)

9 ∾ Obra monumental, em fascículos, começada por Alcide d'Orbigny (1802-1857) e, depois, levada a cabo por um Comitê Especial, e que foi editada em Paris por Victor Masson et Fils, entre 1862 e 1869. (SE)

[65 A]

De: JÚLIO DE CASTILHO
*Fonte*: Fundação Biblioteca Nacional. "Folhetim".
*Diário do Rio de Janeiro*, 1867. Seção de Periódicos.
Microfilme do original impresso.

CARTA IV

Rio, 31 de março de 1867.[1]

VOLTAIRE

Poucos homens dos que não têm espada nem cetro deram tanto ao mundo em que falar, na vida e depois da morte, como Voltaire.

Filósofo, poeta, mundano, solitário, erudito e charlatão, frívolo e profundo, liberal e servil, hidrofóbico e benfazejo, Voltaire é um enigma de difícil solução para os imparciais, que hoje o observamos e contemplamos cá do fundo da posteridade.

Sentiu-se coroar pela glória revolvendo-se em um leito de espinhos; ouviu-se proclamado com entusiasmo, por entre gritos de execração; chegou a duvidar ele próprio muitas vezes do seu gênio, da sua importância e da sua missão.

O ceticismo era um dos elementos do seu caráter; não era muito que sobre si o exercesse quem o exercia sobre a Divindade.

Que levou na mão um grande facho é indubitável; mas seria facho de alumiar ou de destruir? Nós que temos fé e grande na Providência, acreditamos que dado severo balanço às coisas do seu tempo, e as que depois se derivaram delas, e foram por elas modificadas, mesmo destruindo alumiou o mundo: permitiu-o Deus e concedeu-lhe tão longo reinado sobre os espíritos, como consente na ordem física os vendavais, as inundações, as revoluções francesas e os Bonapartes que derrotam no presente, para fecundidade no futuro. É isso mais que tolerância; é justiça: é mais que história; é filosofia.

Morreu sem os sacramentos; a igreja recusou-lhe sepultura cristã, mas quem afirmará que sorte lhe conferiria em tanto seu pai comum, que é só quem pesa ouro e fio as intenções e as obras? mas se não obteve sepultura senão a custo e quase furtiva, isso mesmo lhe conferiu depois títulos à apoteose humana; celebrou-lha o século passado ao despedir-se, o atual vai-lha confirmando.

O jornal francês *Le siècle*[2] propôs que se levantasse um monumento nacional, isto é, universal, ao grande filho da França, o que era laurear-se ela própria por suas mãos. A Itália pontifical, a Roma de paródia, que teme e repulsa os deuses inimigos, como sua grande mãe os perfilhava, insurgiu-se contra o pensamento que era verdadeiramente digno do século que sabe anistiar os erros, exaltando as virtudes que os descontaram e escureceram. Respondendo, pois, o *Siècle* a *Unità Cattolica*[3], escreveu isto, em que a ferocidade corre parelhas com as mentiras e calúnias.

"O pensamento de se erguer uma estátua a Voltaire já não é novo; mas a diferença é que José de Maistre[4] propunha que a tal estátua fosse ereta pelo algoz. Nós outros quiséramos que a estátua de Voltaire o representasse no lance da agonia, tal qual no-lo pintou seu médico assistente Tronchin. Foi o doutor dar com ele todo alvorotado e a dizer: Aqui estou desamparado de Deus e dos homens. Viu-o depois meter a mão na bacia, tirar dela o seu próprio excremento e comê-lo. Um escultor poderia representar no mármore este espetáculo hediondo."

Perdoem-nos o nojo dessas frases grosseiras, mentirosas e sandias; o Cambronne[5] de obra grossa que entendeu defender ou vingar com elas a religião contra um adversário que nenhum mal lhe podia já fazer, foi o anônimo redator da *Unità Cattolica*. Que vá pois ele para nos servirmos de um chistoso dito do mesmo Voltaire, que vá almoçar com o profeta Ezequiel[6].

Mais cedo ou mais tarde o monumento há de surgir, e se não surgisse, o que ele próprio se levantou em cem volumes, não há sacristão nem Tartufos que lha derroquem a tiro de imundícies.

## SPINOZA

Do cético Voltaire, sem grande solavanco para o espírito, se passa a Spinoza, o panteísta, varão célebre não menos pela audácia das suas opiniões manifestadas altamente, que pelo seu viver laborioso, sóbrio, puro e desinteressado.

Spinoza de alguma forma nos pertence: a origem da sua família era portuguesa[7], posto que berço e túmulo lho desse a Holanda.

Renegam-no os hebreus[8], cujo sangue tinha, mas cujas crenças enjeitou; abominam-no os cristãos como um inimigo de toda a fé, condenam-no as mais das escolas filosóficas, umas por nímio fautor do materialismo, outras por não ser ainda de todo oposto às ideias espirituais. As almas despreocupadas equidistantes dos opostos extremos poderão deplorá-lo; mas não abster-se de lhe tributar veneração. Aos refluxos lívidos das fogueiras da inquisição, não se podia escrever isto; não pode porém deixar de escrever ao sol criador da liberdade: Spinoza foi um homem de bem e um homem grande; o sentenciá-lo daí para diante pertence àquele unicamente de quem se lê nos livros santos que entregou o mundo à disputação dos homens; que ele é quem é, e que só ele se conhece.

Para a celebridade de Spinoza não contribuíram pouco os seus mesmos adversários, contando-se entre eles nomes tão justamente ilustres, como são os de Boullainvilliers, Causi, Fénelon, Arobio, Heiderich, Rosenkanz, Ivon, H. Martin, e A. Saristez. Este último o dá com razão por fundador da exegese e da filosofia moderna, dos Strauss, dos Feuerbach e dos Renans.

Parece-nos conveniente este preâmbulo para anunciarmos aos curiosos de tais assuntos um livro francês recém-publicado sob o título de

*Spinoza e o naturalismo contemporâneo* por Nousrisson. Este escritor é bem conhecido pelas suas notáveis obras filosóficas tantas vezes premiadas pela academia das ciências morais e políticas. No livro que anunciamos acha-se um curioso estudo sobre a vida de Spinoza, as suas doutrinas, os vários rumos de fortuna que elas têm corrido e seu influxo atual.

Nourisson combate as doutrinas do autor da *Ética* e bem assim as do panteísmo contemporâneo; mas não mistura, por não ser preciso, como ele mesmo diz, com as serenas discussões científicas o estrépito irritativo dos nomes próprios. Tem demais este livro um particular interesse e vem a ser que o autor se valeu de documentos publicados há pouco, e nomeadamente das cartas inéditas de Spinoza e do tratado *de Iris* que já se dava por perdido, o que tudo foi descoberto e impresso por Van--Vloten[9] (Amsterdam, 1862).

Saiamos do tumultuário do irreconciliável mundo dos metafísicos, para conversarmos escritores mais da terra, mais do positivo e mais para todos.

## CRETA

Esta grande e bela ilha, ninho natal do antigo Júpiter [,] que Deus haja, e tão viajada em espírito por todos os poetas gregos e romanos, é ainda hoje depois de tão decaída, arqueologicamente falando, é e há de sempre ser um nome talismã para os estudiosos da formosa antiguidade: é a terra de Ceres, de Baco e das cem cidades. O solo feracíssimo das festas e das fábulas, a pátria de Pasífae, de Ariadne, de Minos e do Meneu.

O nome de Candia com que hoje se disfarça, as religiões modernas que a despoetizaram acrescentam ainda a natural cobiça de reconhecermos os vestígios dos seus passados esplendores, do seu labirinto, dos seus Dédalo e Ícaro; precursores longínquos da aerostação, das suas sábias leis consultadas por Licurgo, do seu comércio e marinha tão florescentes, dos seus sacerdotes Coretas, das suas formosas bacantes, dos seus frecheiros insignes, das suas artes, de toda a sua já tão sabida civilização.

Dois investigadores notáveis se haviam dado a esse curioso trabalho: Pashley; *Travels in Creta* e Ohurmuziz.

Agora encontramos anunciado já com data deste ano de 1867, *L'île de Crète, souvenirs de voyage*, por Georges Perrot[10]. Diz o *Journal des Savants*[11], do mês de Janeiro próximo findo:

"E escreveu o *Senhor* Perrot o prefácio deste livro ao estrondo dos primeiros combates da insurreição cretense. Por ocasião de examinar sob aspectos vários aquela tentativa, cujas possibilidades de bom êxito discute, aproveita o lance para dar assisados conselhos às povoações helênicas. A introdução que segue a este prefácio resume em breves rasgos da história de Creta nos tempos remotos. Logo depois entra o erudito explorador da Ásia Menor no assunto principal da obra, dando-nos uma descrição geral da ilha e valendo-se principalmente das memórias e apontamentos de uma viagem que lá fez em 1857."

"Conduz o leitor sucessivamente às três grandes divisões: à parte ocidental chamada dos *Montes Brancos* (Leuca Ori) o monte *Ida* no interior, e o *Dicteu* a leste, e descreve a configuração geográfica do território e registra as muitas ruínas que por lá se encontram, e bem assim as produções naturais de cada país daqueles, dando a conhecer ao mesmo tempo a índole e costumes dos moradores. Nesta resenha, obra natural pela condição e pelo estilo, entretecem-se com muito agrado as relações curiosas que nos próprios lugares lhe foram feitas, assim como os cantos populares que por lá colheu. A última parte do volume consta de uma história da ilha de Creta nos tempos modernos, coisa bem escrita e cheia de notícias instrutivas. Os acontecimentos hodiernos que atraíram para a ilha de Creta a curiosidade pública, diz por derradeiro o jornalista[12], realçam o interesse desta obra, que mesmo sem isso e só pelo seu intrínseco merecimento em qualquer tempo que fosse, daria muito na vista."

## PARIS

O assunto designado por estas duas sílabas reúne um mundo; é em menor espaço outra Creta, cem cidades fundidas numa, e a crescer de contínuo, e sem se lhe anteverem os limites.

Para onde vai Paris? Será como Persépolis, como Babilônia, como tantas antigas metrópoles da Ásia para a aniquilação como fantasiava o seu melancólico filho Victor Hugo, na solene poesia — *Ao arco da Estrela?* Quem o pode conjecturar?! O que se sabe é que tem vindo a crescer e medrar desde o tempo dos romanos e que a sua história fatigaria já hoje aos ledores mais intrépidos. Os principais autores[13] que nela têm soado são, além de outros:

Carrozet, 1581. Dubreuil, 1608. Sauval, 1724. Piganiol de la Force, 1765. L'abbé Leboeuf, 1754. Saint-Foix, 1763. D. Félibien, 1775. Jaillot, 1775. Beguillet, 1779. Saint-Victor, 1808. Legrand e Landon, 1808. Dulaure, 1839. Fregier, 1850. Louis e Felix Lacaze, 1855. Meindre, 1854. Husson, 1856.

Três escritores, qual a qual mais notável, se têm ultimamente levantado em Paris a flagelá-la com braço de ferro e sem misericórdia perante os aplausos do mundo. Intitulam-se estes três suplícios expiatórios: *A Babilônia moderna, Os cheiros de Paris* — e — *Paris, capital do mundo.* Cortam rijo nas carnes até aos ossos, golpeiam no coração se lá o há, flagelam o próprio cérebro e atiram-lho aos pés esfacelado.

Entretanto, apesar do seu orgulho vaidoso tão rigidamente punido nestas três execuções da alta justiça, Paris continua não só a viver e pompear, mas a crescer e a atrair as atenções, as visitas, os tesouros, as vassalagens do globo.

Por isso, tudo quanto pôde contribuir para fazê-lo conhecer é sempre recebido de franceses e estrangeiros com uma espécie de sofreguidão. É um grande processo de uma grande ré a que assistem as nações ansiosas pela sentença final.

Anunciemos sem mais exórdio a *História Geral de Paris*, coleção de documentos fundada com aprovação do imperador pelo barão de Haussmann[14], senador, prefeito do Sena e publicada sob os auspícios do conselho municipal. *Introdução. História geral de Paris. Topografia histórica de Paris a velha*, por Adolphe Berty[15], historiógrafo da cidade. *Região de Louvre e das Tulherias*, tomo I.ª Dois volumes em 4.ª com estampas e um atlas in-fólio.

Ouçamos a este respeito o *Journal des Savants*, de janeiro do presente ano:

"Aqui temos principiado a executar uma das publicações históricas mais importantes do nosso tempo, e já se pode augurar que esta grande obra há de [em] todo o ponto corresponder à expectação geral e à elevada proteção a que se obrigou."

..................................................................................

"O tomo I.ª consta só da introdução que encerra em primeiro lugar o relatório de Haussmann ao Imperador, a carta aprobativa de Sua Majestade e o plano da coleção. A *História geral de Paris* não há de ser uma coleção de anais, uma relação cronológica dos acontecimentos que constituem a história propriamente dita da cidade; mas sim uma coleção de documentos, uma reunião de monografias destinada a aumentar-se sem interrupção, um quadro sempre patente em que se hão de poder seguir, pelos séculos fora, as transformações de Paris. Cada uma destas publicações há de ser por si mesma uma obra completa e a total há de constituir seu verdadeiro monumento. ["]

"Segundo nota muito judiciosamente o prefeito, só a cidade de Paris é que podia assegurar a execução desta empresa substituindo a sua iniciativa e os recursos de que dispõe aos esforços individuais, condenados quase inevitavelmente a não chegarem nunca à altura de tamanho encargo. Uma comissão do seio do próprio conselho municipal e inteirada pela adjunção de vários sábios aceitou presidir aos trabalhos todos. Ao mesmo tempo, uma subcomissão permanente, presidida pelo secretário-geral da prefeitura está incumbida de repartir as tarefas, facilitar-lhes o andamento quotidiano e ir-lhes registrando os resultados. Sob a direção desta subcomissão colocaram-se homens especiais, que pelos seus estudos anteriores se recomendavam à escolha do prefeito, e cuja reunião constitui o serviço histórico da cidade de Paris."

"Depois de exposto o plano da coleção, encontra-se no tomo I.º, sob o título de *Precedências históricas,* uma narração sumária das providências que foram tomadas desde os tempos mais antigos até os nossos dias pelos magistrados municipais de Paris, para a conservação e transmissão dos seus atos oficiais e interessantes investigações sobre os trabalhos históricos consumados ou tentados, em diversos tempos, sob a direção de *lieutenant civil* ou do *prévôt des marchands*, pelos historiadores ou historiógrafos da cidade. Esta exposição é seguida de muitos documentos qualificativos.

Por aqui ficamos hoje, deixando na pasta muitas outras notícias de gênero análogo, mais ou menos importantes, e muito mais crescido número ainda de curiosidades de outras espécies. É bom não abusar da paciência dos leitores.

[Júlio de Castilho]

---

1 ༄ A carta não se apresenta datada, apenas com data de publicação. (SE)

2 ༄ Jornal francês que circulou entre 1836 e 1932, e que fazia oposição à Monarquia de Julho, que levou ao trono Luís Felipe I (1773-1850) após a revolução de 1830, que depôs Luís XVIII. (SE)

3 ༄ Jornal editado na cidade de Turim, o mais antigo representante do pensamento clerical na Itália. (SE)

4 ༄ Joseph-Marie de Maistre (1753-1821), advogado, escritor, filósofo e diplomata, foi um dos mais influentes representantes do pensamento contrarrevolucionário francês. (SE)

5 ༄ General do Império Pierre Jacques Etienne Cambronne (1770-1842), que comandou o que restava da Velha Guarda na batalha de Waterloo. Intimado a render-se, Cambronne respondeu com uma palavra enérgica, mas pouco usual nos círculos polidos: a famosa "palavra de Cambronne". (SPR)

6 ༄ Considerado o autor do *Livro de Ezequiel* (Antigo Testamento), cujo contexto histórico está situado nos primeiros anos de cativeiro dos judeus levados por Nabucodonosor de Jerusalém para a Babilônia. (SE)

7 ༄ A família de Spinoza é originária da cidade de Spinoza dos Monteros, nos Montes Cantábricos, ao norte da Espanha, de onde se exilou depois do Decreto de Alhambra (1492), com o qual os reis católicos Fernão e Isabel de Castela proibiram a permanência de judeus praticantes no país, tolerando apenas aqueles que se convertessem à fé católica. Portugal então ofereceu asilo aos judeus, e muitas famílias emigraram, entre elas, a família Spinoza, lá estabelecida em 1492. Em 1498, Dom Manuel, pretendendo a mão da infanta Maria de Aragão, aceitou a condição dos reis espanhóis

de que também Portugal banisse os judeus ou os fizesse batizar na fé católica. A família Spinoza converteu-se em 1498. Um século depois, nasceu em Vidigueira, Miguel de Spinoza, pai do filósofo. Investigada pelo Santo Ofício a condição de cristão-novo era muito instável, o que fez com que Isaac Spinoza, avô do filósofo, abandonasse Vidigueira em direção a Nantes, noroeste da França, onde, devido ao Édito de Nantes (1598), havia uma colônia bem integrada à vida da cidade, de maioria protestante, mas em 1615 os judeus acabaram expulsos. Isaac Spinoza passou a Roterdam, onde morreu. Miguel e seu tio Manuel foram para Amsterdam. Lá assumiram o judaísmo. Miguel de Spinoza casou-se três vezes: com Raquel, morta em 1627; com Ana Débora, mãe do filósofo, morta em 1638; e por fim, com sua prima portuguesa Ester, filha de Manuel, que irá cuidar de seus filhos pequenos. Miguel foi um comerciante dos mais respeitados de Amsterdam, residindo com a família na região onde hoje é o bairro de *Waterlooplein*, região então habitada por judeus. (SE)

8 ❧ Baruch Spinoza (1632-1677), nascido na Holanda, mas de forte tradição portuguesa, foi excomungado pela sinagoga portuguesa de Amsterdam, em razão das ideias expostas no livro *Ética*, sobretudo aquela acerca de Deus, em que este seria um mecanismo imanente à natureza e ao universo. (SE)

9 ❧ Johannes van Vloten (1818-1883), importante estudioso de Spinoza na Holanda. Em 1862, publicou *Baruch Spinoza, Sua Vida e Escritos em Conexão com o Nosso Tempo*. (SE)

10 ❧ George Perrot (1832-1914), arqueólogo e professor renomado, foi diretor da Ecole Normale Supérieure (1888-1902). Escreveu o testamento político do imperador Augusto. (SE)

11 ❧ *Journal des Savants* é considerada a mais antiga revista científica da Europa, cujo primeiro número apareceu em 5 de janeiro de 1565, em Paris. (SE)

12 ❧ O termo "jornalista" aqui significa aquele que conta uma jornada, uma aventura. (SE)

13 ❧ As datas citadas por Castilho correspondem a edições dos livros dos principais historiadores da cidade de Paris a que teve acesso, não necessariamente a 1.ª edição. Gilles Carrozet (1510-1568), Toussaint Dubreuil (1561-1602), Henri Sauval (1623--1676), Jean-Aymar Piganiol de la Force (1673-1753), L'Abbé Lebeuf (1687-1760), Germain-François Poulin de Saint-Foix (1698-1776), Dom Michel Félibien (c.1666--1719), Edme Beguillet (?-1786), Jean de Saint-Victor (?-?), Legrand e Landon, Jacques-Antoine Dulaure (1755-1835), Honoré-Antoine Fregier (?-?), Louis Lacaze e Felix Lacaze, A. J. Meindre, Jean-Christophe Armand Husson (1809-1874). (SE)

14 ❧ Georges-Eugéne Haussmann, conhecido como barão Haussmann (1809--1891), que entre 1853-1870, como prefeito do antigo departamento do Sena (que

incluía Paris, Hauts-de-Seine, Seine Saint-Denis e Val-de-Marne), empreendeu uma grande reforma urbana, que se tornou um marco na história do urbanismo e que, décadas mais tarde, inspirou o prefeito do Rio de Janeiro, Pereira Passos (1836-1913), a promover o famoso *bota-abaixo*, reforma urbanística que alterou profundamente o centro histórico da cidade. (SE)

15 ∾ Adolfo Berty (1818-1867). (SE)

[65 B]

De: JÚLIO DE CASTILHO
*Fonte:* Fundação Biblioteca Nacional. "Folhetim".
*Diário do Rio de Janeiro*, 1867. Seção de Periódicos.
Microfilme do original impresso

CARTA V

Lisboa, 13 de março [de 1867].[1]

*Senhor* redator

Se vos apraz, amigo *Senhor* redator, encetemos a nossa palestrita de hoje pelas notícias tocantes à indústria. Justo é que o primeiro lugar se ofereça aos que trabalham para as úteis e comodidades (*sic*) do gênero humano.

BALANÇA DE VERIFICAR MOEDA.

Recordai-vos da ufania com que o nosso bom satírico Nicolau Tolentino[2] entrou com o seu presente do peru na casa onde tinham de uso saboreá-lo com essa mesma iguaria em jantares juntos? — Senhora, cantava ele:

"Senhora também um dia
entrarei co'a fronte erguida;
não serei na vossa mesa
dependente toda vida."

Assim dizemos nós hoje, os portugueses, no convívio fraternal dos inventores. A balança de pesar moeda é produção de um patrício nosso, o *Senhor* José Antônio Torres, artista empregado no arsenal de marinha de Lisboa. Lançada na balança uma porção de discos amoedados, e posto o engenho em movimento por uma máquina de vapor de baixa pressão, sem mais nenhuma intervenção de braço humano, lá se juntam e estremam per si as moedas, apartando-se as boas das más. Ali se verificam 1.500 lâminas por hora, caindo no depósito central as perfeitas e fugindo para outros especiais as inferiores e as superiores ao peso devido. Serve a todas as espécies de dinheiro, desde o mínimo até o máximo valor e diâmetro.

Por este simples enunciado se vê quanto não excede este numísmetro (*sic*) às conhecidas e ainda assim muito úteis balancinhas inglesas frequentes nas casas de comércio.

O autor vai com a sua obra à exposição universal. É impossível que não seja dignamente premiado.

O que nós agora lhe recomendaríamos era que depois de adotado o seu invento não tornasse a andar de noite pelas ruas sem companhia, porque os fabricantes de moeda falsa não são para graças.

## ECLISSES CORNIERS

Outro invento bom, sabido também de Portugal, dado pertença a estrangeiro. *Monsieur* Lescrenier[3], é um engenheiro francês, homem de talento, empregado vai em 12 anos nos nossos caminhos de ferro: inventou um novo sistema de eclisses? que leva muita vantagem ao de que se usava até agora. É muito seguro e muito econômico, adotando-se aos *rails* de quaisquer dimensões.

O autor imprimiu um opúsculo explicativo da coisa e acompanhado de respectiva estampa, o que tem sido festejado em Londres e Paris. Também lá vai para a exposição universal.

## MÁQUINA MOTRIZ

E que tráfego, que motim, que inextricável confusão não irá lá naquela Paris, quando daqui a poucos dias a indústria do mundo inteiro, e os cardumes de visitadores de todas as nações referverem naquela imensa frágua da indústria! Como ali a humanidade se não sentirá grande e cada indivíduo pequeníssimo! Que de talentos, que de gênios que se ensoberbeciam comparando-se com as pequenezas que os cercavam, não têm de esmorecer perante às maravilhas daquele universo resumido! Não importa: nesse templo da paz, as nações europeias se haverão encontrado e convivido alguns momentos como irmãs.

Que dizemos as nações europeias? A América, o globo inteiro haverá acudido ao jubileu da atividade produtora, que bem podia ser precedido como os jogos seculares dos antigos romanos do solene pregão: — Vinde assistir às festas que nenhum dos vivos ainda viu, nem há de tornar a ver!

A hospitalidade parisiense, ou falando sem figura, a rapacidade insaciável, mas disfarçada e polidíssima dos filhos e filhas da moderna Babilônia, não esquece meio algum de atrair a curiosidade universal.

A nau bisarma que ainda há poucos dias andou atando dois hemisférios vai despejar no solo francês a aluvião dos moradores e dos produtos dos Estados Unidos, essa outra maravilha permanente dos nossos tempos, enquanto os centenares de vias férreas de toda a parte convergentes ao chamado foco da civilização (e da depravação também) só deixaram ficar sem vir ao grande espetáculo o mendigo e o paralítico.

A atividade dos preparativos de Paris para receber em si o globo é já incalculável nesta hora em que escrevemos.

Coisa difícil de imaginar, mas certa: todo o movimento das máquinas sem conta ali congregadas e atônitas elas mesmas de se verem produzir tudo, têm um único motor central, a que vem tentações de dar o nome de alma *mens agitat molem*[4]. Esta mente, este nome, este Vulcano digno filho do Júpiter moderno, esta máquina foi já experimentada e desempenha-se do seu maravilhoso encargo. Foram seus autores Chevalier e

Duvergier, construtores em Lião, coadjuvados por Vassivière e Draux, seus engenheiros.

Honra a quem honra é devida.

## O QUINHÃO PORTUGUÊS NA EXPOSIÇÃO PARISIENSE.

Apontamos dois objetos que vão das nossas terras merecer ali os aplausos: o verificador das moedas e um melhoramento notável para os caminhos de ferro.

Para outra vez apresentaremos o catálogo mindiado (*sic*) das nossas produções da natureza e da arte, assim no continente e ilhas adjacentes. Como nas remotas e dilatadas possessões ultramarinas, que nos dão podermo-nos chamar ainda hoje um Estado, e que se um dia se souber, quiser e puder aproveitá-las, nos hão de tornar um dos mais florescentes. Agora relancemos a vista ao quinhão que se nos concedeu naquela imensa hospedaria do universo. O óculo com que observamos isso cá de longe é o jornal francês *L'Exhibition* no seu número de 3 do corrente Março:

"A seção portuguesa vai apresentando excelente aspecto. Portugal, no seu sentido artístico e monumental, há de ser muito bem representado. Está se levantando um monumento de belíssimo estilo no gênero mourisco e português do tempo manuelino e inspirado pelo soberbo convento dos Jerônimos em Belém. O friso que se estende ao longo da galeria moura é maravilhoso. Na passagem circular do palácio, avultaram em nichos as estátuas dos portugueses célebres. Este complexo difícil dá muito que admirar. Conter-se-ão nos diversos grupos as artes liberais, desenhos, livros, impressos e modelos de monumentos. O mobiliário constará de trastes e de um belíssimo alardo de azulejos de relevo e de cores muito vivas: depois, pias de filagrana (*sic*) originárias dos sarracenos de uma leveza e perfeição inaudita, vestidos, roupas, bordados, rendas, tecidos de lã, tapetes, etc. Na principal nave terá Portugal a cavaleiro do passeio em que estão as máquinas em arco de triunfo composto de uma arcada majestosa, ladeado de quatro torreões e coberto de um teto com sua espécie de campanário, ornado com a coroa real. Demais, há de haver além disto no parque uma estátua equestre, um belo edifício octógono ladeado de dois pavilhões. Por adiante estende-se um pórtico de três arcadas em que hão de figurar os azulejos de que acima falamos.

No interior do palácio encontrar-se-á primeiramente uma sala vasta, encimada uma grande cúpula com panos de rás[5] a representarem os altos feitos dos portugueses: nesta sala é que hão de ser expostos os produtos coloniais. Seguem-se os aposentos de el-rei de Portugal, com cuja visita se conta."

Não sejamos egoístas; já que estamos em Paris, lancemos os olhos, mas que seja de corrida, à exibição de algumas outras nações. É a semana santa da indústria; não visitemos só a igreja da nossa freguesia.

## QUINHÃO DA SUÍÇA

A Suíça vai com o vento na vela: já se está vendo a disposição do famoso salão chamado de honra. É de dimensões muito amplas: há de ser coberto de um velário transparente, sustentado em colunas de veludo azul com bordado de *Saint-Gall*[6]. Por toda a circunferência interior correrá um estrado alto com sua escadaria para o pavimento baixo. Por estas escadarias se desce para uma espécie de meia laranja colgada de tapecerias[7], havendo no meio um leito armado ricamente com bordados soberbos, obra de fadas. O lado direito desta sala há de ser guarnecido de estofos de seda, e o esquerdo de fitas de Bâle[8] e de Zurich; no centro erguer-se-á uma banca suntuosamente coberta de joias. À ilharga do salão central estará outra sala com as tranças de palha de Argóvia[9], chapéus de senhoras e de homens, zuartes de cores vivas para os pretos da África Central. Outra sala há de conter os bonitos móveis de madeira lavrada, os relógios suíços de toda a casta, as caixas de música; e mais adiante na nave grande as máquinas e produtos da indústria, algodões, sedas, ocuparão largo espaço. No parque anda-se construindo para a Suíça um vasto palácio do gênero *chalet*, mas no estilo da renascença; ali se verá a coleção magnífica dos quadros representando as paisagens mais pitorescas da Helvécia. Entre as muitas outras mostras de gosto que tem dado o respectivo arquiteto, extrema-se a frontaria que é formada de formosos ornamentos com as armas da confederação e as dos cantões.

## QUINHÃO DA RÚSSIA

Nesta há sua casa de pasto, dirigida pelo famigerado cozinheiro de Moscou, o *Senhor* Koretzenko. Ali há de se comer à russa, que não é comer de brincadeira como à parisiense; as iguarias do homem diz-se que hão de ser melhores do que o nome dele. Aqueles pratos russos (sem calembourg) hão de ser servidos por *moujicks* (não são bichos) barbados e vestidos de branco. Uma moscovita alva como as neves da Sibéria, mas com ares de muito menos fria, receberá as pagas, e sorrirá com mil graças às liberalidades e galanteios dos fregueses. Esta casa de pasto que é vastíssima no andar térreo tem por cima, na sobreloja, gabinetes; as cozinhas ficam nos subterrâneos.

Enquanto comensais das mesas redondas ou dos quartos particulares se estiverem regalando com os pastéis quentes, regados de licores alcoólicos à moda russa, coisa em que prima o *Senhor* Koretzenko (um homem destes não podia ir sem senhoria; não sabemos dizer — senhor — em russo: damos-lhe da nossa, que já cá não tem gasto) enquanto, repetimos, estiveram comendo e bebendo, para depois vomitarem ouro na caixa da menina, andaram boêmios cantando e dançando ao som da viola e tamboril. Este Vatel, este Alexandre Dumas, este Mata, filho da Ursa do Norte, e que provavelmente come mais e melhor do que ela comia enquanto era gente, há de ter na galeria das máquinas onde hão de ser expostos os produtos russos, uma frontaria representando uma verdadeira estalagem ou *traktil*, como eles lá dizem pela sua língua, que sendo russa não tem obrigação de ser muito clara, uma frontaria à imitação das que se armam nas feiras de Nijni-Nowogorod.

O 1.º andar forma uma varanda de madeira à Mogol com uma multidão de compartimentos pintados representando flores, frutos e animais comestíveis. Ali se admiraram expostos os famosos vinhos da Crimeia, os cereais, as máquinas, os instrumentos e as peles de Kazan[10], de cores variegadas, cosidas em mosaico e de que na terra se fazem canhões de botas muito bonitos.

Já se observa ao comprido do caminhão principal por onde se vai ao centro do palácio um soberbo espécime de madeira lavrada formando frontaria com suas cores nos côncavos. Por cima do caminho circular onde (...)[11] postos os produtos de todas as (...) portas monumentais no (...), que metem uma vista (...).

Numa vidraça, ao (...) a coleção dos grafites de que fazem os lápis, e bem assim a coleção dos minerais em bruto ou lavrado. Outras vidraças em que hão de ser ostentadas as sedas de cores assanhadas e os estofos de brocado de ouro, tão estimados das senhoras nossas.

Segue-se a joalheira, depois os panos de algodão, de lã e de seda. No centro chamará os olhos sua meia dúzia de manequins vestidos segundo a moda das diversas partes do império. Há de haver além destes bonecos, uma coleção dos bustos de czares e uma águia imperial agigantada, dourada toda.

O salão mobiliário há de ser particularmente ornamento de troféus com as armas russas e de estofos nacionais.

Dois imensos mosaicos bizânticos (*sic*) de grande efeito hão de erguer-se até a altura de 6 metros e conterão vasos de lápis-lazúli, baixelas de mesa de prataria fosca (para gente russa é melhor) e nomeadamente a baixela imperial; móveis de uso característicos com embutidos de pedraria preciosa, artefatos da fábrica imperial de louças, cristais etc. etc. etc.

Na galeria das artes liberais encerrar-se-ão os instrumentos musicais, todas as qualidades de papel, fotografias, etc. e na seção das belas-artes se verá um compartimento reservado para a escola de Strogonoff: o ensino das artes aplicado à indústria. Enfim esta ostentação, meio oriental meio ocidental, é infinitamente curiosa.

Deixemos o parque de que haveria muito que dizer e rematemos esta parte, dizendo que o Czar manda para a exposição seis homens dos mais belos da guarda Imperial com os seus fardalhões ricos, que hão de estar no palácio, de guarda, por causa das dúvidas, aos tesouros do Czar. O que nos não dizem é se levam *cnuts*[12] à cautela.

Temos assaz passeado; descansemos por hoje se vos parece.

[Júlio de Castilho]

---

1 ∾ Publicado em 07 /04/ 1867. (SE)

2 ∾ Nicolau Tolentino de Almeida (1740-1811). (SE)

3 ∾ Nicolas Joseph Lescrenier, engenheiro francês que trabalhou em Portugal na construção de caminhos de ferro, e cujo nome aportuguesou-se para Nicolau José Lecrenier (não mais Lescrenier); inventou um sistema de deslizamento com menos atrito que é usado ainda hoje em deslizamento de portas. (SE)

4 ∾ "Um espírito movimenta toda a massa." Início do discurso de Anquises no Hades diante de Eneias, em que fala sobre a origem celeste das almas, o ciclo perpétuo da encarnação, morte, reencarnação, e tudo o que é gerado por uma mente superior regente de todo o universo. (Virgílio. *Eneida*, 6.º livro, v.727). (SE)

5 ∾ Tapeçaria ornamental, com desenhos em cores brilhantes, criada em Arrás, na região de Nord-Pas-de-Calais, França. (SE)

6 ∾ Há a possibilidade das duas formas *Saint-Gall* e *Saint-Gallen*. Atualmente, a segunda é mais usada. (SE)

7 ∾ Provavelmente uma variante não dicionarizada para tapeçaria. (SE)

8 ∾ Cantão da Basileia. (SE)

9 ∾ Cantão de Argóvia. (SE)

10 ∾ Atualmente é a capital da República do Tataristão, país membro da Federação Russa. (SE)

11 ∾ Todos os trechos assinalados por (...) estão ilegíveis, pois correspondem a partes rasgadas. O microfilme e o seu negativo também foram consultados. (SE)

12 ∾ Cnute é um chicote usado na Rússia. (SPR)

## [66 A]

De: JÚLIO DE CASTILHO
*Fonte*: Fundação Biblioteca Nacional. "Folhetim".
*Diário do Rio de Janeiro*, 1867. Seção de Periódicos.
Microfilme do original impresso

CARTA VI.

EXPOSIÇÃO[1]

Rio, 13 de abril de 1867.[2]

*Senh*or Redator.

É o assunto hoje em dia de todas as conversações por todo o mundo: é o incentivo de todas as cobiças, o alvo das esperanças dos afortunados, das invejas e penas dos desvalidos, que são por enquanto a quase totalidade do gênero humano.

Valha a estes a imaginação que é já desde o princípio do mundo a fada consolatriz dos enjeitados da ventura. Aos que não pudermos ir por mar ou terra a Paris no carro mágico de Fulton[3], venha a Paris visitar-nos no volante coche de Gutenberg[4], o gênio onipresente, e digamos a verdade para consolação de pobres: nem sempre o ler festas vale menos que o entrar nelas, senão que sem paradoxo se pode dizer que muitas vezes lhe leva vantagem, tanta vantagem como a que a fantasia tem sobre os sentidos: o improviso sobre a moralidade, o ócio sobre a fadiga, o gratuito sobre o dispêndio; e quando não que digam os que têm ido a Nápoles ou a Roma, por exemplo, se gozaram por lá tanto como o espírito lhes figurava, ou se, pelo contrário, não foram a troco de bastantes cansaços e descômodos perder em todo ou em parte ilusões caríssimas que a feiticeira leitura lhes havia dado. Sejamos, pois, filósofos, que é o melhor recurso de quem não pode ser rico. Os viajantes que viajem por nós e para nós: desfrutemos a nosso modo a exposição; livres dos mil desgostos, moléstias e perigos da ida e volta, seguros de pisadelas e encontrões, no silêncio do nosso gabinete ou no agasalho da nossa cama, se nos aprouver, só com o talismã e uma folha de papel na mão e sem que nos desoriente e ensurdeça o estrépito de uma torre de Babel em que enxameiam obreiros de trezentas línguas: façamos por imitar aquele Santo que se alimentava de pão e água, imaginando à sua água o sabor de generoso vinho e às côdeas negras as delícias das melhores viandas.

Espreitamos na precedente carta a figura que hão de fazer na exposição Portugal, a Suíça e a Rússia. Portugal, o *das memórias gloriosas*; Suíça, a montanhesa industriosa que nada ambiciona como quem recebeu tudo da natureza pródiga; Rússia, a gigante da águia que esmói reinos e cobiça mundos. Vejamos hoje outra que já também em tempos antigos cobiçara mundos e digerira reinos: vejamos Roma que também teve águias com raios e morreu (a história é muitas vezes parábola e profecia consoladora: não houve ainda ambição desmedida que se não suicidasse.)

Mas que temos nós com águias e impérios usurpadores? que é o que vem da fóssil Roma a esta Paris, a grande vida dos nossos dias? uma cópia feita de madeira e com as dimensões naturais do interior de uma catacumba romana. Para não tomar campo demais limitaram-se a uma capela com algumas das galerias contíguas. Das frestas mal desce um crepúsculo misterioso; as arquetas ou sepulturas compartidas neste carneiro geral estão tapadas com suas lousas de mármore recobertas de inscrições tornadas da epigrafia cristã[5] do segundo século; o tufo litoide[6], os estuques pintados, os assentos e o altar, são imitações maravilhosas tanto no feitio como na cor: o total produz uma ilusão completa.

A comissão italiana não manda porém unicamente relíquias do passado; é filha de um país que renasce e de um século que produz: envia também produtos florestais, lãs em bruto e tecidas, produtos agrícolas, amostras das artes manuais, de mineralogia, etc. Além disto que já não era pouco a monografia completa do vale do Tibre na Toscana e quatro álbuns de fotografia que representa: o 1.º, os animais de raça bovina do vale de Chiana Casentinais[7]; o 2.º, as estátuas dos varões ilustres e os monumentos de Arezzo; o 3.º, as obras públicas de mais interesse que se têm executado nestes últimos 20 anos e particularmente o valioso sistema hidráulico do vale de Chiana; o 4.ª, das obras de arte no caminho de ferro de Arezzo.

Tornemos a casa como bons filhos. Os objetos preciosos que vão da casa realçam, além de outros, os seguintes:

A celebrada Custódia de Belém de ouro, esmalte e pedras preciosas[8] – a cruz de ouro de El-Rei *Dom* Sancho[9] – um cálice grande muito ornamentado e com sua pátena de prata dourada. Um fruteiro grande também de prata dourada com baixos-relevos que representam Alexandre Magno, triunfante. Outro guarnecido de baixos-relevos fantásticos, tendo dois escudos com a cruz de Cristo e no centro as armas reais. Outro fruteiro com ornamentos e no meio um cavaleiro a farpear um touro. Uma bandeja grande com baixos-relevos históricos figurando no meio um combate de cavalaria. Três mais pequenas com enfeites vários, uma com baixos-relevos a imitarem pretos e cenas da África. Um prato e jarro de prata com adornos gravados e em relevo. Uma cruz de cobre visigótica. Uma taça de prata dourada com baixos-relevos, representando navios a saírem de um porto. Uma preciosa coleção de moedas antigas.

A Sé Patriarcal de Lisboa[10] remete:

Uma (...) de prata dourada – um cálice de prata dourada com a seguinte inscrição:

"Este cálice deixou Vasco Fernandes[11], quaternário da Sé". Também de prata dourada três bandejas e um jarro, um cereal – Uma casula[12] verde bordada de ouro – uma capa de *faldistorium*[13] encarnada, bordada de ouro – um gremial[14] roxo bordado de ouro – um véu de ombros encarnado – outro de púrpura – uma capa de *faldistorium* de brocado de prata e tecido com ouro – uma almofada de missal de lhama[15] de prata, bordada de ouro – um pano de veludo bordado de matiz – um frontal ricamente bordado da Sé de Braga.

A igreja de Belém[16] envia:

Uma capa de asperges[17] de veludo tecido de ouro com bordados de matiz que dizem ter sido bordada pela rainha *Dona* Catarina, viúva de El-Rei *Dom* João III e por ela dada à igreja dos Jerônimos.

A Biblioteca Nacional de Lisboa[18] envia uma coleção de preciosidades que há de fazer luzir o olho a muito bibliômano, entre outras as seguintes obras antiquíssimas impressas em 1491 em Lisboa; 1494 em Braga; 1509 em Setúbal; 1531 em Coimbra; 1532 em Salsete[19]; 1565 em Goa; 1557 em Évora; 1569 em Viseu; 1579 em Cernache; 1581 em Vila Verde; 1590 em Macau; 1597 em Almeirim e Alcobaça; 1611 em Benevente e Alenquer; 1614 em Bucelas; 1619 em Viana; 1622 no Porto; 1626 em Lordelo; 1627 na Carnota; 1632 em Portalegre; 1635 em Vila Viçosa.

O presente século é na verdade grande e forte, como o chamou Victor Hugo; possui uma atividade que abrange tudo: desenterra-se mundo velho, cria-se novo mundo, põe-se em confronto com o passado o presente, o presente consigo mesmo e rasgam-se pela emulação, pela permutação das luzes, caminhos novos para novas e oxalá que melhores civilizações.

Os frutos ubérrimos das exposições não seriam completos se a par delas se não multiplicassem também os congressos internacionais em que homens especialistas se entreajudam para o desenvolvimento de quantos ramos se cultivam da árvore da ciência, árvore maravilhosa em que se enxerta a da vida; vimos congressos médicos, congressos estatísticos, congressos históricos e arqueológicos, etc.: agora aí vai nascer um congresso de arquitetos. A sociedade imperial e central dos arquitetos franceses convida as diversas sociedades de arquitetura para a conferência internacional que ela se propõe celebrar em Paris no próximo verão. Eis o programa:

1.º ponto. — Qual é o estado atual da arquitetura nos diferentes povos contemporâneos e qual a sua tendência.

Esta questão deve ser tratada principalmente no sentido estético e filosófico.

2.º ponto. — Quais são os métodos de ensino que se seguem atualmente nos diferentes países. Expor estes métodos, indicar os seus fundamentos e as suas consequências, as suas vantagens e os seus inconvenientes.

3.º — Expor o papel que corresponde ao arquiteto na sociedade, no intuito profissional. Deve-se declarar a sua situação atual em cada país respectivamente ao Estado, à administração e aos particulares e à jurisprudência que nesta parte rege.

4.º — Tratar da influência da arquitetura sobre os produtos da indústria. Esta questão deve referir-se quanto possível ao século atual.

Já se [v]ê que se os debates forem o que devem e podem ser, a autoridade que de um tal concurso de inteligências resultar tem de produzir afinal vantagens da maior monta, e por isso esperamos que a já benemérita associação dos arquitetos portugueses não deixará de deputar quem a represente nesse congresso internacional.

É a arquitetura um Proteu e um Camaleão que tem vindo tomando as formas e as cores das diversas fases da civilização por onde se tem desenvolvido o gênero humano.

Desde a choça engenhada pelo selvagem primitivo pouco superior, se o era, à morada do castor, ao ninho do pássaro, à toca da formiga e menos cômoda por certo que a melíflua vivenda de cera das abelhas, que imensa evolução até aos palácios de Babilônia, de Tebas, de Persépolis, de Mênfis, de Atenas, da Etrúria, de Roma, de Londres e de Paris.

Quando se consideram as edificações das diversas idades e povos sente-se logo a relação que tiveram e não podiam deixar de ter, que não podem deixar de ter e têm e terão sempre com as ideias dominantes das gentes e dos tempos respectivos; o egípcio exaure-se a levantar pirâmides, templos e palácios maciços, imola o seu presente a uma sonhada eternidade terrestre; o grego idólatra do belo[,] sobretudo, cria as ordens mais graciosas, ambiciona menos perpetuidade que deleites; o godo entesoura nas suas catedrais o crepúsculo meditativo e religioso que se reflete depois na austeridade das suas moradas; a Itália, velha, guerreira, opulenta e voluptuária, construía no recinto de muralhas inexpugnáveis, os anfiteatros imensos, os pórticos ornamentados, com os jardins sombrios e rescendentes, as termas esplêndidas, as pousadas dignas dos deuses e para os cidadãos mais mimosos da fortuna[,] paços de fausto quase régio; o mouro nas terras felizes levanta alhambras[20] que riem e amam; o cristão [,] escuriais carrancudos. O castelo feudal cerca-se de abrigos, de servos condensados em vielas estreitas e insalubres; mas onde as incursões inimigas terão mais custo em penetrar: a vida do senhor é na guerra e na caça.

Poderá descobrir-se o caráter dominante à arquitetura da nossa era, pelo menos uma tendência? parece-nos que sim e que essa tendência é a utilidade combinada até onde for possível com o bom gosto e com a economia. Já se não tornarão a edificar senão por exceção, nem *São Pedro de Roma*, nem *Mafras*, nem *Arcos das águas livres*, nem *palácios da Ajuda*: em vez de um edifício com cem anos de fabrico e duração calculada para largos séculos, os milhões que aí se haviam de petrificar empregam-se melhor em trinta, quarenta ou cem obras mais rápidas, menos sólidas, mais prestadias; mas que pela sua mesma caducidade não ficam resistindo com uma contumácia empedernida às novas modas, que o gosto desenvolvendo-se poderá trazer, ou que poderão trazer recrescentes ou imprevistas necessidades sociais.

A estas considerações que de certo não são sem peso, acede esta outra, ditada pela mais severa justiça; que uma geração não é obrigada a empobrecer-se para que os seus netos num futuro remoto gozem gratuitamente do que podiam e deveriam eles próprios granjear para si. Eis aqui, entendemos nós, pontos graves de que terão infalivelmente de ocupar-se os deputados ao congresso arquitetônico internacional.

E aqui fechamos por hoje a portinha do nosso tugúrio às novidades de fora: vamos sonhar, mas só para nós, outra Lisboa mais bem arquitetada do que esta onde há ainda mourarias e alfamas, e onde se colocam monumentos a Camões bem longe do Tejo, no sequeiro de uma espécie de saguão.

[Júlio de Castilho]

1 ◦∾ Carta fascinante, que como a subsequente deve ser lida em conjunto com as cartas do conde de la Hure, no Caderno Suplementar do tomo I. O conde descreve em 1866 a contribuição brasileira à Exposição Universal de 1867, e Júlio de Castilho descreve a própria Exposição de 1867, realizada entre 1.º de abril e 3 de novembro. Nas duas descrições, nota-se a combinação de utilitarismo com humanismo, o primeiro expresso no deslumbramento com o progresso da ciência e da indústria, e o segundo na abundância de citações clássicas, mesclando a aridez de um inventário com lirismo de quem leva a sério a grande tradição cultural do Ocidente. (SPR)

2 ◦∾ A carta não se apresenta datada, apenas com data de publicação, que foi presentemente adotada. (SE)

3 ◦∾ Robert Fulton (1765-1815), engenheiro e inventor norte-americano, a quem é creditado o desenvolvimento do navio a vapor. Fulton foi também autor do *Tratado de Navegação de Canais*, muito lido por engenheiros brasileiros. A obra, traduzida em Portugal por Antônio Carlos Ribeiro de Andrade Machado e Silva, foi publicada em 1800 pelo frei e naturalista mineiro, nascido em São João del Rei, José Mariano da Conceição Veloso (1742-1811). (SE)

4 ◦∾ Johann Gutenberg (*circa* 1398-1468) inventor dos tipos móveis em chumbo, invenção que permitiu aparecimento da imprensa, sendo considerado o evento mais importante do período moderno. Aqui Júlio fala muito claramente de uma das funções principais da imprensa: a de diminuir as distâncias ao reportar informações. (SE)

5 ◦∾ É um ramo da paleografia que estuda as inscrições e epígrafes lapidares dos monumentos antigos; no caso, das sepulturas dos séculos iniciais do cristianismo em Roma. (SE)

6 ◦∾ Pedra calcária muito porosa. (SE)

7 ◦∾ *Val di Chiana Casentinali* — situado na região da Toscana — se estende da parte setentrional do Lácio, tocando o território de três províncias: Perugia, Arezzo e Siena. O vale é conhecido no meio agropecuário por ser o berço da gado chianina, cuja carne é considerada a mais saborosa entre as melhores do mundo. Há registros da utilização da raça na lavoura e nas festas da Roma antiga. (SE)

8 ◦∾ A Custódia de Belém é um ostensório de ouro e esmalte, datado do início do século XVI (1506), cuja obra de ourivesaria é atribuída por alguns autores a Gil Vicente (1465-1536?). A obra foi encomendada por Dom Manuel I, para a Capela Real. (SE)

9 ◦∾ Conhecida por Cruz de Dom Sancho I, o segundo rei de Portugal, por ter sido ele que, em testamento datado de 1210, determinou a sua execução em ouro maciço, pedras preciosas e pérolas e a subsequente doação ao mosteiro

de Santa de Cruz de Coimbra, onde o rei foi sepultado. (SE)

10 ～ Igreja de Santa Maria Maior, mandada construir por Dom Afonso Henriques, três anos depois da tomada da cidade de Lisboa aos mouros, durante as lutas da Reconquista e consequente consolidação do estado nacional português. (SE)

11 ～ Vasco Fernandes Coutinho (1490-1561), primeiro donatário da capitania do Espírito Santo, no Brasil. (SE)

12 ～ Casula é um paramento eclesiástico de seda, com galões, cujas cores variam de acordo com o rito, e que o sacerdote veste sobre a alva e a estola, a fim de celebrar a missa. (SE)

13 ～ A cadeira episcopal móvel, sem encosto, com apoio para os braços, que, em certas ocasiões, se coloca diante do altar; facistol, faldistório. (SE)

14 ～ Peça das vestes eclesiásticas posta sobre os joelhos de um prelado oficiante, quando este se encontra sentado. (SE)

15 ～ Tipo de tecido brilhoso, em geral feito de fios de prata ou de ouro, ou mesmo de cobre dourado ou prateado. (SE)

16 ～ Igreja de Santa Maria de Belém, no Mosteiro dos Jerônimos, mandado construir por Dom João III. (SE)

17 ～ Na liturgia da missa católica, é a capa usada pelo sacerdote no momento da aspersão da água benta, em que canta ou recita a antífona que se inicia por *asperges me, Domine*. (SE)

18 ～ Hoje Biblioteca Nacional de Portugal. (SE)

19 ～ Salsete é uma ilha ao noroeste da Índia, que pertenceu a Portugal entre 1534--1737. (SE)

20 ～ O plural "alhambras" vale como *à moda do* palácio de Alhambra, em Sevilha, Espanha, especificando o seu estilo alegre. O mesmo uso em "escuriais", com o sentido de forma exemplar do gótico de arquitetura pesada que se reproduziu na região a que o cronista alude. Repetirá o mesmo uso em "mafras", "alfamas", e "mourarias" mais adiante. (SE)

## [68 A]

De: JÚLIO DE CASTILHO
*Fonte:* Fundação Biblioteca Nacional. "Folhetim".
*Diário do Rio de Janeiro*, 1867. Seção de Periódicos.
Microfilme do original impresso.

## CARTA VII

Rio, 25 de abril de 1867.[1]

*Senhor* Redator

Rompa a nossa procissão hoje a antiguidade: *à tout seigneur, tout honneur.*

### ANTIGUALHA.

Em Cartagena, na Espanha[2], andando-se a escavar para umas obras, deu-se num pavimento de mosaico e acharam-se três esculturas de mármore muito bem conservadas, a saber: um busto de Minerva, os de Mercúrio e Baco reunidos e um ídolo de Moloch, se o é, dado que a intrusão desta divindade oriental com aquelas outras greco-romanas não seja muito fácil de digerir; mas enfim impossível não é: os romanos tinham a boa política de ser tolerantíssimos para com os cultos estrangeiros.

Imagina-se que estas relíquias hão de datar da fundação de Cartagena e que bem poderia haver tudo pertencido a um templo de que nos deixaram memória historiadores antigos. Como quer que seja estes fragmentos quando surgem da terra nas Espanhas, nas Gálias, nas Ilhas Britânicas ou em qualquer outra província remota da Itália, são de mais insuspeita valia que as que se dizem extraídas do solo de Roma, que muitas vezes, como diz Mery, são antiguidades modernas, fabricadas, mutiladas e envelhecidas com particular indústria, para se irem por grossas libras adornar museus de Inglaterra.

### MEDALHA NUMISMÁTICA.

Achou-se em Beja uma peça de ouro que se diz do reinado de D*om* Afonso Henriques[3]. Foi vendida por 100 libras a El-Rei o *Senhor* D*om* Luís[4], e lá está no medalhário real.

## VIDRAÇAS ANTIGAS.

Determinou o governo belga incorporar no Museu Real de Antiguidades[5] uma coleção de cópias fiéis de pinturas em vidros ou paredes, achadas naquele reino. É curioso e útil: compraram-se os cartões feitos por Capromiser, transuntos das antigas vidraças dos edifícios religiosos da Bélgica: o coletor empregou naquilo mais de um quarto de século: mas também congregou nos seus cartões, que são 87, os pensamentos artísticos dos pintores da guerra, desde o século 14.º até o 17.º.

## GENTE DE OUTRO TEMPO.

Na Mealhada, caminho de Coimbra para o Porto e vizinhança do Bussaco[6], apareceram duas sepulturas com suas campas de pedra lavrada de figuras ao natural. As ossadas estavam metidas em cal e muito bem conservadas; parece que são de descomunais dimensões; parece, dizemos, porque de ordinário costuma haver esta ilusão de engrandecimento quando se dá de repente com objetos fósseis.

Querem dizer que aquelas caveiras quando falavam era em língua gótica, dado não aparecesse no sítio vestígio algum de templo ou cemitério.

A terra nem sempre dá a palavra dos seus enigmas.

## MAIS ESCAVAÇÕES.

Na Catalunha, ao pé da ermida do Remédio nas Caldas do Mombuy[7] (*sic*), desenterraram-se de um como nicho de pedras toscas muitos esqueletos humanos. Conjeturaram que houvera ali um lazareto pelos anos de 1300, grassando peste, e que estas relíquias seriam de pessoas que lá se achassem de quarentena.

Por agora basta de amostras do mundo transato[8]: venhamos para onde há vida e sementeira de futuros. Fique debaixo da terra o vale de Josafá da Arqueologia: tornemos a olhar para onde está cravada a vista de todo o mundo: para a exposição universal.

## OBJETOS PORTUGUESES PARA A EXPOSIÇÃO.

Verdade, verdade, isto por cá nunca é tão pobre como alguns cuidam e muitos mais pregoam sem o cuidar. Já noutra carta inventariamos algumas das preciosidades que oferecemos ao *pic-nick* da indústria; prossigamos.

### TORRE DO TOMBO.

Este arquivo importantíssimo, ainda que infelizmente colocado como que em desafio às injúrias do tempo e às contingências do fogo, remete do seu tesouro: Comentário do Apocalipse com iluminuras, datado da era de 1227 (ano de Cristo 1190), — *Nobiliário* — do conde Dom Pedro, feito por Antônio Álvares da Cunha (1650), *Livro das Armas*, por Antônio Godinho, — *Atlas* de Fernão Vaz Dourado, *Livro das Fortalezas do Reino* por Duarte de Armas, — *Missal da Inquisição* (1608).

Este último deve cheirar a chamusco.

### ACADEMIA REAL DAS CIÊNCIAS DE LISBOA.

Missal com primorosas iluminuras, por Estevão Gonçalves Neto. — Bíblia em hebraico, em dois volumes. — Atlas de Lázaro Luís. — Uma meridiana. BIBLIOTECA DE ÉVORA

*Livro de Alcorão*, manuscrito árabe. — Um missal pontifical do uso do patriarca (1711).

### MUSEU DOS ARQUITETOS CIVIS PORTUGUESES.

Busto de Dom Afonso Henriques, que se julga feito nesse próprio tempo, e mostra a rudeza em que ainda então se achava entre nós a arte. Figurava esta peça no intróito do paço real em Santarém. Dois baixos--relevos de alabastro, obra feita na Índia por encomenda dos Gamas para ornarem a capela da casa que possuíam ao pé do Barreiro, escultura de 1601, (cópia em gesso do vistoso púlpito da igreja de Santa Cruz de

Coimbra, lavor do século XVI, reinado de D*om* Manuel), um festão de flores em alto-relevo de mármore de cores; pertença do primeiro templo dos jesuítas em Lisboa.

## SÉ DE ÉVORA.

Uma porta do coro com figuras em relevo, datada de 1555.

A escrivaninha de bronze com que despachava em Oeiras el-rei D*om* José, quando hóspede do marquês de Pombal. Uma lápide de bronze gravada em 1470, da igreja dos Lóios[9] em Évora propriedade do duque de Cadaval.

## CASA REAL.

Esta manda, além do que já noutra parte vos escrevi; — 8 espingardas e duas espadas — três peças — arreios — um teliz[10] de veludo vermelho bordado de prata; — outro de veludo encarnado, bordado de ouro (1750), — Louças: uma sopeira e o competente prato, louça amarelada com ornamentos brancos (fábrica do Rato[11] 1760?) — uma terrina branca com ornamento em alto-relevo (fábrica do Rato 1760?) — um castiçal de louça amarela (idem) — um bule de louça amarela (idem) outro de louça preta (fábrica de Coimbra) — seis vasos diferentes e um prato (princípios do século XVIII) — dois vasos antigos das Caldas, um preto e outro verde e amarelo. — Azulejos do século XV e princípios do XVI, do paço de Sintra (D*om* Manoel) de uma igreja ao pé de Santarém (princípios do século XV) — do mesmo tempo, alguns achados numa escavação em Lisboa — de Vila Viçosa, alguns de 1550, outros do fim do XVII século e princípios do XVIII.

Até aqui, a dizer a verdade, ainda não saímos muito do fóssil; mas aí vai agora do hodierno.

## FÁBRICAS PORTUGUESAS

Vão setenta amostras de veludos, sedas, cabaias[12], lhamas, cetins e gorgorões, sendo muitos bordados de ouro, noventa e seis amostras de rendas de linho com diversas larguras e feitios.

O espírito que trouxe a moda das exposições é o mesmo que ativa por todas as partes a indústria.

## CÁUCASO

Nestas vastas montanhas intermédias entre duas partes do mundo, coroadas de neves eternas e ainda agora semissilvestres, como nos tempos antigos, no Cáucaso, enfim, conta a musa grega haver sido agrilhoado por Júpiter o gigante Prometeu, com um abutre a roer-lhe perpetuamente o fígado em castigo de haver ele ousado formar do lodo da terra o homem, e subtraído aos céus o fogo com que o animou.

Se por aquele gênio gigante se quis significar a utopia, divindade terrestre que desembrutece a humanidade, que lhe alumia os caminhos do progresso, e a quem a fatalidade costuma castigar dos seus intuitos generosos, então podemos crer que Prometeu quebrou enfim as cadeias, sacudiu do seio o abutre importuníssimo, e se torna ao labor de aperfeiçoar a sua obra antiga.

Forma-se uma sociedade denominada industrial do Cáucaso. Propõe-se desenvolver naquela região a indústria e especialmente a agrícola. Obriga-se a abrir poços e canais de rega; a ampliar o cultivo de algodão, da gransa (ruiva dos tintureiros)[13] e dos cereais; a introduzir ou engrandecer por aquelas terras os ramos de economia rural e indústria manufatora que melhor quadrem ao clima e solo. É fundada a sociedade para durar sessenta e cinco anos, com o capital nominal de dois milhões de libras esterlinas. Para se perfazer este capital, socorrem-se a subscrições estrangeiras, sem que o governo todavia fique por fiador dos juros. Não se dará por constituída a sociedade se dentro em seis meses não tiver reunido os capitais.

Prometeu promete. Oxalá cumpra. Desculpe o *calembour*[14], Senhor redator.

## TELÉGRAFOS

Até a águia moscovita, que devorava fígados e corações, também (a Polônia que o diga) voa jubilosa nos caminhos da civilização.

Já chegaram às extremidades do estreito de Bering as obras da linha telegráfica por onde se hão de enlaçar com a Rússia europeia os Estados Unidos da América do Norte, atravessando a América russa, a Sibéria e a Rússia asiática. Da banda da Ásia onde as obras correm por conta do governo russo, também elas vão adiantadas: espera-se que para o princípio de outono todas as linhas hão de já estar conversando.

As baleias de Bering estão com as barbas arrepiadas de assombro.

## DOUTOR LIVINGSTONE[15]

Pena é que os homens empreendedores, que são as verdadeiras locomotivas do gênero humano, não sejam privilegiados com mais longa existência que os inúteis, os madraços e os ruins, que parecem inventados e multiplicados por algum Prometeu de obra grossa, só para ajudarem a dar gosto ao pão e à carne, (não esquecendo o vinho).

O *Doutor* Livingstone dá-se já por coisa certa que morreu: era figura antipática[16], dizem os que o viram, e nós outros os portugueses não devemos muito nem pouco à sua alma; porém foi por certo um grande homem.

Lê-se no *Internacional* uma carta confirmativa do triste boato que já pelos periódicos se espalhara. É dirigida ao secretário honorário da sociedade real de geografia de Londres, pelo *Senhor* Kirk[17], companheiro que foi de Livingstone, ao presente vice-cônsul em Zanzibar. Reza assim:

"Zanzibar, 26 de dezembro de 1866. – Meu caro Batis. – Escrevi há três semanas ao *Senhor* Roderick, pela via do Cabo da Boa Esperança e Santa Helena, e depois pelas Maurícias e Suez, dando-lhe todas as informações que pude haver acerca do desventurado Livingstone. Como tenho de me deter alguns dias em Kilva e Mekindauy à procura de mais alguns pormenores deste desastre, e à espera de cartas que o doutor por ventura escrevesse antes de atravessar o lago Niassa[18], escrevo-lhe agora esta que deixarei para lhe ser remetida por qualquer navio que por acaso aqui aporte.

"A 5 de Dezembro chegaram a Zanzibar 9 homens do rancho do nosso Doutor, dos quais soubemos que em fins de Julho ou de Setembro, haviam sido acometidos a Oeste de Niassa por um bando de mazitas, os quais mataram o Doutor[19] e parte da sua gente. Os escapos da mortilha, ou porque viessem mais atrás e não fossem vistos, ou fosse pelo que fosse, abriram uma cova e nela sepultaram o seu maioral nessa mesma noite. Em várias circunstâncias discrepam entre si estes informadores; mas todos concordam em que viram pelos seus olhos o cadáver do Doutor com um golpe fundo na nuca. Um diz que o vira ser ferido.

"A investida fora imprevista, mas o doutor ainda pôde ter-se à barba com os bandoleiros, por algum tempo: afinal, quando ia carregar de novo a espingarda, foi ferido por trás.

"Temo que esta relação seja, ainda mal, verdadeira, e parece-me que não poderemos alcançar outras. – Sempre o mesmo – Kirk."

## FREIO ELÉTRICO

Deus não mate tão depressa como ao Doutor Livingstone a um italiano que dizem ter inventado agora um freio para os trens do caminho de ferro que os faz parar instantaneamente. Parece que o princípio mecânico de tão prestadia invenção é a eletricidade. Lá se vão fazer as experiências em França, na linha do Norte. Se derem bom resultado, ficamos livres de temer nunca mais embates entre comboios, como tantos e tão funestos se têm dado, e ainda nestes últimos dias.

## LIGA DO ENSINO

Quando bem se adverte no muito que já contribuem por mil modos para os bens da vida os indivíduos proporcionalmente pouquíssimos que se aplicam às ciências e às artes, é impossível não sentir um vivo desejo de que a instrução se difunda cada vez mais, a fim de se aumentar em proporção, sempre crescente, dos habilitados para beneméritos; por isso aqui vai uma notícia de que devem gostar os progressistas.

Na Bélgica, dois operários dirigem aos seus confrades a seguinte circular:

"Como a *Liga do ensino* está fazendo as maiores diligências para derramar instrução na classe operária, temo-nos por obrigados a ajudá-las".

"Entendemos que o melhor ensino para os trabalhadores há de ser o que lhes provier de confrades seus, desejaríamos portanto abrir no nosso grêmio cursos elementares; onde sob a forma de palestras sisudas, instrutivas e morais mutuamente nos comunicássemos as luzes que fôssemos podendo conseguir. O que principalmente nos move a alistarmo-nos [,] nesta cruzada contra a ignorância, é a persuasão em que estamos de ser ela a mãe de muitos vícios e o pior obstáculo a um viver cômodo. Rogamos aos operários todos se deem por convidados e nos coadjuvem."

A primeira reunião há de ser, dizia este convite, a 17 de Fevereiro de 1867 no salão do botequim *La Coupe*. Pela comissão Felix Frenay[20] e Jerônimo Steen, operário membro da Liga do Ensino.

Viva Deus, que já os operários pedem luz; não se eximem de ser máquinas, visto que elas são precisas, mas querem, ser máquinas pensantes, e portanto, até como máquinas mais perfeitas. Enfim querem gozar o possível e nobilitar-se, elevando-se de animais brutos a homens.

Destas tendências generalizando-se, e destes esforços obscuros, é que se há de fazer com o tempo o fundamento a uma política nova, santa, fecunda, verdadeira; assim como do trabalho submarino de animálculos imperceptíveis se formam bancos e ilhas de coral.

Ainda bem que isto que vai na Bélgica, vai já também por muita outra parte: o espírito de Deus, o espírito fecundante, corre o mundo. Em Portugal também já se propaga a abençoada mania das escolas noturnas com suas aulas oficinais adjuntas e de palestras científicas concorridas pelos populares. E não passamos agora adiante, para nos ficar na boca este sabor que é delicioso.

[Júlio de Castilho]

1 ⁓ Carta publicada em 25/04/1867. (SE)

2 ⁓ Na região sudeste da Espanha – província de Múrcia, considerada porta de entrada dos cartagineses na Europa. (SE)

3 ⁓ Dom Afonso Henriques, fundador do estado nacional português. (SE)

4 ⁓ Dom Luís I (1838-1889), monarca português, que herdou o trono depois da morte do irmão mais velho Dom Pedro V (1837-1861). (SE)

5 ⁓ Musée d'Art Ancien de Bruxelles, rue de la Regence, 3. (SE)

6 ⁓ No século XVII, a ordem dos carmelitas descalços construiu na Serra do Buçaco o convento de Santa Cruz do Buçaco, que existiu de 1624 a 1834, quando foram extintas as ordens em Portugal. Atualmente, em lugar do convento, há um grande hotel. A serra é uma elevação de 549m de altitude, que abrange os concelhos de Mealhada, Mortágua e Penacova. A grafia tanto pode ser com "ç" quanto com "ss". (SE)

7 ⁓ Caldas de Montbui, cidade da região da Catalunha, situada a 35km ao norte de Barcelona. (SE)

8 ⁓ Passado, pretérito antigo. (SPR)

9 ⁓ Igreja anexa ao convento dos Lóios, também conhecido como de São João Evangelista, situado na freguesia de Sé e São Pedro, em terras pertencentes aos duques de Cadaval. (SE)

10 ⁓ Tecido usado para recobrir a sela de montaria, em geral bordado com as insígnias do cavaleiro. (SE)

11 ⁓ A Real Fábrica de Louças, situada na região do Rato, em Lisboa (1767), foi criada para se tornar o principal centro produtor de louças e formador de artesãos a fim de disseminar o ofício e fundar novas fábricas em todo o país. Entre 1767-1771, o administrador foi Tomás Brunetto. Sob seu comando, a fábrica produziu principalmente artigos de luxo de altíssima qualidade, tinha entre seus muitos clientes o Marquês de Pombal, aliás, grande impulsionador do empreendimento. Com a entrada de Sebastião Inácio de Almeida, a fábrica continuou produzindo louça qualificada, especialmente a pintada em azul e, possivelmente, foi quando se iniciou a produção de azulejos. Entre 1779-1816, já na administração de João Anastácio Botelho de Almeida, a fábrica passou a seguir o gosto neoclássico, produzindo azulejos e peças de faiança com formas diversificadas e tecnicamente menos cuidadas, com o objetivo de ampliar a clientela. Em 1818, Alexandre Antônio Vandelli assumiu o comando, mas não conseguiu manter o empreendimento, atravessando sucessivas crises até o encerramento das atividades em 1835. (SE)

12 ⁓ Cabaia é um tipo de túnica, com forma e comprimento variados, usados pelos povos asiáticos (hindus, árabes, persas, judeus e outros). (SE)

13 ∾ Um gênero da família das rubiáceas denominado *rubia tinctorum*, existente em regiões tropicais e subtropicais, e cuja madeira é usada na extração de tintura, mais conhecida como *granza*. (SE)

14 ∾ Trocadilho. (SPR)

15 ∾ Missionário e médico, o escocês David Livingstone (1813-1873) explorou o interior meridional do continente africano, chegando ali em 1840, oficialmente para trabalhar pela cristianização. A partir de 1842, por quatro anos, buscou uma rota que ligasse o alto Zambeze à costa leste do continente. Em 1855, no curso do mesmo rio Zambeze, descobriu as famosas Cataratas Vitória. Em 1856, cruzou todo oeste-leste da África meridional. De volta à Grã-Bretanha, considerado herói nacional, publicou *Missionário, Viagens e Pesquisador na África do Sul* (1857), que se tornou *best-seller*. De novo na África, entre 1858-1863, a serviço do governo britânico, realizou a exploração da África oriental e central. Outra vez no Reino Unido, divulgou os horrores do tráfico de escravos, obtendo apoio privado para nova expedição, com dupla finalidade: buscar a nascente do rio Nilo e produzir relatórios sobre o comércio da escravidão. Essa expedição durou de 1866 até a sua morte em 1873. A região explorada por Livingstone, primeiramente, foi alvo do interesse português, que pretendia integrar o atual território zambiano às suas possessões de Angola e Moçambique. Com Livingstone e, depois, com Cecil Rhodes, a presença britânica foi garantida. Rhodes obteve concessão para exploração mineral do território (jazidas de ouro e diamantes), onde em 1888, serão fundadas as colônias britânicas da Rodésia do Norte (atual Zâmbia) e Rodésia do Sul (atual Zimbabwe). (SE)

16 ∾ Muitos dos traficantes de negros escravizados eram portugueses ou descendentes, que comandavam em Angola e Moçambique as chamadas expedições negreiras, as quais vinham sendo combatidas pelo governo da rainha Vitória (1819-1901). Livingstone fornecia relatórios sobre o assunto aos seus financiadores, que tinham interesses na região, bem como os seus relatórios alimentavam a opinião pública britânica, dando sustentação à política expansionista do Reino Unido. (SE)

17 ∾ O escocês John Kirk (1832-1922) era o outro médico participante da expedição de Livingstone. (SE)

18 ∾ Um dos Grandes Lagos Africanos, localizado no vale do rio Rift, entre o Malawi, a Tanzânia e Moçambique. O lago tem 560km de comprimento, 80km de largura e 700m de profundidade máxima. (SE)

19 ∾ Embora o correspondente reproduza a notícia da morte de Livingstone, tendo como fonte John Kirk, participante da expedição, a informação não se confirmou, pois Livingstone foi encontrado vivo em 1871 pelo jornalista Stanley, que viajara à África expressamente para apurar o que tinha acontecido com o missionário inglês. Foi então que Stanley teria dito as palavras que ficaram famosas: *"Doctor Livingstone, I pressume?"* Livingstone permaneceu na África até a sua morte em 1873. (SPR)

20 ∾ Felix Frenay (1838-1892), poeta pré-socialista, que fazia em seus poemas a denúncia das condições de trabalho do operariado belga. (SE)

## [238 A]

> De: MIGUEL DE NOVAIS A CAROLINA MACHADO DE ASSIS
> *Fonte*: Cartão de Visita Original, Arquivo ABL.

[Lisboa, 12 de novembro de 1884.]

Se não me engano faz hoje 15 anos que te casaste. 15 anos! Parece impossível!

Se é verdade isto recebe e transmite ao Machado as minhas felicitações. Se há erro de cálculo[1] desculpa, e aceita os nossos cumprimentos do mesmo modo que [...] [...] [...] dia de aniversário.

Adeus e saudades
[Miguel de Novais]

---

1 ⁘ Se a memória não o tiver traído, esse cartão foi escrito na data do casamento de Carolina e Machado: 12 de novembro. (SE)

## [249 A]

> Para: ALFREDO PUJOL
> *Fonte*: Manuscrito Original, Fundação Biblioteca Nacional.

Corte, 28 de janeiro de 1886.

Excelentíssimo Senhor Alfredo Pujol[1],

Respondo à amável carta que me dirigiu com o seu distinto colega, declarando-lhe que pode inscrever o meu nome entre os colaboradores da folha literária que vão fundar em Vassouras[2].

Incluso achará um soneto inédito[3] que pode ser publicado se assim lhe parecer.

Aperto-lhes a mão, desejoso de que a obra que vão empreender tenha o maior êxito possível.

Sou com estima e consideração

Colega atento admirador

Machado de Assis

---

1 ∾ Carta inédita. (SE)

2 ∾ *A Quinzena*, revista literária fundada por Jorge Alberto Leite Pinto (1865-1934) e Alfredo Pujol (1865-1930), na cidade de Vassouras, foi lançada em 20/02/1886, e circulou até 01/07/1887. Entre os seus colaboradores figuram arrolados no editorial: Machado de Assis, Raimundo Correia*, Valentim Magalhães*, Júlia Lopes, Lúcio de Mendonça*, Olavo Bilac*, Ciro Azevedo*, Hipólito Pujol, Alberto de Oliveira, Domiciano Pinto, Augusto de Lima*, Adelina Lopes Vieira, Luís Delfino, Artur Azevedo*, Morais Silva, Ovídio Melo. O Visconde de Araxá (1812-1881), avô de Jorge Pinto, teve seus escritos publicados *in memoriam* no periódico. (SE)

3 ∾ O soneto, que em fevereiro de 1886 era declaradamente inédito – "Mundo interior" – foi publicado posteriormente nas *Poesias Completas* (1901), compondo as *Ocidentais*, nome dado à reunião de sua obra poética esparsa. O soneto original é, em alguns versos, diferente do que publicou em 1901. Eis o poema em sua forma de 1886:

"Ouço que a natureza é uma lauda eterna, / De pompa, de fulgor, de movimento e lida, / Uma escala de luz, uma escala de vida / Do sol à última luzerna. // Ouço que a natureza – a natureza externa, – / Tem o olhar que seduz e o gesto que intimida, / Feiticeira que ceva uma hidra de Lerna / Entre flores da bela Armida // E contudo, se fecho os olhos e mergulho / Dentro em mim, vejo à luz de outro sol outro abismo, / Em que um mundo mais vasto, armado de outro orgulho, // Rola a vida imortal e o eterno cataclismo, / E, como o outro, guarda em seu âmbito enorme / Um segredo que atrai, que desafia e dorme. // MACHADO DE ASSIS"

A coleção da Fundação Biblioteca Nacional não possui todos os números de *A Quinzena*, somente até 01/06/1886, número no qual Machado de Assis também colaborou, desta vez com a crônica "Um dístico". A coleção tem os seguintes números: 20 de fevereiro, 15 de março, 1.º de abril, 15 de abril, 1.º de maio, 15 de maio e 1.º de junho. (SE)

## [358 A]

De: LUÍS GUIMARÃES JÚNIOR
*Fonte:* Manuscrito Original, Arquivo ABL.

Lisboa, 22 de junho de [1896].
Rua dos Pedrouços, 61 – Lisboa.

Querido Machado de Assis, meu glorioso Mestre e inolvidável Amigo.

Beijo-te as mãos pela adorável carta que me escreveste, e pelo valioso mimo do teu livro[1]. É sempre o mesmo encantador estilista, o mesmo aprimorado e elegante escritor que há de nas letras brasileiras ficar com a reputação de um clássico. És forte e meigo. Meu incomparável Mestre!

Gostaste dos meus versos? Agradeço-te esse lisonjeiro afago.

Minha alma está morta, e esta pobre lira já não sabe cantar, amigo, (enlouqueceu).

Se mandei aqueles sonetos, foi por intermédio do Bilac, que mos pediu para os publicar na *Gazeta*.

Não sei se publicou-os ou não. Na *Gazeta* nunca os vi. Escrevi cartas sobre cartas ao Bilac; não me respondeu uma sequer!

*Les absents ont toujours tort*[2], Machadinho, e o nosso Byron enganou-se dizendo que *a amizade é o amor sem asas*[3], porque ela é mais alígera que o próprio deus vendado!

Farás tu a exceção. És grande até nisso. Tens a cabeça de diamante e o coração de ouro! Abençoado seja o teu nome, abençoada a tua alma!

Que saudade tenho do nosso passado, Machadinho! Mergulho, às vezes, nele, e afogo-me em lágrimas![4]

Estou a ouvir, neste momento em que te escrevo minha filha Iracema dedilhar no seu piano uma balada de Chopin.

Por isso, com mais ternura e saudade, ainda, abraça-te o teu

Luís Guimarães

---

1 ∾ Provavelmente *Várias Histórias*, cuja primeira edição começou a ser distribuída em outubro de 1895. (IM)

2 ∞ "Os ausentes nunca têm razão", no sentido que bem esclarece um adágio francês: *"L'absent n'est pas en mesure de se défendre, il est toujours consideré fautif."* (O ausente não está em condições de se defender, ele sempre é considerado culpado). (IM)

3 ∞ Byron põe ao final das nove estrofes de "On revisiting Harrow" (1806) o verso em francês: *"L'amitié est l'amour sans ailes."* (IM)

4 ∞ Esta carta não traz o ano. Inferiu-se 1896 pelo conhecimento das circunstâncias dramáticas que marcaram o fim da vida de Luís Guimarães Júnior. Sua imensa admiração pelo "Machadinho" se manifesta quando o futuro poeta era um meninote, sendo sua a primeira carta guardada pelo destinatário. Foi escrita em 30/05/1862, carta [5], tomo I. Para melhor entender o estado de espírito de Guimarães Júnior, registre-se apenas que depois de longos anos no serviço diplomático, finalmente ele foi nomeado enviado extraordinário e ministro plenipotenciário do Brasil em Caracas. A entrega da carta oficial, ao presidente venezuelano Raimundo Andueza, deu-se em 27/05/1891. Após a cerimônia, o representante brasileiro "sentiu-se repentinamente acometido de uma perniciosa febre cerebral", conforme relata a filha Iracema (Vilela, 1934). Daí, a volta a Lisboa e uma cruel aposentadoria. Com pouco mais de 50 anos, o poeta sofreu suas duras limitações físicas e emocionais, tendo queimado peças da última produção literária e falecendo em 1898. Mas sempre amigo do antigo amigo, Machado de Assis dedicou-lhe este parágrafo belíssimo na *Gazeta de Notícias* de 19/01/1896:

"Um dos que verão passar o préstito de João de Deus será este outro esquecido, patrício nosso e poeta inspirado Luís Guimarães Júnior. [...] Não digo esquecido no passado, porque os seus versos não esquecem aos companheiros e admiradores, mas no presente. Um dos seus dignos rivais, Olavo Bilac, deu-nos, há dias, dois lindos sonetos do poeta que ainda nos promete um livro. A doença não o matou, a solidão não bastaria para descrer da vida e da arte, que dá força para empregar na arte os pedaços de vida que lhe deixaram e que valerão por toda ela. O poeta ainda canta. Crê no que sempre creu." (IM)

# ∾ Correspondentes no período 1901-1904

Cartas de MACHADO DE ASSIS: [575], [578], [579], [585], [586], [587], [592], [593], [595], [598], [599], [604], [605], [609], [610], [612], [613], [614], [615], [616], [617], [618], [619], [622], [624], [631], [632], [633], [634], [635], [639], [640], [641], [643], [644], [645], [646], [649], [655], [658], [660], [662], [664], [665], [666], [667], [668], [671], [672], [675], [676], [680], [682], [690], [691], [695], [696], [699], [700], [701], [702], [707], [708], [711], [715], [716], [717], [719], [721], [723], [724], [725], [726], [727], [728], [733], [734], [735], [739], [741], [742], [745], [746], [747], [749], [750], [752], [757], [758], [759], [761], [765], [766], [767], [768], [772], [774], [775], [780], [782], [783], [785], [787], [788], [790], [792], [793], [794], [796], [797], [799], [801], [802], [804], [805], [808], [00], [249 A].

ALBUQUERQUE, AMÉLIA Machado CAVALCANTI DE. (1852--1946). Nascida no Rio de Janeiro, filha de Constantino Machado Coelho de Castro e Mariana Barbosa de Assis Machado, D. Amélia desde jovem era célebre por sua elegância, beleza e inteligência. Dama de dotes intelectuais reconhecidos, em 1905 tornou-se membro do Instituto Histórico e Geográfico de São Paulo. Amélia foi casada com o influente político do Império, Diogo Velho Cavalcanti de Albuquerque (1829-1899). Em maio de 1889, o visconde de Cavalcanti foi nomeado comissário do Brasil na Exposição Universal de Paris, transferindo-se para lá. Na mudança de regime político em 1889, os viscondes permaneceram na Europa em atenção ao imperador. Retornaram ao Brasil quando da grave doença que vitimou o visconde. Após enviuvar, D. Amélia viveu na Europa por longo tempo, mas terminou os seus dias num amplo apartamento da avenida Rui Barbosa, no Rio de Janeiro. [717]. Ver tb. tomo III.

ALENCAR, MÁRIO Cochrane DE. (1872-1925). Advogado, poeta, jornalista e romancista, Mário é o filho mais novo de José de Alencar*, e irmão de Augusto*, outro correspondente de Machado de Assis. A relação entre Machado e Mário principiou a estreitar-se depois do lançamento da pedra fundamental da estátua de José de Alencar, no bairro do Flamengo, em 1891. A partir de 1898, Mário passou a frequentar a redação da *Revista Brasileira*. O temperamento reservado e a doença comum – epilepsia – colaboraram para que os laços se estreitassem. Amparavam-se mutuamente em suas fraquezas, trocando palavras de incentivo e até mesmo receitas de remédios, a fim de mitigar as aflições (carta [402], tomo III). Passaram a encontrar-se diariamente na Livraria Garnier, de onde partiam juntos até o Catete, ponto em que se separavam, seguindo Mário em direção à rua Marquês de Olinda e Machado em direção à rua Cosme Velho. Após a morte de Carolina*, em 20 de outubro de 1904, a amizade estreitou-se mais, tornando-se ele o confidente mais próximo de Machado. Teve papel relevante na conquista da sede da Academia Brasileira de Letras no Cais da Lapa, como algumas cartas do presente volume comprovam. Na ABL, é o segundo ocupante da Cadeira 21, cujo patrono é Joaquim Serra*. Mário de Alencar foi eleito na vaga de José do Patrocínio em 31 de outubro de 1905, sendo recebido por Coelho

Neto* em 14 de agosto de 1906. [670], [671], [674], [676], [678], [680], [681], [696], [697], [749], [752] e [780]. Ver tb. tomo III.

ALMEIDA, Gabriel OSÓRIO DE. Ver OSÓRIO DE ALMEIDA, Gabriel.

ARANHA, José Pereira da GRAÇA. (1868-1931). Escritor, advogado e diplomata, nascido no Maranhão. Exerceu a magistratura no interior do Espírito Santo, fato que lhe iria fornecer matéria para um de seus mais notáveis trabalhos – o romance *Canaã*, publicado com grande sucesso editorial em 1902. A convite de Joaquim Nabuco* em 1899, secretariou a missão que cuidaria da questão da antiga Guiana inglesa, acompanhando o chefe na França e fixando-se em Londres, quando Nabuco, além de cuidar do litígio entre o Brasil e a Grã-Bretanha, assumiu a representação diplomática brasileira naquele país. Depois da estreia com *Canaã*, publicou, em 1911, o drama *Malazarte*. De volta ao Brasil, lançou *A Estética da Vida* (1921), *A Viagem Maravilhosa* (1929) e *O Meu Próprio Romance* (1931), sua obra derradeira. Na Semana da Arte Moderna, realizada no Teatro Municipal de São Paulo, proferiu, em 13 de fevereiro de 1922, a conferência intitulada "A emoção estética na arte moderna". Foi considerado um dos chefes do movimento renovador de nossa literatura, fato que se acentuaria com a conferência "O espírito moderno", lida na Academia Brasileira de Letras, em 19 de junho de 1924, na qual o orador declarou: "A fundação da Academia foi um equívoco e foi um erro". O romancista Coelho Neto* deu-lhe pronta resposta: "O brasileirismo de Graça Aranha é um brasileirismo europeu, copiado do que o conferente viu em sua carreira diplomática." Em 18 de outubro de 1924, Graça Aranha comunicou o seu desligamento da Academia por ter sido recusado o projeto de renovação que elaborara: "A Academia Brasileira morreu para mim, como também não existe para o pensamento e para a vida atual do Brasil. Se fui incoerente aí entrando e permanecendo, separo-me da Academia pela coerência." O acadêmico Afonso Celso tentou, em 19 de dezembro do referido ano, promover o retorno de Graça Aranha à instituição, mas Graça Aranha foi taxativo: sua separação da Academia fora definitiva. Machado de Assis admirava Graça Aranha, e, com Nabuco e Lúcio de Mendonça*, convidou-o para fazer parte do grupo dos fundadores da ABL, sem que ele houvesse ainda publicado nenhum livro. Aranha a princípio recusou o convite, por ser contrário à ideia da Academia, mas acabou voltando atrás, a instâncias de Machado. O temperamento irreverente de Graça Aranha às vezes irritava Machado de Assis, como ocorreu em 1899, quando Graça, tendo lido em Paris as provas de *Dom Casmurro*, brincou com o mestre, dizendo ter encontrado num hotel uma grega de olhos oblíquos e dissimulados, cujo amante tinha morrido afogado. Machado puniu Graça com um longo silêncio, mas a reconciliação se deu no final de 1900. Apesar de pequenos conflitos motivados por candidaturas acadêmicas, a amizade de ambos não sofreu novas turbulências. Machado se entusiasmou genuinamente com *Canaã*. Foi Graça Aranha que entregou a Machado o ramo do carvalho de Tasso, que Joaquim Nabuco enviara de Roma. E após a morte do amigo, organizou e prefaciou sua correspondência com Nabuco (1923). Foi o fundador da Cadeira 38 da Academia Brasileira de Letras. [625], [628], [642], [703], [706] e [734]. Ver tb. tomo III.

ARARIPE JÚNIOR, Tristão de Alencar. (1848-1911). Nascido em Fortaleza, oriundo de umas das mais importantes famílias do Ceará no século XIX, era neto de Bárbara de Alencar, a heroína da Revolução de 1817, e primo de José de Alencar*. Araripe Júnior bacharelou-se em Direito por Recife. Na década de 1870, foi juiz e deputado provincial, por duas legislaturas. Em 1880, mudou para o Rio de Janeiro. Pouco conhecido como romancista, foi como crítico que ganhou renome. Exerceu desde muito jovem o ensaísmo literário nos mais prestigiosos jornais, fossem cearenses, pernambucanos ou fluminenses. A convivência entre Araripe Júnior e Machado remonta à década de 1880, quando ambos frequentavam o Clube Beethoven. Entre 1958-1966, o acadêmico

Afrânio Coutinho (1911-2000) pesquisou e reuniu em cinco alentados volumes a obra do ensaísta até então dispersa, dando-lhe o título de *Obra Crítica de Araripe Júnior*, referência ainda hoje para os estudiosos da literatura nacional. Fundador da Academia Brasileira de Letras, ocupante da Cadeira 16, cujo patrono é o escritor baiano Gregório de Matos. [809]. Ver tb. tomo III.

ARAÚJO, ARMANDO RIBEIRO DE. Amigo e vizinho de Machado de Assis. Sua esposa, Fanny*, era amiga íntima de Carolina*, dando-lhe grande assistência durante a penosa enfermidade. Foi Armando quem tomou as providências para o enterro de Carolina (1904) e também um dos que carregaram o ataúde do escritor. [610].

ARINOS de Melo Franco, AFONSO. (1868-1916). Contista, dramaturgo e jornalista. Mineiro, nascido em Paracatu, fez os primeiros estudos em Goiás, para onde fora transferido seu pai, Virgílio de Melo Franco. Cursou os preparatórios em São João Del Rei e no Rio de Janeiro. Em 1885, iniciou o curso de Direito em São Paulo, concluindo-o quatro anos mais tarde. Desde os tempos de estudante, manifestou forte inclinação para as letras, escrevendo alguns contos. Depois de formado foi com a família para Ouro Preto, então capital da província de Minas Gerais. Concorreu a uma vaga de professor de História do Brasil, em cuja disputa por concurso obteve o 1.º lugar. Foi um dos fundadores da Faculdade de Direito de Minas Gerais onde lecionou Direito Criminal. Durante a Revolta da Armada (1893-1894), abrigou em sua casa em Ouro Preto alguns escritores radicados no Rio de Janeiro que, suspeitos de participação naquele movimento, haviam buscado refúgio no interior de Minas, entre outros, Olavo Bilac* e Carlos de Laet*. Teve vários trabalhos publicados, na década de 1890, na *Revista Brasileira* e na *Revista do Brasil*. Convidado por Eduardo Prado, tio de sua esposa, Antonieta Prado, assumiu, em 1897, a direção do jornal *O Comércio de São Paulo*. Em fevereiro de 1901 foi eleito sócio correspondente do Instituto Histórico e Geográfico Brasileiro. Distinguiu-se em nossa literatura como um admirável contista de feição regionalista, fato comprovado por seus livros *Pelo Sertão* e *Os Jagunços* (1898); publicou também *Notas do Dia* (1900). Em edições póstumas, registrem-se *O Contratador de Diamantes* (1917), *A Unidade da Pátria* (1917), *Lendas e Tradições Brasileiras* (1917), *O Mestre de Campo* (1918), *Histórias e Paisagens* (1921), *Ouro, Ouro* (inacabado) e a *Obra Completa*, com notável introdução do sobrinho e acadêmico Afonso Arinos de Melo Franco (1969). Em viagem à Europa, Arinos adoeceu no navio e veio a falecer em Barcelona em 19 de fevereiro de 1916. Eleito para a vaga de Eduardo Prado, a 31 de dezembro de 1901, e recebido por Olavo Bilac* em setembro de 1903, foi o segundo ocupante da Cadeira 40 da Academia Brasileira de Letras. [620], [656], [657] e [694].

AVELAR, ANTÔNIO GOMES DE. (1855-?). Conde de Avelar. Português, nascido em São Martinho do Porto, era filho do capitão de navios José Gomes de Avelar, que o mandou para o Rio de Janeiro com apenas 11 anos, destinando-o ao comércio. Trabalhador incansável, obteve o maior êxito e prestígio no meio comercial e financeiro. Presidiu a Real Sociedade Portuguesa de Beneficência e Ordem de Nossa Senhora do Monte Carmo. Promoveu a subscrição para a compra de uma canhoneira, construída sob influxo do protesto luso contra o ultimato do governo brasileiro a Portugal na Revolta da Armada (1893-1894). Foi vogal das comissões dos centenários da Índia e do Brasil. Conservou a nacionalidade portuguesa depois da proclamação da República. Como presidente do Gabinete Português de Leitura, manteve as suas portas abertas para a Academia Brasileira de Letras, que lá realizou sessões solenes. Em 1903 foi agraciado com o título de conde pelos serviços prestados à sua pátria. [722]

AVELAR, CONDE DE. Ver AVELAR, Antônio Gomes de.

AZEREDO, Carlos MAGALHÃES DE. (1872-1963). Bacharel em Direito pela Faculdade de São Paulo (1893), ingressou na carreira diplomática em 1895; foi também jornalista, poeta, contista e ensaísta. Azeredo morou a maior parte de sua vida fora do Brasil, primeiro no Uruguai, depois em Roma. Por um tempo exilou-se em Paris, voltando a Roma, a cidade de sua predileção. Mesmo depois de aposentar-se da carreira, continuou a viver ali. Magalhães de Azeredo é um dos interlocutores privilegiados, a quem Machado de Assis votou grande afeição e profunda confiança e com o qual se correspondeu por 19 anos. As cartas do período anterior (1890-1900) deram continuidade à vasta correspondência começada em 1889, quando Azeredo, aos dezesseis anos, era ainda estudante dos preparatórios à Faculdade de Direito. A correspondência entre os dois no presente tomo reúne 33 cartas, nas quais figuram os comentários políticos de Azeredo; há também seguidos comentários que revelam as transformações do ambiente cultural tanto no Brasil quanto na Europa, bem como os ecos da intensa mudança urbanística por que passava o Rio de Janeiro. Fundador da Academia Brasileira de Letras, ocupante da Cadeira 9, cujo patrono é escritor e diplomata Domingos Gonçalves de Magalhães. [581], [586], [590], [596], [603], [604], [608], [612], [624], [629], [635], [636], [654], [663], [664], [668], [669], [673], [675], [677], [682], [684], [686], [689], [698], [711], [725], [729], [733], [747], [761], [764] e [776]. Ver tb. tomos II e III.

AZEVEDO, ALUÍSIO Tancredo de. (1857-1913). Aluísio nasceu em São Luís, Maranhão. Em 1876, depois que seu irmão mais velho Artur* passou a viver na corte, decidiu também fixar-se no Rio de Janeiro. Tentou por duas vezes. A primeira em 1876-1878, a fim de aperfeiçoar os estudos de pintura. Logo estreou como caricaturista no *Fígaro* (1876) e, em seguida, no *Mequetrefe* (1877). Fez ilustrações para casas comerciais e espetáculos de teatro. Foi também pintor retratista de algumas personalidades do tempo. Em 1878, após a morte do pai, voltou a São Luís, onde ficou até setembro de 1881. De volta ao Rio viveu da escrita, sempre precariamente, à exceção do período entre junho de 1891 e janeiro de 1892, quando trabalhou como oficial-maior da Diretoria de Negócios do Estado do Rio de Janeiro, na administração Francisco Portela, situação interrompida pela ascensão de Floriano Peixoto, que destituiu os governadores que apoiaram o golpe de Deodoro, de 3 de novembro de 1891. Decidido a melhorar de vida, em julho de 1895, fez o concurso para cônsul de carreira no Ministério das Relações Exteriores. Embora aprovado para o posto, não alcançou a nomeação, entrando de modo provisório na diplomacia a 31 de dezembro de 1895, como vice-cônsul em Vigo, na Espanha, para onde partiu em 10 de fevereiro de 1896, no vapor *Clyde*. Foi removido para Yokohama em 17 de abril de 1897, ainda como vice-cônsul, onde ficou até 1899. Em fevereiro de 1900, foi nomeado cônsul honorário em La Plata, até ser removido para Salto Oriental em 1903, quando então teve a sua nomeação definitiva. A carta que consta deste volume situa-se num período de insatisfação, motivada pelas dificuldades financeiras, e que declinou quando alcançou a nomeação que o estabilizaria na carreira diplomática. [630].

AZEVEDO, ARTUR Nabantino Gonçalves de. (1855-1908). Filho de David Gonçalves de Azevedo e Emília Amália Pinto de Magalhães, aos oito anos Artur já se inclinava ao teatro, fazendo adaptações dos autores em voga. Pouco depois passou a escrever as peças que representava entre os amigos. Irmão mais velho do romancista Aluísio Azevedo*, Artur foi jornalista, contista, tradutor e dramaturgo de renome. Transferiu-se de São Luís para a corte em 1873, onde se iniciou como emendador de provas e tradutor no jornal *A Reforma*, dirigido por Joaquim Serra*, seu conterrâneo, e com quem aprendeu a fazer de tudo na redação. Apesar de *A Reforma* estar a serviço da queda do gabinete Paranhos, Artur, em 1875, conseguiu junto a um dos membros desse gabinete, conselheiro Augusto Olímpio Gomes de Castro, a vaga de amanuense do Ministério da Agricultura. Foi nesta ocasião que conheceu Machado de Assis, funcionário público havia oito anos e com quem passou a conviver na mesma sala.

Conheceu-o ainda Machadinho, como o chamavam os colegas, mas a caminho de se tornar Machado de Assis. Em comum, o amor ao teatro e o exercício da burocracia ao longo da vida. Continuou atuando no jornalismo, no qual desenvolveu as atividades que o projetaram como grande contista e teatrólogo. As suas peças fizeram enorme sucesso. Fundou publicações literárias, como *A Gazetinha*, *Vida Moderna* e *O Álbum*. Colaborou em *A Estação*, ao lado de Machado de Assis; e no jornal *Novidades*, com Alcindo Guanabara, Moreira Sampaio, Olavo Bilac* e Coelho Neto*. Fez ardorosamente a campanha da abolição. Na República, tornou-se florianista renhido, o que por vezes o fez perder o senso de medida. Contista desde 1871, somente em 1889 publicou o seu primeiro livro: *Contos Possíveis*, dedicado a Machado de Assis. Depois vieram os *Contos Fora de Moda* (1894), *Contos Efêmeros* (1897), *Contos em Versos* (1898), *Contos Cariocas* (1928) e *Vida Alheia* (1929), sendo as duas últimas obras póstumas, constituídas de histórias deixadas por ele nos vários jornais em que colaborara. [730] e [811].

BANDEIRA, João Carneiro de SOUSA. (1895-1917). Ensaísta e jurista pernambucano. Seu pai relacionava-se com os brasileiros de maior expressão intelectual e política de sua época, entre os quais Joaquim Nabuco*, amizade que ele viria a cultivar. Bacharel pela Faculdade de Direito do Recife, foi então fortemente influenciado pelo ideário de Tobias Barreto. Transferindo-se para o Rio de Janeiro, dedicou-se logo à carreira de advogado. Em 1891, assumiu a cadeira de Direito Administrativo como professor da Faculdade de Ciências Jurídicas. Frequentou o grupo literário da *Revista Brasileira*, dirigida por José Veríssimo* a partir de 1895, e local de fundação da Academia Brasileira de Letras no ano seguinte. A par da destacada atuação jurídica, publicou *Estudos e Ensaios* (1904), *Peregrinações* (1910), *Páginas Literárias* (1917) e *Evocações e Outros Escritos* (ed. póstuma, 1920). Eleito em 1905, foi o quarto ocupante da Cadeira 13 da Academia Brasileira de Letras. [800].

BARBOSA de Oliveira, RUI. (1849-1923). Advogado, jornalista, jurista, político, diplomata e ensaísta, Rui nasceu em Salvador, Bahia, filho de João Barbosa de Oliveira e Maria Adélia Barbosa de Oliveira. Fez os estudos preparatórios na província natal e o curso de Direito em Recife e São Paulo. Nesta última cidade, começou a vida jornalística e, antes do fim do segundo ano de curso, já era jornalista reconhecido. Formado em 1870, passou ao Rio de Janeiro, começando a carreira de advogado. Como jornalista, abraçou a causa da abolição da escravatura. Como deputado provincial e geral, ao lado de Joaquim Nabuco*, preconizou a defesa do sistema federativo. Proclamada a República, tornou-se ministro da Fazenda do governo provisório e ministro interino da Justiça. Eleito senador pela Bahia, orientou as principais reformas e com a sua cultura jurídica modelou as linhas fundamentais da carta magna, de 24 de fevereiro de 1891. Opondo-se ao golpe que levou Floriano Peixoto ao poder, requereu *habeas-corpus* em favor de todos os presos pelo governo ditatorial. Como redator-chefe do *Jornal do Brasil*, abriu campanha contra Floriano. Em 1893, exilou-se, primeiramente em Buenos Aires; depois em Lisboa, onde o incidente com o capitão Benjamin de Melo (ver [336] e [339], tomo III) levou-o a partir para Londres. Lá, escreveu as famosas *Cartas da Inglaterra* para o *Jornal do Comércio*. Após a restauração da ordem constitucional no Brasil (1894), Rui regressou do exílio (1895), tomando assento no Senado Federal. As relações entre Machado e Rui Barbosa sempre foram cerimoniosas. Fundador da Academia Brasileira de Letras, Cadeira 10, cujo patrono é o jornalista Evaristo da Veiga, sucedeu Machado de Assis na presidência da instituição. [727]. Ver tb. tomo III.

BEZERRA, LUÍS B. DOS SANTOS. Chefe ou funcionário graduado do gabinete do diretor da secretaria do Senado Federal. Prestou informações a Machado de Assis sobre a tramitação da Lei Eduardo Ramos (1900), em favor da Academia Brasileira de Letras. Não se encontraram até o presente outros dados relevantes sobre o missivista. [580].

BILAC, OLAVO Brás Martins dos Guimarães. (1865-1918). Nascido no Rio de Janeiro, filho de um cirurgião-médico e combatente da Guerra do Paraguai (1865-1870), Bilac estudou até o 4.° ano de medicina, mas terminou por seguir a sua vocação para o jornalismo e a literatura. Combativo, envolveu-se em muitos episódios no período inicial da República, o que lhe rendeu algumas prisões. Logo que voltou da Europa, em outubro de 1891, participou da frustrada tentativa de reconduzir Deodoro ao poder, após o golpe de estado, de 3 de novembro. Bilac foi preso pela polícia florianista e enviado em 12 de abril de 1892, à fortaleza de Laje, onde permaneceu até agosto. No período da Revolta da Armada, em 1893, de novo foi preso. José do Patrocínio, diretor do *A Cidade do Rio* e ferrenho opositor de Floriano, temeroso de nova deportação para o Amazonas, escondera-se na casa do sogro florianista. Luís Murat, então deputado federal, valendo-se de sua imunidade, assumiu o seu lugar, tendo Bilac como secretário oficial da folha. Neste momento, o estado de sítio já tinha sido decretado. Os dois, apesar de inseguros, publicaram o manifesto revolucionário de Custódio de Melo, em 24 de outubro de 1893. O jornal foi suspenso. Murat saiu do Rio. Bilac, preso e logo solto, refugiou-se em Minas Gerais. Findo o estado de sítio, mal desembarcou do trem de Juiz de Fora, o poeta foi preso para averiguações. O próprio Floriano, a pedido de amigos de Bilac, escreveu um bilhete ao chefe de polícia: *soltem o poeta*. Anos mais tarde, Bilac engajou-se em causas civilistas, sendo a mais conhecida a da obrigatoriedade do serviço militar. É o autor da letra do Hino à Bandeira. Fundador da Academia Brasileira de Letras, ocupante da Cadeira 15, cujo patrono é o poeta maranhense Gonçalves Dias. [650]. Ver tb. tomo III.

BIVAR, DIOGO Soares da Silva DE. (1785-1865). O que se apurou a respeito deste missivista encontra-se nas notas à carta. [00].

BRAGA, BELMIRO Belarmino de Barros. (1872-1937). Poeta e prosador mineiro, nascido na então Vargem Grande; ali aprendeu as primeiras letras e, aos 11 anos, partiu para estudar no Ateneu Mineiro, em Juiz de Fora. Porém logo retornou e pôs-se a trabalhar na venda paterna. Seus dotes de escritor surgiram cedo, mostrando-se nos jornais locais e sobretudo em trovas premiadas. Teve ofícios modestos em outras cidades de Minas Gerais, tornou-se juiz de paz e fez bem-sucedida viagem à Europa. Em 1902, publicou *Montesinas* (poesia), volume cuidadosamente reeditado em 2011. Além da extensa obra poética, de contos e textos dramáticos, destaca-se o seu livro autobiográfico *Dias Idos e Vividos* (1936), no qual revela uma personalidade modesta, lírica e, ao mesmo tempo, capaz de compor, sem maldade, boas páginas satíricas. Nesse livro, o autor descreve sua precoce e perene devoção por Machado de Assis, que foi sensível às manifestações do jovem poeta mineiro. Belmiro Braga, um dos fundadores da Academia Mineira de Letras, mereceu a admiração de grandes escritores e uma devida homenagem, ao ter seu nome dado à antiga Vargem Grande, como município emancipado de Juiz de Fora em 1962. [781]. Ver tb. tomo III.

CARVALHO, MANUEL MARIA DE. O que se apurou a respeito deste missivista encontra-se nas notas à carta. [744].

CASTILHO, JÚLIO DE. (1840-1919). Segundo visconde de Castilho, Júlio era o primogênito do escritor português Antônio Feliciano de Castilho (1800-1875). Foi jornalista, poeta, escritor e político. Formado em letras pela Universidade de Coimbra, cedo enveredou pela vida literária e pelo jornalismo. Escreveu obras importantes para o estabelecimento da história da cidade de Lisboa. Apesar de haver estudiosos e comentaristas do tema anteriores a ele, Júlio é considerado o pai da moderna olispografia, baseada na pesquisa rigorosa e excludente de fantasias imaginativas. Homem de grande cultura e dono de uma importante coleção de documentos, foi funcionário da Biblioteca Nacional de Lisboa, onde iniciou as suas pesquisas históricas e biográficas, e na qual atualmente se encontra guardada a sua coleção de documentos. [64 A], [64 B], [64 C], [64 D], [64 E], [65 A], [65 B], [66 A] e [68 A].

CASTRO, ALOÍSIO DE. (1881-1959). Médico, professor e poeta, era filho do acadêmico Francisco de Castro*, que lhe transmitiu o gosto pelas letras, as artes e a música, além de profundas lições de vida. Ingressou na Faculdade de Medicina do Rio de Janeiro, onde colou grau de doutor em 1903, tendo obtido o prêmio de viagem à Europa, oferecido pela mesma Faculdade. Foi interno de Clínica Propedêutica da Faculdade de Medicina do Rio de Janeiro (1901-1903), assistente de Clínica Propedêutica dessa faculdade (1904-1908), subcomissário de higiene e assistência pública do Rio de Janeiro (1906-1908), professor substituto e, a seguir, catedrático de Patologia Médica e de Clínica Médica (1915-1940), diretor-geral da Faculdade de Medicina (1915-1924), do Departamento Nacional de Ensino (1927-1932) e médico da Santa Casa da Misericórdia. Membro da Academia Nacional de Medicina, da qual foi presidente, da Sociedade de Neurologia, Psiquiatria e Medicina Legal do Rio de Janeiro, da Sociedade de Medicina e Cirurgia do Rio de Janeiro, membro honorário da Sociedade de Medicina e Cirurgia de São Paulo, do Instituto Brasileiro da História da Medicina e do Conservatório Brasileiro de Música. Também foi membro da Comissão de Cooperação Intelectual da Liga das Nações (1922-1930), diretor do Instituto Ítalo-Brasileiro de Alta Cultura, membro correspondente de inúmeras instituições médicas internacionais e membro efetivo da Academia Pontifícia das Ciências. Além de extensa obra científica, publicou *Alocuções Acadêmicas* (1911), *Novas Alocuções Acadêmicas* (1915), *Últimas Alocuções Acadêmicas* (1918), *Palavras de um Dia e de Outro*, 3 vols. (1922, 1929, 1933), *Rimário* (1926), *Orações* (1926), *A Expressão Sentimental na Música de Chopin* (1927), *Os Carmes* (1928), *Tendresse*, poesia em francês (1932) e *Discursos Acadêmicos* (1941). Compôs peças musicais para piano e para canto. Eleito em 1917, tornou-se o terceiro ocupante da Cadeira 5 da Academia Brasileira de Letras, tendo presidido a instituição em 1930 e 1951. [760] e [763].

CAVALCANTI, VISCONDESSA DE. Ver ALBUQUERQUE, AMÉLIA Machado CAVALCANTI DE.

CIFUENTES, JULIO VICUÑA. Ver VICUÑA CIFUENTES, Julio.

COMISSÃO DOS FUNERAIS DE AUGUSTO SEVERO. O que se apurou a respeito desta comissão encontra-se nas notas à carta. [655].

CONSELHO MUNICIPAL. [617].

COSTA, BONIFÁCIO GOMES DA. Militar de carreira, casou-se com Sara Braga*, sobrinha de Carolina*, em dezembro de 1891. Machado de Assis escolheu-o como testamenteiro no seu primeiro testamento em favor de Carolina (1898). O segundo testamento, após a morte de Carolina, contemplaria Laura, filha de Bonifácio e Sara, como herdeira do escritor. [808].

COSTA, JOSÉ SIMÃO. Não se encontraram até o presente momento dados relevantes a respeito deste missivista. [621].

COSTA, SARA BRAGA GOMES DA. Sobrinha de Carolina*, era filha de Artur Ferreira Braga e de Emília Xavier de Novais Braga. O pai foi cônsul português em Recife e na cidade gaúcha de Jaguarão; aposentado, fixou-se no Rio de Janeiro. Emília sempre foi muito unida ao casal Machado de Assis e faleceu um ano antes de sua irmã. Sara, "a boa Sara" das cartas machadianas, casou-se com o major Bonifácio Gomes da Costa* em 1891 e teve quatro filhos, sendo a primogênita, Laura, batizada por Machado e Carolina. Foi essa sobrinha-neta (em 1909 casada com o então tenente Estêvão Leitão de Carvalho) designada como herdeira pelo escritor. Graças à decisão de D. Laura, inúmeros bens de Machado e Carolina – sobretudo documentos que figuram na *Correspondência* – acham-se na Academia Brasileira de Letras. Sara deu grande assistência à tia Carolina durante sua longa enfermidade. Estava acompanhando o marido, em Corumbá, Mato Grosso, quando Machado de Assis adoeceu, e só conseguiu voltar ao Rio de Janeiro pouco depois da morte do querido tio postiço. [766] e [799].

COUTO, MIGUEL. (1864-1934). Médico e professor, frequentou o Colégio Briggs ingressando, a seguir, na Faculdade de Medicina do Rio de Janeiro, da qual se tornaria lente, por concurso, no ano de 1898. Na cadeira de Clínica Médica substituíra Francisco de Castro*, acadêmico e grande expressão da cultura médica. Era poliglota e profundo conhecedor da língua portuguesa. Participou de vários congressos de medicina nos quais se destacou pela competência profissional, sendo considerado um dos mais notáveis clínicos de sua época. Apóstolo da educação nacional, manifestou-se contra a imigração japonesa, que considerava poder vir a constituir sério perigo para o Brasil. Ainda antes da revolução de outubro de 1930, proferira, na Associação Brasileira de Educação, uma conferência em que apresentava um projeto largamente distribuído em todas as escolas normais e institutos profissionais do Rio de Janeiro. Era sugerida, nesse documento, a criação do Ministério da Educação, com "dois departamentos: o do ensino e o da higiene". A 14 de novembro de 1930, um decreto do chefe do Governo Provisório da República criava "uma Secretaria de Estado, com a denominação de Ministério da Educação e Saúde Pública, sem aumento de despesa". Praticamente, seu apelo na Associação Brasileira de Educação começara a dar os seus frutos. O famoso "Manifesto dos Pioneiros da Educação Nova", lançado em 1932, reproduziu o que já pregara Miguel Couto cinco anos antes: "Na hierarquia dos problemas nacionais, nenhum sobreleva em importância e gravidade o da educação." Eleito deputado federal na Constituinte que elaboraria a Constituição de 16 de julho de 1933, continuou o eminente clínico a defender suas ideias sobre educação e problemas da imigração japonesa. Presidiu a Academia Nacional de Medicina durante 21 anos consecutivos. Sua aproximação com Machado de Assis ocorreu em 1904 quando Carolina* já estava gravemente enferma, dando-lhe assistência nos últimos tempos de vida. Em 1906, Machado o procurou, devido ao agravamento das crises epiléticas que sofria. Por sua sugestão, o paciente passou a anotar esses episódios, registrando as circunstâncias e frequência. Assistiu Machado de Assis até a sua morte. Eleito em 1916, foi o terceiro ocupante da Cadeira 40 da Academia Brasileira de Letras. [798].

CUNHA, EUCLIDES Rodrigues Pimenta DA. (1866-1909). Engenheiro, jornalista, poeta, ensaísta e professor, nasceu em Santa Rita do Rio Negro, então distrito de São Pedro de Cantagalo. Órfão de mãe aos três anos, Euclides foi criado em casa de parentes, primeiramente em Teresópolis, depois em São Fidélis de onde saiu em 1872. Passou alguns anos na Bahia, até voltar à corte. Estudou em diversos colégios até terminar o curso de humanidades no Colégio Aquino, onde foi aluno de Benjamim Constant. Em março de 1884, prestou exame à Escola Politécnica, mas em 1886, transferiu-se à Escola Militar da Praia Vermelha, onde assentou praça e reencontrou Benjamim Constant. O ambiente político na corte fervilhava. A campanha abolicionista estava nas ruas, e o republicanismo circulava entre os militares. Neste momento de sua vida literária, Euclides versejava, tendo participado de diversas sociedades literárias e clubes acadêmicos então em voga. Em 1888, protagonizou o famoso episódio de insubordinação, no qual lançou a sua espada de cadete aos pés do ministro da Guerra Tomás Coelho, em visita oficial à Escola Militar. Submetido ao conselho de guerra por ato de grave indisciplina, foi desligado do exército. Mudou-se para São Paulo, onde a convite de Júlio Mesquita, iniciou uma série de artigos. De volta ao Rio, assistiu à proclamação da República. Pouco depois, foi reintegrado ao exército. Em 19 de novembro de 1889, foi promovido a alferes-aluno. Em 1890, concluiu o curso da Escola Superior de Guerra como primeiro-tenente. Foi trabalhar na Estrada de Ferro Central do Brasil em São Paulo e Caçapava. Na Revolta da Armada (1893), foi partidário da legalidade. Em

1896, deixou o exército, voltando à engenharia civil. Quando irrompeu a Revolta de Canudos (1896), o estado de São Paulo enviou ao teatro de operações o Batalhão Paulista. Euclides seguiu como correspondente de guerra do jornal *O Estado de São Paulo* até o arraial de Canudos, no sertão baiano. Ali, assistiu aos últimos dias da luta do exército contra os seguidores de Antônio Conselheiro (1830-1897). Documentou-se de modo exaustivo e exato. Enviou então ao jornal as reportagens que iriam se transformar no livro *Os Sertões*. Em 1898, fixou-se em São José do Rio Pardo, onde deu feição ao volume, incentivado por Francisco Escobar, seu grande amigo. O livro foi publicado em 1902, obtendo grande êxito, consagrado pela crítica como obra-prima. No ano seguinte, Euclides foi eleito para o Instituto Histórico e para a Academia Brasileira de Letras. [705], [709], [714], [720], [721], [731], [740], [752], [755], [807] e [813].

CUNHA, TRISTÃO DA. Ver CUNHA FILHO, José Maria Leitão da.

CUNHA FILHO, JOSÉ MARIA LEITÃO DA. (1878-1942). Poeta, ensaísta, contista, jornalista e advogado nascido no Rio de Janeiro, adotou Tristão da Cunha como nome literário. Publicou *Torre de Marfim* (1901), poesia; *Coisas do Tempo* (1922), ensaios; *À Beira do Styx* (1927), crônicas; *Histórias do Bem e do Mal* (1936), contos. Dirigiu a seção brasileira da revista *Mercure de France* (Paris 1910-1920), foi colaborador da *Lanterna Verde* (1934-1937), do *Boletim Ariel*, de *O Mundo Literário* e fundou o jornal *O Dia*. Traduziu *Hamlet*, de Shakespeare. As *Obras de Tristão da Cunha* (1979) incluem um valioso estudo sobre Machado de Assis. [574].

DESTINATÁRIO IGNORADO. Não se encontraram até o presente momento dados relevantes a respeito deste missivista. [702].

DESTINATÁRIO NÃO CITADO. É possível que o destinatário seja Manuel Veloso Paranhos Pederneiras (1832-1907) ou Ernesto Senna

(1858-1913), presidente e secretário da Comissão da Imprensa Fluminense, respectivamente. Os dois trabalharam no *Jornal do Comércio*. Paranhos Pederneiras entrou para a redação em 1868 e Ernesto Senna, em 1886. Os dois permaneceram trabalhando ali até a morte. [609].

DUQUE-ESTRADA, OSÓRIO. (1870-1927). Crítico, professor, ensaísta, poeta e teatrólogo, Duque-Estrada estudou no Imperial Colégio de D. Pedro II, bacharelando-se em Letras, em 1888. Em 1886, publicou o livro de versos, *Alvéolos*. Em 1887, passou a colaborar no *A Cidade do Rio*, auxiliando Patrocínio na campanha abolicionista. Em 1888 filou-se às ideias republicanas ao lado de Silva Jardim, participando do Centro Lopes Trovão e do Clube Tiradentes. Em 1889, matriculou-se na Faculdade de Direito de São Paulo, mas abandonou-a em 1891 para se dedicar à diplomacia, sendo então nomeado 2.º secretário de legação brasileira no Paraguai. Em 1900, deixou a carreira e fixou residência em Minas (1893-1896). Em 1896, foi nomeado por concurso inspetor geral de ensino no Rio de Janeiro; em 1899, bibliotecário e, em 1900, professor de francês do Ginásio Fluminense, em Petrópolis, cargo que exerceu até 1902. De volta ao Rio, foi nomeado professor interino de História Geral do Brasil, no Ginásio Nacional. Deixou o magistério em 1905, voltando a colaborar na imprensa. Em 1910 entrou no *Correio da Manhã*, dirigindo-o durante a ausência de Edmundo Bittencourt e Leão Veloso. Ali, criou a seção *Registro Literário* (1914-1917); depois levou a mesma seção ao *Imparcial* (1915-1917) e ao *Jornal do Brasil* (1921-1924). Duque-Estrada gostava de polêmica. Tornou-se um crítico temido. Uma boa parte da sua obra desse período foi reunida em *Crítica e Polêmica* (1924). É, sobretudo, lembrado pela autoria da letra do Hino Nacional Brasileiro. Segundo ocupante da Cadeira 17, eleito em 25 de novembro de 1915, na sucessão de Sílvio Romero. [777].

ESTEVES, LUÍS. Não se encontraram, até o presente, dados a respeito deste missivista argentino. [601].

FRAGOSO, ARLINDO. (1865-1926). Cronista, jornalista, professor e engenheiro baiano. Foi um dos fundadores da Academia de Letras da Bahia (1910). Colaborou em diversos jornais, publicou o livro de crônicas O Espírito dos... Outros (s/d) e obras didáticas em colaboração com outros autores. Mandou diversas missivas a Machado de Assis, sempre lhe manifestando grande apreço. [736] e [812].

GAMA, DOMÍCIO Afonso Forneiro DA. (1862-1925). Jornalista, diplomata, contista e cronista, nasceu na cidade fluminense de Maricá. Fez estudos preparatórios no Rio de Janeiro e ingressou na Escola Politécnica, mas não chegou a terminar o curso. Seguiu para o estrangeiro. Em 1889, ainda como jornalista, transferiu-se para Paris, travando conhecimento com Eduardo Prado e Eça de Queirós*. Na hospitaleira residência de Prado, conheceu o barão do Rio Branco*, que o levou a ingressar na carreira diplomática. Escolhido por Rio Branco para secretariá-lo na questão dos limites Brasil–Argentina (1893-1895) e Brasil–Guiana Francesa (1895-1900), esteve junto a Joaquim Nabuco* na questão da então Guiana inglesa. Foi secretário de legação na Santa Sé, em 1900, e ministro em Lima, em 1906, onde desenvolveu grande e notável atividade diplomática. Representou o Brasil no centenário da independência da Argentina e no do Chile. Sucedeu a Joaquim Nabuco* na função de embaixador do Brasil em Washington, entre 1911 e 1918. Em sua qualidade de Ministro das Relações Exteriores, Domício pretendeu representar o Brasil na conferência de paz de Versalhes, mas esse propósito suscitou divergências na imprensa brasileira. Convidado para a mesma missão, Rui Barbosa* recusou, e o chefe da representação brasileira foi, afinal, Epitácio Pessoa*, eleito presidente da República em seguida à morte de Rodrigues Alves. Domício foi substituído na Chancelaria por Azevedo Marques, e nomeado embaixador em Londres, onde permaneceu entre 1920 e 1921. Foi posto em disponibilidade durante a presidência Bernardes. Era colaborador da Gazeta de Notícias ao tempo de Ferreira de Araújo*, e, ainda no início da carreira, escreveu contos, crônicas e críticas literárias. Autor de *Contos à Meia-tinta* (1891) e *Histórias Curtas* (1901). Amigo pessoal de Machado de Assis e fundador da Cadeira 33 da Academia Brasileira de Letras, tomou posse em 1900, em sessão solene realizada no Gabinete Português de Leitura, sendo recebido por Lúcio de Mendonça*. Em 1919, presidiu a Academia. [787]. Ver tb. tomo III.

GARNIER, François HIPPOLYTE. (1816-1911). Livreiro e editor francês, fundador da Garnier Frères, com o irmão mais velho Auguste e o mais novo, Baptiste Louis (1823-1893). Este veio para o Brasil em 1844, sem jamais retornar ao país natal. Foi editor de Machado de Assis a partir de *Crisálidas* (1864) até *Quincas Borba* (1891), tendo-o como colaborador no seu *Jornal das Famílias* (mensário, 1863-1878), no qual se revelou e aperfeiçoou a vertente contista machadiana. Personalidade esquiva, rabugenta, segundo testemunhos, Baptiste Louis andou estremecido com Machado por breve período, mas a relação de quase três décadas voltou a se consolidar; por ocasião de sua morte, o antigo editado escreveu um texto justo e saudoso. Baptiste Louis Garnier desapareceu nos primeiros anos da República, período caótico política e economicamente, com reflexos inevitáveis na atividade editorial. Sempre em Paris, Hippolyte herda a livraria e a editora criadas pelo irmão mais moço. Contratará a terceira edição de *Memórias Póstumas de Brás Cubas* e a segunda de *Quincas Borba* somente em 1896, sendo então representado por Stéphane Marie Etienne Lassalle. Age de maneira pragmática, com maior interesse na literatura hispano-americana, além de manter vigoroso catálogo de autores franceses e de outros europeus. Já octogenário, mais confiante na economia republicana, manda para o Rio de Janeiro um novo gerente, Julien Lansac*, e investe em Machado, que após a morte de Baptiste Louis, só publicara *Várias Histórias* (1894) pela poderosa rival Laemmert. Assim, irá contratando a publicação (e reedição) de livros de Machado de Assis que, em janeiro de 1899, vendeu-lhe a "propriedade inteira e perpétua" de sua obra publicada por B. L. Garnier, pela (irrisória) quantia de oito contos de réis. Tais títulos incluíam o ainda inédito *Dom Casmurro*, e a eles se acrescentaram *Poesia Completa*, *Várias Histórias* (2.ª edição), *Esaú e Jacó*, *Relíquias da Casa Velha* e o *Memorial de Aires*. A correspondência entre ambos é polida, mas cheia de arestas. Com seu tino comercial, Hippolyte entregou aos arquitetos parisienses Bellissime e Perradieu a reconstrução da poeirenta livraria fundada por Baptiste Louis, transformando-a num prédio moderníssimo da rua do Ouvidor, capaz de sobrepujar em luxo e bom gosto as livrarias concorrentes, sobretudo a Laemmert, ou melhor, Livraria Universal, obrigatoriamente frequentada por Machado e outros entre 1895 e 1898. O novo estabelecimento, inaugurado em 19 de janeiro de 1901, passou a contar com a presença diária de Machado de Assis, que reunia em torno de sua cadeira cativa um grupo seleto de amigos, até se ver impossibilitado de frequentá-lo pouco antes de morrer: em julho de 1908, finalmente, fora lançado o *Memorial de Aires*, pela Garnier Frères. [646] e [726]. Ver tb. tomo III.

GUIMARÃES, Francisco de PAULA. (1852-1909). Médico e político baiano, transferiu-se para o Rio de Janeiro, onde exerceu longa carreira parlamentar, já como deputado em 1890 e com sucessivos mandatos. Presidente da Câmara, deu excepcional impulso à tramitação do projeto em apoio à Academia Brasileira de Letras, a partir de julho de 1900. Sua correspondência com Machado de Assis no segundo semestre daquele ano, em grande parte inédita, mostra o apreço recíproco, tanto pela gentileza, quanto pelo respeito de Paula Guimarães ao escritor. [658]. Ver tb. tomo III.

GUIMARÃES FILHO, LUÍS. (1878-1940). Diplomata, poeta e cronista, era filho de Luís Guimarães Júnior*, fundador da Cadeira 31 e amigo de Machado de Assis desde a tenra juventude. Seguindo o exemplo paterno, ingressou na carreira diplomática. Em setembro de 1901 foi nomeado secretário do Congresso Pan-Americano do México. Em 1902 seria nomeado, por concurso, segundo-secretário de legação em

Buenos Aires. Também foi segundo-secretário de legação em Montevidéu, Tóquio e Pequim; conselheiro de legação em Havana e Berna; encarregado de negócios em Tóquio, Pequim, Havana e Berna; ministro plenipotenciário em Caracas, São Petersburgo, Montevidéu e Haia; promovido a embaixador, ocupou o posto em Madri e na Cidade do Vaticano. Colaborou na imprensa, sobretudo na *Gazeta de Notícias* e no *Correio da Manhã*. Desde o primeiro livro de poesias, *Versos Íntimos* (1904), revelou-se um lírico, de expressão simbolista, e essa feição confirmou-se nas obras subsequentes, até chegar a *Pedras Preciosas* (1906), a sua obra capital como poeta, traduzida para o italiano em 1923, com o título *Pietre preziose*. O livro de crônicas *Samurais e Mandarins* (1912) logrou grande êxito literário. Sua última obra foi o ensaio biográfico *Fra Angélico* (1938), em que reconstituiu a vida do grande artista da Renascença e a sua época histórica. Marcado sempre por forte religiosidade, esta se manifesta em muitas poesias e, sobretudo, no estudo sobre Santa Teresinha, escrito para o *Correio da Manhã* e depois incluído no livro *Holanda – Impressões e viagens* (1928). Era membro da Academia das Ciências de Lisboa, da Real Academia Espanhola e de várias associações culturais brasileiras e portuguesas. Teve papel decisivo na tradução para o castelhano de *Memórias Póstumas de Brás Cubas*, publicada em Montevidéu (1902). Eleito em 1917, foi o segundo ocupante da Cadeira 24 da Academia Brasileira de Letras. [651], [660] e [693].

GUIMARÃES JÚNIOR, LUÍS Caetano. (1845-1898). Nasceu no Rio de Janeiro, filho de um abastado português, Luís Caetano Pereira Guimarães, e da brasileira Albina de Moura Guimarães. Desde cedo manifestou seu talento literário e um espírito romântico que contrariavam o austero temperamento paterno. Aos 17 anos, conhece Machado de Assis, a quem dedica uma "tentativa dramática" – *Cena Contemporânea* –, conquistando-lhe a amizade que perdurou por toda vida. Parte para São Paulo, onde faz os preparatórios, e ingressa na Faculdade de Direito (1862-1864). Escreve comédias, *Um Pequeno Demônio*, *Amores que Passam* e

*O Caminho Mais Curto*, e colabora na imprensa paulistana, sob o pseudônimo "L. de Ataíde". Em 1865 transfere-se para Recife, onde conclui o curso jurídico e publica o volume de poesias *Corimbos*, no final de 1869. De volta ao Rio de Janeiro, torna-se ativo jornalista. Publica, sucessivamente, *A Família Agulha*, *Curvas e Zig-zags* (prosa humorística), *Noturnos*, *Contos sem Pretensão* e perfis biográficos; decidido a se casar com Cecília Canongia, abandona a vida boêmia, para ingressar no serviço diplomático. Postos na Bolívia, no Chile, na Grã-Bretanha, na Itália, onde publica *Sonetos e Rimas* (1880) e Portugal, entre 1872 e 1890, quando é removido para a Venezuela, como ministro de 2.ª classe. Ao entregar as credenciais, sofre um grave derrame. Posto em disponibilidade (1892), retorna a Lisboa e publica o *Livro da Minha Alma* (1895). Viúvo, enfermo e desiludido, queima uma imensa quantidade de poemas inéditos. Porém, criada a Academia Brasileira de Letras, manifestam-se o carinho e o apreço de Machado que, por certo, o quis como um dos fundadores. Guimarães Júnior, poeta romântico de clara orientação parnasiana, faleceu em Lisboa, sem presenciar os primeiros momentos da Casa que guarda a sua copiosa correspondência, conservada por Machado de Assis. Foi o fundador da Cadeira 31 da Academia Brasileira de Letras. [358 A]. Ver tb. tomos I e II.

LANSAC, JULIEN Emmanuel Bernard. Francês enviado por Hippolyte Garnier* para assumir a gerência da filial brasileira da Garnier Frères, chegou ao Rio de Janeiro em 1898. A partir de janeiro de 1900, assinou, como procurador de Hippolyte, todos os contratos com Machado de Assis, até o último documento, de 1907, referente ao *Memorial de Aires*. Responsável pela remessa de originais e provas corrigidas (tudo era composto e impresso na França) e pela venda dos exemplares publicados, bem como à frente das novas e portentosas instalações da loja à rua do Ouvidor, Lansac não conseguiu dominar a língua portuguesa. Exuberante, mas pouco hábil no trato com a clientela, foi providencialmente assistido por Jacinto da Silva, que mereceu o maior apreço da roda literária frequentadora da Garnier. Apesar dos reparos visíveis na correspondência machadiana, especialistas se referem a uma relação satisfatória de Machado com o gerente francês; foi este o 3.° signatário do testamento refeito após a morte de Carolina*. Em 1913, pouco depois do desaparecimento de Hippolyte Garnier, Julien Lansac deixou o Brasil definitivamente. [665], [708] e [715]. Ver tb. tomo III.

LIMA, Manuel de OLIVEIRA. (1867-1928). Historiador, prosador e diplomata pernambucano. Frequentou a Faculdade de Letras de Lisboa. Entrou no serviço diplomático brasileiro em 1890 como adido à legação em Lisboa e, no ano seguinte, era promovido a secretário. Mais tarde, sob a chefia do barão de Itajubá, serviu em Berlim. Em 1896 foi transferido para Washington, na qualidade de primeiro-secretário, às ordens de Salvador de Mendonça*. Já publicara até esse ano três livros: *Pernambuco, seu desenvolvimento histórico, Sete Anos de República* e *Aspectos da Literatura Colonial*. De Washington foi removido para Londres, onde conviveu durante algum tempo com Joaquim Nabuco*, Eduardo Prado, Graça Aranha* e José Carlos Rodrigues*. Nova designação levou Oliveira Lima ao Japão e, em 1904, à Venezuela, nomeação que desgostou profundamente o historiador. Acrescentara à sua bibliografia novas obras: *Memória sobre o Descobrimento do Brasil, História do Reconhecimento do Império, Elogio de F. A. Varnhagen, No Japão* e *Secretário Del-Rei* (peça histórica). Colaborou também em jornais de Pernambuco e de São Paulo, dando margem à publicação de obras como *Pan-Americanismo* e *Coisas Diplomáticas*. Em 1907 foi nomeado para chefiar a legação do Brasil em Bruxelas, cumulativamente com a da Suécia. Em 1913 o Senado brasileiro vetou a indicação do seu nome para a chefia de nossa legação em Londres, sob a acusação de ser ele monarquista. Jubilado, fixou residência em Washington, continuando a trabalhar em escritos de natureza histórica. *Dom João VI*, sua obra mais importante, já fora publicada em 1909, e destaca-se *O Movimento da Independência* (1922). A publicação póstuma das suas *Memórias* teve enorme repercussão, sobretudo pelas revelações íntimas e apreciações críticas. As relações de Machado de Assis com Oliveira Lima sempre foram afetuosas, apesar das longas ausências do segundo, motivadas pela carreira diplomática. Em 1895, passou uma curta temporada no Rio, onde frequentou o grupo da *Revista Brasileira*, cujo centro era Machado, com quem ele também se encontrava quase todos os dias na livraria Laemmert. Em 1903, voltou ao Rio para empossar-se na Academia Brasileira de Letras, da qual fora membro fundador. Em 1904, Machado fez uma resenha elogiosa da peça de Lima, *Secretário Del-Rei*. Pouco depois, Carolina* faleceu e Lima enviou ao viúvo várias cartas de consolação. Em agosto de 1908, Machado mandou-lhe um exemplar de *Memorial de Aires*. A carta de agradecimento de Lima chegou ao Rio quando o escritor já estava à morte. Em 1909, Oliveira Lima pronunciou em Paris uma conferência sobre Machado, em reunião presidida por Anatole France. Em 1924, doou à Universidade Católica da América, em Washington, sua extraordinária coleção de livros e documentos históricos referentes ao mundo português e, especialmente, ao Brasil, criando a famosa The Oliveira Lima Library mantida naquela instituição. Fundador da Cadeira 39, foi recebido por Salvador de Mendonça* em 17 de julho de 1903. [573], [647], [683], [796], [801] e [806]. Ver tb. tomo III.

LOPES, TOMÁS Pompeu L. Ferreira. (1879-1913). Escritor e diplomata cearense. Estudou humanidades no Parthenon Cearense e no Liceu de Fortaleza, transferindo-se para o Rio de Janeiro em 1896. Após cursar temporariamente a Faculdade de Medicina, formou-se em Direito. Ingressou na carreira diplomática, servindo na Espanha e na Suíça, onde veio a falecer aos 33 anos. Em *A Tribuna*, de Alcindo Guanabara, participou do concurso idealizado por Lúcio de Mendonça* em abril de 1900, apresentando duas versões do soneto incompleto de Bentinho (*Dom Casmurro*, capítulo LV), que parecem ter agradado a Machado de Assis. A partir de 1901, publicou inúmeros livros de poesia, ficção, crônicas e viagens. É o autor da letra do Hino do Ceará, com música de Alberto Nepomuceno. [732]. Ver tb. tomo III.

LORETI da Silva Lima, JARBAS. (1868-1942). Diplomata e poeta, publicou *Vozes Andinas* (1918), *Suplício de Tântalo* (1940) e colaborou em diversos periódicos. Enviou a primeira carta de pêsames, pela morte de Carolina*, conservada por Machado de Assis. [786].

MAGALHÃES SOBRINHO, José COUTO DE. (1876-1935). Editor responsável pela publicação de *O Comércio de São Paulo*, periódico de propriedade da família Prado. Filho de Leopoldo Alberto Couto de Magalhães e Zulmira Ferreira Alves, Couto de Magalhães Sobrinho nasceu em Juiz de Fora, Minas Gerais, e recebeu nome de seu tio paterno, José Vieira Couto de Magalhães (1837-1898), militar, político e estudioso dos hábitos do interior de Goiás e Mato Grosso, e que iniciou os estudos folclóricos no Brasil, publicando *O Selvagem* (1876) e *Ensaio de Antropologia* (1874). [615].

MAIA, ALCIDES Castilho. (1878-1944). Jornalista, contista, romancista e ensaísta gaúcho. Passou a infância numa das propriedades do avô materno, a estância de Jaguari, cenário de muitas de suas páginas regionalistas. Antes de concluir os estudos primários, transferiu-se para Porto Alegre, onde cursou humanidades. Em 1895, ingressou na Faculdade de Direito de São Paulo, abandonando o curso no ano seguinte para retornar a Porto Alegre e seguir sua vocação de escritor e jornalista. Entregou-se, então, ao jornalismo militante, atividade que exerceria ao longo de toda a vida, sempre marcada pela preocupação eminentemente cultural e pelo engajamento político. Colaborou em *A Reforma*, órgão federalista, mas logo foi "lutar ao lado dos batalhadores da República". A partir de 1897, passou a integrar a redação de *A República*, órgão da dissidência republicana, e chegou a ocupar a direção do jornal. Aos 19 anos estreou em livro com *Pelo Futuro*. Seus artigos de 1898 a 1900 foram reunidos em livro sob o título de *Através da Imprensa*. Em 1903, fez a primeira viagem ao Rio de Janeiro, onde seu nome já era bem conhecido. A partir de então, passou a viver e a desenvolver atividades, ora no Rio de Janeiro, ora em Porto Alegre. Homem de caráter e refinado esteta, era o tipo de intelectual talhado para sentir-se à vontade na capital do país. Seu gauchismo era a expressão da autenticidade do próprio nacionalismo atuante e as ideias antisseparatistas se manifestaram contidas no ensaio *O Rio Grande Independente* (1898). No Rio, residia numa "república de intelectuais", situada na rua das Laranjeiras, onde recebeu um dia a visita de Machado de Assis. Desde então, foi levado a entrar na intimidade do mundo machadiano. A partir de 1905, passou a militar na imprensa carioca, colaborando em *O País, O Imparcial, Correio da Manhã* e *Jornal do Comércio*. Assinava artigos também com o pseudônimo Guys. Em 1908, voltou para Porto Alegre, levado por uma motivação bastante ambiciosa: a fundação de um matutino, o *Jornal da Manhã*, que durou apenas um ano. Novamente no Rio, viveu os melhores anos de sua carreira jornalística e literária. Em 1910, publicou seu único romance, *Ruínas Vivas*, que irá compor, com os livros de contos *Tapera* (1911) e *Alma Bárbara* (1922) a trilogia regionalista que reflete a poesia dos pampas, buscando no passado as raízes do seu povo. Em 1912, publicava o ensaio *Machado de Assis – algumas notas sobre o humour*, um marco nos primórdios da bibliografia sobre o autor de *Dom Casmurro*. Por essa época, era o bibliotecário do Pedagogium. Representou o Rio Grande do Sul na Câmara dos Deputados (1918-1921); embora integrado na representação do Partido Republicano, a sua atividade parlamentar se fez sentir pela preocupação com os problemas da educação e cultura. De 1925 a 1938, residiu em Porto Alegre, com breve incursão ao Rio, decorrente de sua participação no movimento revolucionário de 1930. Na capital gaúcha, dirigiu o Museu Júlio de Castilhos até se aposentar, e colaborou no *Correio do Povo*. Retornou ao Rio, onde viveu seus últimos anos (1938-1944), escrevendo para o *Correio do Povo*. Foi o primeiro riograndense eleito para a Academia Brasileira de Letras, tornando-se, em, 1913, o segundo ocupante da Cadeira 33. [785].

MARQUES, Francisco XAVIER Ferreira. (1861-1942). Poeta, romancista, ensaísta, jornalista e político, nascido em Salvador, Bahia, iniciou-se na vida pública como deputado estadual na legislatura de 1915-21; e logo depois foi eleito deputado federal por seu estado, transferindo-se ao distrito federal na legislatura de 1921-1924. Apesar da atividade pública, Xavier Marques foi, sobretudo, jornalista e homem de letras. O seu romance *Boto e Companhia* (1897) e a novela *Jana e Joel* (1899) são considerados obras muito significativas da expressão regionalista e praieira. Publicou também poesia, vazada em estilo parnasiano. No presente volume, vê-se a sua primeira tentativa de fazer parte da Academia Brasileira de Letras. Entrou para a instituição somente em 1919, como segundo ocupante da Cadeira 28, na sucessão de Inglês de Sousa. [704].

MARTINS, HEMETÉRIO. Parente do político campista João Guimarães. Há poucas informações sobre este missivista. Em 1907, esteve envolvido na construção da terceira usina de energia elétrica instalada no município de Campos dos Goytacazes durante a gestão de Guimarães. A nova usina tinha a finalidade de garantir o sistema de iluminação tanto público quanto particular da cidade, que vinha sofrendo muitas interrupções. Além disso, em 1915 esteve envolvido na tentativa de assassinato do político Caio Carvalho, tocaiado no centro de Campos, a faca e cacete, por capangas chefiados por Hemetério. Caio Carvalho telegrafou ao governador Feliciano Sodré (1881-1945) e ao presidente da República Venceslau Brás (1914-1918), pedindo garantias de vida para si e sua família. [810].

MARTINS JÚNIOR, JOSÉ ISIDORO. (1860-1904). Jurista, professor e poeta pernambucano, formou-se pela Faculdade de Direito do Recife em 1883. Durante os anos acadêmicos, aproximou-se de Clóvis Beviláqua, tendo com ele redigido as *Vigílias Literárias* (1879). Discípulo de Tobias Barreto, era um espírito de tendências renovadoras. Ingressou na advocacia e no ensino particular, como professor de francês e de história natural. Concorreu para cátedra da Faculdade do Recife por três vezes sucessivas. Em 1888, foi classificado pela Congregação que o indicou à nomeação, mas foi preterido por outro concorrente que se classificara em terceiro lugar. As teses então apresentadas seriam depois reunidas no volume *Fragmentos jurídico-filosóficos* (1891). Continuando a ação pública, redigiu, em 1887, com Artur Orlando, Adelino Filho e Pardal Mallet, a *Revista do Norte*. No ano seguinte, fundou o Diretório Republicano, que se destinava a incentivar as ideias da Abolição e da República. Para esse fim, fundou o jornal *O Norte*, com Maciel Pinheiro, Teotônio Freire, Henrique Martins e Rodrigues Viana. Em 28 de novembro de 1889, finalmente, foi feita justiça pelo novo regime, com a nomeação para a cátedra da Faculdade de Direito do Recife. Multiplicava-se em artigos de jornal, em conferências, em discursos. Exercia, ao mesmo tempo, as funções de fiscal da emissão do Banco Sul-Americano e presidia a comissão encarregada de elaborar a lei constitucional de Pernambuco. Em 1891, entrou para o *Jornal do Recife*, opondo-se ao presidente do estado, o barão de Lucena. Fundou o Novo Partido Republicano de Pernambuco. Em fevereiro de 1892, o regime florianista interveio, indicando o nome de José Alexandre Barbosa Lima para presidente de Pernambuco. Como reação a essa atitude, começou a desagregação do seu partido. Eleito deputado federal em 1894, transferiu-se para o Rio de Janeiro, e foi reeleito em 1897. Exerceu o professorado na Faculdade Livre de Direito do Rio de Janeiro. Ocupou o cargo de secretário do Interior e Justiça no governo de Quintino Bocaiúva*. Poeta, publicou as *Visões de Hoje* (1881), em cujo prefácio explicou a sua concepção de poesia, que "deve ir procurar as suas fontes de inspiração na Ciência; isto é, na generalização filosófica estabelecida por Auguste Comte sobre aqueles seus troncos principais de todo o conhecimento humano". Em prol dessa concepção, escreveu *A Poesia Científica* (1883), maior causa da sua notoriedade pelas discussões e polêmicas que suscitou. Na extensa obra jurídica, destaca-se *História do Direito Nacional* (1895). Eleito em 1902, foi o terceiro ocupante da Cadeira 13 da Academia Brasileira de Letras, tomando posse por carta. [637] e [653].

MENDONÇA, LÚCIO Eugênio de Meneses e Vasconcelos Drummond Furtado DE. (1854-1909). Nasceu em Piraí, província do Rio de Janeiro, sexto filho de Salvador Furtado de Mendonça e de Amália de Menezes Drummond. Órfão de pai aos cinco anos, e tendo sua mãe contraído segundas núpcias, foi criado por parentes em São Gonçalo de Sapucaí, Minas Gerais. Em 1871, a chamado do irmão mais velho, Salvador de Mendonça*, partiu para São Paulo, onde ingressou na Faculdade de Direito e trabalhou no jornal *O Ipiranga*, dirigido por Salvador. Participante de um protesto estudantil contra os professores, foi suspenso da Faculdade por dois anos, período que passou na corte, integrando a redação de *A República*. Ali conviveu com Quintino Bocaiúva*, Joaquim Serra* e outros republicanos, entre os quais ele próprio se destacaria como propagandista e defensor do regime. Retornou a São Paulo para concluir os estudos jurídicos, colando grau em 1878. A vocação literária se manifestou desde a juventude, a par do jornalismo político atuante e da cultura jurídica que também o consagrou, como magistrado; coerência e independência foram suas marcas. Exerceu a advocacia em São Gonçalo de Sapucaí, onde se casou com D. Marieta, filha do solicitador João Batista Pinto. Transferindo-se para Vassouras, passou a colaborar no *Colombo*, de Campanha, sempre empenhado na pregação republicana. Lá se aproximou de Raimundo Correia*. Em 1885, escrevia regularmente para *A Semana*, de Valentim Magalhães*. Nessa época advogava em Valença. Em 1888, mudou-se para o Rio de Janeiro e entrou na redação de *O País*. Proclamada a República, foi secretário do ministro da Justiça, passando, em janeiro de 1890, a Curador Fiscal das Massas Falidas no Distrito Federal. Depois de exercer outros cargos na magistratura e na alta burocracia, aos 41 anos, foi nomeado ministro do Supremo Tribunal Federal, sem, no entanto, deixar o jornalismo. Sob o pseudônimo de "Juvenal Gavarni", escreveu para a *Gazeta de Notícias* sátiras políticas de fino humorismo. Publicou poesia, prosa ficcional e memorialística, bem como vasta produção jurídica. Em 1872, Machado de Assis prefaciou-lhe o livro de versos *Névoas Matutinas*. Nessa carinhosa apresentação do jovem poeta, há uma advertência sobre o excesso de melancolia – herança nitidamente romântica (não foi à toa que Lúcio escolheu Fagundes Varela como patrono da Cadeira 11 da Academia Brasileira de Letras) – e há também manifesto apreço por Salvador de Mendonça, amigo ao longo de cinquenta anos. O mesmo sentimento de amizade uniu Machado e Lúcio. Este admirou sem reservas *Dom Casmurro*, e sugeriu a Alcindo Guanabara, diretor da *Tribuna*, que seu jornal organizasse um concurso para completar o soneto que Bentinho, naquele romance, deixara inacabado. Lúcio de Mendonça teve um papel decisivo na criação da Academia Brasileira de Letras, da qual ele é, por depoimento unânime dos primeiros acadêmicos, o verdadeiro fundador. Em novembro de 1896, publicava em folhas do Rio e de São Paulo, artigos anunciando fundação de uma academia literária, sob auspícios do poder público, a 15 de novembro, aniversário da República. Apesar do seu prestígio, tal patrocínio falhou. Mas, na redação da *Revista Brasileira*, então dirigida por José Veríssimo*, a iniciativa prosperou. Reunidos em torno de Machado de Assis, escritores republicanos e monarquistas fiéis ao deposto Império, como Nabuco* e Taunay*, abraçaram a ideia. A 15 de dezembro se realizou a primeira reunião preparatória presidida por Machado que, a 28 de janeiro de 1897, seria eleito presidente da instituição. Vivendo seus últimos anos em Teresópolis e já com a perda definitiva da visão, Lúcio não deixou de dirigir cartas ao mestre gravemente enfermo, e em bilhete, que sequer teve condições de assinar, confessou a Mário de Alencar* sua tristeza de não poder levar "ao grande e querido Machado de Assis" o derradeiro abraço. Fundador da Cadeira 11 da Academia Brasileira de Letras. [588], [593], [619], [631], [632] e [716]. Ver tb. tomos II e III.

MENDONÇA, SALVADOR de Meneses Drummond Furtado DE. (1841-1913). Nasceu em Itaboraí, província do Rio de Janeiro, filho de Salvador Furtado de Mendonça e de Amália de Menezes Drummond. Em 1859, foi estudar direito em São Paulo. Em 1861, casou-se com Amélia Clemência Lúcia de Lemos. Desde muito jovem dedicou-se à propaganda republicana. Em 1875, já viúvo, iniciou-se na vida diplomática. Em 1877, casou-se com Mary Redman. Proclamada a República no Brasil, Salvador na função de cônsul-geral empenhou-se no reconhecimento do novo regime por Washington. Exonerado em 15 de setembro de 1898, passou a se dedicar à literatura e ao jornalismo. Vitimado pelo glaucoma, terminou a vida cego. Dos amigos da juventude, Salvador foi o que se manteve mais próximo de Machado. A amizade de ambos remonta a 1857, quando ambos frequentavam as reuniões diante da loja de Paula Brito, no Rocio. Há cartas neste tomo em que as notas de amizade e de saudade são a tônica da conversa. Fundador da Academia Brasileira de Letras, ocupante da Cadeira 20, cujo patrono é o seu conterrâneo, o romancista e dramaturgo, Joaquim Manuel de Macedo. [572], [575], [580], [587], [589], [652], [713], [719], [757], [758], [759], [768], [771] e [790]. Ver tb. tomos I, II e III.

MIRANDA, FERNANDO ANTÔNIO PINTO DE. Visconde de Taíde. Português do Porto, a respeito de quem não há muitos dados biográficos. Sabe-se que se estabeleceu no alto comércio do Rio de Janeiro, tornado-se homem de muitas posses. Morador da rua Cosme Velho, 20, vizinho de Machado de Assis, amigo e frequentador do solar dos São Mamede, tornou-se procurador de Miguel de Novais*, o segundo marido de Joana*, ex-condessa de São Mamede, depois da mudança do casal Novais para Lisboa. Foi na qualidade de procurador que se dirigiu a Machado no tomo III, carta [320]. Nas cartas de Miguel também no tomo III, há diversas referências ao visconde e à sua primeira mulher, D. Maria da Conceição, que são avós do filólogo e linguista brasileiro Sousa da Silveira (1883-1967). D. Maria da Conceição faleceu no dia 7 de agosto de 1901, e o visconde tornou a casar-se. É possível que a sua segunda esposa – Augusta Salema Garção Ribeiro de Araújo (1872--1945) – seja a filha de um amigo da juventude de Machado, Manuel de Araújo*. O visconde era presidente da Sociedade de Geografia de Lisboa no Rio de Janeiro. O seu nome foi relembrado na festa dos 72 anos do

Instituto Histórico e Geográfico Brasileiro, em 21 de outubro de 1910, como um dos oito mortos ilustres daquele ano, pertencentes aos quadros da instituição, figurando ao lado de Bousquet de la Gaye, João Damasceno Vieira Fernandes, Joaquim Nabuco, Dionísio Cerqueira, José Jacinto Ribeiro, Belisário Pernambuco e Evaristo Nunes Pires, todos falecidos naquele ano. [762]. Ver tb. tomo III.

MONTEIRO, TOBIAS do Rego. (1866-1952). Jornalista e historiador. Sua família manteve estreita amizade com Joaquim Nabuco*, com o qual Tobias passou a conviver após a proclamação da República. Amigo do presidente Campos Sales, transmitiu a Nabuco o convite para assumir a causa brasileira na questão da Guiana inglesa. Foi redator principal do *Jornal do Comércio*. Em 1907, convidou Machado de Assis para recepcionar o presidente francês Paul Doumer no cais Pharoux, ocasião em que o presidente da Academia Brasileira de Letras sofreu um ataque de epilepsia, registrado pelo fotógrafo Augusto Malta. Publicou *O Sr. Campos Sales na Europa* (1900), *Pesquisas e Depoimentos para a História* (1913), *Funcionários e Doutores* (1917) e *Cartas sem Título*; datam, respectivamente de 1927, 1939 e 1946, os seus três volumes da *História do Império*. [640].

MOREIRA, MARIA CARMEN SANTOS. Moradora de Nova Friburgo, Maria Carmen era amiga de Isabel Felício, a esposa de Rodrigo Pereira Felício, filho do primeiro casamento de Joana Maria de Novais*, casada em segundas núpcias com Miguel*, irmão de Carolina*. Isabel era filha do visconde de Sousa Fontes (1821-1893), um dos médicos do imperador D. Pedro II. O seu marido Rodrigo serviu como diplomata em Lisboa por seguidos anos. Maria Carmen era filha do médico auxiliar do Departamento de Saúde Pública, o baiano Ângelo de Sousa Santos Moreira, que durante alguns anos trabalhou no Serviço de Saneamento Rural, na região de Nova Friburgo e Cordeiro. O pai de Maria Carmen era oriundo de uma poderosa família de fazendeiros, com muitas propriedades na Bahia e em Lisboa. Ao casamento de seu tio Eduardo de

Sousa Santos Moreira, na nunciatura no Rio de Janeiro, foram padrinhos os reis de Portugal, que enviaram representantes da alta nobreza portuguesa para a festa. [754].

MOUTINHO de Sousa, JÚLIO Ludovino. (1860-1921). Filho do autor e ator português Antônio Moutinho de Sousa (1834-1899) e da atriz Ludovina Moutinho (1853-1861), nasceu no Rio de Janeiro, onde o pai fixara residência. A morte prematura de Ludovina fez com que Antônio retornasse a Portugal em 1863, levando o filho pequenino, que cresceu e viveu na cidade do Porto. Sua vocação para a música cedo se manifestou, recebendo a orientação de bons professores. Consagrou-se como compositor e professor de canto coral. Para coro, escreveu peças muito apreciadas. Também se dedicou ao teatro, escrevendo as comédias *Noite de Núpcias* e *O Chá das Amarais*, bem como a peça burlesca *O Dr. Zabumba*. Deixou publicado o livro *Monólogos*, em prosa e verso. Machado de Assis foi afetuoso amigo de seus pais e de sua avó, a célebre atriz Gabriela da Cunha. Esses laços se refletem na carta enviada por Júlio, oito dias depois da morte de Carolina*. [789].

NABUCO de Araújo, JOAQUIM Aurélio Barreto. (1849-1910). Filho do senador José Tomás Nabuco de Araújo, passou a infância em Pernambuco, na propriedade dos padrinhos, o engenho de Massangana, que ele imortalizaria em *Minha Formação*. Em 1859, sua educação foi confiada ao barão de Tautphoeus, dono de um célebre colégio em Nova Friburgo e também seu professor no Colégio Pedro II, onde Joaquim se bacharelou em Letras. Aos 15 anos agradecia palavras de estímulo publicadas por Machado, que era íntimo amigo de Sizenando Nabuco*, irmão mais velho do literato estreante. Com 16 anos, iniciou os estudos jurídicos na Faculdade de Direito de São Paulo, concluindo-os na Faculdade de Recife. Formado, trabalha no escritório de advocacia do pai, e escreve no órgão do partido liberal, *A Reforma*. Durante a primeira viagem à Europa (1873), visita Renan e George Sand. De volta ao Rio de Janeiro, funda a revista quinzenal *A Época* (1875), que teve quatro números publicados e Machado de Assis entre seus colaboradores. Nomeado adido em Washington (1876), um ano depois é removido para Londres. Atraído pela política, retorna ao país, sendo eleito deputado geral por sua província. Defende a liberdade religiosa e, tenazmente, a emancipação dos escravos. Sem conseguir a reeleição, viaja pela Europa entre 1881 e 1884. A maior parte do tempo, reside em Londres, onde publica *O Abolicionismo*. Da capital britânica, envia correspondências para o *Jornal do Comércio*, do qual já era colaborador. Retornando ao Brasil, e novamente eleito, retoma sua posição de liderança na campanha abolicionista, que seria coroada de êxito em 1888. Proclamada a República, mantém as convicções monárquicas e se recolhe num ostracismo autoimposto durante uma década. Nessa fase, vive no Rio de Janeiro, onde se casara com D. Evelina Torres Ribeiro, em 1889, exerce a advocacia, faz jornalismo e escreve livros que o consagrariam. Participa das reuniões na redação da *Revista Brasileira* de José Veríssimo*, onde, em 1895, lê o primeiro capítulo de *Um Estadista do Império*, e assinará a histórica ata da primeira sessão preparatória para a fundação da Academia Brasileira de Letras, a 15 de dezembro de 1896. Empenha-se nesse projeto, é eleito secretário-geral em janeiro de 1897. Na sessão inaugural de 20 de julho do mesmo ano, após a alocução do presidente Machado de Assis, pronuncia um admirável discurso. Em 1899, Campos Sales o convence a representar o Brasil na questão de limites com a então Guiana inglesa. Enquanto prepara sua defesa, reside em Londres, primeiro como chefe de missão especial relativa à questão da Guiana e depois acumulando essa função com a de chefe da legação brasileira. Apesar dos intensos esforços, o laudo do árbitro escolhido para decidir a disputa com a Inglaterra, o rei da Itália, não foi favorável à pretensão brasileira. Tal revés não abala o seu prestígio. Removido para os Estados Unidos, é nomeado embaixador, o primeiro do Brasil (1905), torna-se amigo pessoal dos presidentes Theodor Roosevelt e Taft, bem como do Secretário de Estado Elihu Root, que consegue trazer para a 3.ª Conferência Pan-Americana, de 1906, realizada no Rio de Janeiro. De volta ao posto, pronuncia conferências em universidades norte-americanas e continua exercendo importante papel diplomático até falecer em Washington. Com honras excepcionais, seu corpo foi transportado num navio de guerra americano para o Rio, antes de ser levado para o Recife num navio da marinha brasileira. Publicou livros em francês e português, em campos tão diversos como a poesia (*Amour et Dieu*, 1874), o ensaio literário (*Camões e os Lusíadas*, 1872), o ensaio histórico-sociológico (*O Abolicionismo*, 1883) e a biografia (*Balmaceda*, 1895). Mas foi, sobretudo, autor de duas obras fundamentais, *Um Estadista do Império* (1897) e *Minha Formação* (1900). Durante suas longas permanências no exterior, a amizade com Machado de Assis, consolidada a partir da década de 1870, sustentou-se por cartas, que estão entre as mais interessantes da correspondência machadiana. O presidente da Academia e seu primeiro secretário-geral se reencontraram em 1906, por ocasião da Conferência Pan-Americana, realizada no Rio de Janeiro. Foi a Nabuco que Machado dirigiu uma das últimas cartas, enviando o *Memorial de Aires*, em 1.º de agosto de 1908. Fundador da Cadeira 27 da Academia Brasileira de Letras, escolheu, como patrono, o poeta e diplomata pernambucano Maciel Monteiro. [576], [623], [626], [627], [634], [638], [645], [666], [687], [700], [718], [723], [735], [765], [784], [794], [795], [797], [802] e [804]. Ver tb. tomos I, II e III.

NOVAIS, MIGUEL Joaquim Xavier DE. (1829-1904). Irmão de Carolina Augusta*, de Faustino Xavier de Novais*, de Emília Cândida e Henrique de Novais, Miguel veio para o Brasil um pouco depois de Carolina, em fins de 1868, juntamente com outra irmã, Adelaide. Há pouca informação sobre a sua vida entre 1868 e 1876, ano em que se casou com a viúva do 1.º conde de São Mamede, Joana Maria Ferreira Felício*, passando a viver no solar dos São Mamede, no Cosme Velho, até 1881, quando o casal fixou-se definitivamente em Lisboa. Após o retorno a Portugal, a correspondência entre os cunhados foi intensa e prolongada. Miguel estudou pintura e escultura na Academia Portuense de Belas-Artes, atual Faculdade de Belas-Artes da Universidade do Porto. Fotógrafo profissional, o seu estúdio foi o primeiro no Porto, frequentado, inclusive, pelo rei D. Pedro V (1837-1861). Com interesses culturais variados, artista plástico com obras guardadas em acervo de museus portugueses e brasileiros, colecionador judicioso de obras de arte, leitor assíduo dos textos machadianos, excelente observador e dotado de grande senso de humor, Novais era bem relacionado na sociedade portuguesa, inclusive difundindo a obra de Machado junto a escritores de prestígio, como Gomes de Amorim* e Ramalho Ortigão, ambos seus amigos pessoais e, por outro lado, repassando a Machado as novidades políticas e literárias havidas em Portugal. Joana Maria faleceu em 1897. Três anos depois, Miguel casou-se com Rosa Augusta de Paiva Gomes*. Neste volume, ele é reencontrado por duas vezes, mas de forma indireta. A primeira é por meio de um cartão de 1884 (Caderno Suplementar) que enviou a Carolina saudando o casal Machado de Assis pelos 15 anos de casamento. A segunda, mais indireta ainda, é por meio da carta de sua viúva Rosa Augusta, que trata com Machado das questões que envolveram a partilha dos bens de Miguel. [238 A] e [803]. Ver tb. tomos II e III.

NOVAIS, ROSA Augusta de Paiva Gomes DE. Segunda esposa de Miguel de Novais*, cunhado de Machado de Assis, falecido em 20 de novembro de 1904, aos 75 anos, na Quinta das Calvanas, em Portugal. Miguel havia se casado com Rosa Augusta nos primeiros meses de 1900, depois da morte de sua primeira mulher, a brasileira Joana Maria Ferreira*, em 1897. [803]. Ver tb. tomo III.

OCTAVIO de Langgaard Meneses, RODRIGO. (1866-1944). Nasceu em Campinas, São Paulo, onde seu avô materno, o médico dinamarquês Teodoro Langgaard, constituiu vasta clínica, e seu pai, o escritor e político liberal Rodrigo Octavio de Oliveira Meneses, era delegado de polícia. Com a transferência da família para o Rio de Janeiro, estudou nos Colégios Pedro II, S. Pedro de Alcântara e concluiu os preparatórios no Colégio Alberto Brandão. A morte prematura do pai (1882) e, pouco depois, a perda do avô dinamarquês, definiram-lhe um senso de responsabilidade familiar – era o mais velho de seis irmãos – que foi uma constante ao longo da vida. Formado pela Faculdade de Direito de São Paulo, em 1886, durante o período estudantil, cultivou a poesia e estabeleceu grande amizade com Raul Pompeia e Olavo Bilac*; de volta ao Rio, acolhido por Valentim Magalhães*, na redação de *A Semana* conheceu Raimundo Correia*, Lúcio de Mendonça* e outros escritores. Mas as letras não o desviaram da carreira jurídica. Foi promotor, juiz, procurador e depois Consultor-Geral da República. Exerceu a advocacia até ser nomeado ministro do Supremo Tribunal Federal (1929), aposentando-se, a pedido, em 1934. Foi catedrático da Faculdade de Ciências Jurídicas e Sociais do Rio de Janeiro, secretário da Presidência da República no governo Prudente de Morais e subsecretário das Relações Exteriores com Epitácio Pessoa*. Secretariou a delegação chefiada por Rui Barbosa* na Conferência da Paz em Haia (1907), e foi delegado plenipotenciário do Brasil em importantes conferências na Europa e nos Estados Unidos, signatário do Tratado de Versalhes, vice-presidente da Liga das Nações e também árbitro de questões internacionais. Deu cursos e fez conferências em Paris, Roma, Haia, Varsóvia e Montevidéu; recebeu o título de Doutor *Honoris Causa* de várias universidades. Presidiu o Instituto dos Advogados, o Instituto Histórico e Geográfico Brasileiro e a Academia Brasileira de Letras, à qual se dedicou incansavelmente desde a primeira reunião preparatória. Conhecera Machado de Assis num banquete em homenagem a Guimarães Júnior* e, logo depois, mereceu do mestre uma resenha de sua estreia poética – *Pâmpanos* –, publicada em *A Estação* (março de 1886). Daí por diante, ligou-se a Machado, tornando-se uma espécie de braço direito em tudo o que dissesse respeito à implantação e ao desenvolvimento da Academia, que o elegeu primeiro-secretário em janeiro de 1897. Seu escritório de advocacia, na rua da Quitanda 47, tornou-se o pouso estável para a realização de sessões acadêmicas – ou melhor, "sede da Secretaria" –, de 1901 até a instalação no Silogeu Brasileiro, em 1905. Cartas e bilhetes de Machado a Rodrigo atestam o empenho do primeiro e a operosidade do segundo em busca de soluções para a vida institucional; as atas acadêmicas registram constantes iniciativas de Rodrigo Octavio, que propôs a criação da Biblioteca em 1905, passando a dirigi-la, e que transmitiu o desejo do mestre de que seus "papéis" – fonte principal desta *Correspondência* – fossem entregues à Academia. Ele estava entre os companheiros fieis que acompanharam os derradeiros dias e assistiram a morte de Machado de Assis. Nas páginas de *Minhas Memórias dos Outros* (1934, 1935 e 1936), desenham-se vivos perfis de amigos como Nabuco* e Rio Branco*; e, sobretudo, os capítulos "Machado de Assis" e "Clube Rabelais e a Panelinha" oferecem irretocáveis e documentados depoimentos sobre a personalidade machadiana e as origens da Academia. De 1904 a 1908, dirigiu, com Henrique Bernardelli*, a *Renascença*, revista mensal ilustrada de letras, ciências e artes, cujo último número homenageia o mestre recém-falecido. Sua extensa bibliografia abrange poesia, prosa, estudos históricos, destacando-se os trabalhos jurídicos e a vocação de memorialista, iniciada com o volume *Coração Aberto* (1928). Fundador da Cadeira 35 da Academia Brasileira de Letras. [599], [605], [613], [614], [616], [618], [622], [633], [641], [643], [644], [659], [667], [701], [707], [724], [774], [783] e [792]. Ver tb. tomos II e III.

ORTIGÃO, JOSÉ VASCO RAMALHO. (1860-?). Filho do escritor Ramalho Ortigão, José Vasco emigrou para o Brasil, onde se estabeleceu como negociante de fazendas. Associou-se a Vasco Marques Nunes criando o famoso magazine *Au Parc Royal*, no largo de São Francisco, ao lado da igreja de São Francisco de Paula. A loja era a mais sofisticada da cidade e teve uma filial na avenida Central. Vasco Ramalho Ortigão foi ativo na comunidade lusa do Rio de Janeiro, estimulando e participando de diversas agremiações culturais na cidade. Foi presidente do Gabinete Português de Leitura no biênio 1904-0196. [710].

OSÓRIO DE ALMEIDA, Gabriel. (1854-1926). Engenheiro civil, formado pela Escola Central. Presidiu o Clube de Engenharia e o Congresso de Engenharia e Indústria (1901). No governo do presidente Rodrigues Alves, a convite do ministro da Viação, Lauro Müller*, tornou-se diretor da Estrada de Ferro Central do Brasil (1903-1906), tendo também participado da comissão construtora do novo porto do Rio de Janeiro. Foi intendente do Distrito Federal e presidente da Comissão Municipal. Integrou a delegação brasileira no Congresso Internacional de Engenharia, reunido no Rio de Janeiro em comemoração ao centenário da Independência. Seu filho, o cientista e escritor Miguel Osório de Almeida (1890-1953), foi o segundo ocupante da Cadeira 22 da Academia Brasileira de Letras. [584].

PARANHOS JÚNIOR, JOSÉ MARIA DA SILVA. (1845-1912). Barão do Rio Branco. Filho do visconde do Rio Branco*, nasceu e faleceu no Rio de Janeiro. Historiador, diplomata e estadista, estudou na Faculdade de Direito de São Paulo e formou-se, em 1886, pela Faculdade do Recife. Regeu a cadeira de Corografia e História do Brasil no Imperial Colégio Pedro II. Em 1869, como secretário da Missão Especial, acompanhou o pai ao Rio da Prata e ao Paraguai. No mesmo caráter participou, em 1870 e 1871, das negociações da paz entre os Aliados e o Paraguai. Regressando ao Rio, dedicou-se ao jornalismo. Em maio de 1876, foi nomeado cônsul-geral do Brasil em Liverpool. Em 1884, foi delegado à Exposição Internacional de São Petersburgo. Entre 1891 e 1893, já no regime republicano, exerceu o cargo de superintendente-geral na Europa da emigração para o Brasil. Em 1893, foi nomeado chefe da missão encarregada de defender os direitos do Brasil no território das Missões, reivindicado pela Argentina. A questão estava submetida ao arbitramento do presidente Cleveland, dos EUA. Rio Branco advogou a posição brasileira, apresentando uma documentação em seis volumes. O laudo arbitral de 5 de fevereiro de 1895 foi inteiramente favorável ao Brasil. Em 1898, foi encarregado de resolver outro importante assunto diplomático: a questão do Amapá, com a França, que teve escolhido árbitro o presidente do Conselho Federal da Suíça, Walter Hauser. Rio Branco vinha estudando a questão do Amapá desde 1895. Apresentou uma memória de sete volumes. A sentença arbitral, de 1.º de dezembro de 1900, foi favorável ao Brasil. Em 31 de dezembro de 1900 foi nomeado ministro plenipotenciário em Berlim. Em 1902 foi convidado pelo presidente Rodrigues Alves a assumir a pasta das Relações Exteriores, na qual permaneceu até a morte em 1912. Logo no início de sua gestão, defrontou-se com a questão do Acre, território fronteiriço que a Bolívia pretendia ocupar, solucionando-a amigavelmente pelo Tratado de Petrópolis, assinado em 1903. Seguiram-se outros importantes tratados, com o Equador, em 1904; com a Colômbia, em 1907; com o Peru, em 1904 e 1907; com o Uruguai, em 1909, estabelecendo com aquele país um condomínio sobre a Lagoa Mirim; com a Argentina, em 1910. Além da solução dos problemas de fronteiras, Rio Branco lançou as bases de uma nova política internacional, fundada no pan-americanismo e na aproximação com as repúblicas hispano-americanas. As relações de Machado de Assis com Rio Branco sempre foram cordiais, embora cerimoniosas. Em 1889, Rio Branco escreveu dois verbetes para *La Grande Encyclopédie*, num dos quais diz que Machado era o primeiro homem de letras do Brasil. Ao se fundar a Academia, Rio Branco se encontrava ausente do país. Na votação de janeiro de 1897, para as dez vagas que completariam o quadro de 40 acadêmicos, foi derrotado, obtendo apenas dez votos. Mas elegeu-se em 1898, com o decidido apoio de Machado. Este estava sempre disposto a auxiliar o chanceler em assuntos de interesse para nossa diplomacia. Assim, por ocasião de uma nova visita de Sarah Bernhardt ao Brasil, em 1905, Rio Branco, temendo que a imprensa brasileira atacasse a diva, pediu a Machado que localizasse um velho artigo de Nabuco*, elogiando a atriz, para publicá-lo no *Jornal do Comércio*. Do mesmo modo, em sua qualidade de presidente da Academia Brasileira de Letras, Machado dispôs-se a atuar como intermediário no convite para que o historiador Guglielmo Ferrero* viesse fazer conferências no Brasil, em 1907. Ferrero teve direito a almoço oficial no Itamaraty. Durante sua estadia europeia, Rio Branco produziu várias obras, sempre em torno da história do Brasil. Redigiu uma Memória sobre o Brasil para a Exposição de São Petersburgo; escreveu a *Esquisse de l'Histoire du Brésil*; apresentou contribuições para a *Grande Encyclopédie* de Levasseur, na parte relativa ao Brasil; iniciou no *Jornal do Brasil* a publicação das *Efemérides Brasileiras*, acumulou material para as *Anotações à História da Guerra da Tríplice Aliança*, de Schneider, e para a biografia do visconde do Rio Branco. Por ocasião do seu centenário de nascimento o Ministério das Relações Exteriores publicou as *Obras Completas*, em 10 volumes, com introdução do embaixador A. de Araújo Jorge. Eleito em 1.º de outubro de 1898, na sucessão de Pereira da Silva, foi o segundo ocupante da Cadeira 34. [672], [685], [690], [695], [699], [728] e [788]. Ver tb. tomo III.

PAZ, FRANCISCO RAMOS. (1838-1919). Português, nascido em Afife, Viana do Castelo, emigrou para o Brasil com 12 anos de idade. Semianalfabeto ao chegar, o rapazinho, empregado como caixeiro, estudou com afinco e adquiriu, como autodidata, uma boa formação cultural. Em 1855 empregou-se numa casa de comissões, em Petrópolis, onde mais tarde colaboraria em *O Paraíba*, jornal de Emílio Zaluar, onde Machado de Assis era redator. Com este, ajudou a traduzir o *Brasil Pitoresco*, do exilado francês Charles Ribeyrolles. Voltando à Corte, dedicou-se a vários empreendimentos e adquiriu independência financeira. Sempre ligado à imprensa, foi intermediário de Elísio Mendes no convite para Machado colaborar na *Gazeta de Notícias*. Viajou muito. Grande amante dos livros, reuniu uma imponente biblioteca. Cedeu ao editor de Eça de Queirós* todos os jornais de sua coleção em que apareciam contribuições do escritor português, com isso tornando possível a publicação de boa parte da obra póstuma de Eça. Seus livros foram adquiridos por Arnaldo Guinle, que os doou à Biblioteca Nacional, compondo a Coleção

Francisco Ramos Paz. Amigo fiel de Machado de Assis, no início dos anos 1860, teriam ambos morado num sobrado da rua Matacavalos. Em várias ocasiões, ajudou o amigo financeiramente, sobretudo no período do noivado. Quando Alfredo Pujol* preparava suas conferências sobre Machado, Ramos Paz forneceu-lhe material biográfico, como comprova a correspondência conservada na Biblioteca Nacional. [805]. Ver tb. tomos I e II.

PESSOA, EPITÁCIO Lindolfo da Silva. (1865-1942). Político e jurista, nascido na Paraíba. Foi deputado federal e ministro da Justiça, dando apoio e prestígio à Academia Brasileira de Letras nos primeiros anos da instituição. Também foi ministro do Supremo Tribunal Federal, procurador-geral da República, deputado, senador, chefe da delegação brasileira junto à Conferência de Versalhes (1919) e juiz da Corte Permanente de Justiça Internacional, em Haia (1923-1930). Eleito presidente da República, em 1919, derrotando o candidato Rui Barbosa*, seu governo foi marcado pela visita dos soberanos belgas, pelas comemorações do centenário da Independência, e pelo impulso dado às obras do Nordeste. Cabe assinalar que, em 1900, Epitácio assumiu interinamente o ministério da Indústria, Viação e Obras Públicas, tendo Machado de Assis como secretário. Este, sempre discreto, tímido e metódico, não raro impacientava o jovem chefe, de temperamento apressado. Mas pouco durou tal desajuste, pois a interinidade do ministro terminou dois meses depois de sua posse. [600].

PIMENTEL, Alberto FIGUEIREDO. (1869-1914). Poeta, romancista, cronista, jornalista e autor de literatura infantil. A ele se deve a famosa frase "O Rio civiliza-se", quando das grandes obras promovidas pelo prefeito Pereira Passos no governo Rodrigues Alves, remodelando a capital federal. Sua colaboração no *Mercure de France*, onde iniciou a publicação da rubrica "*Lettres brésilennes*" em 1901, ofereceu ao público francês um preciso panorama da literatura brasileira. Movido por esse intuito, escreveu a Machado de Assis a propósito da tradução das *Memórias Póstumas de Brás Cubas*, a cargo de Philéas Lebesgue. O escritor não pôde atendê-lo, pois os direitos sobre suas obras já pertenciam ao editor Hippolyte Garnier*. [591] e [592].

PUJOL, ALFREDO Gustavo. (1865-1930). Advogado, jornalista, ensaísta e político, nasceu em São João Marcos, Rio de Janeiro. Iniciou seus estudos com o pai, o educador Hippolyte Gustave Pujol. Em 1890, bacharelou-se pela Faculdade de Direito de São Paulo. Na advocacia, atuou tanto no foro criminal quanto no cível. Algumas de suas defesas no tribunal do júri em São Paulo ficaram famosas. Foi também consultor jurídico da Associação Comercial de São Paulo. Escreveu em jornais paulistas tais como o *Diário Mercantil* e *O Estado de São Paulo*. Ao lado de Francisco Glicério, defendeu a causa republicana em discursos e conferências políticas. Em 1892, foi eleito deputado estadual pelo Partido Republicano Paulista. Militou na campanha civilista de Rui Barbosa, contra a candidatura de Hermes da Fonseca à presidência da República. Na imprensa, exercitou a crítica literária. Além disso, dedicou-se às conferências, atividade introduzida por Medeiros e Albuquerque e cultivada por Olavo Bilac*, Coelho Neto* e outros escritores do Rio e de São Paulo. Em 1917, realizou sete conferências no salão da Sociedade de Cultura Artística, de São Paulo, sobre a personalidade e a obra de Machado de Assis. Elas foram reunidas posteriormente em livro e têm o mérito de ser um dos mais abrangentes, entre os primeiros estudos sobre a vida e a obra de Machado. Terceiro ocupante da Cadeira 23, eleito em 14 de novembro de 1917, na sucessão de Lafaiete Rodrigues Pereira e recebido em 23 de julho de 1919 pelo Acadêmico Pedro Lessa. [249 A].

REDONDO, Manuel Ferreira GARCIA. (1854-1916). Engenheiro, jornalista, professor, contista e teatrólogo, nasceu no Rio de Janeiro. Frequentou a Universidade de Coimbra por algum tempo, cursando humanidades. Foi companheiro de poetas e escritores portugueses e brasileiros, entre os quais Gonçalves Crespo*, Guerra Junqueiro e Cândido de Figueiredo. Em 1872, ingressou na Escola Politécnica do Rio de Janeiro, onde obteve o diploma de engenheiro e o de bacharel em ciências físicas e matemáticas. Em fins de 1878, nomeado engenheiro fiscal de obras de Alfândega de Santos, transferiu-se para aquela cidade, onde residiu até 1884, quando se mudou para a capital paulista, onde viria a falecer. Em Portugal, colaborou no *Novo Almanaque Luso-Brasileiro de Lembranças* e fundou *O Peregrino*, periódico literário. No Rio de Janeiro, colaborou em vários periódicos, entre os quais *A República* e o *Jornal do Comércio*. Machado de Assis foi seu companheiro na redação da *Tribuna Liberal*, jornal que começara a circular em 1888. Entre suas obras, destacam-se contos, como os enfeixados em *Arminho* (1882) e *A Choupana das Rosas* (1897), bem como as peças teatrais *O Dedo de Deus* (1883) e *O Urso Branco* (1884). Fundador da Cadeira 24 da Academia Brasileira de Letras. [597]. Ver tb. tomo III.

RIBEIRO de Andrade Fernandes, JOÃO. (1860-1934). Jornalista, crítico, filólogo, historiador, pintor e tradutor sergipano. Órfão de pai muito cedo, foi residir em casa do avô, Joaquim José Ribeiro, cuja excelente biblioteca foi de grande valia para o futuro escritor. Transferiu-se para a Bahia e matriculou-se no primeiro ano da Faculdade de Medicina de Salvador. Constatando a falta de vocação, abandonou o curso e embarcou para o Rio de Janeiro, para matricular-se na Escola Politécnica. Simultaneamente estudava arquitetura, pintura e música. Desde 1881, dedicou-se ao jornalismo e fez-se amigo de grandes jornalistas do momento: Quintino Bocaiúva*, José do Patrocínio e Alcindo Guanabara. Ao chegar ao Rio, trazia os originais de uma coletânea de poesias. Seu amigo e conterrâneo Sílvio Romero* leu esses versos e publicou sobre eles um alentado artigo na *Revista Brasileira* (1881). Trabalhou, a princípio, no jornal *A Época* (1887-1888). Apaixonado por filologia e história, cedo dedicou-se ao magistério. Professor de colégios particulares desde 1881, em 1887 submeteu-se a concurso no Colégio Pedro II, para a cadeira de português, apresentando a tese "Morfologia e colocação dos pronomes". Contudo só foi nomeado três anos depois, para a cadeira de história universal. Foi também professor da Escola Dramática do Distrito Federal, cargo em que ainda estava em exercício quando faleceu. A partir de 1895 fez inúmeras viagens à Europa, ora por motivos particulares, ora em missões oficiais. Representou o Brasil no Congresso de Propriedade Literária, reunido em Dresden, bem como na Sociedade de Geografia de Londres. A última fase de atividade na imprensa foi no *Jornal do Brasil*, desde 1925 até a morte. Ali escreveu crônicas, ensaios e trabalhos de crítica. Em 1897, ao criar-se a Academia, estava ausente do Brasil e por isso não foi incluído no quadro dos fundadores. Em 1898, de volta, ocorreu o falecimento de Luís Guimarães Júnior\*, em cuja vaga foi eleito. Na Academia, fez parte de numerosas comissões, entre as quais a Comissão do Dicionário e a Comissão de Gramática. Foi um dos principais promotores da reforma ortográfica de 1907. Seu nome foi apresentado diversas vezes como o de um possível presidente da instituição, mas ele declinou sistematicamente aceitar tal investidura. Em 22 de dezembro de 1927, porém, a Academia o elegeu presidente. João Ribeiro apresentou, de imediato, sua renúncia ao cargo. Era possuidor de larga cultura humanística, versado nos clássicos de todas as literaturas, e dotado de aguda sensibilidade estética. O livro *Páginas de Estética*, publicado em 1905, resume seu ideário crítico. Conviveu com Machado de Assis quando ambos trabalhavam em *A Semana*, de Valentim de Magalhães\*, ao lado de Lúcio de Mendonça\* e Rodrigo Octavio\*, entre outros (1885). Em 1895, quando o filólogo se mudou para a Alemanha, os amigos organizaram um álbum em sua homenagem, no qual Machado colaborou. Para alguns especialistas, João Ribeiro não teve grande apreço por Machado do ponto de vista humano, considerando-o insensível diante do sofrimento alheio e incapaz de se interessar por causas generosas. Segundo ocupante da Cadeira 31, eleito em 8 de agosto de 1898, foi recebido por José Veríssimo\* no dia 16 de dezembro de 1898. [756]. Ver tb. tomo III.

RIO BRANCO, BARÃO DO. Ver PARANHOS JÚNIOR, José Maria da Silva.

SALES, ANTÔNIO. (1868-1940). Escritor cearense, autodidata, iniciou-se no jornalismo ainda muito jovem e foi um dos idealizadores da irreverente e, sobretudo, inovadora agremiação literária Padaria Espiritual, criada em Fortaleza, em 1892. Presidiu-a, ou melhor, foi "Padeiro--mor", até 1894, cabendo-lhe a autoria dos originais estatutos e a edição do jornal O Pão. Aos 29 anos transferiu-se para o Rio de Janeiro, como funcionário do Tesouro Nacional, e logo desenvolveu intensa atuação na *Revista Brasileira* de José Veríssimo*, testemunhando da fundação da Academia Brasileira de Letras, sobre a qual faria valiosos registros em *Retratos e Lembranças* (1938). Desde cedo, manifestara grande admiração por Machado de Assis. Este, ao descobrir o talento e a personalidade afetuosa do moço cearense, incluiu-o entre os amigos diletos, e talvez não o tenha tido no quadro de fundadores porque Sales se julgava autor de obra ainda modesta. No entanto, foi biógrafo preciso dos primeiros acadêmicos, nas páginas da *Revista*, ativo participante da redação de *A Semana* e, mais tarde, crítico e cronista de peso nos jornais *Correio da Manhã* e *O País*. De retorno ao Ceará, em 1920, dedicou-se à reorganização da Academia Cearense de Letras, que presidiu de 1930 a 1937. Figura ativa na vida literária brasileira por meio século, publicou vários volumes de poesia, o *Retrospecto dos Feitos da Padaria Espiritual* (1894), o romance *Aves de Arribação* (1914), crônicas, peças teatrais e a citada obra memorialística, *Retratos e Lembranças*. [578] e [793]. Ver tb. tomo III.

SAMSON, ADÈLE TOUSSAINT. (1826-1911). Filha de Joseph--Isidore Samson, ator, professor de teatro e dramaturgo de sucesso entre as décadas de 1820-1860, em Paris, Adèle Samson nasceu no ano em que seu pai estreava no *Théâtre Français*. Casou-se com Jules Toussaint por volta dos 20 anos. Filho de um casal de dançarinos – Auguste e Josephine Toussaint, que excursionava pelo mundo, Jules nascera no Brasil entre 1815-1821. Adèle e Jules decidiram vir ao Brasil entre 1849-1850. De Montevidéu, veio o tio do casal Joseph-Marie Toussaint, dançarino que pretendia abrir uma escola de dança. Jules e Adèle moraram inicialmente com o tio Toussaint até fixarem residência própria na cidade. Jules tornou-se mestre de danças da família imperial e, certamente, foi a partir deste momento que Adèle passou a privar da convivência com o imperador. O casal viveu no Rio de Janeiro até o ano de 1864, quando Jules solicitou a D. Pedro II permissão para se retirar do Brasil, já que era responsável pelas aulas de dança das princesas. Adèle não retornou mais ao Brasil. [606].

SANTOS, CARLOS AMÉRICO DOS. O que se apurou a respeito deste missivista encontra-se nas notas à carta. [602].

SANTOS, EUCLIDES. Não se encontraram até o presente momento dados relevantes a respeito deste missivista. [737].

SEABRA, JOSÉ JOAQUIM. (1855-1942). Formado em Direito pela Faculdade do Recife, José Joaquim Seabra nasceu na Bahia, atuando como advogado, professor, promotor e político. Elegeu-se deputado em 1890, na constituinte republicana. No governo de Floriano Peixoto, fez-lhe pesada oposição, o que terminou por levá-lo à prisão e ao exílio na Amazônia. Refugiou-se em Montevidéu, de onde retornou em 1895, anistiado. Teve vários mandatos como deputado federal. Chegou à liderança do governo no período do presidente Campos Sales (1898-1902). No governo Rodrigues Alves (1902-1906), assumiu o Ministério da Indústria, Viação e Obras Públicas. Nesta condição, foi de extrema valia à Academia Brasileira de Letras. Com o seu apoio, foi possível encontrar um lugar definitivo para abrigar a instituição. Seabra destinou à ABL parte do prédio do Cais da Lapa, fazendo cumprir o disposto no art. 1.º da lei 726. J. J. Seabra governou a Bahia, o seu estado natal, por duas vezes (1912-1916 e 1920-1924). [712], [769], [772] e [773].

TAÍDE, VISCONDE DE. Ver MIRANDA, Fernando Antônio Pinto de.

THOMPSON, DAVID Eugene. (1854-1942). Nascido em Bethel, Michigan, nos Estados Unidos, foi ministro acreditado no Brasil de 1902 a 1905. Neste mesmo ano de 1905, os Estados Unidos passaram a ter uma representação diplomática no Brasil com status de embaixada e Thompson foi nomeado embaixador, posto do qual foi removido em 26 de janeiro de 1906, assumindo a embaixada norte-americana no México. [767].

VEIGA, OTÍLIO. Não se encontraram até o presente momento dados relevantes a respeito deste missivista. [779].

VERÍSSIMO de Matos, JOSÉ. (1857-1916). Nascido em Óbidos, Pará. Em 1869, transferiu-se para o Rio de Janeiro, ingressando na Escola Central (depois, Escola Politécnica), cujo curso interrompeu por motivo de saúde. Em 1876, de regresso ao Pará, dedicou-se ao magistério e ao jornalismo, a princípio como colaborador do *Liberal do Pará* e, posteriormente, como fundador e dirigente da *Revista Amazônica* (1883-1884) e do Colégio Americano. Em 1880, viajou pela Europa. Em Lisboa, tomando parte em um congresso literário internacional, defendeu brilhantemente os escritores brasileiros que vinham sofrendo censuras feitas pelos interessados na permanência do livro brasileiro na retaguarda da literatura em língua portuguesa. Em 1889, participou do X Congresso de Antropologia e Arqueologia Pré-Histórica, realizado em Paris, apresentando uma comunicação sobre o homem de Marajó e a antiga história da civilização amazônica. Em 1891, mudou-se para o Rio, sendo nomeado professor e depois diretor do Ginásio Nacional (Colégio Pedro II). Em 1895, fundou uma nova série da *Revista Brasileira*, que se tornaria o mais influente periódico cultural do país. É conhecido, sobretudo, por sua atividade como crítico literário em vários jornais e revistas, especialmente no *Jornal do Comércio* e no *Correio da Manhã*; artigos e ensaios foram enfeixados em

*Estudos da Literatura Brasileira* (1901-1907). Sua obra principal é a *História da Literatura Brasileira* (1916). Veríssimo recusou a crítica sociológica de Sílvio Romero*, preferindo uma avaliação imanente da obra, segundo critérios estéticos. Essa preferência certamente está entre os fatores que o aproximaram de Machado de Assis, atacado por Sílvio Romero à luz de considerações em grande parte extraliterárias. Veríssimo foi o crítico mais lúcido de Machado de Assis, que se encantou com seu ensaio sobre *Quincas Borba* (1892). O que em geral se ignora é que veio de Veríssimo a primeira percepção de que o relato de *Dom Casmurro* talvez não fosse inteiramente confiável, antecipando, nisso, uma suspeita de Lúcia Miguel Pereira e, sobretudo, a tese de Helen Caldwell sobre a inocência de Capitu. Com efeito, no mesmo ano do aparecimento do romance, em 1900, José Veríssimo observou no *Jornal do Comércio* que Dom Casmurro escrevera "com amor e com ódio, o que pode torná-lo suspeito." Machado considerava-o o maior crítico do Brasil e um dos seus melhores autores. O volume de contos *Cenas da Vida Amazônica* mereceu dele, na *Gazeta de Notícias*, uma resenha consagradora (1899). Com a fundação da Academia Brasileira de Letras na redação da *Revista Brasileira*, o convívio entre os dois se estreitou. Viam-se quase diariamente, na Garnier e no Ministério da Viação, onde Veríssimo costumava visitar o amigo. Quando não se viam, correspondiam-se. Aliás, em carta de 21 de abril de 1908, Machado autorizava Veríssimo a que lhe publicasse as cartas. Uma das últimas lhe foi destinada em 1.º de setembro de 1908. Fundador da Cadeira 18 da Academia Brasileira de Letras. [577], [579], [582], [583], [585], [594], [595], [598], [607], [639], [648], [649], [661], [662], [679], [688], [691], [692], [738], [739], [741], [742], [743], [745], [746], [748], [750], [751], [778] e [782]. Ver tb. tomos II e III.

VIANA, ULISSES. (1849?-1911). Advogado, jornalista e intelectual. Foi um crítico social dotado de vasta cultura e de uma mentalidade lúcida, arguta, penetrante e equilibrada. Sob sua direção, o *Jornal do Recife*, de 1886 a 1891, tornou-se uma das melhores folhas brasileiras. No

Rio de Janeiro, integrou o grupo fundador do *Jornal do Brasil*, em 1891, assumiu a direção da redação desse periódico no ano seguinte e pouco depois deixou o jornalismo para se dedicar à advocacia civil e comercial, consagrando-se entre os mais notáveis na sua profissão. Assinale-se que, como advogado do governo boliviano durante a questão do Acre, opôs-se à política do chanceler Rio Branco*, sofrendo pesadas críticas por parte da imprensa carioca em 1903. [791].

VICUÑA CIFUENTES, JULIO. (1865-1936). Escritor, folclorista e filólogo chileno, foi professor de castelhano e literatura. Destacam-se em sua obra: *Coa: jerga de los delincuentes chilenos* (1910), *Estudios de folclore chileno* (1915), *Estudios de métrica española* (1929), *Prosas de otros días* (memórias em edição póstuma, 1939) e, sobretudo, a seleção de seus melhores poemas, *La cosecha de otoño* (1920). Uma boa parte desses poemas apresenta temática amorosa, em tom melancólico, elegante e sereno. [611].

VIDAL, Adriano Augusto PINA DE. (1841-1919). Conhecido como Pina Vidal pertencia à Classe de Ciências, antiga seção de Ciências Físicas, da Academia das Ciências de Lisboa, para a qual foi eleito sócio correspondente em 3 de junho de 1869. Passou a sócio efetivo em 1.º de junho de 1885. Assumiu o cargo de secretário-geral da instituição em 1897, permanecendo nele até o seu falecimento em 1919. Foi também professor e diretor e lente da Escola Politécnica; foi professor da Universidade de Lisboa e diretor do Observatório D. Luís desde 1869. [775].

YOUNG, JAMES CARLETON. (1856-1918). Empresário que fez fortuna com a venda de terras para colonização em Minesota, no Iowa e nas Dakotas. Formado em 1876 pela Cornell College, depois que assegurou sua fortuna, dedicou-se seriamente à bibliofilia, tornado-se o bibliófilo mais importante do século XIX. Muito conhecido nos Estados Unidos e na Europa, foi o único norte-americano membro da *Societé des Amis des Livres*, na época o clube do livro mais exclusivo do mundo. Fez parte de importantes instituições culturais, como o Clube dos Autores de Londres e a Sociedade dos Homens de Letras, da França. Em 1878, foi comissário honorário da Exposição de Paris. Em 1902, o *Figaro* referiu-se a ele como *Le Roi des Livres*, título pelo qual passou a ser reconhecido no exterior. Em 1910, foi condecorado pelo governo francês com a Cruz da Legião de Honra, por meio de uma petição encabeçada pelo dramaturgo e poeta, Prêmio Nobel de 1911, Maurice Maeterlinck (1862-1949) e mais 25 cidadãos ilustres da França. Quando deliberou devotar a vida à coleção de obras-primas modernas em todas as línguas, acreditou que este seria o maior tributo que poderia pagar à literatura, e quis que cada livro fosse autografado por seu autor. Nos Estados Unidos, o trabalho progrediu rapidamente, mas com os escritores de fora do país conseguir os livros autografados não foi fácil. Muito pouco pôde ser feito por correspondência junto aos autores estrangeiros. Mr. Young resolveu, então, viajar pelo mundo. Fez frequentes viagens à Europa, a fim de entrevistar-se com autores ilustres. Passou dois anos em Paris, onde não só garantiu os autógrafos que desejava, mas recolheu muitos livros raros. A maior parte de seu tempo, por cerca de vinte anos, foi dedicada a este trabalho. A biblioteca reunida por ele é, sem dúvida, a mais importante coleção do gênero no mundo. Quando foi dispersa em 1916, por meio de leilão nas *Anderson Galeries*, de Nova York, teve de ser dividida em lotes, distribuídos por vários dias de venda. A parte I continha 1078 números e foi vendida em 15 e 16 de novembro. A parte II, vendida em cinco sessões, em 11 e 13 de dezembro, reuniu 1336, e três outras, igualmente grandes, foram realizadas mais tarde, porém ainda na temporada. A fim de evitar um catálogo pesado, muitas centenas de dedicatórias não foram citadas e, em alguns casos, vários livros foram agrupados em um lote. Não há notícia da resposta de Machado ao bibliófilo. [770]

## Posfácio

### O sábio e o bruxo

Na fortuna crítica de Machado de Assis o trabalho de Sergio Paulo Rouanet ocupa hoje lugar de destaque. Reunindo, comentando, editando, a correspondência passiva e ativa do autor de *Memórias póstumas de Brás Cubas*, Rouanet abre outras perspectivas de compreensão do nosso escritor maior. Daquele que conseguiu conciliar a condição de sábio e bruxo, e que através do seu repertório epistolar nos faz ver que, mesmo a chamada correspondência passiva, é ativa, porque Machado interage o tempo todo.

Sergio Paulo Rouanet já mostrara, com criteriosa antevisão, o vai e vem, tão machadiano, do *riso à melancolia*. Agora a pesquisa apurada chega a inabilitar classificações convencionais. Os próprios "sonhos" de Nabuco, interlocutor privilegiado, deslocam as referências pré-fixadas.

A imagem de Machado que emerge do retrovisor da história e aponta para ângulos menos ostensivos da sua atividade, chega a uma só vez a constatar, descobrir, revelar o perfil talvez esquivo, porém penetrante, do Bruxo que sabia tudo da realidade, dos sonhos, dos afetos mais ou menos dissimulados, da vida como ela é, e como ela não é.

A agudeza de Sergio Paulo Rouanet sabe que nada em Machado é insignificante. Nem mesmo as conchas medicinais provindas da Alemanha. A lucidez e a abrangência são dignas de Machado. Até quando envereda pelas frestas da *petite histoire*. E não posso deixar de assinalar a temperatura dramática, no centro da qual se verifica o grande abalo, a morte da bem-amada Carolina.

A pesquisa é um trabalho silencioso e árduo. Porém profícuo. E pôde contar com a dedicação das competentes pesquisadoras Irene Moutinho e Sílvia Eleutério. O mais fica por conta do Conselheiro Aires.

EDUARDO PORTELLA, 2012

# Bibliografia

ACADEMIA BRASILEIRA DE LETRAS. *Discursos Acadêmicos. 1897-1919*. Rio de Janeiro, 2005. Tomo I.
_____. *Revista da Academia Brasileira de Letras*. XXXII, n. 99, mar. 1930.
_____. *Revista da Academia Brasileira de Letras*. XXXIII, n. 104, ago. 1930.
_____. *Revista Brasileira*, fase VII, 55, Rio de Janeiro, abril-junho, 2008. Edição comemorativa 1908-2008.
AGUIAR, Cláudio. *Franklin Távora e o Seu Tempo*. 2 ed. Rio de Janeiro: Academia Brasileira de Letras, 2005.
ALENCAR, Mário de. *Versos*. Rio de Janeiro: H. Garnier, 1902.
_____. *Alguns Escritos*. Rio de Janeiro: H. Garnier, 1909.
ALIGHIERI, Dante. *A Divina Comédia*. Belo Horizonte: Itatiaia-Edusp, 1976. Tradução de Cristiano Martins.
ALMEIDA, Renato. *História da Música Brasileira*. 2 ed. Rio de Janeiro: R. Briguet, 1942.
ALVES, Antônio de CASTRO. *Espumas Flutuantes*. Bahia: Camilo de Lelis Masson, 1870.
ARANHA, José Pereira da Graça. *Machado de Assis e Joaquim Nabuco.* Comentários e Notas à Correspondência entre os Dois Grandes Escritores. São Paulo: Monteiro Lobato, 1923.

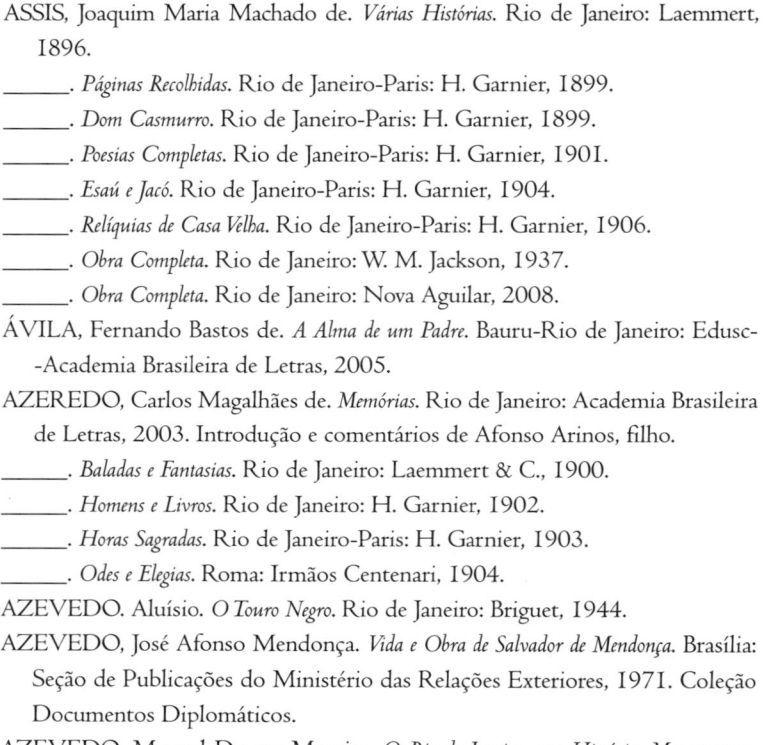

ASSIS, Joaquim Maria Machado de. *Várias Histórias*. Rio de Janeiro: Laemmert, 1896.

_____. *Páginas Recolhidas*. Rio de Janeiro-Paris: H. Garnier, 1899.

_____. *Dom Casmurro*. Rio de Janeiro-Paris: H. Garnier, 1899.

_____. *Poesias Completas*. Rio de Janeiro-Paris: H. Garnier, 1901.

_____. *Esaú e Jacó*. Rio de Janeiro-Paris: H. Garnier, 1904.

_____. *Relíquias de Casa Velha*. Rio de Janeiro-Paris: H. Garnier, 1906.

_____. *Obra Completa*. Rio de Janeiro: W. M. Jackson, 1937.

_____. *Obra Completa*. Rio de Janeiro: Nova Aguilar, 2008.

ÁVILA, Fernando Bastos de. *A Alma de um Padre*. Bauru-Rio de Janeiro: Edusc--Academia Brasileira de Letras, 2005.

AZEREDO, Carlos Magalhães de. *Memórias*. Rio de Janeiro: Academia Brasileira de Letras, 2003. Introdução e comentários de Afonso Arinos, filho.

_____. *Baladas e Fantasias*. Rio de Janeiro: Laemmert & C., 1900.

_____. *Homens e Livros*. Rio de Janeiro: H. Garnier, 1902.

_____. *Horas Sagradas*. Rio de Janeiro-Paris: H. Garnier, 1903.

_____. *Odes e Elegias*. Roma: Irmãos Centenari, 1904.

AZEVEDO. Aluísio. *O Touro Negro*. Rio de Janeiro: Briguet, 1944.

AZEVEDO, José Afonso Mendonça. *Vida e Obra de Salvador de Mendonça*. Brasília: Seção de Publicações do Ministério das Relações Exteriores, 1971. Coleção Documentos Diplomáticos.

AZEVEDO, Manuel Duarte Moreira. *O Rio de Janeiro, sua História, Monumentos, Homens Notáveis, Usos e Curiosidades*. Rio de Janeiro: B. L. Garnier, 1877. 2 v.

AZEVEDO, Maria Helena Castro. *Um Senhor Modernista*. Rio de Janeiro: Academia Brasileira de Letras, 2002.

BARBOSA, Leila Maria Fonseca; RODRIGUES, Marisa Timponi Pereira. *Montezinos, Primeiros Versos*. (Belmiro Braga). Juiz de Fora: Funalfa, 2010.

BARBOSA, Rui. A Imprensa. In: *Obras Completas de Rui Barbosa*. Rio de Janeiro: Ministério da Cultura e Cultura-Fundação Casa de Rui Barbosa, 1954. v. III.

BLUTEAU, Rafael. *Vocabulário Português e Latino*. Rio de Janeiro: Dinfo-Uerj, 2000. CD-ROM. 8 v.

BOCAGE, Manuel Maria Barbosa du. *Obras Poéticas*. Lisboa: A. J. Rocha, 1849--1850.

BOSI, Alfredo. *História Concisa da Literatura Brasileira*. 2 ed. São Paulo: Cultrix, 1979.

BRAGA, Belmiro. *Dias Idos e Vividos*. Rio de Janeiro: Ariel, 1936.

BROCA, José Brito. *A Vida Literária no Brasil – 1900*. 5 ed. Rio de Janeiro: José Olympio-Academia Brasileira de Letras, 2005.

BROTEL, Jean-François; MASSA, Jean-Michel. *Études Luso-Brésiliennes*. Paris: Presses Universitaires de France, 1966.

BUENO, Alexei. (Org.). *Olavo Bilac: Obra Reunida*. Rio de Janeiro: Nova Aguilar, 1997.

CAMÕES, Luís de. *Os Lusíadas*. Rio de Janeiro: Xerox-BN-MinC, 1995. Edição Fac-similar de 1572.

CARVALHO, Ítala Gomes Vaz de. *A Vida de Carlos Gomes*. 3 ed. Rio de Janeiro: A Noite, 1946.

CARVALHO, José Murilo de. *Os Bestializados: o Rio de Janeiro e a República Que Não Foi*. São Paulo: Companhia das Letras, 1987.

_____. *A Formação das Almas. O Imaginário da República no Brasil*. São Paulo: Companhia das Letras, 2003.

_____. *D. Pedro II*. São Paulo: Companhia das Letras, 2007. Coleção Perfis Brasileiros.

_____. (Coord.). *A Construção Nacional*. São Paulo: Fundación Mapfre-Objetiva, 2012.

CARVALHO, Maria Alice Rezende de. *O Quinto Século, André Rebouças e a Construção do Brasil*. Rio de Janeiro: Revan, 1998.

CASTRO, Aluísio de. "Machado de Assis e Francisco de Castro". *Revista da Sociedade dos Amigos de Machado de Assis*, V, Rio de Janeiro, 1960.

CELSO, Afonso. *Porque me Ufano de meu País*. Rio de Janeiro: H. Garnier, 1900.

CERNICCHIARO, Vicenzo. *Storia Della Musica nel Brasile dai Tempi Coloniali Sino ai Nostri Giorni*. Milano: Fratelli Riccioni, 1926.

CORDEIRO, Francisca de Basto. *Machado de Assis na Intimidade*. Rio de Janeiro: Pongetti, 1965.

_____. *Machado Que Eu Vi*. Rio de Janeiro: São José, 1967.

CUNHA, Tristão da. *Obras de Tristão da Cunha*. Rio de Janeiro: Agir-Instituto Nacional do Livro, 1979. 2 v.

DEL PRIORE, Mary. *O Príncipe Maldito*. Rio de Janeiro: Objetiva, 2007.

FERREIRA, Aurélio Buarque de Holanda. *Novo Dicionário Aurélio da Língua Portuguesa*. 3 ed. Curitiba: Positivo, 2004.

FLAUBERT, Gustave. Correspondance. *In: Oeuvres Complètes de Gustave Flaubert*, Paris: Louis Conard, 1926-1930.

FUNDAÇÃO BIBLIOTECA NACIONAL. *Catálogo da Exposição Machado de Assis, 1839-1939*. Rio de Janeiro: Ministério da Educação e Saúde, 1939.

GABINETE PORTUGUÊS DE LEITURA. *Livro de Ouro*. Rio de Janeiro: Gabinete Português de Leitura, 1884.

_____. *Relatório da Diretoria do Gabinete Português de Leitura no Rio de Janeiro, 1898*. Rio de Janeiro: Jornal do Comércio, 1899.

GALVÃO, Walnice Nogueira; GALOTTI, Oswaldo. *Correspondência de Euclides da Cunha*. São Paulo: Edusp, 1997.

GONÇALVES, João Felipe. *Rui Barbosa: pondo as ideias em ordem*. Rio de Janeiro: FGV Editora, 2000.

GOUVÊA, Fernando da Cruz. *Oliveira Lima: Uma Biografia*. 2 ed. Recife: CEPE, 2002. 2 v.

HALLEWELL, Laurence. *O Livro no Brasil*. São Paulo: T. A. Queirós-Edusp, 1985.

HENRIQUES, Cláudio César. *Atas da Academia Brasileira de Letras: Presidência de Machado de Assis (1896-1908)*. Rio de Janeiro: Academia Brasileira de Letras, 2001.

HOUAISS, Antônio. *Dicionário Eletrônico da Língua Portuguesa*. São Paulo: Objetiva, 2009.

HOUSSAYE, Arsène. *Les Cent et Un Sonnets*. Paris: Dentu, 1875.

_____. *Souvenirs de Jeunesse: 1830-1850*. Paris: Flammarion, 1896.

_____. *Les Confessions: Souvenirs d'un Demi-Siècle. (1830-1880)*. Paris: Dentu, 1885-1894.

JUNQUEIRA, Ivan. (Coord.). *Escolas Literárias do Brasil*. Rio de Janeiro: Academia Brasileira de Letras, 2004. Coleção Austregésilo de Athayde. Tomo I.

LASCELLES, George Henry Hubert. *Kobbé, O Livro Completo da Ópera*. Rio de Janeiro: Zahar, 1991.

LICEU LITERÁRIO PORTUGUÊS. *O Liceu Literário Português* (1868-1884). Rio de Janeiro: Maximino, 1884. Edição comemorativa da inauguração da nova sede.

LIMA, Manuel de Oliveira. *O Império Brasileiro* (1821-1889). Belo Horizonte: Itatiaia; São Paulo: Edusp, 1989.

_____. *No Japão – Impressões da Terra e da Gente*. Rio de Janeiro: Laemmert, 1903.

_____. *Coisas Diplomáticas*. Lisboa: Companhia Editora, 1908.

_____. *Memórias – estas minhas reminiscências*. Rio de Janeiro: José Olympio, 1937.

LUCCHESI, Marco. *Jerusalém Libertada*. Rio de Janeiro: Topbooks, 1998.

_____. *Machado de Assis, Cem anos de uma Cartografia Inacabada*. Rio de Janeiro: Fundação Biblioteca Nacional, 2008.

_____. *Melhores Crônicas de Euclides da Cunha*. São Paulo: Global, 2011.

LUCCHESI, Marco; RÊGO, Raquel Martins. *Machadiana da Biblioteca Nacional*. Rio de Janeiro: Fundação Biblioteca Nacional, 2008.

MACHADO, Ubiratan. *Machado de Assis: Roteiro da Consagração*. Rio de Janeiro: Eduerj. 2003

_____. *Bibliografia Machadiana, 1959-2003*. São Paulo: Edusp, 2005.

_____. *Dicionário de Machado de Assis*. Rio de Janeiro: Academia Brasileira de Letras, 2008.

MAGALHÃES JR., Raimundo. *Vida e Obra de Machado de Assis*. Rio de Janeiro: Record, 2008. 4 v.

MALATIAN, Teresa. *Oliveira Lima e a Construção da Nacionalidade*. Bauru-São Paulo: Edusc-Fapesp, 2001.

_____. *Diplomacia e Letras na Correspondência Acadêmica: Machado de Assis e Oliveira Lima*. In: *Estudos Históricos*, 13, n.º 24. Rio de Janeiro: Fundação Getúlio Vargas, 1999.

MARTINS, Antônio. (Org.). *Teatro de Artur Azevedo*. Rio de Janeiro: INACEN, 1987.

MASSA, Jean-Michel. *Dispersos de Machado de Assis*. Rio de Janeiro: Instituto Nacional do Livro, 1965.

_____. *A Juventude de Machado de Assis*. Rio de Janeiro: Civilização Brasileira, 1971.

MATOS, Alfredo de Campos. (Org.). *Dicionário de Eça de Queirós*. 2 ed. Lisboa: Caminho, 1993.

MENDES, Odorico (Trad.). *Eneida Brasileira ou Tradução Poética da Epopeia de Publio Virgilio Maro*. Paris: De Rignoux, 1854.

MENDONÇA, Carlos Süssekind de. *Salvador de Mendonça*. Rio de Janeiro: Instituto Nacional do Livro, 1960.

MENDONÇA, Salvador de. *Ajuste de Contas*. Rio de Janeiro: Jornal do Comércio, 1899-1904.

_____. *A Situação Internacional do Brasil*. Rio de Janeiro-Paris: H. Garnier, 1913.

_____. *Coisas do Meu Tempo*. *Revista do Livro*, 20, Rio de Janeiro, 1960.

MINISTÉRIO DAS RELAÇÕES EXTERIORES. Relatório do Ministério das Relações Exteriores. (anos de 1899, 1900, 1901, 1902, 1903). Rio de Janeiro: Imprensa Nacional, 1895-1903.

MONTEIRO, João et alii. III *Centenário do Venerável José de Anchieta*. Paris: Aillaud, 1900.

MONTEIRO, Tobias. *Cartas Sem Título.* Rio de Janeiro: Jornal do Comércio, 1902.

MONTELLO, Josué. *O Presidente Machado de Assis nos Papéis e Relíquias da Academia Brasileira de Letras*. 2 ed. Rio de Janeiro: José Olympio, 1986.

MUSSET, Alfred de. *Oeuvres Complètes*. Paris: Charpentier, 1888.

NABUCO, Carolina. *A Vida de Joaquim Nabuco*. São Paulo: Companhia Editora Nacional, 1928.

NABUCO, Joaquim. *Cartas aos Amigos*. São Paulo: Instituto Progresso Editorial, 1949. Coligidas e anotadas por Carolina Nabuco.

_____. *Balmaceda*. Coleção Prosa do Observatório. São Paulo: CosacNaify, 2008.

_____. *Diários (1873-1888)*. Rio de Janeiro-Recife: Bem-Te-Vi & Massangana, 2008.

_____. *Minha Formação*. Rio de Janeiro-Paris: H. Garnier, 1900.

NERY, Fernando. (Org.). *Correspondência de Machado de Assis*. Rio de Janeiro: Américo Bedeschi, 1932.

_____. *A Academia Brasileira de Letras: notas e documentos para a sua história (1896--1940)*. Rio de Janeiro, Academia Brasileira de Letras, 2008. Coleção Afrânio Peixoto.

OCTAVIO, Rodrigo. *Coração Aberto*. Rio de Janeiro: Civilização Brasileira, 1934.

_____. *Minhas Memórias dos Outros*. Rio de Janeiro: José Olympio, 1935. Nova série.

OLIVEIRA, Mário Alves de. "Duas Cartas Inéditas de Machado de Assis". *Revista Brasileira*, fase VII, 50, Rio de Janeiro, janeiro-março, 2007.

OLIVEIRA MARTINS, Joaquim Pedro. *Portugal Contemporâneo*. Lisboa: Europa--América, 1986.

PALEOLOGO, Constantino. *Eça de Queirós e Machado de Assis*. Rio de Janeiro--Brasília: Tempo Brasileiro-Instituto Nacional do Livro, 1979.

PEREIRA, Lúcia Miguel. *Machado de Assis*. 6. ed. Belo Horizonte: Itatiaia; São Paulo: Edusp, 1988.

PONTES, Elói. *Machado de Assis, Páginas Esquecidas*. Rio de Janeiro: Mandarino, 1939.

_____. *A Vida Contraditória de Machado de Assis*. Rio de Janeiro: José Olympio, 1939.

PUJOL, Alfredo. *Machado de Assis — Curso de Literatura em Sete Conferências na Sociedade de Cultura Artística de São Paulo*. Rio de Janeiro: Academia Brasileira de Letras-Imprensa Oficial, 2007. Apresentação de Alberto Venancio Filho.

ROCHA, João César de Castro. "Machado de Assis, leitor (autor) da Revista do Instituto Histórico e Geográfico Brasileiro". *In:* JOBIM, José Luís. (Org.). *A Biblioteca de Machado de Assis*. Rio de Janeiro: Academia Brasileira de Letras-Topbooks, 2001.

ROUANET, Sergio Paulo. *Riso e Melancolia*. Rio de Janeiro: Companhia das Letras, 2007.

_____. (Org.). *Correspondência de Machado de Assis*. 1860-1869. Rio de Janeiro: Academia Brasileira de Letras-Fundação Biblioteca Nacional, 2008. Reunida, organizada e comentada por Irene Moutinho e Sílvia Eleutério. Tomo I.

_____. (Org.). *Correspondência de Machado de Assis*. 1870-1889. Rio de Janeiro: Academia Brasileira de Letras-Fundação Biblioteca Nacional, 2009. Reunida, organizada e comentada por Irene Moutinho e Sílvia Eleutério. Tomo II.

_____. (Org.). *Correspondência de Machado de Assis*. 1890-1900. Rio de Janeiro: Academia Brasileira de Letras-Fundação Biblioteca Nacional, 2010. Reunida, organizada e comentada por Irene Moutinho e Sílvia Eleutério. Tomo III.

SACRAMENTO BLAKE, Augusto Victorino Alves. *Dicionário Bibliográfico Brasileiro*. Tipografia Nacional, 1883-1902. 7 v.

SALES, Antônio. *Retratos e Lembranças: Reminiscências Literárias*. Fortaleza: W. de Castro e Silva, 1938.

SANDRONI, Cícero. *Os 180 Anos do Jornal do Commercio: 1827-2007*. São Paulo: Quorum, 2007.

SCHWARCZ, Lilia Moritz. (Coord.). *A Abertura para o Mundo*. São Paulo: Fundación Mapfre-Objetiva, 2012.

_____. *As Barbas do Imperador*. D. Pedro II, Um Monarca nos Trópicos. 2 ed. Rio de Janeiro: Companhia das Letras, 2004.

SECCHIN Antônio Carlos; ALMEIDA, José Maurício Gomes de; SOUZA, Ronaldes de Melo e. (Org.). *Machado de Assis, Uma Revisão*. Rio de Janeiro: In-Fólio, 1998.

SENNA, Ernesto. *O Velho Comércio do Rio de Janeiro*. Rio de Janeiro: G. Ermakoff, 2006.

SILVA, Alberto da Costa e (Org.). *O Itamaraty e a Cultura Brasileira*. Rio de Janeiro: Francisco Alves, 2002. Realização do Instituto Rio Branco, Ministério das Relações Exteriores.

_____. *Castro Alves*. São Paulo: Companhia das Letras, 2006. Perfis Brasileiros.

SOCIEDADE DOS AMIGOS DE MACHADO DE ASSIS. *Revista da Sociedade dos Amigos de Machado de Assis*, I-VII, Rio de Janeiro, 1958-1961.

SOUSA, José Galante de. *Bibliografia de Machado de Assis*. Rio de Janeiro: Instituto Nacional do Livro, 1955.

_____. *Fontes para o Estudo de Machado de Assis*. Rio de Janeiro: Instituto Nacional do Livro, 1958.

_____. *Machado de Assis: Poesia e Prosa*. Rio de Janeiro: Civilização Brasileira, 1957.

_____. *O Teatro no Brasil*. Rio de Janeiro: Instituto Nacional do Livro, 1960.

VAL, Waldir Ribeiro do. *Vida e Obra de Raimundo Correia*. Rio de Janeiro: Instituto Nacional do Livro, 1960.

VANUCCI, Alessandra. (Org.). *Uma Amizade Revelada*. Correspondência entre o Imperador dom Pedro II e Adelaide Ristori. Rio de Janeiro: Biblioteca Nacional, 2004.

VENANCIO FILHO, Alberto. *Euclides da Cunha e Seus Amigos*. Rio de Janeiro: Revista do Instituto Histórico e Geográfico Brasileiro, abril-junho, 1967.

_____. *Das Arcadas ao Bacharelismo: 150 anos de Ensino Jurídico no Brasil*. 2 ed. São Paulo: Perspectiva, 1982.

_____. Notas Sobre a Evolução da Ideia Republicana no Brasil. *In: Tempo Brasileiro*, v. 99, outubro-dezembro, 1989.

_____. O Movimento Euclidianista. *In: Revista Brasileira*, fase VII, 30, Rio de Janeiro, janeiro-março, 2002.

_____. Entrevista. *In: Revista de História da Biblioteca Nacional*. N. 47, agosto, 2009. Especial – Euclides da Cunha.

VENANCIO FILHO, Francisco. Lúcio de Mendonça e a Fundação da Academia Brasileira de Letras. *Revista Brasileira*, fase VII, 38, X, Rio de Janeiro, janeiro-março, 2004.

_____. *Rio Branco e Euclides da Cunha*. Monografia. Comissão Preparatória do Centenário do Barão do Rio Branco. Rio de Janeiro: Ministério das Relações Exteriores, 1946.

_____. *A Glória de Euclides da Cunha*. São Paulo-Rio de Janeiro-Recife-Porto Alegre: Companhia Editora Nacional, 1940.

_____. *Euclides da Cunha e Seus Amigos*. São Paulo: Companhia Editora Nacional, 1938. Biblioteca Pedagógica Brasileira.

VERÍSSIMO, José. *História da Literatura Brasileira*. Rio de Janeiro: Francisco Alves, 1916.

_____. *Estudos de Literatura Brasileira*. Belo Horizonte: Itatiaia; São Paulo: Edusp; 1976. 7 v.

_____. *Homens e Coisas Estrangeiras*. 1899-1908. Rio de Janeiro: Academia Brasileira de Letras-Topbooks, 2003.

VIANA FILHO, Luís. *A Vida de Machado de Assis*. Rio de Janeiro: Martins, 1965.

VIRGILLO, Carmelo. *Correspondência de Machado de Assis com Carlos Magalhães de Azeredo*. Rio de Janeiro: Instituto Nacional do Livro, 1969.

VIRMOND, Marcos da Cunha Lopes. *Carlos Gomes e a Exposição Colombiana Universal*. Salvador: XVIII Congresso da Associação Nacional de Pesquisa e Pós-Graduação, 2008.

VISSE, Jean-Paul. *La Presse du Nord et du Pas-de-Calais au Temps de L'Écho du Nord*. Villeneuve d'Ascq: Presses Universitaires Du Septentrion, 2004.

WEHRS, Carlos. *Machado de Assis e a Magia da Música*. 2 ed. Rio de Janeiro: Carlos Wehrs, 1997.

## MANUSCRITOS ORIGINAIS

- *Arquivo Machado de Assis*, Academia Brasileira de Letras
- *Arquivo-Museu da Literatura Brasileira*, Fundação Casa de Rui Barbosa
- *Coleção Adir Guimarães*, Fundação da Biblioteca Nacional
- *Coleção Francisco Ramos Paz*, Fundação da Biblioteca Nacional
- *Coleção Ernesto de Senna*, Fundação Biblioteca Nacional
- *Coleção Rodrigo Octavio*, Arquivo Particular

## PERIÓDICOS CONSULTADOS
Originais

- *Álbum*, Biblioteca Lúcio de Mendonça, Academia Brasileira de Letras
- *A Quinzena*, Fundação Biblioteca Nacional
- *A Semana*, Fundação Casa de Rui Barbosa

- *Jornal do Comércio*, Biblioteca da Associação Comercial do Rio de Janeiro
- *Revista Renascença*, Arquivo Particular
- *Revista Brasileira*, Biblioteca Lúcio de Mendonça, Academia Brasileira de Letras
- *Revista Moderna*, Biblioteca Lúcio de Mendonça, Academia Brasileira de Letras
- *Revista Ítalo-Brasiliana*, Hemeroteca, Arquivo da Academia Brasileira de Letras
- *La Razón*, Arquivo Particular

Microfilmados
- *Almanaque Laemmert*, 1855-1889. Fundação Biblioteca Nacional
- *Gazeta de Notícias*, 1894-1912. Fundação Biblioteca Nacional
- *Jornal do Comércio*, 1890-1904. Fundação Biblioteca Nacional

# Caderno de Imagens

Carta [592] de Machado de Assis a Figueiredo Pimentel (rascunho), de 31/03/1901.

TOUSSAINT SANSON
09/08/1901

9 juillet 1901

Monsieur,

ayant gardé de votre beau pays d'éternelles saudades, et m'intéressant vivement au mouvement littéraire qui s'y produit, je désirais connaître un des ouvrages du Président de l'Académie des lettres dont le nom avait traversé les mers; mais ce fut en vain que je fouillai toutes les librairies de Paris, le Portugais étant si peu

~ Carta [606] de Adèle Toussaint Samson, de 09/07/1901. (01/04)

comme encore en France
qu'on ne pourra se procurer aucun
ouvrage moderne dans
cette langue. Le route est
donc bien plus court de
m'adresser à l'auteur lui-
même et de lui demander
s'il veut bien m'envoyer
celui de ses livres qu'il
regarde comme ayant eu
le plus de succès, et s'il
lui plaît d'y joindre
l'autorisation de le traduire
en français, je lui en serai
très reconnaissante. J'aimerais
être une des premières à
faire connaître à mes
compatriotes les plus célèbres
auteurs du Brésil. J'ai ais
passé un examen de portugais
à Rio de Janeiro et j'ai
ai le diplôme ce qui peut

Carta [606] de Adèle Toussaint Samson, de 09/07/1901. (02/04)

justifier ma demande et
vous être une garantie pour
me confier la traduction de
votre livre, tâche toujours si
difficile et si délicate. L'Italien
dit : Traduttore, traditore.
J'espère, Monsieur, ne pas
mériter que vous m'appliquiez
ce mot.
            Maintenant, Monsieur,
Je me permets de vous
adresser, en échange de l'envoi
que j'espère de vous, un
volume de Poésies publié
à mon retour en France et
que Victor Hugo a honoré
d'une charmante lettre de
félicitation. Vous y verrez
quel souvenir j'ai gardé
de l'Amérique du Sud.
Quant à ses habitants,
je leur consacre une

ତ Carta [606] de Adèle Toussaint Samson, de 09/07/1901. (03/04)

sympathie profonde
dans je veux que les soins
bien assurés car il paraît
que quelques passages de mon
livre : une Parisienne au Brésil
les avaient indisposés contre
moi. J'ai écrit ce livre avec
la plus grande impartialité
ne disant que ce que j'ai vu
J'ai jugé un peuple neuf
qui avait encore des esclaves et
comme je dirais la vérité cruelle
au Brésilien, je la dirais aussi à
mes compatriotes. L'Empereur Dom
Pedro en avait eu connaissance
et a dit : les Etrangers nous jugent
mieux que nous mêmes et je
vois, dans ce livre rien d'hostile
au Brésil, au contraire.

Soyez donc persuadé
Monsieur que ce sera à une
personne amie que vous confierez
la traduction de votre livre et
qu'elle s'efforcera d'en garder la
saveur étrangère et l'esprit primordial
Veuillez agréer je vous prie l'expression
de ma profonde considération
A. T. Toussaint Samson

~ Carta [606] de Adèle Toussaint Samson, de 09/07/1901. (04/04)

Carta [705] de Euclides da Cunha, de 21/06/1903.

*L'aiglon à l'Aigle.*

*21-juin-1903.*

~ Postal [706] de Graça Aranha (agora identificado), de 21/06/1903.

Rio de Janeiro, 20 de Novembro de 1904

Ex.mo Snr. Machado de Assis

Peço a V. Exc.a a fineza de levar o insignificante serviço medico que prestei á sua Ex.ma Senhora, á conta da amisade; d'essa amisade que cada um tem intimamente aos grandes homens do seu paiz.

De V. Exc.
att.o admirador e obrig.o
Miguel Couto

Carta [798] de Miguel Couto, de 20/11/1904.

# Leia também:

## *Machado de Assis — Um Autor em Perspectiva*

A série *Um Autor em Perspectiva*, coeditada pela Global Editora em parceria com a Academia Brasileira de Letras, traz, em seu primeiro volume, este acurado estudo sobre Machado de Assis. A partir de um seminário realizado na Universidade de Salamanca, uma série de artigos de vários especialistas, brasileiros e espanhóis, lança novas luzes sobre a já vastamente estudada obra deste que é um dos maiores autores nacionais.

Machado foi talvez o mais eclético homem de letras do Brasil, atuando em todas as modalidades literárias, com maestria notável no romance e no conto, formas nas quais é simplesmente insuperável, mas também sem menor garbo na poesia, teatro, ensaio, crítica, crônica e mesmo sua epistolografia pessoal, que é estudada por um dos acadêmicos que contribui nesta coletânea de estudos.

Ana Maria Machado, responsável pela apresentação da obra, contribui com um interessante ensaio sobre os diálogos machadianos. Há também uma saborosa análise, por Antônio Maura, da personagem Capitu, do romance *Dom Casmurro*, correspondente direta e irmã literária de Ana Karenina, Emma Bovary e da Luísa de O Primo Basílio. O mais extravagante romance de Machado, *Memórias Póstumas de Brás Cubas*, é analisado por Javier Prado em estudo comparativo histórico que garimpa as influências de Sterne, Xavier de Maïstre, Fielding e Cervantes na obra do autor carioca.

Mesmo tantos anos passados de sua morte, a obra de Machado de Assis segue atual e imprescindível para se compreender a alma do povo brasileiro. Este livro, tanto para iniciados nos estudos sobre o bruxo do Cosme Velho quanto para neófitos, é obra de agradável leitura, didática e elucidativa, que lança um inusitado olhar ibérico sobre a obra de um de nossos melhores escritores.

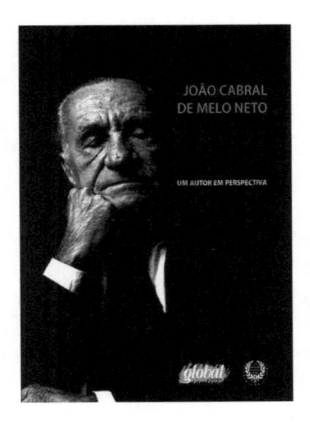

## João Cabral de Melo Neto – Um Autor em Perspectiva

*Um Autor em Perspectiva*, série coeditada pela Global Editora em parceria com a Academia Brasileira de Letras, a partir de estudos realizados pela Universidade de Salamanca, Espanha.

A escolha do poeta pernambucano ao início da coleção dá-se pelo fato de ser o mais espanhol dos autores brasileiros, haja vista que, diplomata, João Cabral trilhou substancial parte de sua carreira em solo espanhol, em cidades como Barcelona, onde viveu por duas ocasiões, a primeira em plena ditadura franquista, Sevilha, Madri, Andaluzia e Castela. Com esta última, João Cabral traçou um paralelo, por peculiaridades climáticas e geográficas, com o sertão do Nordeste.

A poesia de João Cabral de Melo Neto é contida, não se presta a arroubos emotivos, antes se trata de um tributo à técnica, à meticulosidade, deixando entrever a emoção em suaves nuanças que perpassam a construção criteriosa do verso. É antológica a comparação que o poeta faz de sua arte à do célebre toureiro Manolete, a frieza e a minúcia no esquivar-se da fera e golpeá-la com virtuosismo.

Diversos intelectuais espanhóis brasileiros dedicam-se ao peculiar estudo da obra deste grande poeta brasileiro, que só encontra paralelos contemporâneos em Manuel Bandeira e Carlos Drummond de Andrade, com quem forma a tríade suprema do século XX, sem se poder afirmar qual o mais fundamental para nossa literatura em verso. Há obviamente estudos acurados sobre sua obra-prima, *Morte e Vida Severina*, sobre o belíssimo "Tecendo a Manhã", mas também referências aos livros escritos durante esse período de serviço em Espanha.

Este livro é particularmente em deleite por evidenciar uma faceta multicultural do poeta nordestino, seu caráter de cidadão do mundo, enquanto diplomata e homem de letras, que tornou universal o drama do árido sertão.